KB085654

HIGHTOP
하이탑
과학 고수들의 필독서

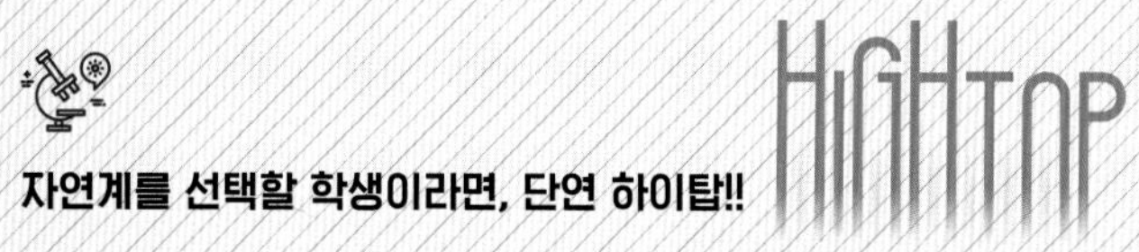

자연계를 선택할 학생이라면, 단연 하이탑!!
HiGHTOP

High Top

1권

물리학 Ⅱ

Structure

이 책의 구성과 특징

지금껏 선생님들과 학생들로부터 고등 과학의 바이블로 명성을 이어온 하이탑의 자랑거리는 바로,

- 기초부터 심화까지 이어지는 튼실한 내용 체계
- 백과사전처럼 자세하고 빈틈없는 개념 설명
- 내용의 이해를 돕기 위한 풍부한 자료
- 과학적 사고를 훈련시키는 논리정연한 문장

이었습니다. 이러한 전통과 장점을 이 책에 이어 담았습니다.

1 개념과 원리를 익히는 단계

● 개념 정리

여러 출판사의 교과서에서 다루는 개념들을 체계적으로 다시 정리하여 구성하였습니다.

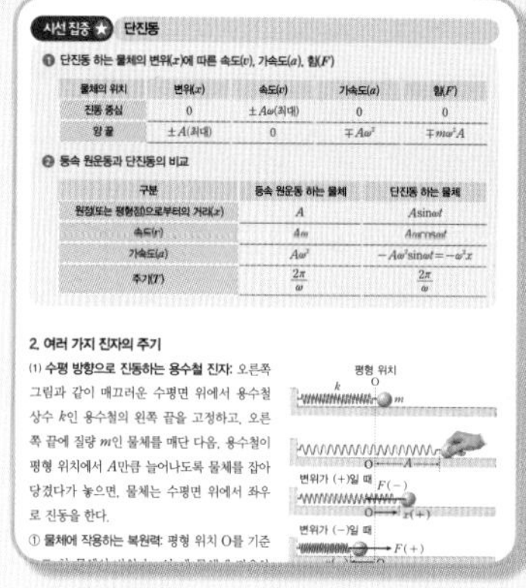

● 시선 집중

중요한 자료를 더 자세히 분석하거나 개념을 더 잘 이해할 수 있도록 추가로 설명하였습니다.

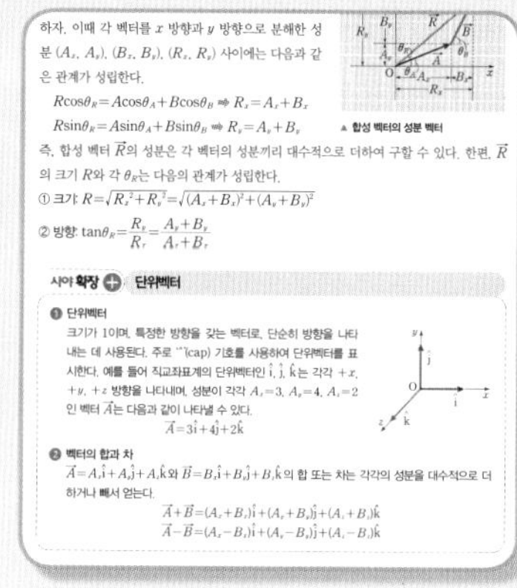

● 시야 확장

심도 깊은 내용을 이해하기 쉽도록 원리나 개념을 자세히 설명하였습니다.

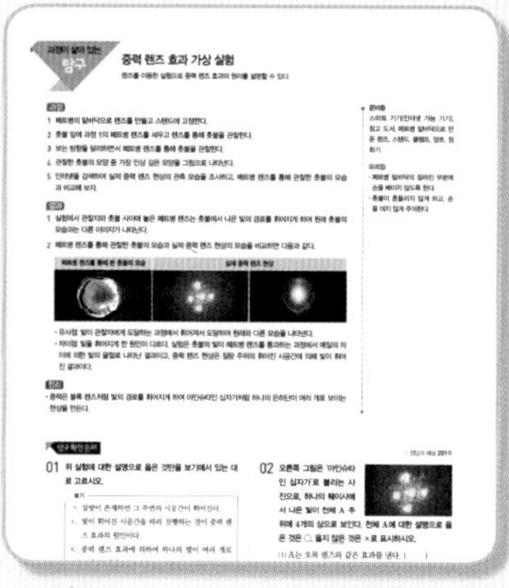

● 탐구

교과서에서 다루는 탐구 활동 중에서 가장 중요한 주제를 선별하여 수록하고, 과정과 결과를 철저히 분석하였습니다.

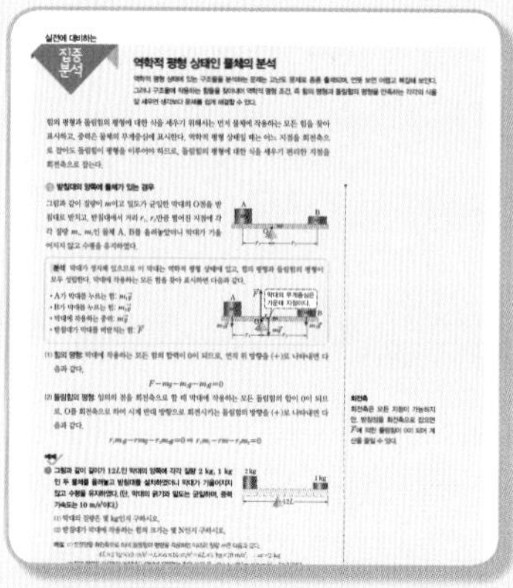

● 집중 분석

출제 빈도가 높은 주요 주제를 집중적으로 분석하고, 유제를 통해 실제 시험에 대비할 수 있도록 하였습니다.

● 심화

깊이 있게 이해할 필요가 있는 개념은 따로 발췌하여 심화 학습할 수 있도록 자세히 설명하고 분석하였습니다.

2 다양한 유형과 수준별 문제로 실력을 확인하는 단계

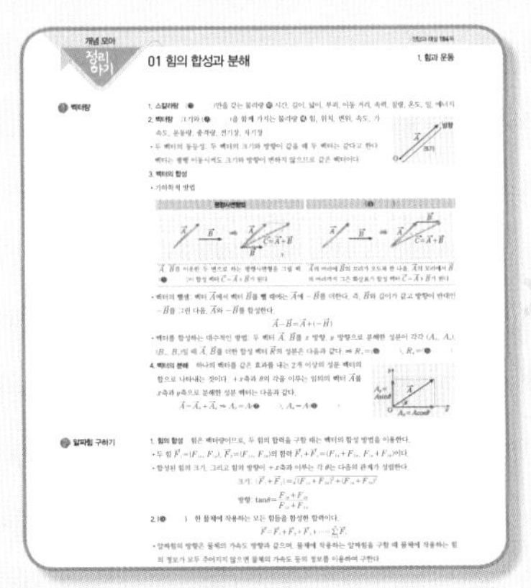

●**개념 모아 정리하기**

각 단원에서 배운 핵심 내용을 빈칸에 채워 나가면서 스스로 정리하는 코너입니다.

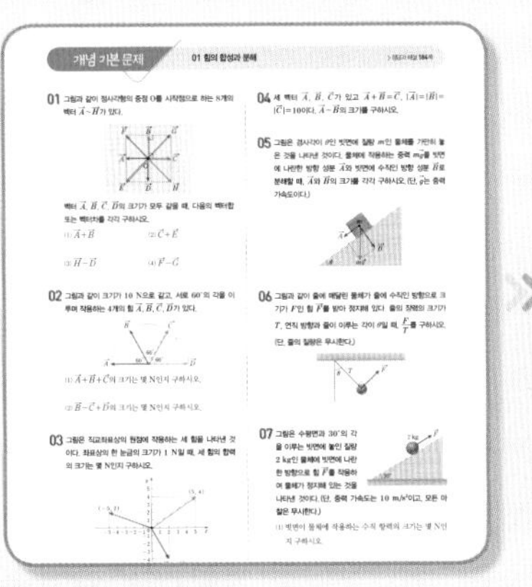

●**개념 기본 문제**

각 단원의 기본적이고 핵심적인 내용의 이해 여부를 평가하기 위한 코너입니다.

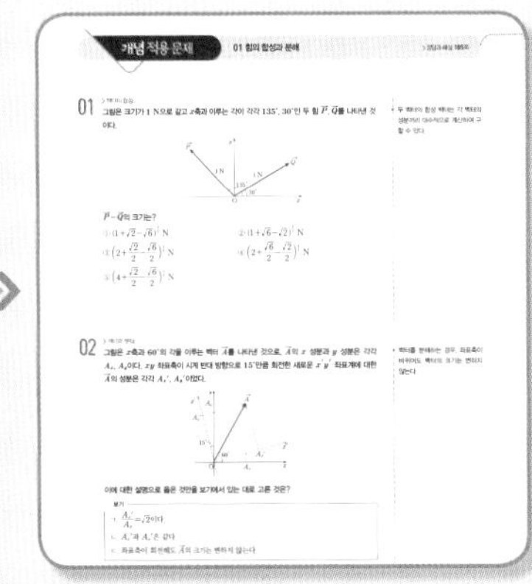

●**개념 적용 문제**

기출 문제 유형의 문제들로 구성된 코너입니다. '고난도 문제'도 수록하였습니다.

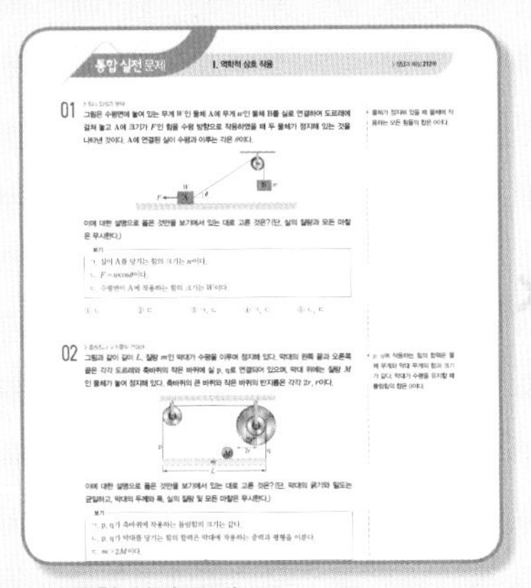

●**통합 실전 문제**

대단원별로 통합된 개념의 이해 여부를 확인함으로써 실전을 대비할 수 있도록 구성하였습니다.

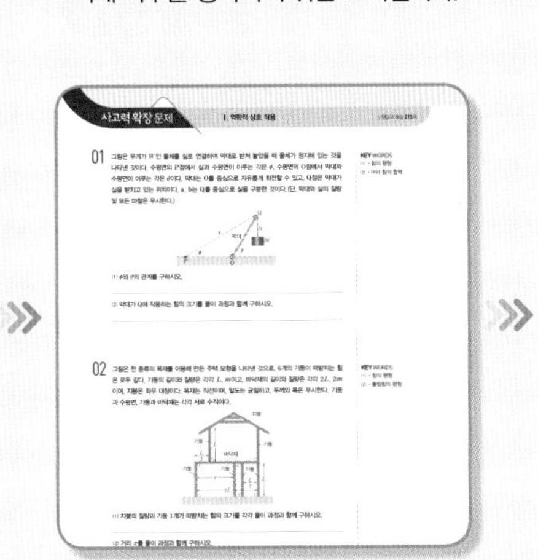

●**사고력 확장 문제**

창의력, 문제 해결력 등 한층 높은 수준의 사고력을 요하는 서술형 문제들로 구성하였습니다.

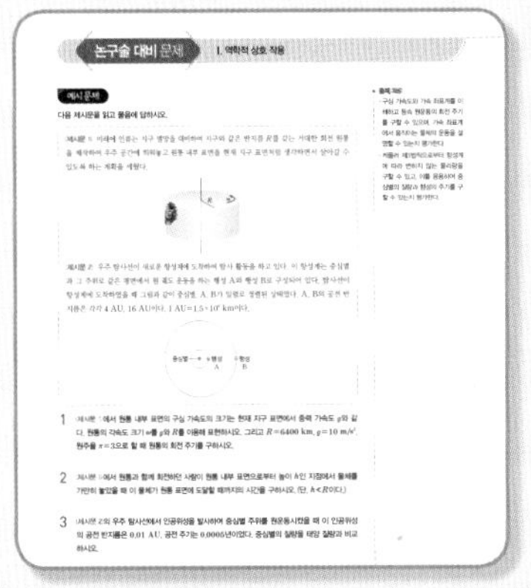

●**논구술 대비 문제**

논구술 시험에 출제되었거나, 출제 가능성이 높은 예상 문제로서, 답변 요령 및 예시 답안과 함께 제시하였습니다.

●**정답과 해설**

정답과 오답의 이유를 쉽게 이해할 수 있도록 자세하고 친절한 해설을 담았습니다.

"하이탑은 과학에 대한 열정을 지닌 독자님의 실력이 더욱 향상되길 기원합니다."

Contents

이 책의 차례 - 물리학

"자세하고 짜임새 있는 설명과 수준 높은 문제로 실력의 차이를 만드는 High Top"

1권

역학적 상호 작용

전자기장

1. 전기장

2. 자기장

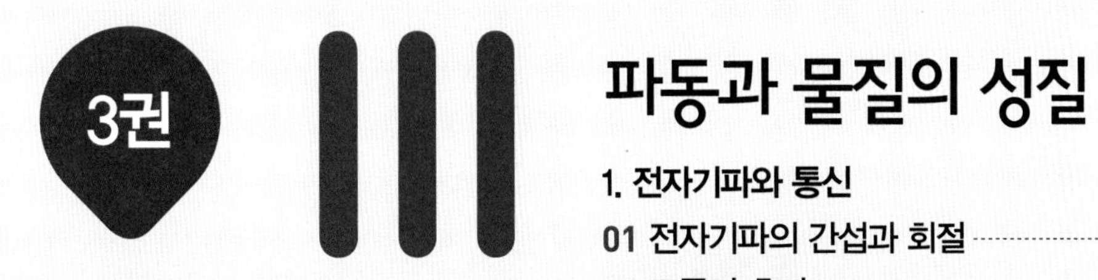

파동과 물질의 성질

1. 전자기파와 통신

2. 빛과 물질의 이중성

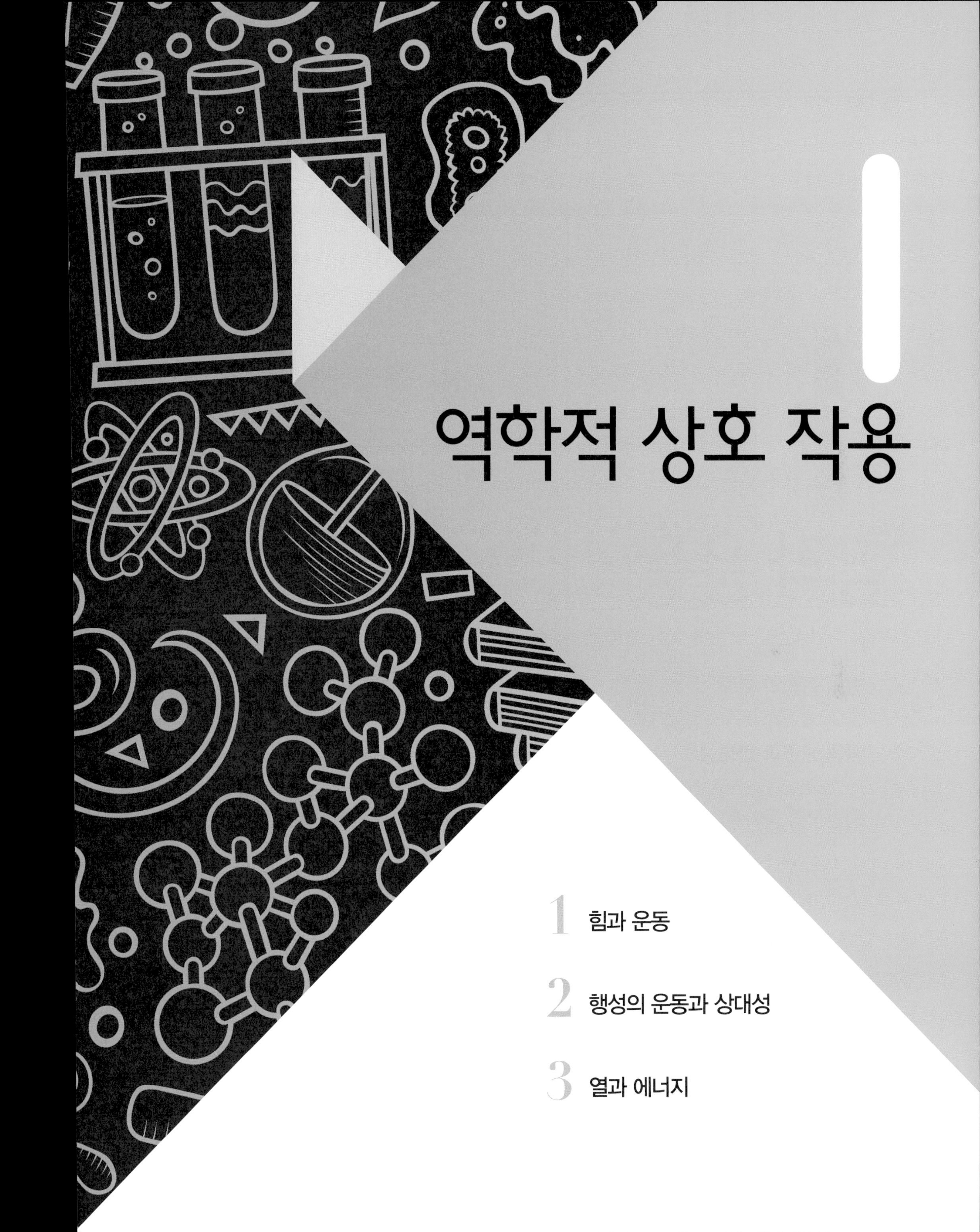

I 역학적 상호 작용

1 힘과 운동

2 행성의 운동과 상대성

3 열과 에너지

HighTop

1
힘과 운동

01 힘의 합성과 분해

02 힘의 평형과 안정성

03 평면상의 등가속도 운동

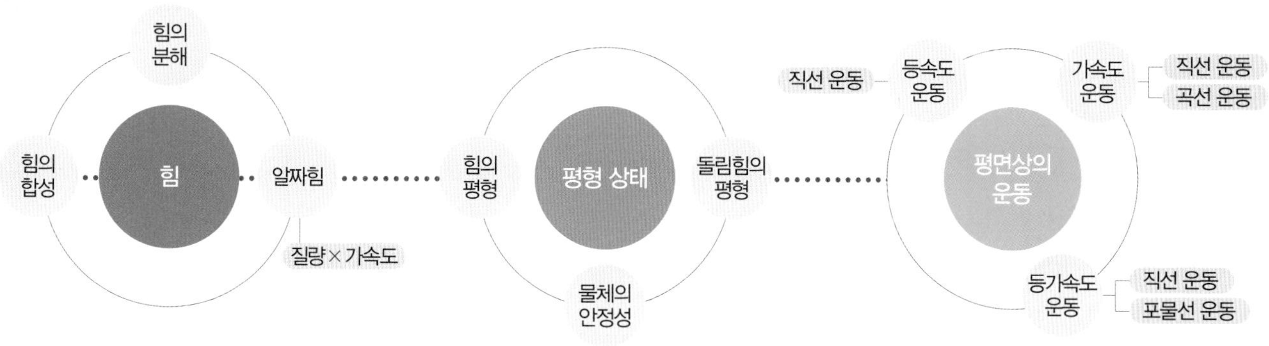

힘의 합성과 분해

힘의 평형과 안정성

평면상의 등가속도 운동

01 힘의 합성과 분해

학습 Point 스칼라량과 벡터량 > 벡터의 합성과 분해 > 힘의 합성과 분해 > 알짜힘 구하기

1 벡터량

직선을 따라 움직이는 물체는 두 방향으로만 움직일 수 있다. 이때 한 방향을 (+), 다른 방향을 (−)로 해서 물체에 작용하는 힘이나 속도 등을 나타낼 수 있다. 그러나 평면상에서 움직이는 물체라면 (+), (−) 부호만으로는 그 방향을 나타낼 수 없다. 이 경우에는 다른 방법이 필요하다.

1. 벡터량

(1) **스칼라량과 벡터량:** 물리적 현상을 나타내는 물리량은 크기만으로 표현되는 스칼라량과 크기와 방향이 함께 표현되는 벡터량으로 구분할 수 있다.

① **스칼라량:** 어떤 물체의 온도가 −10 ℃라고 하면 이것으로 온도는 완전하게 결정되며, 여기에 남쪽이나 북쪽 등의 방향은 필요 없다. 이처럼 크기만을 갖는 물리량을 스칼라량이라고 하며, 사칙 연산(+, −, ×, ÷)으로 계산할 수 있다.

예 시간, 길이, 넓이, 부피, 이동 거리, 속력, 질량, 온도, 일, 에너지

② **벡터량:** 물체에 10 N의 힘을 작용했을 때 이것만으로 그 물체의 운동 변화를 알 수는 없다. 힘이 작용하는 방향에 따라 그 힘의 효과가 다르기 때문이다. 이런 경우 힘을 완전하게 서술하려면 크기와 방향이 모두 필요한데, 이처럼 크기와 방향을 함께 가지는 물리량을 벡터량이라고 한다. 방향을 고려해야 하므로, 벡터량의 연산 방법은 사칙 연산과는 다르다.

예 힘, 위치, 변위, 속도, 가속도, 운동량, 충격량, 전기장, 자기장

(2) **벡터의 표시:** 벡터는 화살표로 나타내면 크기와 방향을 표현하기가 쉽다. 이때 화살표의 길이는 벡터의 크기를, 화살표의 방향은 벡터의 방향을 나타낸다.

벡터를 기호로 표시할 때는 스칼라와 구분하기 위해 $\vec{A}$처럼 문자 위에 화살표를 붙이거나, $\boldsymbol{A}$처럼 굵은 글씨로 나타낸다. $\vec{A}$의 크기는 절댓값 기호를 붙여서 $|\vec{A}|$, $|\boldsymbol{A}|$로 표시하거나, A처럼 문자만으로 나타낸다.

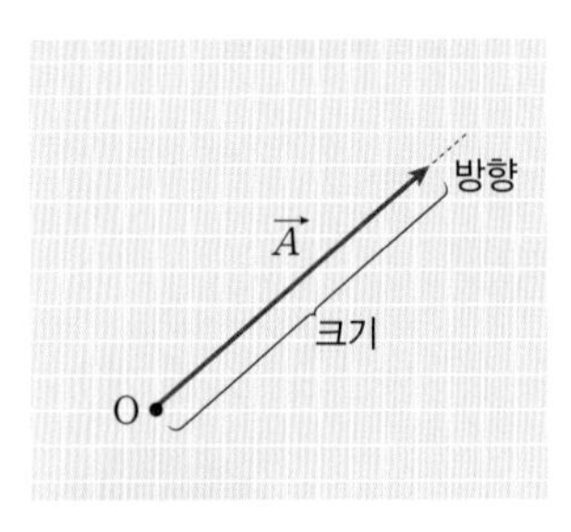

▲ 벡터의 표시

(3) **두 벡터의 동등성:** 두 벡터 $\vec{A}$, $\vec{B}$의 크기와 방향이 같을 때 두 벡터는 같다고 하고, $\vec{A}=\vec{B}$로 나타낸다. 오른쪽 그림과 같이 벡터를 평행 이동시켜도 크기와 방향이 변하지 않으므로, 두 벡터는 같은 벡터이다. 즉, 벡터는 평행 이동할 수 있다.

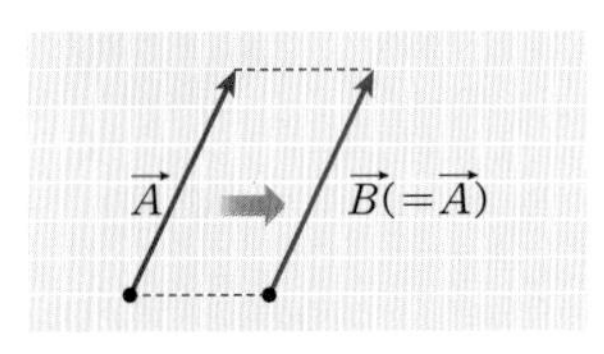

▲ 두 벡터의 동등성

스칼라와 벡터의 어원
- scalar는 '계단' 또는 '사다리'를 뜻하는 라틴어 scalae에서 파생된 scalaris에서 유래하였다. 저울을 의미하는 영어 scale의 어원도 된다.
- vector는 '나르다'라는 의미의 라틴어 vohere에서 파생된 운반자라는 의미의 vectus에서 유래하였다.

스칼라량과 벡터량에서의 부호
- 스칼라량: 온도나 에너지 등의 스칼라량은 (−)값을 가질 수 있다. 이때 (−)는 기준으로 정한 값보다 작다는 것으로, 온도가 −10 ℃라는 것은 기준인 0 ℃보다 10 ℃가 낮은 것을 뜻한다.
- 벡터량: 직선상의 벡터에서 한쪽 방향을 향하는 벡터를 (+)로 정하면, 반대 방향을 향하는 벡터는 (−)로 표시한다. 즉, 벡터량에서 (+), (−) 부호는 방향을 나타낸다.

벡터의 평행 이동
$\vec{A}$를 평행 이동하여 얻은 $\vec{B}$는 $\vec{A}$와 동일한 벡터이다.

2. 벡터의 합성

심화 17쪽

두 벡터 $\vec{A}$, $\vec{B}$가 있을 때, 이 둘을 더한 벡터 $\vec{C}=\vec{A}+\vec{B}$를 구하는 것을 벡터의 합성이라고 하며, 이렇게 구한 $\vec{C}$를 합성 벡터라고 한다. 벡터를 합성하는 기하학적 방법에는 평행사변형법과 삼각형법이 있다.

(1) 벡터의 덧셈

① 평행사변형법: $\vec{A}$, $\vec{B}$를 더할 때 두 벡터의 꼬리가 일치하도록 두 벡터를 평행 이동한 후, $\vec{A}$, $\vec{B}$를 이웃한 두 변으로 하는 평행사변형을 그린다. 여기서 평행사변형의 대각선이 합성 벡터 $\vec{C}=\vec{A}+\vec{B}$가 된다. 합성 벡터 $\vec{C}$의 크기는 대각선의 길이이고, 방향은 대각선의 방향이 된다. 이러한 벡터의 합성 방법을 평행사변형법이라고 한다.

• 합성 벡터 $\vec{C}$의 크기 구하기: 두 벡터 $\vec{A}$, $\vec{B}$가 이루는 각이 θ일 때 합성 벡터 $\vec{C}$의 크기는 코사인 제2법칙을 이용하면 다음과 같이 나타낼 수 있다.

$$|\vec{C}|=\sqrt{A^2+B^2+2AB\cos\theta}$$

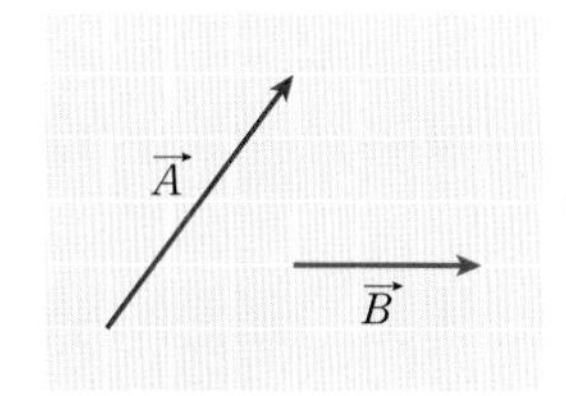

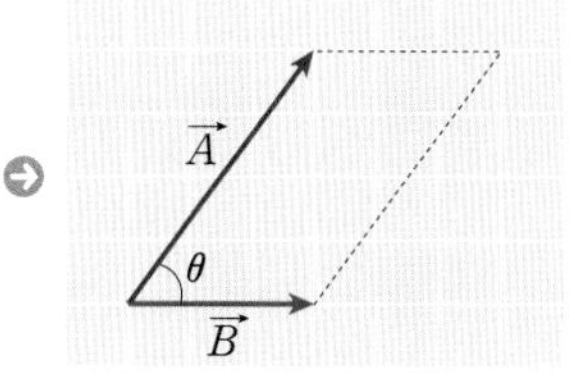

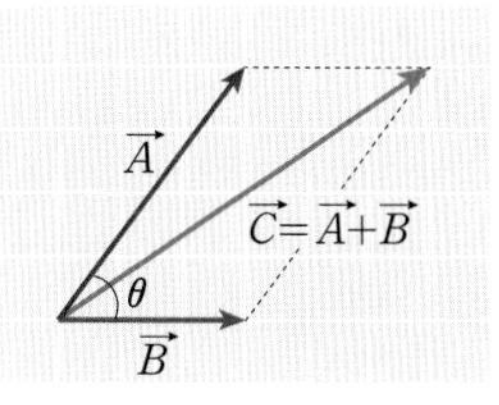

▲ 평행사변형법

② 삼각형법: $\vec{A}$, $\vec{B}$를 더할 때 $\vec{A}$의 머리에 $\vec{B}$의 꼬리가 오도록 $\vec{B}$를 평행 이동시킨다. 그리고 $\vec{A}$의 꼬리에서 $\vec{B}$의 머리까지 화살표를 그어 삼각형이 되도록 하면, 이 화살표가 두 벡터의 합성 벡터 $\vec{C}$가 된다. 이러한 벡터의 합성 방법을 삼각형법이라고 한다.

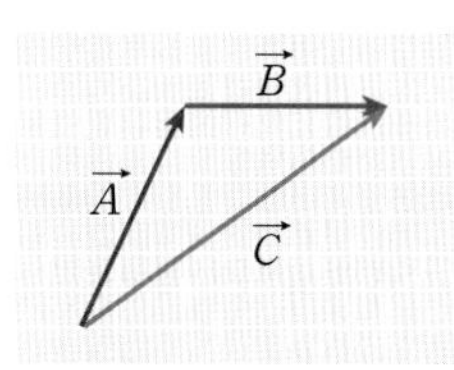

▲ 삼각형법

③ 벡터 덧셈의 특징

• 교환 법칙: 두 벡터를 더할 때 더하는 순서는 관계가 없다. 즉, $\vec{A}$에 $\vec{B}$를 더하는 것과 $\vec{B}$에 $\vec{A}$를 더하는 것은 결과가 동일하다.

$$\vec{A}+\vec{B}=\vec{B}+\vec{A}$$

• 결합 법칙: 3개 이상의 벡터를 더할 때에는 먼저 두 벡터의 합을 구한 다음, 그 합성 벡터와 나머지 벡터를 차례대로 더하면 된다. 이때 그 합은 어느 두 벡터를 먼저 더하는지에 무관하다. 즉, 벡터 $\vec{A}$, $\vec{B}$, $\vec{C}$를 더할 때 $\vec{A}$와 $\vec{B}$를 더한 후 $\vec{C}$를 더하는 것과 $\vec{B}$와 $\vec{C}$를 더한 후 $\vec{A}$를 더한 것의 결과는 동일하다.

$$(\vec{A}+\vec{B})+\vec{C}=\vec{A}+(\vec{B}+\vec{C})$$

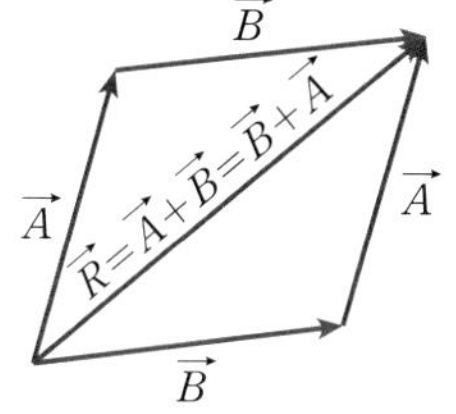
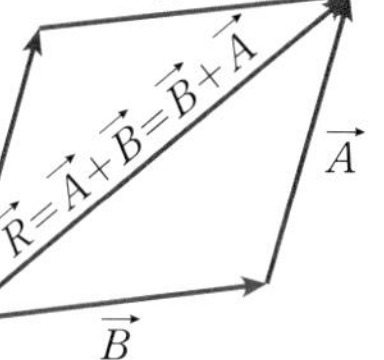

▲ 교환 법칙

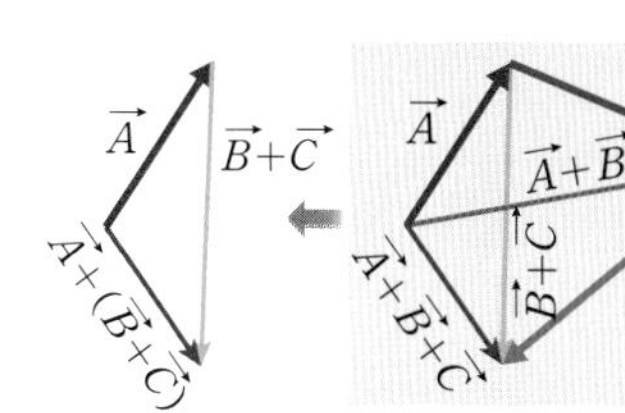
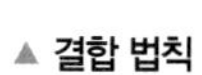

▲ 결합 법칙

코사인 법칙

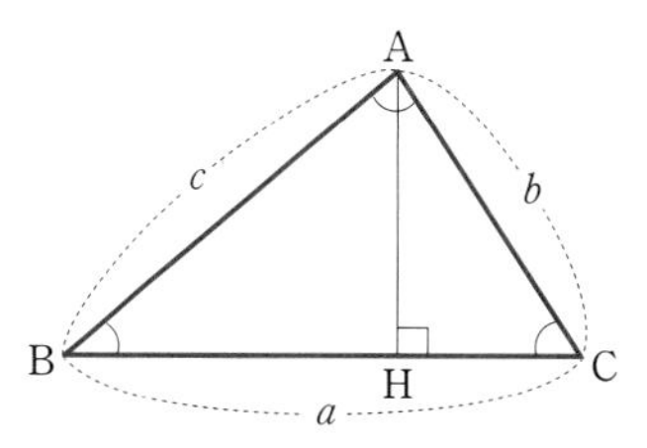

△ABC에서 A, B, C는 각, a, b, c는 변의 길이일 때

$a=c\cos B+b\cos C$ … ①

$b=a\cos C+c\cos A$ … ②

$c=a\cos B+b\cos A$ … ③

의 관계가 코사인 제1법칙이다.

(①$\times a$)+(②$\times b$)−(③$\times c$)를 하면

$a^2+b^2-c^2=2ab\cos C$ … ④

이고, 식 ④는 코사인 제2법칙이다.

합성 벡터의 크기 유도

두 벡터 $\vec{A}$, $\vec{B}$가 이루는 각이 θ일 때 코사인 제2법칙에 의해 합성 벡터 $\vec{C}$의 크기는 다음과 같다.

$$C^2=A^2+B^2-2AB\cos(180°-\theta)$$
$$=A^2+B^2+2AB\cos\theta$$
$$C=\sqrt{A^2+B^2+2AB\cos\theta}$$

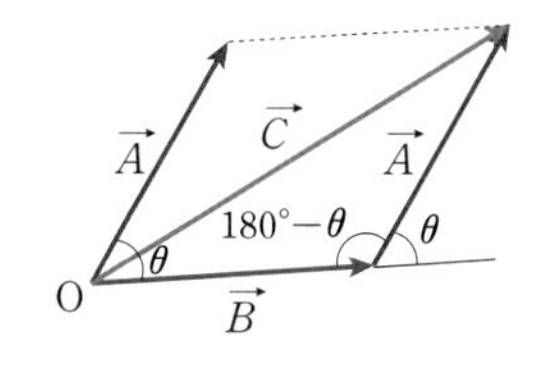

여러 벡터의 기하학적인 합성 방법

삼각형법을 이용하여 여러 벡터를 더할 경우 한 벡터의 머리에 다른 벡터의 꼬리를 계속 이어 나간다.

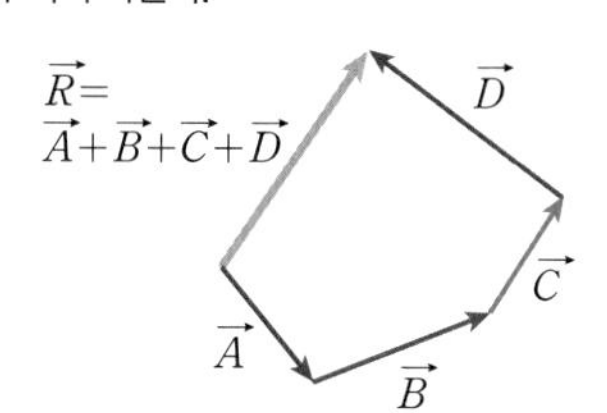

(2) 벡터의 뺄셈

① **(−)벡터:** 벡터 $\vec{A}$의 (−)벡터는 벡터 $\vec{A}$에 더하면 그 합이 0이 되는 벡터이다. 따라서 벡터 $\vec{A}$와 크기가 같고 방향이 반대인 벡터는 $-\vec{A}$로 나타낸다.

$$\vec{A}+(-\vec{A})=0$$

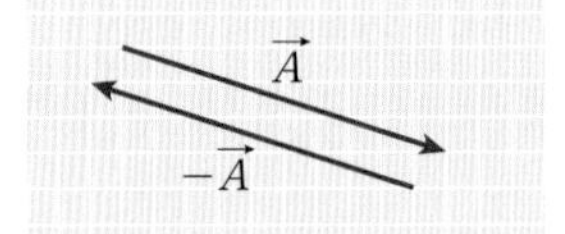

▲ (−)벡터

② **벡터의 뺄셈:** 벡터 $\vec{A}$에서 벡터 $\vec{B}$를 뺄 때에는 벡터 $\vec{A}$에 $-\vec{B}$를 더하여 구한다.

$$\vec{D}=\vec{A}-\vec{B}=\vec{A}+(-\vec{B})$$

- 평행사변형법: 그림 (가)와 같이 벡터 $\vec{B}$와 길이가 같고 방향이 반대인 벡터 $-\vec{B}$를 그린 다음, $\vec{A}$와 $-\vec{B}$를 평행사변형법으로 합성한다.
- 삼각형법: 그림 (나)와 같이 벡터 $\vec{A}$, $\vec{B}$의 꼬리를 일치시킨 후 벡터 $\vec{B}$의 머리에서 벡터 $\vec{A}$의 머리까지 그은 화살표가 벡터 $\vec{A}$에서 벡터 $\vec{B}$를 뺀 벡터 $\vec{D}$가 된다.

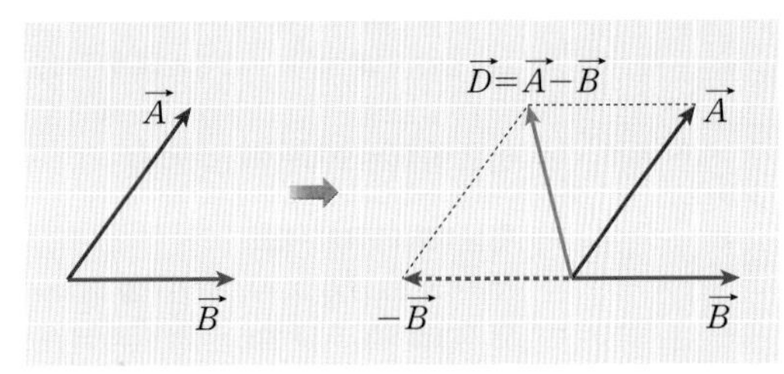

(가) 평행사변형법　　(나) 삼각형법

▲ 벡터의 뺄셈

(3) 벡터와 스칼라의 곱

① 벡터 $\vec{A}$에 스칼라량인 n을 곱한 벡터 $n\vec{A}$는

- $n>0$일 때: 벡터 $\vec{A}$와 방향이 같고, 크기가 A의 n배인 벡터이다.
- $n<0$일 때: 벡터 $\vec{A}$와 방향이 반대이고, 크기가 A의 $|n|$배인 벡터이다.

② 벡터의 덧셈에서는 분배 법칙이 성립한다.

$$n(\vec{A}+\vec{B})=n\vec{A}+n\vec{B} \text{ (단, } n\text{은 임의의 실수)}$$

벡터와 스칼라 곱의 예

- $2\vec{A}$: 크기가 $\vec{A}$의 2배이고, 방향은 $\vec{A}$와 같은 벡터이다.
- $-\frac{1}{2}\vec{A}$: 크기가 $\vec{A}$의 $\frac{1}{2}$배이고, 방향이 $\vec{A}$와 반대인 벡터이다.

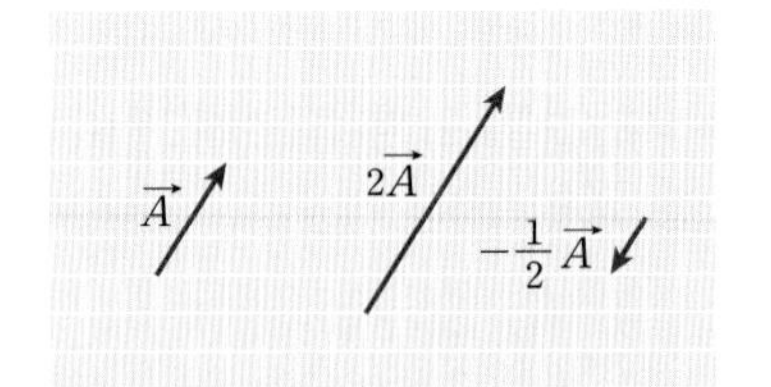

3. 벡터의 분해

벡터를 합성하는 경우와는 반대로, 임의의 벡터를 삼각형법 또는 평행사변형법을 만족하는 2개 이상의 벡터로 분해하여 표시할 수 있다. 이처럼 하나의 벡터를 같은 효과를 내는 2개 이상의 성분 벡터의 합으로 나타내는 것을 벡터의 분해라고 한다.

(1) **성분 벡터:** 벡터 $\vec{A}$를 분해한 각각의 벡터를 $\vec{A}$의 성분 벡터라고 한다.

(2) 평행사변형법을 이용한 벡터의 분해

벡터 $\vec{A}$를 분해할 때 주어진 벡터 $\vec{A}$를 대각선으로 하는 평행사변형을 그리면 이웃한 두 변이 분해된 각각의 성분 벡터가 된다. 분해하는 방향은 임의로 정할 수 있어서 한 벡터의 성분 벡터는 오른쪽 그림과 같이 무수히 구할 수 있다.

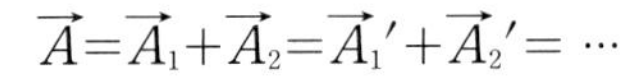

$$\vec{A}=\vec{A_1}+\vec{A_2}=\vec{A_1}'+\vec{A_2}'=\cdots$$

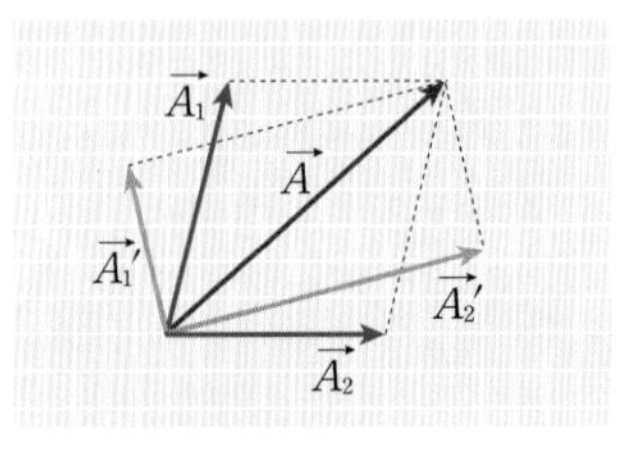

▲ 벡터의 분해와 성분 벡터

4. 벡터의 성분

벡터를 합성할 때 매번 기하학적인 방법을 사용하는 것은 번거로운 일이다. 따라서 벡터를 합성할 때는 일반적으로 각 벡터를 직교좌표 방향(x 방향과 y 방향)의 각 성분 벡터로 분해하여, 각 성분 벡터끼리 대수적으로 더하는 방법이 이용된다.

(1) 직교좌표계에서 벡터의 분해

임의의 벡터 $\vec{A}$가 x축의 (+)방향과 θ의 각을 이루며 놓여 있을 때 $\vec{A}$를 x 방향과 y 방향으로 분해할 수 있다. 이때 x 방향의 성분 A_x와 y 방향의 성분 A_y는 각각 다음과 같다.

$$\vec{A}=\vec{A}_x+\vec{A}_y \Rightarrow A_x=A\cos\theta,\ A_y=A\sin\theta$$

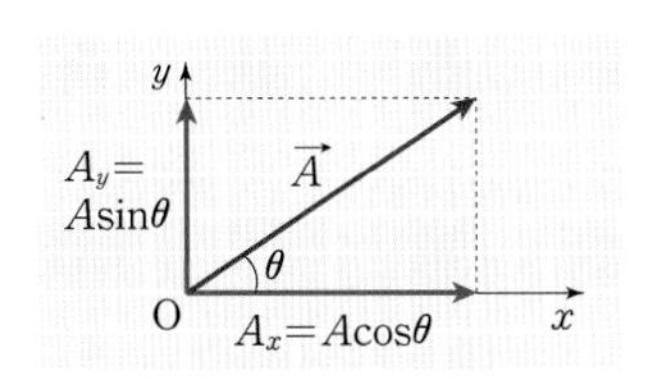

▲ 직교좌표계에서 벡터의 분해

$\vec{A}_x$와 $\vec{A}_y$는 서로 수직이므로, 벡터 $\vec{A}$의 크기 A와 각 θ는 다음의 관계가 성립한다.

$$A=\sqrt{A_x^2+A_y^2},\ \tan\theta=\frac{A_y}{A_x}$$

벡터 성분의 기호

벡터 $\vec{A}$를 x 방향과 y 방향으로 분해했을 때 성분 벡터 A_x, A_y의 부호는 벡터 $\vec{A}$가 위치하는 사분면에 따라 다음 그림과 같이 정해진다.

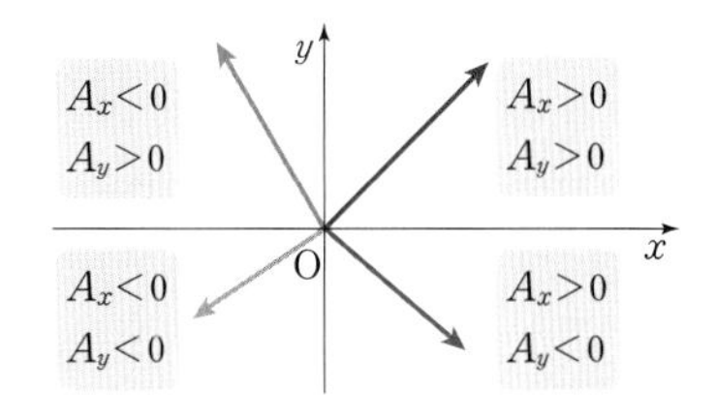

(2) 벡터를 합성하는 대수적인 방법

두 벡터 $\vec{A}$, $\vec{B}$를 더한 합성 벡터를 $\vec{R}$라고 할 때, 각 벡터가 x축의 (+)방향과 이루는 각을 θ_A, θ_B, θ_R라고 하자. 이때 각 벡터를 x 방향과 y 방향으로 분해한 성분 (A_x, A_y), (B_x, B_y), (R_x, R_y) 사이에는 다음과 같은 관계가 성립한다.

$$R\cos\theta_R=A\cos\theta_A+B\cos\theta_B \Rightarrow R_x=A_x+B_x$$

$$R\sin\theta_R=A\sin\theta_A+B\sin\theta_B \Rightarrow R_y=A_y+B_y$$

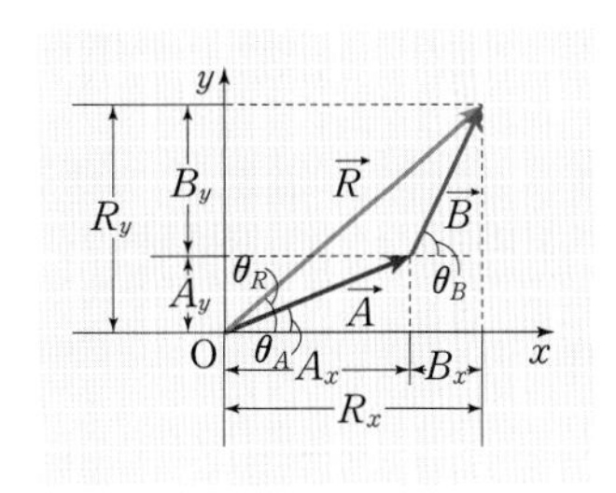

▲ 합성 벡터의 성분 벡터

즉, 합성 벡터 $\vec{R}$의 성분은 각 벡터의 성분끼리 대수적으로 더하여 구할 수 있다. 한편, $\vec{R}$의 크기 R와 각 θ_R는 다음의 관계가 성립한다.

① 크기: $R=\sqrt{R_x^2+R_y^2}=\sqrt{(A_x+B_x)^2+(A_y+B_y)^2}$

② 방향: $\tan\theta_R=\frac{R_y}{R_x}=\frac{A_y+B_y}{A_x+B_x}$

여러 벡터의 대수적인 합성 방법

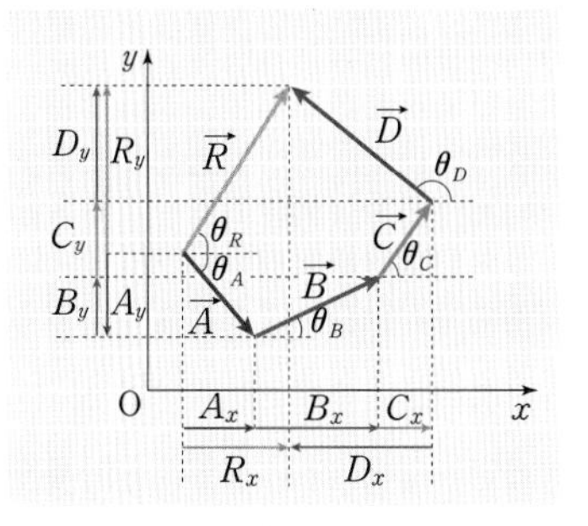

네 벡터 $\vec{A}$, $\vec{B}$, $\vec{C}$, $\vec{D}$를 합성한 벡터를 $\vec{R}$라 고 하면, $\vec{R}$의 성분 벡터는 다음과 같다.

$$\vec{R}=\vec{A}+\vec{B}+\vec{C}+\vec{D}$$

- $R_x=A_x+B_x+C_x+D_x$
- $R_y=A_y+B_y+C_y+D_y$

또, $\vec{R}$의 크기는

$R=\sqrt{(A_x+B_x+C_x+D_x)^2+(A_y+B_y+C_y+D_y)^2}$

이고, $\vec{R}$의 방향 θ_R는

$$\tan\theta_R=\frac{R_y}{R_x}=\frac{A_y+B_y+C_y+D_y}{A_x+B_x+C_x+D_x}$$

가 성립한다. 이때 각 성분의 (+), (−) 부호를 고려하여 더해야 한다.

시야 확장 ⊕ 단위벡터

❶ 단위벡터

크기가 1이며, 특정한 방향을 갖는 벡터로, 단순히 방향을 나타내는 데 사용된다. 주로 '^'(hat) 기호를 사용하여 단위벡터를 표시한다. 예를 들어 직교좌표계의 단위벡터인 $\hat{i}$, $\hat{j}$, $\hat{k}$는 각각 $+x$, $+y$, $+z$ 방향을 나타내며, 성분이 각각 $A_x=3$, $A_y=4$, $A_z=2$인 벡터 $\vec{A}$는 다음과 같이 나타낼 수 있다.

$$\vec{A}=3\hat{i}+4\hat{j}+2\hat{k}$$

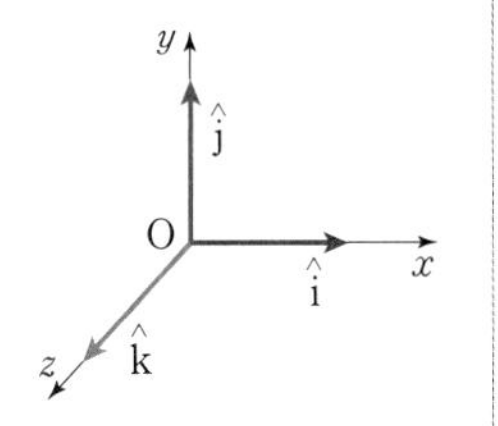

❷ 벡터의 합과 차

$\vec{A}=A_x\hat{i}+A_y\hat{j}+A_z\hat{k}$와 $\vec{B}=B_x\hat{i}+B_y\hat{j}+B_z\hat{k}$의 합 또는 차는 각각의 성분을 대수적으로 더하거나 빼서 얻는다.

$$\vec{A}+\vec{B}=(A_x+B_x)\hat{i}+(A_y+B_y)\hat{j}+(A_z+B_z)\hat{k}$$

$$\vec{A}-\vec{B}=(A_x-B_x)\hat{i}+(A_y-B_y)\hat{j}+(A_z-B_z)\hat{k}$$

알짜힘 구하기

한 물체에 여러 힘이 작용할 때 물체의 운동을 분석하면 힘은 크기뿐만 아니라 방향이 있는 물리량으로 취급하여야 한다는 것을 알 수 있다. 평면상에서 한 물체에 여러 힘이 작용하거나 하나의 힘이 작용할 때 물체의 운동을 분석하는 방법을 알아보자.

1. 힘

힘은 물체의 모양이나 운동 상태를 변화시키는 원인으로, 힘의 크기가 같아도 방향이 다르면 힘의 효과가 달라진다. 그림 (가)와 같이 한 물체에 같은 방향으로 같은 크기의 두 힘 $\vec{F}_1$, $\vec{F}_2$가 작용하면 크기가 2배인 힘의 효과가 나타나고, (나)와 같이 한 물체에 반대 방향으로 같은 크기의 두 힘 $\vec{F}_1$, $\vec{F}_2$가 작용하면 힘이 작용하지 않는 것과 같은 효과가 나타난다. 또한, 그림 (다)와 같이 세 힘이 작용하여 물체가 정지해 있으면 세 힘의 효과가 0이므로, 두 힘의 효과($\vec{F}_2+\vec{F}_3$)가 다른 한 힘과 크기가 같고 방향이 반대인 힘($-\vec{F}_1$)과 같다. 이러한 힘의 성질로부터 벡터가 탄생하였으며, 힘은 벡터의 성질을 갖는다.

힘의 작용
힘은 접촉에 의해 물체에 작용하는 경우와 접촉하지 않고 떨어져 있는 두 물체 사이에 작용하는 경우가 있다.

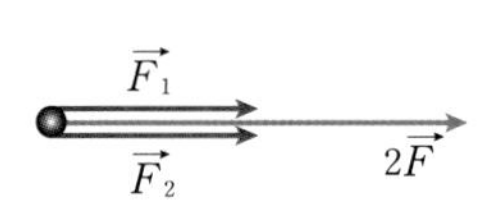

(가) 같은 방향으로 같은 크기의 두 힘이 작용할 때

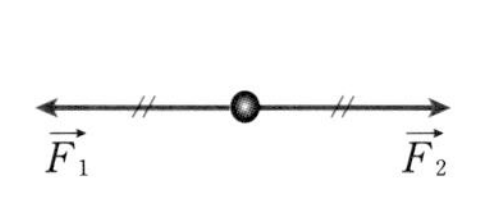

(나) 반대 방향으로 같은 크기의 두 힘이 작용할 때

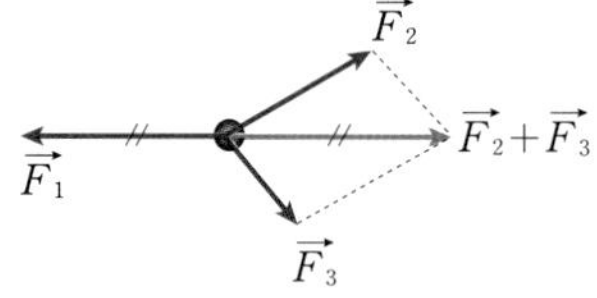

(다) 힘의 효과가 0인 세 힘이 작용할 때

▲ 한 물체에 여러 힘이 작용할 때

(1) **힘의 합성:** 한 물체에 여러 힘이 작용하였을 때와 같은 효과를 나타내는 하나의 힘을 찾는 것을 힘의 합성이라고 한다. 힘은 벡터량이므로 기하학적 방법(평행사변형법, 삼각형법) 또는 대수적인 방법으로 합성하며, 합성된 힘을 합력이라고 한다. 두 힘 $\vec{F}_1$, $\vec{F}_2$를 직교좌표계의 성분으로 표시하면 $\vec{F}_1=(F_{1x}, F_{1y})$, $\vec{F}_2=(F_{2x}, F_{2y})$이므로 합력의 성분을 각 힘의 성분끼리 대수적으로 구하면

$$\vec{F}_1+\vec{F}_2=(F_{1x}+F_{2x}, F_{1y}+F_{2y})$$

이다. 합성된 힘의 크기와 힘의 방향이 x축과 이루는 각 θ는 다음의 관계가 성립한다.

① 크기: $|\vec{F}_1+\vec{F}_2|=\sqrt{(F_{1x}, F_{2x})^2+(F_{1y}, F_{2y})^2}$

② 방향: $\tan\theta=\dfrac{F_{1y}+F_{2y}}{F_{1x}+F_{2x}}$

(2) **힘의 분해:** 하나의 힘을 그 힘과 같은 효과를 나타내는 둘 이상의 힘으로 나누는 것을 힘의 분해라 하고, 나누어진 각각의 힘들을 그 힘의 성분이라고 한다. 힘의 분해는 벡터의 분해 방법과 같다. 이때 분해하는 방향은 임의로 정할 수 있지만, 보통 서로 수직인 두 벡터로 분해한다.

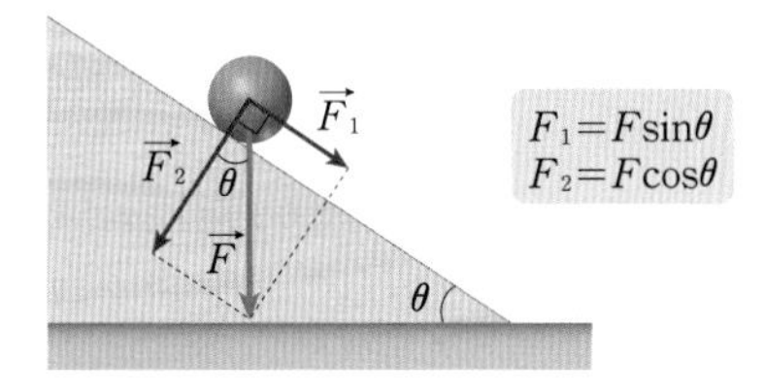

$F_1=F\sin\theta$
$F_2=F\cos\theta$

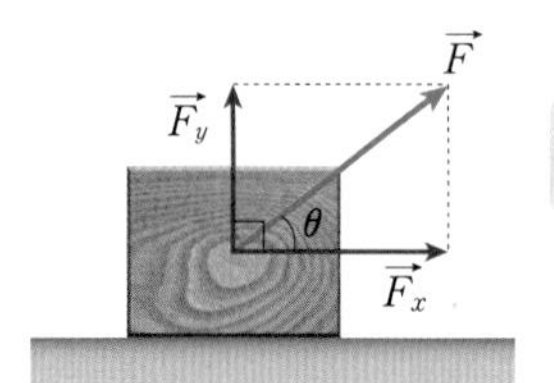

$F_x=F\cos\theta$
$F_y=F\sin\theta$

▲ 힘의 분해

2. 여러 가지 경우의 알짜힘 구하기

한 물체에 작용하는 모든 힘들을 합성하여 구한 합력을 알짜힘이라고 한다. 물체에 작용하는 중력, 수직 항력, 전기력, 자기력, 마찰력 등 모든 힘의 합력이며, 여러 힘 중에서 일부 힘들을 합성하여 구한 합력과 구별한다. 물체에 작용하는 힘들이 $\vec{F}_1$, $\vec{F}_2$, $\vec{F}_3$, ⋯ 이면 알짜힘 $\vec{F}$는

$$\vec{F}=\vec{F}_1+\vec{F}_2+\vec{F}_3+\cdots=\sum_{i=1}^{n}\vec{F}_i$$

이며, 벡터의 합성 방법으로 구한다. 뉴턴 운동 제2법칙에 따라 알짜힘을 물체의 질량으로 나눈 것이 물체의 가속도이므로, 알짜힘의 방향은 물체의 가속도 방향과 같다. 알짜힘이 0이면 가속도가 0이 되어 물체는 정지해 있거나 등속도 운동을 한다.

(1) 수평면에 놓인 물체에 작용하는 알짜힘

마찰이 없는 수평 책상에 물체가 놓여 있을 때 물체에는 지구가 잡아당기는 중력 $\vec{F}_g$와 책상면이 받쳐주는 수직 항력 $\vec{N}$이 작용한다. 이때 물체는 중력과 같은 크기의 힘 $\vec{F}_{\mathrm{mt}}$로 책상을 누르므로, 수직 항력의 크기는 중력의 크기와 같다. 따라서 물체에 작용하는 중력 $\vec{F}_g$와 수직 항력 $\vec{N}$은 서로 평형을 이루므로, 알짜힘은 0이다.

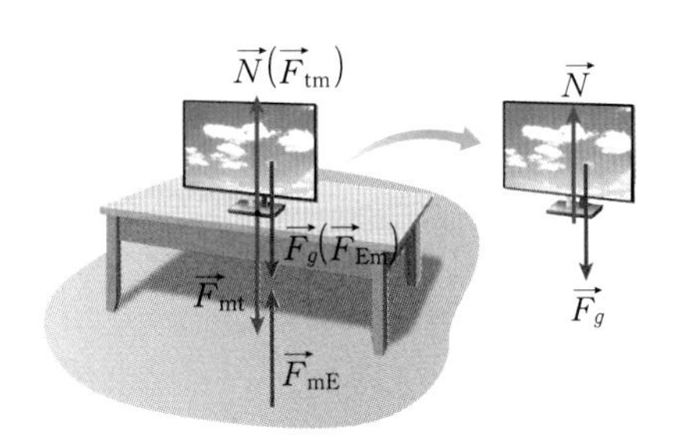

▲ 수평 책상 위에 놓인 물체에 작용하는 힘

수직 항력
물체가 접촉면을 수직으로 누르는 힘의 반작용으로 접촉면이 물체를 수직으로 떠받치는 힘이다. 따라서 수직 항력은 항상 접촉면에 수직인 방향으로 작용하며, 물체가 접촉면을 수직으로 누르는 힘과 크기가 같다.

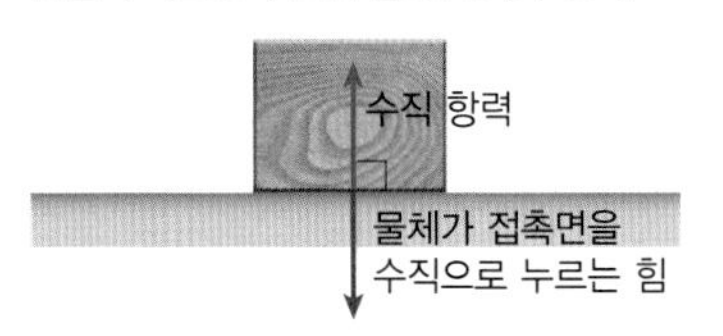

(2) 마찰이 없는 빗면에 놓인 물체에 작용하는 알짜힘

그림 (가)와 같이 마찰이 없고 경사각 θ인 빗면에 질량 m인 물체를 놓으면 물체는 중력 $m\vec{g}$($\vec{g}$: 중력 가속도)와 수직 항력 $\vec{N}$이 작용하여 빗면 아래로 미끄러져 내려간다. 그림 (나)와 같이 빗면에 나란한 방향을 x축, 수직인 방향을 y축으로 정하고, 물체에 작용하는 힘을 각각 분해하면 다음과 같다.

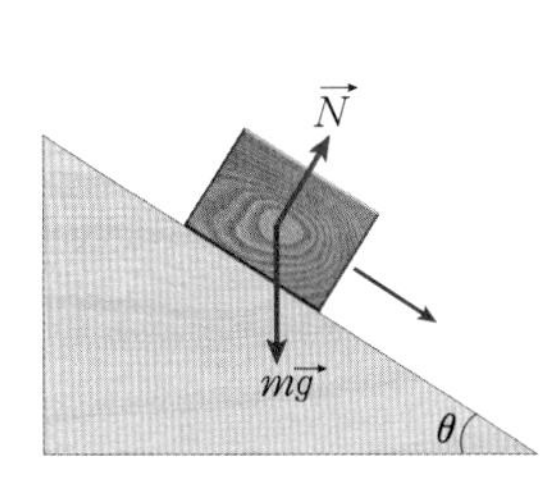

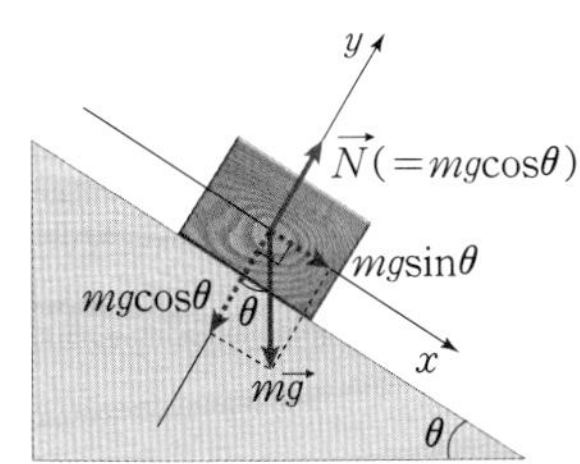

힘	x 성분	y 성분
중력	$mg\sin\theta$	$mg\cos\theta$
수직 항력	0	N

▲ 마찰이 없는 빗면에 놓인 물체에 작용하는 힘

① 수직 항력은 물체가 빗면을 수직으로 누르는 힘(중력의 y 성분)과 크기가 같으므로, $N=mg\cos\theta$이다. 따라서 물체에 작용하는 힘의 x, y 성분의 합력은 다음과 같다.

- x 성분: $F_x=mg\sin\theta$
- y 성분: $F_y=N-mg\cos\theta=0$

② 물체는 빗면 아래 방향으로 $F=mg\sin\theta$의 알짜힘을 받아 가속도가 일정한 등가속도 운동을 한다.

③ 빗면의 경사각 $\theta=0°$이면, 알짜힘 $F=mg\sin\theta=0$이고, $N=mg\cos\theta=mg$가 되어 수평면에 놓인 물체와 같은 결과가 나온다.

(3) 물체가 매달려 있는 줄에 작용하는 장력

그림과 같이 세 개의 줄을 이용하여 질량 m인 물체를 매달아 물체가 정지해 있을 때, 세 줄이 묶여 있는 매듭에는 크기가 T_1, T_2, T_3인 장력이 함께 작용한다. 물체가 정지해 있으므로, 물체에 작용하는 알짜힘은 0이고, $T_3=mg$가 된다. 두 줄이 수평인 천장과 이루는 각이 각각 θ_1, θ_2일 때 세 줄이 묶여 있는 매듭 O에 작용하는 힘 $\vec{T}_1$, $\vec{T}_2$, $\vec{T}_3$를 x 성분과 y 성분으로 분해하면 다음과 같다.

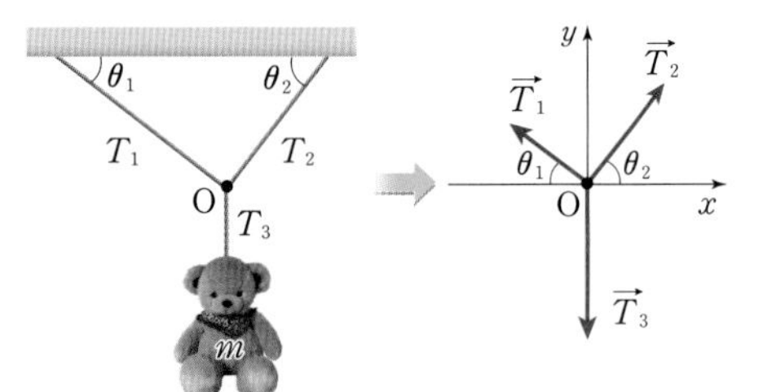

힘	x 성분	y 성분
$\vec{T}_1$	$-T_1\cos\theta_1$	$T_1\sin\theta_1$
$\vec{T}_2$	$T_2\cos\theta_2$	$T_2\sin\theta_2$
$\vec{T}_3$	0	$-mg$

▲ 줄에 매달린 물체에 작용하는 힘

① 매듭 O에 작용하는 알짜힘이 0이므로, x 성분과 y 성분의 합력은 각각 다음과 같다.

• x 성분: $F_x=-T_1\cos\theta_1+T_2\cos\theta_2=0$ ⋯ ㉠

• y 성분: $F_y=T_1\sin\theta_1+T_2\sin\theta_2-mg=0$ ⋯ ㉡

② ㉠의 식에서 $T_2=T_1\left(\frac{\cos\theta_1}{\cos\theta_2}\right)$이므로, 이를 ㉡의 식에 대입하면 T_1은 다음과 같다.

$$T_1\sin\theta_1+T_1\left(\frac{\cos\theta_1}{\cos\theta_2}\right)\sin\theta_2-mg=0 \Rightarrow T_1=\frac{mg}{\sin\theta_1+\cos\theta_1\tan\theta_2}$$

③ $\theta_1=\theta_2$인 경우, $T_2=T_1\left(\frac{\cos\theta_1}{\cos\theta_2}\right)=T_1$이 되어 두 장력 $\vec{T}_1$, $\vec{T}_2$는 θ의 값에 관계없이 크기가 같다.

장력

줄의 질량(무게)를 무시하면, 줄의 어느 점에서나 외력(중력 또는 당기는 힘)의 크기와 같다.

예제

1. 그림은 경사각이 30°인 빗면에 놓인 물체가 빗면을 따라 미끄러져 내려가는 것을 나타낸 것이다. 물체의 가속도의 크기는 몇 m/s²인지 구하시오. (단, 중력 가속도는 10 m/s²이고, 모든 마찰은 무시한다.)

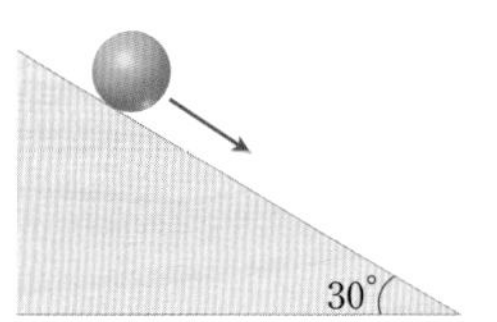

해설 알짜힘은 빗면에 나란한 방향으로 작용하며, 크기 $F=mg\sin30°$이다.
따라서 물체의 가속도 크기 $a=\frac{F}{m}=g\sin30°=10\ \text{m/s}^2\times\frac{1}{2}=5\ \text{m/s}^2$이다.

정답 $5\ \text{m/s}^2$

2. 그림은 수평인 천장에 매단 질량 1 kg인 물체에 수평으로 크기가 F인 힘을 작용하여 물체를 매단 줄이 천장과 60°의 각도를 이루며 물체가 정지해 있는 것을 나타낸 것이다. F는 몇 N인지 구하시오. (단, 중력 가속도는 10 m/s²이고, 줄의 질량은 무시한다.)

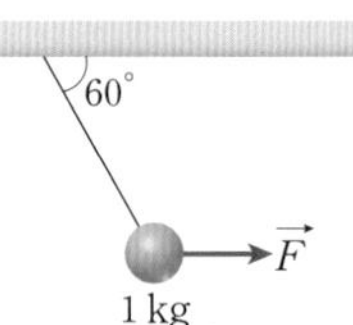

해설 줄에 걸린 장력의 크기를 T라 할 때 장력의 연직 성분이 물체의 무게와 크기가 같으므로 $T\sin60°=1\ \text{kg}\times10\ \text{m/s}^2=10\ \text{N}$이고, 장력의 수평 성분이 F와 크기가 같으므로 $T\cos60°=F$이다. 따라서 $F=\frac{10\ \text{N}}{\sin60°}\times\cos60°=\frac{10\sqrt{3}}{3}$ N이다.

정답 $\frac{10\sqrt{3}}{3}$ N

차이를 만드는 심화

벡터의 곱셈

벡터의 합과 차는 평행사변형법이나 삼각형법으로 크기나 방향을 구할 수 있다. 벡터의 연산에는 곱하기도 있는데, 벡터의 곱셈에서 방향과 크기를 취급하는 방법에 대해서 알아보자.

두 벡터를 곱하는 방법에는 두 가지가 있다. 두 벡터를 곱한 결과가 스칼라가 나오는 스칼라곱과 두 벡터를 곱한 결과가 벡터가 나오는 벡터곱이 그것이다.

❶ 스칼라곱(scalar product, dot product, 내적)

두 벡터 $\vec{A}$와 $\vec{B}$의 스칼라곱은 두 벡터의 크기와 두 벡터가 이루는 각 θ의 코사인의 곱으로 정의되는 스칼라량으로, $\vec{A}\cdot\vec{B}$라고 표시한다.

$$\vec{A}\cdot\vec{B}=AB\cos\theta$$

(A, B: $\vec{A}$, $\vec{B}$ 각각의 크기, θ: 사잇각)

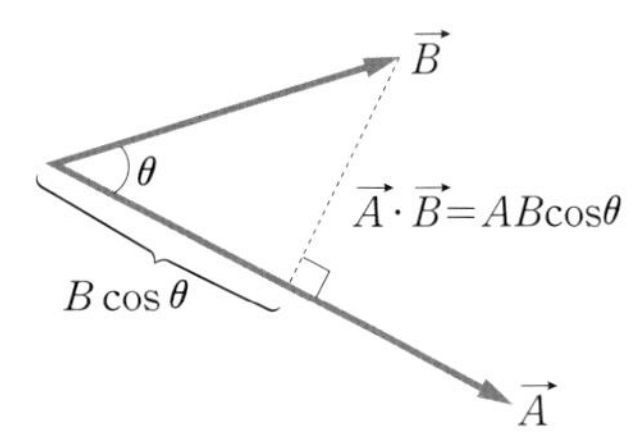

▲ **스칼라곱** $\vec{A}$의 크기와 $\vec{A}$에 대한 $\vec{B}$의 사영인 $B\cos\theta$의 곱과 같다.

예를 들어 물체에 힘을 작용하여 일을 할 때 일은 힘과 변위의 스칼라곱으로 정의된다. 즉, 힘 $\vec{F}$와 변위 $\vec{s}$는 모두 벡터량이지만, 그 스칼라곱인 일 W는 스칼라량이 된다.

$$W=\vec{F}\cdot\vec{s}=Fs\cos\theta$$

① 두 벡터 사이의 각도 $\theta=0°$이면 스칼라곱의 크기는 최대가 되며, $\theta=90°$가 되면 두 벡터의 스칼라곱은 0이 된다.

② 스칼라곱은 교환 법칙이 성립한다. ➡ $\vec{A}\cdot\vec{B}=\vec{B}\cdot\vec{A}=AB\cos\theta$

③ 스칼라곱은 분배 법칙이 성립한다. ➡ $\vec{A}\cdot(\vec{B}+\vec{C})=\vec{A}\cdot\vec{B}+\vec{A}\cdot\vec{C}$

단위벡터의 스칼라곱

스칼라곱의 정의에 따라 단위벡터의 스칼라곱은 다음과 같다.

$\hat{i}\cdot\hat{i}=1$, $\hat{j}\cdot\hat{j}=1$, $\hat{k}\cdot\hat{k}=1$

$\hat{i}\cdot\hat{j}=0$, $\hat{i}\cdot\hat{k}=0$, $\hat{j}\cdot\hat{i}=0$

$\hat{j}\cdot\hat{k}=0$, $\hat{k}\cdot\hat{i}=0$, $\hat{k}\cdot\hat{j}=0$

따라서 $\vec{A}$, $\vec{B}$를 성분 벡터로 나타내면

$\vec{A}=A_x\hat{i}+A_y\hat{j}+A_z\hat{k}$

$\vec{B}=B_x\hat{i}+B_y\hat{j}+B_z\hat{k}$

이므로, $\vec{A}\cdot\vec{B}$는 다음과 같다.

$\vec{A}\cdot\vec{B}=A_xB_x+A_yB_y+A_zB_z$

❷ 벡터곱(vector product, cross product, 외적)

두 벡터 $\vec{A}$와 $\vec{B}$의 벡터곱은 $\vec{A}\times\vec{B}$로 표시하고, 그 결과로 새로운 벡터 $\vec{C}$가 생기며, 그 크기와 방향은 다음과 같다.

$$\vec{A}\times\vec{B}=\vec{C}$$

• $\vec{C}$의 크기: $\vec{A}$와 $\vec{B}$가 만든 평행사변형의 넓이이며, 다음과 같이 정의된다.

$$C=AB\sin\theta \text{ (단, } \theta\text{는 } \vec{A}\text{와 } \vec{B}\text{의 사잇각 중 작은 각)}$$

• $\vec{C}$의 방향: 오른쪽 그림과 같이 $\vec{A}$와 $\vec{B}$의 꼬리를 일치시킨 후 오른손의 네 손가락을 $\vec{A}$에서 각 θ를 지나 $\vec{B}$ 방향으로 감아쥘 때 엄지손가락이 가리키는 방향이 $\vec{C}$의 방향이다.(➡ 오른나사를 $\vec{A}$에서 각 θ를 지나 $\vec{B}$ 쪽으로 돌릴 때 오른나사가 진행하는 방향)

① 두 벡터 사이의 각도 $\theta=0°$, $\theta=180°$이면 벡터곱의 크기는 0이 되며, $\theta=90°$가 되면 벡터곱의 크기는 최대가 된다.

② 벡터곱에서는 곱하는 순서가 달라지면 방향이 반대가 되므로, 교환 법칙이 성립하지 않는다.

$$\vec{A}\times\vec{B}=-(\vec{B}\times\vec{A})$$

단위벡터의 벡터곱

$|\vec{A}\times\vec{B}|=AB\sin\theta$에서

$\hat{i}\times\hat{i}=0$, $\hat{i}\times\hat{j}=\hat{k}$, $\hat{i}\times\hat{k}=-\hat{j}$

$\hat{j}\times\hat{i}=-\hat{k}$, $\hat{j}\times\hat{j}=0$, $\hat{j}\times\hat{k}=\hat{i}$

$\hat{k}\times\hat{i}=\hat{j}$, $\hat{k}\times\hat{j}=-\hat{i}$, $\hat{k}\times\hat{k}=0$

벡터곱의 방향

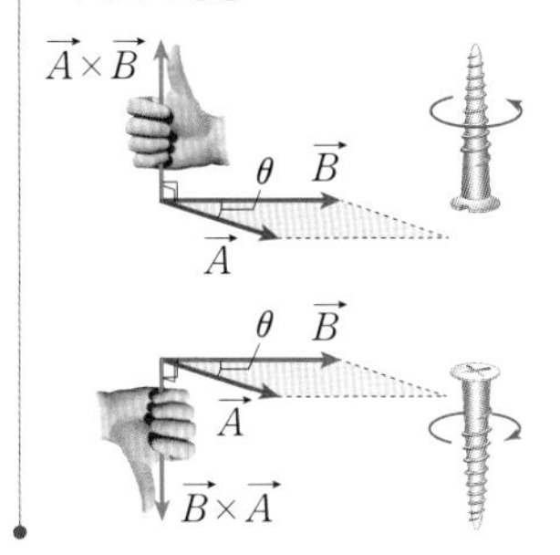

정답과 해설 184쪽

01 힘의 합성과 분해

1 벡터량

1. 스칼라량 (❶)만을 갖는 물리량 예 시간, 길이, 넓이, 부피, 이동 거리, 속력, 질량, 온도, 일, 에너지

2. 벡터량 크기와 (❷)을 함께 가지는 물리량 예 힘, 위치, 변위, 속도, 가속도, 운동량, 충격량, 전기장, 자기장

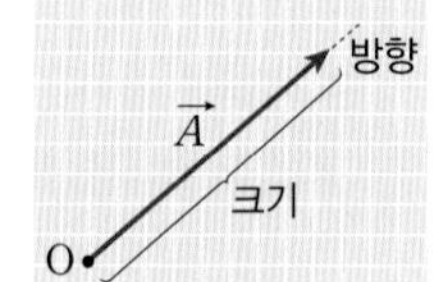

- 두 벡터의 동등성: 두 벡터의 크기와 방향이 같을 때 두 벡터는 같다고 한다. 벡터는 평행 이동시켜도 크기와 방향이 변하지 않으므로 같은 벡터이다.

3. 벡터의 합성

- 기하학적 방법

평행사변형법	(❹)
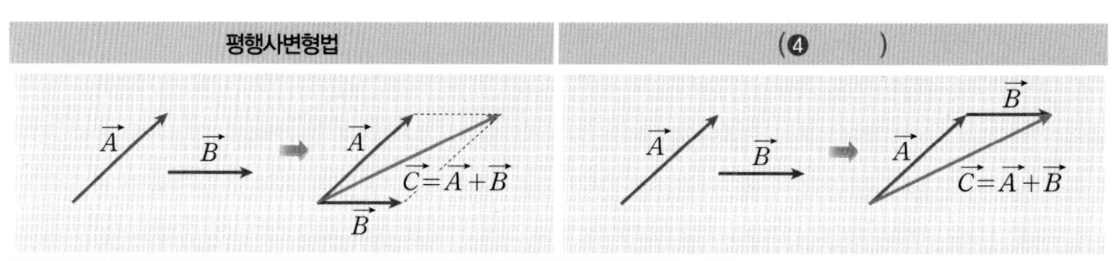	
$\vec{A}$, $\vec{B}$를 이웃한 두 변으로 하는 평행사변형을 그릴 때, (❸)이 합성 벡터 $\vec{C}=\vec{A}+\vec{B}$가 된다.	$\vec{A}$의 머리에 $\vec{B}$의 꼬리가 오도록 한 다음, $\vec{A}$의 꼬리에서 $\vec{B}$의 머리까지 그은 화살표가 합성 벡터 $\vec{C}=\vec{A}+\vec{B}$가 된다.

- 벡터의 뺄셈: 벡터 $\vec{A}$에서 벡터 $\vec{B}$를 뺄 때에는 $\vec{A}$에 $-\vec{B}$를 더한다. 즉, $\vec{B}$와 길이가 같고 방향이 반대인 $-\vec{B}$를 그린 다음, $\vec{A}$와 $-\vec{B}$를 합성한다.

$$\vec{A}-\vec{B}=\vec{A}+(-\vec{B})$$

- 벡터를 합성하는 대수적인 방법: 두 벡터 $\vec{A}$, $\vec{B}$를 x 방향, y 방향으로 분해한 성분이 각각 $(A_x,\ A_y)$, $(B_x,\ B_y)$일 때 $\vec{A}$, $\vec{B}$를 더한 합성 벡터 $\vec{R}$의 성분은 다음과 같다. ➡ $R_x=$(❺), $R_y=$(❻)

4. 벡터의 분해 하나의 벡터를 같은 효과를 내는 2개 이상의 성분 벡터의 합으로 나타내는 것이다. $+x$축과 θ의 각을 이루는 임의의 벡터 $\vec{A}$를 x축과 y축으로 분해한 성분 벡터는 다음과 같다.

$\vec{A}=\vec{A}_x+\vec{A}_y$ ➡ $A_x=A($❼ $)$, $A_y=A($❽ $)$

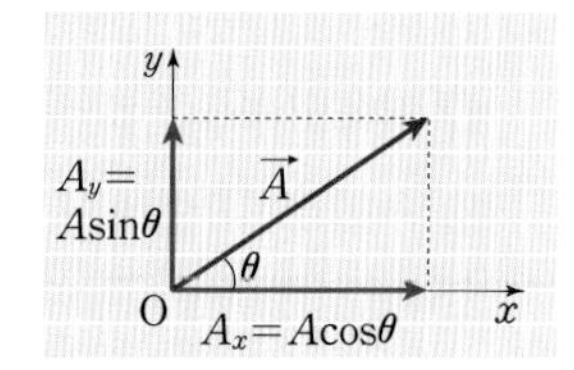

2 알짜힘 구하기

1. 힘의 합성 힘은 벡터량이므로, 두 힘의 합력을 구할 때는 벡터의 합성 방법을 이용한다.

- 두 힘 $\vec{F}_1=(F_{1x},\ F_{1y})$, $\vec{F}_2=(F_{2x},\ F_{2y})$의 합력 $\vec{F}_1+\vec{F}_2=(F_{1x}+F_{2x},\ F_{1y}+F_{2y})$이다.
- 합성된 힘의 크기, 그리고 힘의 방향이 $+x$축과 이루는 각 θ는 다음의 관계가 성립한다.

$$\text{크기: } |\vec{F}_1+\vec{F}_2|=\sqrt{(F_{1x}+F_{2x})^2+(F_{1y}+F_{2y})^2}$$

$$\text{방향: } \tan\theta=\frac{F_{1y}+F_{2y}}{F_{1x}+F_{2x}}$$

2. (❾) 한 물체에 작용하는 모든 힘들을 합성한 합력이다.

$$\vec{F}=\vec{F}_1+\vec{F}_2+\vec{F}_3+\cdots=\sum_{i=1}^{n}\vec{F}_i$$

- 알짜힘의 방향은 물체의 가속도 방향과 같으며, 물체에 작용하는 알짜힘을 구할 때 물체에 작용하는 힘의 정보가 모두 주어지지 않으면 물체의 가속도 등의 정보를 이용하여 구한다.

01 그림과 같이 정사각형의 중점 O를 시작점으로 하는 8개의 벡터 $\vec{A}\sim\vec{H}$가 있다.

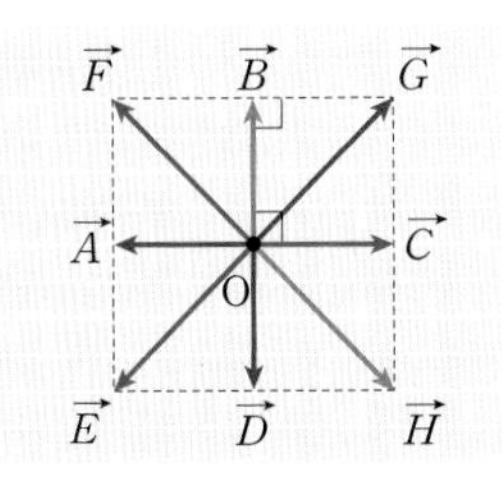

벡터 $\vec{A}$, $\vec{B}$, $\vec{C}$, $\vec{D}$의 크기가 모두 같을 때, 다음의 벡터합 또는 벡터차를 각각 구하시오.

(1) $\vec{A}+\vec{B}$

(2) $\vec{C}+\vec{E}$

(3) $\vec{H}-\vec{D}$

(4) $\vec{F}-\vec{G}$

02 그림과 같이 크기가 10 N으로 같고, 서로 60°의 각을 이루며 작용하는 4개의 힘 $\vec{A}$, $\vec{B}$, $\vec{C}$, $\vec{D}$가 있다.

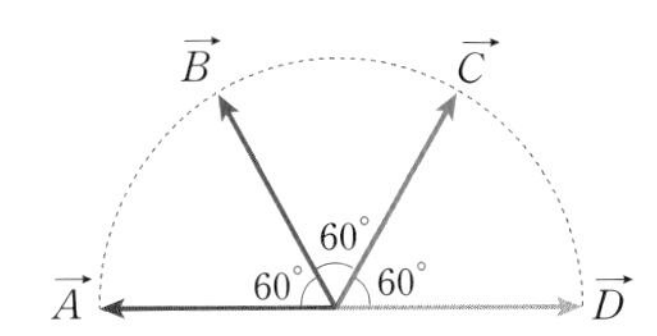

(1) $\vec{A}+\vec{B}+\vec{C}$의 크기는 몇 N인지 구하시오.

(2) $\vec{B}-\vec{C}+\vec{D}$의 크기는 몇 N인지 구하시오.

03 그림은 직교좌표상의 원점에 작용하는 세 힘을 나타낸 것이다. 좌표상의 한 눈금의 크기가 1 N일 때, 세 힘의 합력의 크기는 몇 N인지 구하시오.

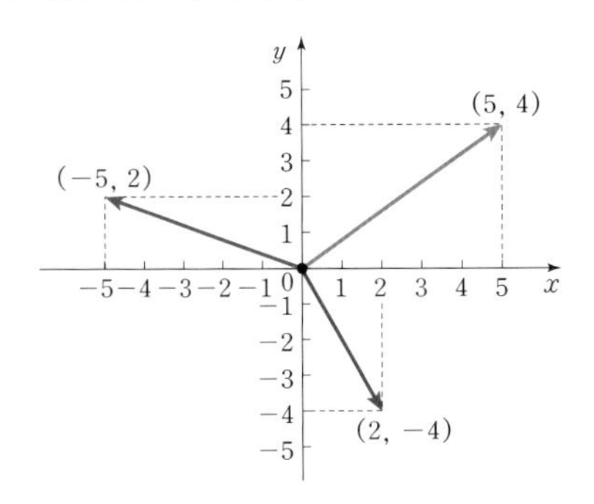

04 세 벡터 $\vec{A}$, $\vec{B}$, $\vec{C}$가 있고 $\vec{A}+\vec{B}=\vec{C}$, $|\vec{A}|=|\vec{B}|=|\vec{C}|=10$이다. $\vec{A}-\vec{B}$의 크기를 구하시오.

05 그림은 경사각이 θ인 빗면에 질량 m인 물체를 가만히 놓은 것을 나타낸 것이다. 물체에 작용하는 중력 $m\vec{g}$를 빗면에 나란한 방향 성분 $\vec{A}$와 빗면에 수직인 방향 성분 $\vec{B}$로 분해할 때, $\vec{A}$와 $\vec{B}$의 크기를 각각 구하시오.(단, $\vec{g}$는 중력 가속도이다.)

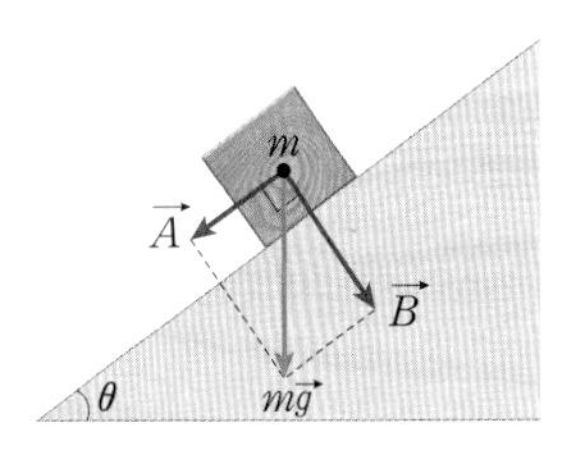

06 그림과 같이 줄에 매달린 물체가 줄에 수직인 방향으로 크기가 F인 힘 $\vec{F}$를 받아 정지해 있다. 줄의 장력의 크기가 T, 연직 방향과 줄이 이루는 각이 θ일 때, $\frac{F}{T}$를 구하시오. (단, 줄의 질량은 무시한다.)

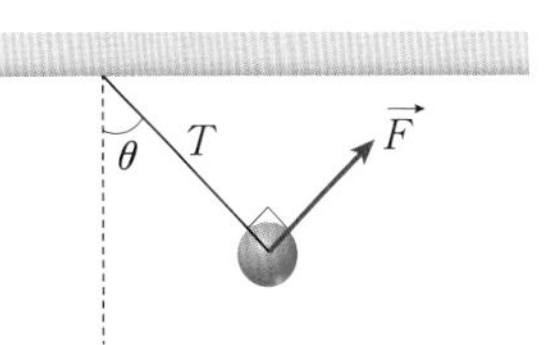

07 그림은 수평면과 30°의 각을 이루는 빗면에 놓인 질량 2 kg인 물체에 빗면에 나란한 방향으로 힘 $\vec{F}$를 작용하여 물체가 정지해 있는 것을 나타낸 것이다.(단, 중력 가속도는 10 m/s^{2}이고, 모든 마찰은 무시한다.)

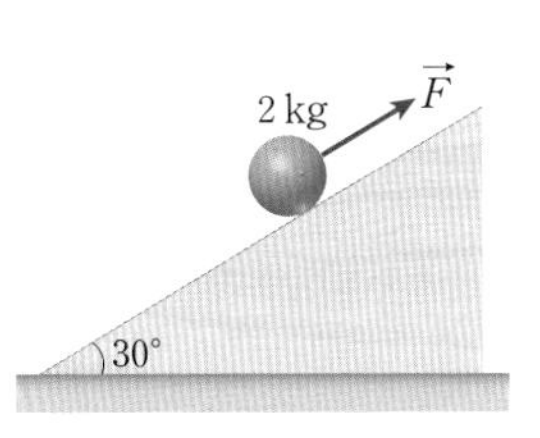

(1) 빗면이 물체에 작용하는 수직 항력의 크기는 몇 N인지 구하시오.

(2) $\vec{F}$의 크기는 몇 N인지 구하시오.

01

> 벡터의 합성

그림은 크기가 1 N으로 같고 x축과 이루는 각이 각각 135°, 30°인 두 힘 $\vec{P}$, $\vec{Q}$를 나타낸 것이다.

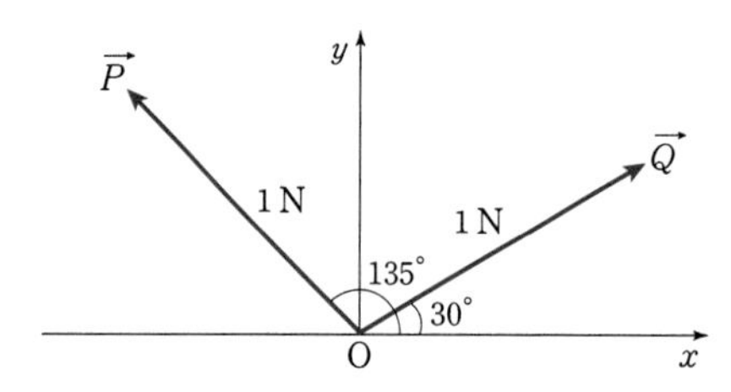

$\vec{P}-\vec{Q}$의 크기는?

① $(1+\sqrt{2}-\sqrt{6})^{\frac{1}{2}}$ N
② $(1+\sqrt{6}-\sqrt{2})^{\frac{1}{2}}$ N
③ $\left(2+\frac{\sqrt{2}}{2}-\frac{\sqrt{6}}{2}\right)^{\frac{1}{2}}$ N
④ $\left(2+\frac{\sqrt{6}}{2}-\frac{\sqrt{2}}{2}\right)^{\frac{1}{2}}$ N
⑤ $\left(4+\frac{\sqrt{2}}{2}-\frac{\sqrt{6}}{2}\right)^{\frac{1}{2}}$ N

• 두 벡터의 합성 벡터는 각 벡터의 성분끼리 대수적으로 계산하여 구할 수 있다.

02

> 벡터의 분해

그림은 x축과 60°의 각을 이루는 벡터 $\vec{A}$를 나타낸 것으로, $\vec{A}$의 x 성분과 y 성분은 각각 A_x, A_y이다. xy 좌표축이 시계 반대 방향으로 15°만큼 회전한 새로운 $x'y'$ 좌표계에 대한 $\vec{A}$의 성분은 각각 A_x', A_y'이었다.

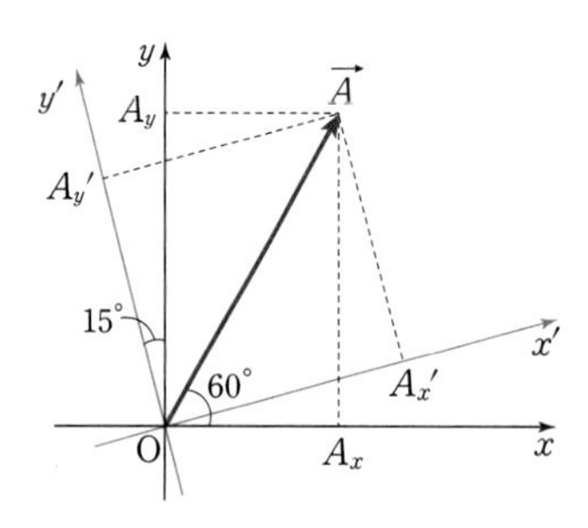

이에 대한 설명으로 옳은 것만을 보기에서 있는 대로 고른 것은?

보기

ㄱ. $\frac{A_x'}{A_x}=\sqrt{2}$이다.
ㄴ. A_x'과 A_y'은 같다.
ㄷ. 좌표축이 회전해도 $\vec{A}$의 크기는 변하지 않는다.

① ㄱ ② ㄴ ③ ㄷ ④ ㄴ, ㄷ ⑤ ㄱ, ㄴ, ㄷ

• 벡터를 분해하는 경우, 좌표축이 바뀌어도 벡터의 크기는 변하지 않는다.

03

> 힘의 합성과 알짜힘

그림은 줄 a, b에 연결된 질량 m인 막대가 P점에 걸린 채 정지해 있는 것을 나타낸 것이다. a, b가 연직 방향과 이루는 각은 각각 30°, 45°이고, 막대의 굵기와 밀도는 균일하다.

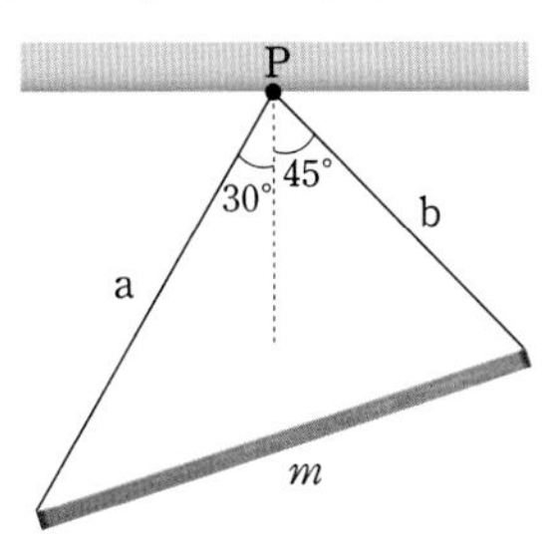

이에 대한 설명으로 옳은 것만을 보기에서 있는 대로 고른 것은? (단, 중력 가속도는 g이고, 줄의 질량은 무시한다.)

보기
ㄱ. 줄의 장력의 크기는 a와 b가 같다.
ㄴ. 막대에 작용하는 알짜힘의 크기는 mg이다.
ㄷ. a의 장력의 크기는 $(\sqrt{3}-1)mg$이다.

① ㄱ ② ㄷ ③ ㄱ, ㄴ ④ ㄴ, ㄷ ⑤ ㄱ, ㄴ, ㄷ

• 줄 a, b가 막대를 당기는 힘(장력)의 합력의 크기는 막대의 무게와 같다.

04

> 힘의 합성

그림은 수평인 천장에 매달린 줄 a, b에 물체를 매달아 정지해 있는 모습이다. 이때 천장과 줄 a, b 사이의 각도가 각각 α, β였다.

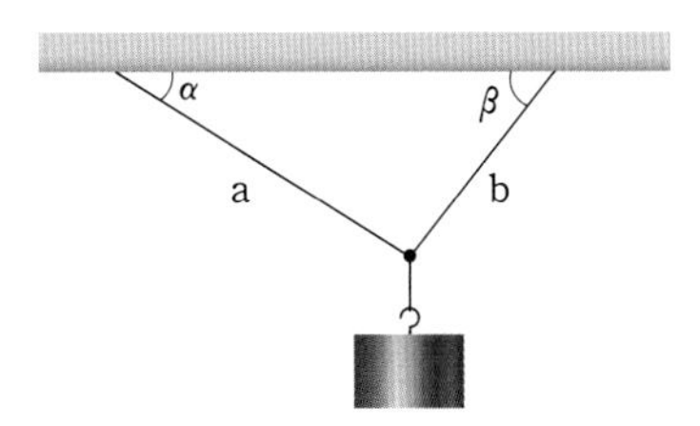

줄 a, b의 장력을 각각 T_a, T_b라고 할 때, $\frac{T_b}{T_a}$는? (단, 줄의 질량은 무시한다.)

① $\frac{\sin\alpha}{\sin\beta}$ ② $\frac{\sin\beta}{\sin\alpha}$

③ $\frac{\cos\alpha}{\cos\beta}$ ④ $\frac{\cos\beta}{\cos\alpha}$

⑤ $\frac{\tan\alpha}{\tan\beta}$

• 줄 a, b의 장력의 수평 방향의 성분의 합은 0이다.

고난도

05 > 힘의 합성

그림은 수평인 천장에 매달린 줄에 도르래를 이용하여 물체를 매달고 도르래에 크기가 F인 힘을 수평 방향으로 작용하여 정지해 있는 것을 나타낸 것이다. 줄의 a, b 부분과 천장이 이루는 각이 각각 $45°$, $60°$이고, 물체와 도르래의 질량의 합은 5 kg이다.

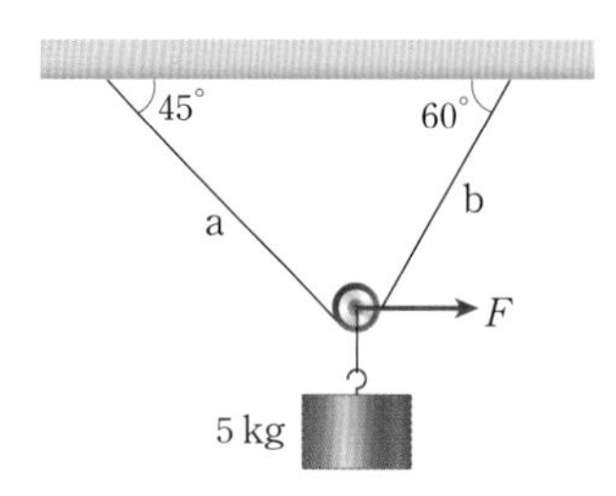

이에 대한 설명으로 옳은 것만을 보기에서 있는 대로 고른 것은? (단, 중력 가속도는 $10\ m/s^2$이고, 줄의 질량 및 줄과 도르래 사이의 마찰은 무시한다.)

보기
ㄱ. 장력의 크기는 b가 a보다 크다.
ㄴ. a의 장력의 크기는 $100(\sqrt{3}-\sqrt{2})$ N이다.
ㄷ. $F=50(\sqrt{3}-\sqrt{2})(\sqrt{2}-1)$ N이다.

① ㄱ ② ㄷ ③ ㄱ, ㄴ ④ ㄴ, ㄷ ⑤ ㄱ, ㄴ, ㄷ

- 줄과 도르래 사이의 마찰이 없으므로 a, b 부분의 장력의 크기는 같고, F인 힘이 수평 방향으로 작용할 때 크기가 최소이다.

06 > 힘의 합성

그림은 줄 a와 나무 막대 b를 이용해 질량 m인 물체가 연직 방향의 벽에 매달려 정지한 것을 나타낸 것이다. a와 벽 사이의 각도는 θ이다.

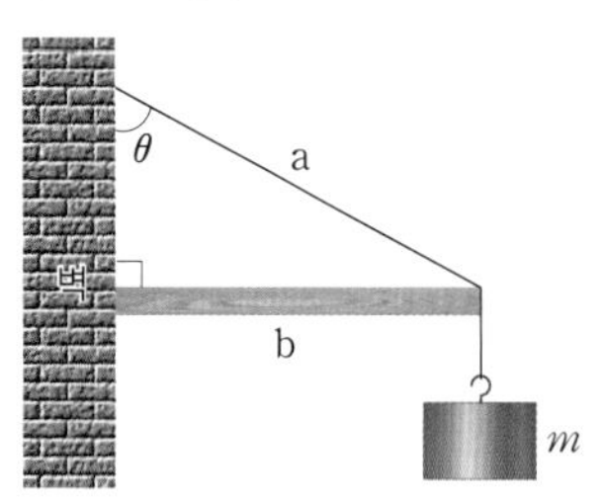

이에 대한 설명으로 옳은 것만을 보기에서 있는 대로 고른 것은? (단, 중력 가속도는 g이고, 벽과 나무 막대의 방향은 수직이며, 줄과 나무 막대의 질량은 무시한다.)

보기
ㄱ. 벽이 a를 잡아당기는 힘이 벽이 b를 미는 힘보다 크다.
ㄴ. a의 장력의 크기는 $mg\cos\theta$이다.
ㄷ. b가 a에 작용하는 힘의 크기는 $mg\sin\theta$이다.

① ㄱ ② ㄴ ③ ㄷ ④ ㄴ, ㄷ ⑤ ㄱ, ㄴ, ㄷ

- 줄과 나무 막대가 연결된 지점에서 줄 a의 장력과 나무 막대 b가 a에 작용하는 힘의 합력의 크기는 물체의 무게와 같다.

고난도

07

> 힘의 분해와 알짜힘

그림은 경사각이 $30°$인 빗면에 놓인 질량 m인 물체에 수평 방향으로 크기가 F인 힘을 작용하였을 때 물체가 정지해 있는 것을 나타낸 것이다.

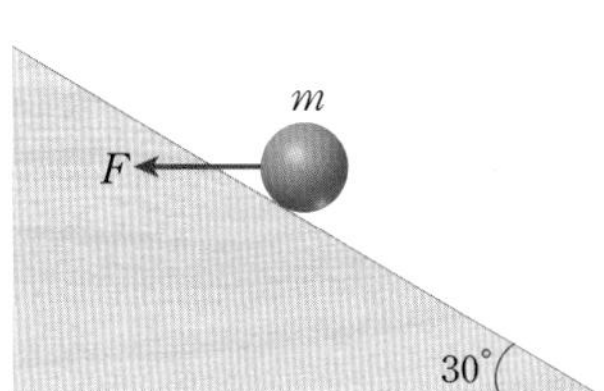

이에 대한 설명으로 옳은 것만을 보기에서 있는 대로 고른 것은? (단, 중력 가속도는 g이고, 모든 마찰은 무시한다.)

보기

ㄱ. $F=\frac{mg}{\sqrt{3}}$이다.

ㄴ. 빗면이 물체에 작용하는 수직 항력의 크기는 $\frac{2\sqrt{3}}{3}mg$이다.

ㄷ. $F=0$일 때와 F를 지금의 2배로 할 때 물체의 가속도 크기는 같다.

① ㄱ ② ㄴ ③ ㄱ, ㄷ ④ ㄴ, ㄷ ⑤ ㄱ, ㄴ, ㄷ

- 물체에 작용하는 알짜힘은 수직 항력과 중력 및 $\vec{F}$의 합력이다.

08

> 힘의 분해와 알짜힘

그림과 같이 질량이 2 kg으로 같은 물체 A, B를 A는 마찰이 없는 경사각 $30°$인 빗면 위에 놓고, B는 저울 위에 놓아 고정 도르래를 통해 연결하였다. 이때 A를 연결한 줄이 빗면과 $30°$의 각을 이루며 A, B가 정지하였다.

이에 대한 설명으로 옳은 것만을 보기에서 있는 대로 고른 것은? (단, 중력 가속도는 10 m/s^{2}이고, 줄의 질량 및 모든 마찰은 무시한다.)

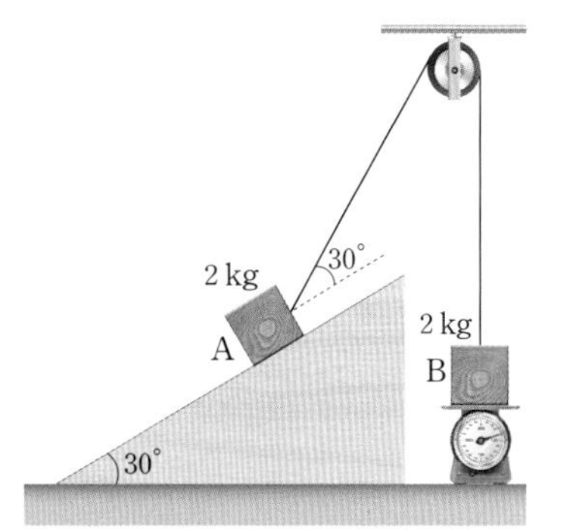

보기

ㄱ. 줄의 장력은 $\frac{20\sqrt{3}}{3}$ N이다.

ㄴ. A가 빗면으로부터 받는 수직 항력과 줄의 장력은 크기가 같다.

ㄷ. 저울이 가리키는 눈금은 $\frac{20\sqrt{3}}{3}$ N이다.

① ㄱ ② ㄴ ③ ㄷ ④ ㄱ, ㄴ ⑤ ㄴ, ㄷ

- A에는 A의 중력, 빗면으로부터 받는 수직 항력, 줄의 장력이 작용하고, B에는 B의 중력, 저울로부터 받는 수직 항력, 줄의 장력이 작용한다.

02 힘의 평형과 안정성

학습 Point 돌림힘, 일의 원리 > 물체의 역학적 평형 조건 > 무게중심의 위치와 안정성 > 구조물의 안정성의 예

1 돌림힘

여닫이문의 손잡이가 경첩에서 멀리 떨어진 곳에 있는 것은 까닭이 있다. 무거운 문을 회전시켜 열기 위해서는 문에 작용하는 힘뿐만 아니라 힘을 작용하는 위치도 중요하기 때문이다. 이처럼 물체의 회전 운동을 나타낼 때는 힘 대신 힘과 거리를 포함하는 다른 물리량으로 기술하는 것이 편리하다.

1. 돌림힘

여닫이문을 여닫을 때와 같이 회전축에서 일정한 거리만큼 떨어진 지점에 힘을 작용하면 물체가 회전축을 중심으로 회전한다. 이처럼 물체의 회전 운동을 변화시키는 원인이 되는 물리량을 돌림힘 또는 토크(torque)라고 하며, 돌림힘은 크기와 방향을 가지는 벡터량이다.

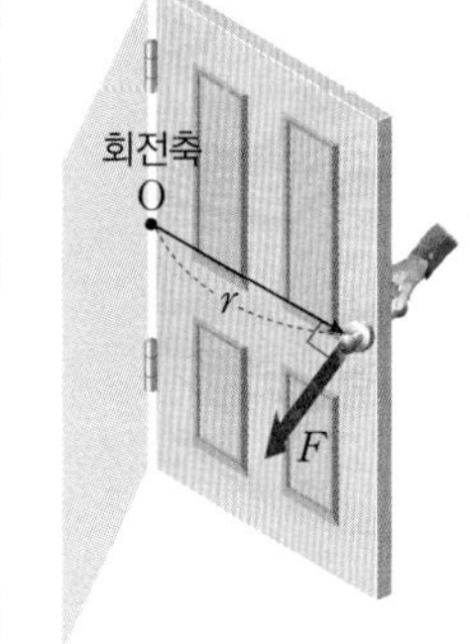

▲ 여닫이문의 회전 원리

(1) 돌림힘의 크기

① 힘의 크기, 팔의 길이와 돌림힘의 크기 관계

여닫이문의 손잡이를 잡고 문을 열 때처럼 힘을 작용하는 지점이 같다면 큰 힘을 가할수록 문이 더 잘 돌아간다. 한편, 문을 동일한 크기의 힘으로 수직으로 밀더라도 회전축 O에서 멀리 떨어진 지점을 밀수록 문이 더 잘 돌아간다. 이처럼 돌림힘의 크기는 작용하는 힘이 클수록 크고, 힘을 작용한 지점이 회전축에서 멀수록 크다.

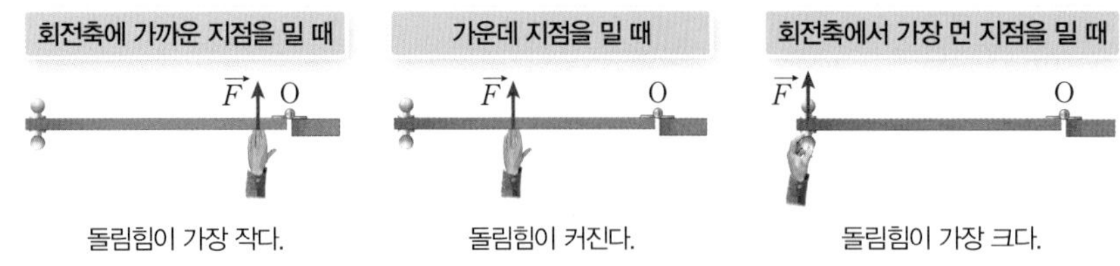

▲ 회전축에서의 거리와 돌림힘의 크기

즉, 회전축에서 팔의 길이 r만큼 떨어진 지점에 크기가 F인 힘이 수직으로 작용할 때, 돌림힘의 크기 τ는 다음과 같이 팔의 길이 r와 회전 팔에 수직으로 작용한 힘의 크기 F의 곱으로 나타낸다.

$$\tau = rF \text{ (단위: N·m)}$$

돌림힘의 단위와 일의 단위
돌림힘과 일은 모두 힘에 거리를 곱하여 구하므로 단위가 N·m로 같다. 그러나 돌림힘은 벡터량이고, 일은 스칼라량으로, 둘은 전혀 다른 물리량이다. 그리고 일의 단위는 보통 J(1 J=1 N·m)을 사용하지만, 돌림힘의 단위는 어떤 경우에도 J로 표시하지 않고 N·m만을 사용한다.
일과 돌림힘을 벡터를 사용하여 나타내면 다음과 같은데, 일은 스칼라곱(내적), 돌림힘은 벡터곱(외적)이다.
- 일: $W = \vec{F} \cdot \vec{s}$ $(W = Fs\cos\theta)$
- 돌림힘: $\vec{\tau} = \vec{r} \times \vec{F}$ $(\tau = rF\sin\theta)$

② **힘의 방향과 돌림힘의 크기 관계:** 다음 그림과 같이 어떤 물체에 회전축 O에서 $\vec{r}$만큼 떨어진 지점에 $\vec{r}$와 θ의 각으로 힘 $\vec{F}$가 작용하는 경우를 생각해 보자. 이때 $\vec{F}$를 $\vec{r}$ 방향과 $\vec{r}$에 수직인 방향으로 분해하면, $\vec{r}$ 방향의 힘의 성분 $F\cos\theta$는 물체의 회전에 기여하지 않는다. 즉, 물체의 회전에 기여하는 것은 $\vec{r}$ 방향에 수직인 힘의 성분 $F\sin\theta$임을 알 수 있다.

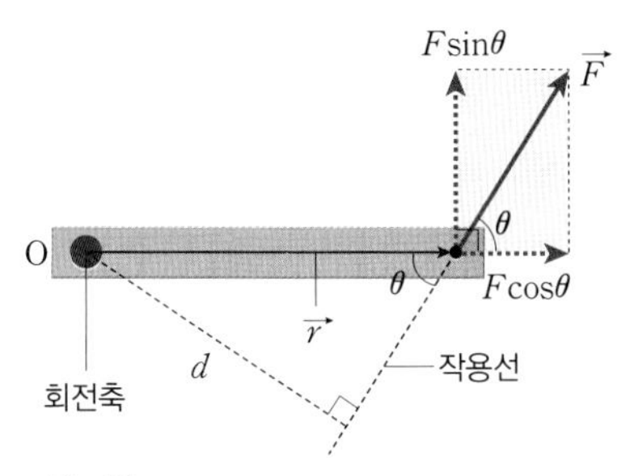

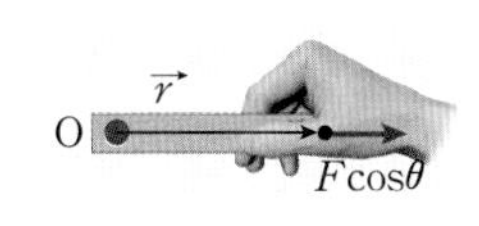

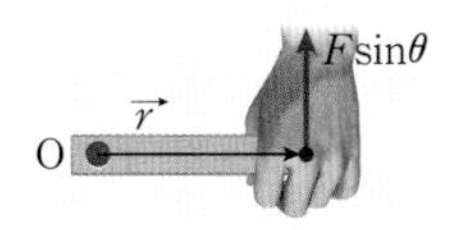

▲ $\vec{r}$와 $\vec{F}$가 수직이 아닐 때 돌림힘의 크기

따라서 어떤 물체에 회전축 O에서 r만큼 떨어진 지점에 $\vec{r}$와 θ의 각으로 크기가 F인 힘이 작용할 때 돌림힘의 크기 τ는 다음과 같다.

$$\tau = rF\sin\theta \text{ (단위: N·m)}$$

여기서 $r\sin\theta = d$는 $\vec{F}$의 작용선과 물체의 회전축 사이의 수직 거리로, 이를 돌림힘의 팔길이라고 한다.

(2) 돌림힘의 방향

돌림힘은 벡터량으로 크기와 함께 방향을 가진다. 그림과 같이 오른손의 네 손가락을 $\vec{r}$에서 작은 각도로 $\vec{F}$의 방향을 향하도록 감아쥘 때 엄지손가락이 향하는 방향을 돌림힘의 방향으로 정의한다.

① 힘의 방향이 반대가 되면, 돌림힘의 방향도 반대가 된다.

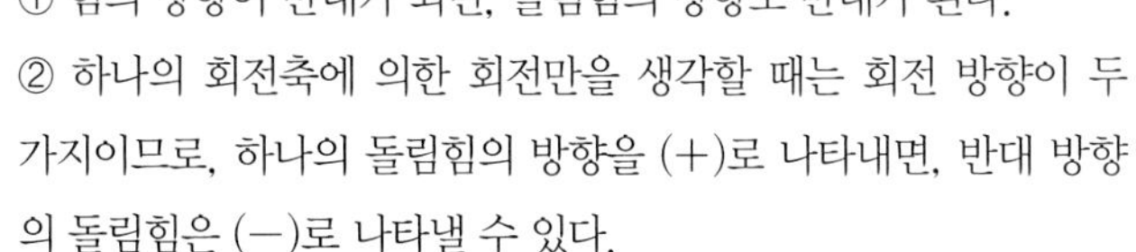

② 하나의 회전축에 의한 회전만을 생각할 때는 회전 방향이 두 가지이므로, 하나의 돌림힘의 방향을 (+)로 나타내면, 반대 방향의 돌림힘은 (−)로 나타낼 수 있다.

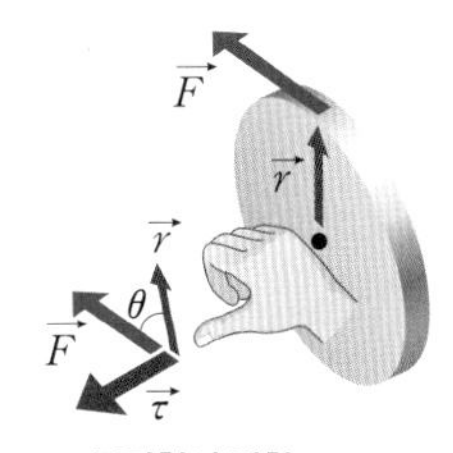

▲ 돌림힘의 방향

(3) 짝힘

자동차의 운전대, 회전식 수도꼭지, 드라이버 등을 돌릴 때는 회전축에서 서로 반대쪽에 있는 두 지점에 크기가 같고 방향이 반대인 힘을 각각 작용한다. 이처럼 평형을 이루는 두 힘의 작용선이 서로 다를 때 두 힘을 짝힘이라고 한다.

오른쪽 그림과 같이 물체를 시계 반대 방향으로 돌리려는 짝힘에 의한 돌림힘의 크기는 다음과 같다.

$$\tau = r_1F + r_2F$$

이때 $r = r_1 + r_2$이므로, 짝힘의 크기는 다음과 같이 정리할 수 있다.

$$\tau = (r_1 + r_2)F = rF$$

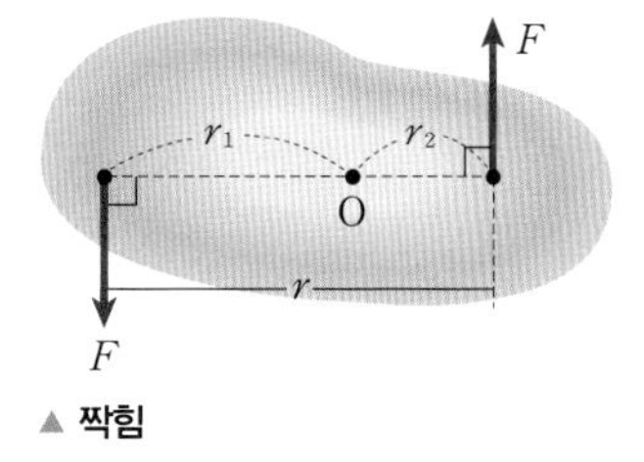

▲ 짝힘

따라서 물체에 짝힘이 작용하면 돌림힘의 팔길이가 더 길어진 효과를 얻어 물체에 더 큰 돌림힘을 가할 수 있다.

자동차의 운전대에 작용하는 짝힘

2. 도구와 돌림힘

볼트를 조일 때 스패너를 사용하면 작은 힘으로도 볼트를 세게 조일 수 있다. 이처럼 도구를 사용하면 작은 힘으로 물체에 큰 힘을 작용하거나 작은 거리를 움직여 물체가 긴 거리를 움직이도록 할 수 있는데, 이러한 관계는 돌림힘을 이용하여 알 수 있다.

(1) 지레

지레는 막대의 한 지점을 받친 후 다른 지점에 물체를 놓고, 또 다른 지점에서 힘을 작용하여 물체를 움직이는 도구이다. 받침대로 막대를 받친 점을 받침점, 지레가 물체에 힘을 가하는 점을 작용점, 지레에 힘을 작용하는 점을 힘점이라고 한다.

① **지레의 원리:** 그림과 같이 질량을 무시할 수 있는 지레의 한쪽에 무게가 W인 물체를 받침점으로부터 a만큼 떨어진 점에 놓고 받침점으로부터 b만큼 떨어진 점을 크기가 F인 힘으로 눌러 막대가 수평인 상태로 정지해 있을 때, 물체가 지레를 누르는 힘(W)에 의한 돌림힘과 힘점을 누르는 힘(F)에 의한 돌림힘이 서로 평형을 이루므로, 다음의 관계가 성립한다.

$$aW = bF \Rightarrow F = \frac{a}{b}W$$

➡ $a < b$이면 $F < W$이므로, 물체의 무게보다 작은 힘으로 물체를 움직일 수 있다.

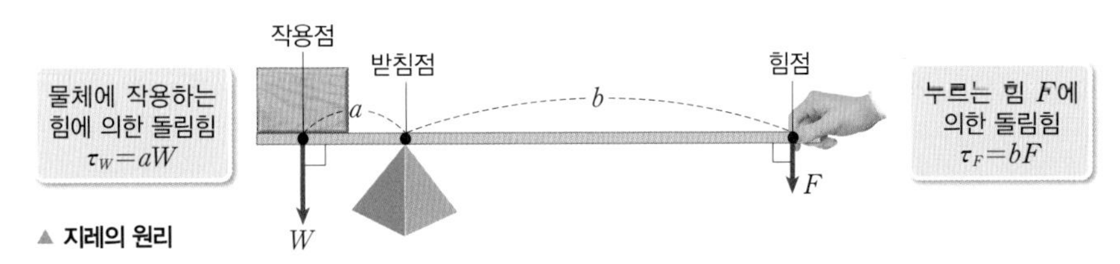

▲ 지레의 원리

시야 확장 ⊕ 지레의 종류

지레는 받침점과 힘점, 작용점의 위치에 따라 3가지(1종 지레, 2종 지레, 3종 지레)로 구분한다.

구분	1종 지레	2종 지레	3종 지레
정의	받침점의 양쪽에 작용점과 힘점이 있는 지레	힘점과 받침점 사이에 작용점이 있는 지레	작용점과 받침점 사이에 힘점이 있는 지레
특징	받침점, 힘점, 작용점, a, b • 힘점에 가하는 힘의 방향과 물체에 작용하는 힘의 방향이 서로 반대이다. • $\frac{a}{b}$가 작을수록 작은 힘으로 무거운 물체를 들 수 있다.	받침점, 힘점, 작용점, a, b • 힘점에 가하는 힘의 방향으로 물체에 힘을 작용한다. • $\frac{a}{b} < 1$이므로, 작은 힘으로 무거운 물체를 들 수 있다.	받침점, 작용점, 힘점, a, b • 힘점에 가하는 힘의 방향으로 물체에 힘을 작용한다. • $a > b$이므로, 힘점을 이동하는 거리보다 물체가 움직이는 거리가 크다.
예	가위, 펜치, 대저울, 시소 작용점, 힘점, 받침점, a, b	병따개, 손수레, 손톱깎이 받침점, 작용점, 힘점, a, b	핀셋, 낚싯대, 젓가락 받침점, 힘점, 작용점, a, b

손톱깎이에 적용된 지레

• 2종 지레: 손잡이를 누르면, 작용점 부분이 날이 있는 상판을 누른다.

• 3종 지레: 상판을 누름으로 인해 상판 끝의 날 부분이 오므라들며 손톱을 깎는다.

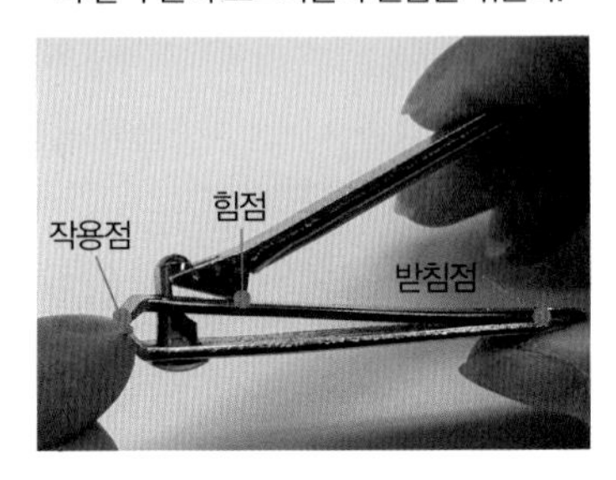

(2) **축바퀴**

축바퀴는 지름이 다른 두 원형 바퀴를 회전축이 일치하도록 붙여서 함께 회전하도록 만든 장치로, 두 바퀴에 줄을 반대 방향으로 감아 한쪽 줄을 아래로 당기면 다른 쪽 줄에 매달린 물체를 위로 들어 올릴 수 있다.

① **축바퀴의 원리:** 축바퀴는 지레와 같은 원리를 이용하여 돌림힘을 얻는다. 오른쪽 그림과 같이 두 원형 바퀴의 반지름이 각각 a, b이고, 큰 바퀴의 줄을 F의 힘으로 당겨 작은 바퀴의 줄에 매달린 무게 W인 물체를 정지시켰다. 이때 큰 바퀴에 작용하는 돌림힘과 작은 바퀴에 작용하는 돌림힘이 평형을 이루므로, 다음의 관계가 성립한다.

$$aW=bF \Rightarrow F=\frac{a}{b}W$$

▲ **축바퀴의 원리**

⇒ $a<b$이면 $F<W$이므로, 축바퀴를 이루는 두 원형 바퀴의 반지름의 차이에 의해 물체의 무게보다 작은 힘으로 물체를 들어 올릴 수 있다.

② 축바퀴를 이용한 도구의 예

▲ **자동차 운전대** 반지름이 큰 운전대로 조향축을 쉽게 돌린다.

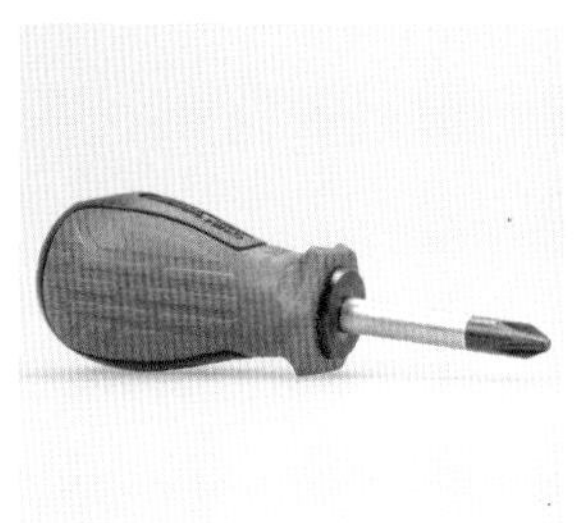
▲ **드라이버** 손잡이가 굵을수록 작은 힘으로 나사를 돌릴 수 있다.

▲ **자전거의 기어** 반지름이 큰 톱니바퀴에 연결할수록 작은 힘으로 자전거의 페달을 돌릴 수 있다.

예제

그림과 같이 반지름이 각각 20 cm, 50 cm인 축바퀴의 한쪽에 질량 10 kg인 물체를 매달고, 다른 쪽 축바퀴에 연결된 줄을 크기가 F인 힘으로 1초 동안 당기고 있다. 물체는 1 m/s의 일정한 속력으로 올라가고 있다. (단, 중력 가속도는 10 m/s²이고, 축바퀴와 줄의 질량, 모든 마찰은 무시한다.)

20 cm, 50 cm, 1 m/s, 10 kg, F

(1) F는 몇 N인지 구하시오.
(2) 물체의 중력 퍼텐셜 에너지 증가량은 몇 J인지 구하시오.
(3) F인 힘이 한 일은 몇 J인지 구하시오.

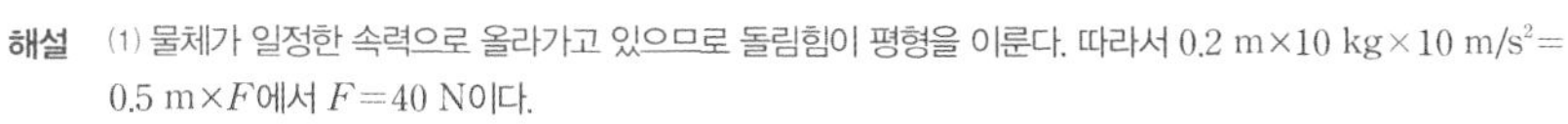

해설 (1) 물체가 일정한 속력으로 올라가고 있으므로 돌림힘이 평형을 이룬다. 따라서 $0.2\ \text{m}\times10\ \text{kg}\times10\ \text{m/s}^2=0.5\ \text{m}\times F$에서 $F=40$ N이다.
(2) 물체가 1초 동안 올라간 높이는 1 m이므로 중력 퍼텐셜 에너지의 증가량은 $10\ \text{kg}\times10\ \text{m/s}^2\times1\ \text{m}=100$ J이다.
(3) 줄을 당기는 동안 두 바퀴가 회전하는 각이 같으므로, 줄이 움직인 길이는 각 축바퀴의 반지름에 비례한다. 따라서 작은 축바퀴가 줄을 1 m 당기는 동안 큰 축바퀴의 줄을 잡아당기는 길이를 x라고 하면, 다음과 같다.

$$0.2\ \text{m} : 0.5\ \text{m}=1\ \text{m} : x,\quad \therefore x=2.5\ \text{m}$$

따라서 F인 힘이 한 일은 $40\ \text{N}\times2.5\ \text{m}=100$ J이다.

정답 (1) 40 N (2) 100 J (3) 100 J

축바퀴

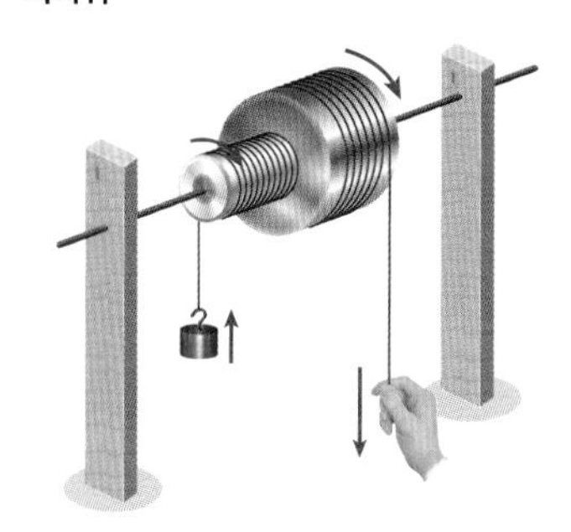

고정 도르래

고정 도르래로 물체를 일정한 속력으로 들어 올릴 때는 $rW=rF$에서 $W=F$이므로, 물체의 무게와 같은 크기의 힘으로 물체를 들어 올릴 수 있다.

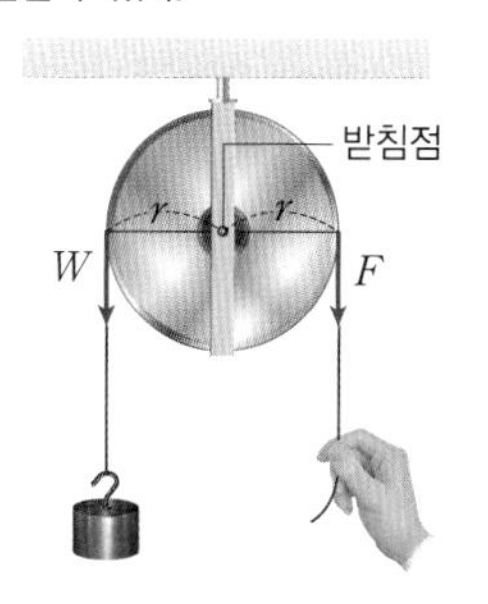

움직도르래

움직도르래로 물체를 일정한 속력으로 들어 올릴 때는 받침점과 힘점 사이에 작용점이 있는 2종 지레와 같으므로, 그림과 같은 경우 $r\times W=2r\times F$에서 $F=\frac{W}{2}$이다. 즉, 움직도르래의 무게를 무시할 때 물체 무게의 절반의 힘으로 물체를 들어 올릴 수 있다.

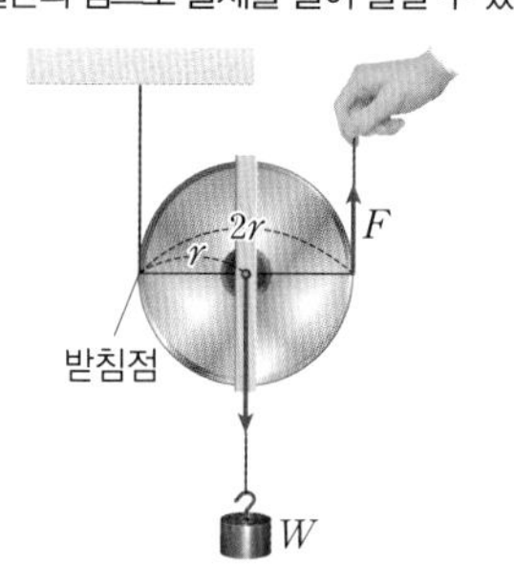

(3) 도구를 사용할 때의 일

① 지레를 사용할 때의 일

그림 (가)와 같이 질량을 무시할 수 있는 지레를 사용하여 물체를 일정한 속력으로 들어 올릴 때 지레의 원리로부터 $aW=bF$이다. 또한 물체가 움직인 높이를 x, 힘점이 움직인 높이를 y라고 하면, (나)와 같이 두 삼각형이 닮음이므로 $x:y=a:b$의 관계가 성립한다.

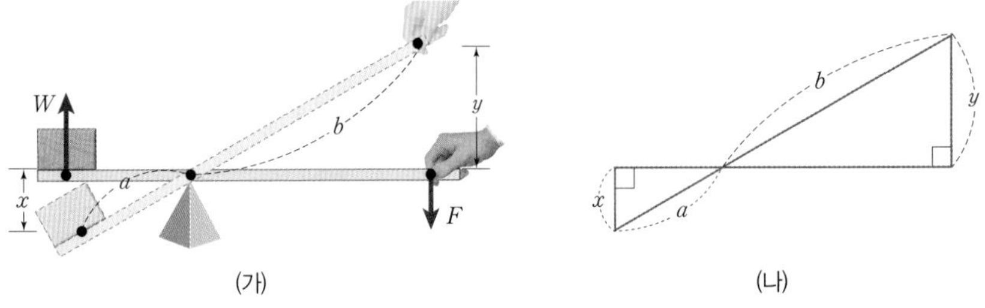

▲ 지레를 사용할 때의 일

따라서 $\frac{x}{y}=\frac{a}{b}$이고, 이 식을 $aW=bF$에 적용하면 다음 식이 성립한다.

$$Wx=Fy$$

이 식에서 좌변은 지레가 무게 W인 물체를 높이 x만큼 들어 올리는 동안 한 일을 나타내고, 우변은 사람이 F인 힘을 가해 지레를 y만큼 누르는 동안 한 일을 나타낸다. 결국 이 식은 지레가 물체에 한 일과 사람이 지레에 한 일은 같다는 것을 의미한다.

➡ 지레에서 $a<b$일 때 지레에 작용한 힘이 물체 무게의 $\frac{a}{b}$배로 작아지므로 힘의 이득이 생기지만, 힘을 작용한 거리가 물체가 올라간 높이의 $\frac{b}{a}$배로 늘어나 이동 거리의 손해가 생기므로, 결국 지레를 사용해도 일의 이득은 없다.

② 축바퀴를 사용할 때의 일

오른쪽 그림과 같이 반지름이 a, b인 축바퀴를 사용하여 물체를 일정한 속력으로 끌어올릴 때, 축바퀴의 원리로부터 $aW=bF$이고, 축바퀴가 n번 회전하는 동안 물체가 올라간 거리를 x, 줄을 아래로 당긴 거리를 y라고 하면 줄이 이동한 거리는 원둘레에 축바퀴의 회전수를 곱한 값과 같으므로 $x=2\pi na$, $y=2\pi nb$이다. 따라서 $\frac{x}{y}=\frac{a}{b}$이고, 이 식을 $aW=bF$에 적용하면 $Wx=Fy$이다.

➡ 축바퀴의 반지름이 $a<b$일 때 작용하는 힘은 $\frac{a}{b}$배로 작아져 힘의 이득은 보지만, 이동 거리가 $\frac{b}{a}$배로 늘어나 이동 거리에서 손해를 보므로, 결국 축바퀴를 사용해도 일의 이득은 없다.

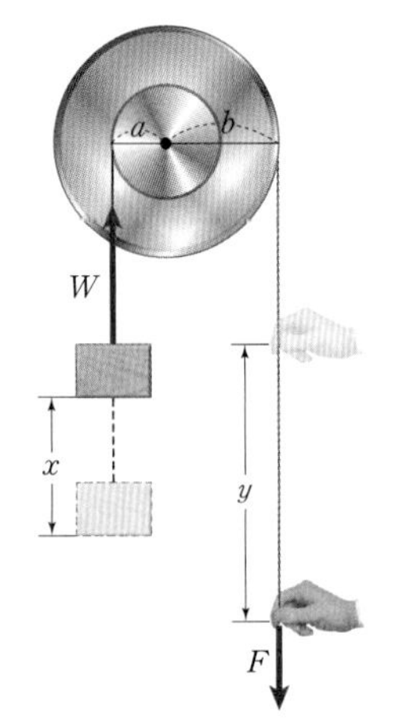

▲ 축바퀴를 사용할 때의 일

(4) 일의 원리

지레, 축바퀴, 도르래와 같은 도구를 사용하여 일을 할 때 힘의 이득을 보더라도 이동 거리에서 손해를 보기 때문에 한 일의 양은 변화가 없다. 이와 같이 도구를 사용하여 일을 하더라도 일의 이득이 없는 것을 일의 원리라고 한다.

일의 원리와 에너지 보존 법칙

지레나 축바퀴와 같은 도구를 사용하여 일을 할 때 일에서 이득을 보려면 이득을 본 일만큼 도구 자체에서 에너지가 생산되어야 하며, 그렇지 않으면 에너지 보존 법칙에 어긋난다. 그러나 스스로 에너지를 생산하는 장치는 없으므로 도구에 한 일보다 더 많은 일을 물체에 해 줄 수는 없다.

2 물체의 평형 상태

지금까지는 물체를 하나의 입자로 가정하여 이 입자에 작용하는 힘이 평형을 이루는 상황에 대해서만 공부하였다. 그러나 실제 물체는 단순히 입자로 다룰 수 없는 경우가 많다. 크기를 가지는 물체가 평형 상태에 있기 위해서는 힘의 평형 외에도 물체의 회전에 관한 다른 평형 조건이 더 충족되어야 한다.

1. 힘의 평형

뉴턴 운동 제2법칙에 의해 물체의 가속도는 물체에 작용하는 알짜힘에 비례한다. 따라서 물체에 작용하는 모든 외력의 합력이 0인 경우 물체의 병진 운동 상태는 변하지 않으며, 이때 물체에 작용하는 힘들은 평형을 이룬다고 한다.

$$\sum \vec{F}_i = \vec{F}_1 + \vec{F}_2 + \vec{F}_3 + \cdots = 0$$

힘의 평형
한 물체에 작용하는 외력이 평형을 이룬다고 해서 물체가 정지해 있다고 생각하면 안 된다. 물체에 작용하는 알짜힘이 0인 것은 물체의 속도가 일정함을 의미하므로, 계속해서 정지해 있거나 일정한 속도로 운동하는 경우를 모두 포함한다.

병진 운동과 회전 운동
- 병진 운동: 물체가 전체적으로 한 위치에서 다른 위치로 이동하는 운동
  예 자동차의 운동
- 회전 운동: 물체가 고정된 점을 중심으로 그 주위를 움직이는 운동
  예 시곗바늘의 운동

(1) **두 힘의 평형:** 오른쪽 그림과 같이 한 물체에 작용하는 두 힘 $\vec{F}_1$, $\vec{F}_2$가 평형을 이룰 때 다음의 관계가 성립한다.

$$\vec{F}_1 + \vec{F}_2 = 0 \Rightarrow \vec{F}_1 = -\vec{F}_2$$

▲ 두 힘의 평형

즉, 두 힘의 크기가 같고, 방향이 서로 반대일 때 두 힘은 평형을 이룬다.

(2) **세 힘의 평형:** 한 물체에 세 힘 $\vec{F}_1$, $\vec{F}_2$, $\vec{F}_3$이 작용하여 힘의 평형을 이룰 때 다음의 관계가 성립한다.

$$\vec{F}_1 + \vec{F}_2 + \vec{F}_3 = 0$$

한 물체에 작용하는 세 힘 $\vec{F}_1$, $\vec{F}_2$, $\vec{F}_3$이 평형을 이루기 위해서는 다음 세 가지 조건 중 어느 한 가지가 성립하면 된다.

① 임의의 두 힘의 합력이 나머지 다른 한 힘과 크기가 같고, 방향이 반대이다.

$$\vec{F}_1 + \vec{F}_2 = -\vec{F}_3$$

② 세 힘의 벡터를 평행 이동하면 삼각형을 이룬다.

③ 세 힘의 벡터가 이루는 각이 그림과 같이 α, β, γ일 때 다음의 관계가 성립하는데, 이것을 라미(Lami)의 정리라고 한다.

$$\frac{F_1}{\sin\theta_1} = \frac{F_2}{\sin\theta_2} = \frac{F_3}{\sin\theta_3} \Rightarrow \frac{F_1}{\sin\alpha} = \frac{F_2}{\sin\beta} = \frac{F_3}{\sin\gamma}$$

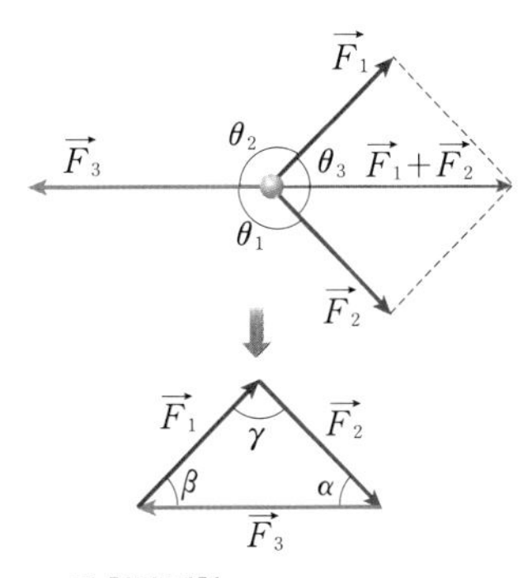
▲ 세 힘의 평형

(3) **여러 힘의 평형:** 한 물체에 작용하는 여러 힘이 평형을 이룰 때 각 힘을 직교 좌표의 x 성분과 y 성분으로 분해하여 각 성분의 총합을 구하면 모두 0이 된다.

$$F_{1x} + F_{2x} + F_{3x} + \cdots = \sum F_{ix} = 0$$

$$F_{1y} + F_{2y} + F_{3y} + \cdots = \sum F_{iy} = 0$$

또, 각 힘의 벡터를 평행 이동시켜 화살표의 머리에 다른 화살표의 꼬리가 닿도록 연결하면 폐다각형을 이룬다.

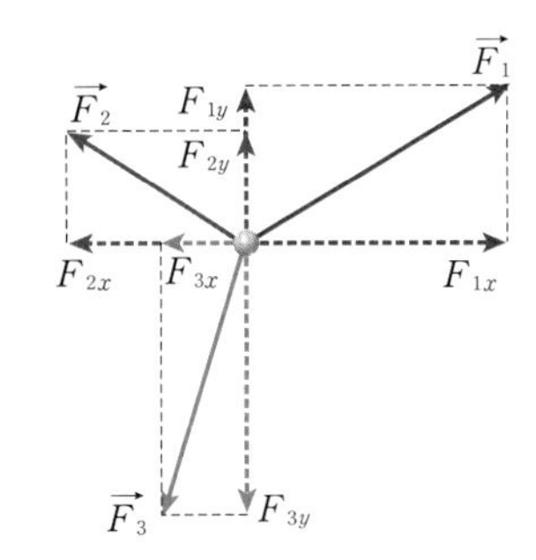
▲ 여러 힘의 평형에서 성분 분해

2. 돌림힘의 평형

정지해 있는 물체에 크기가 같은 두 힘이 서로 반대 방향으로 작용하면, 두 힘은 평형을 이루어 물체의 위치는 변하지 않는다. 그러나 크기가 있는 물체의 경우 힘의 작용점의 위치에 따라 그림 (가)와 같이 물체가 정지해 있을 때도 있고, (나)와 같이 물체가 회전할 때도 있다. 이때 (나)의 물체가 회전한 까닭은 두 힘에 의해 알짜 돌림힘이 생겼기 때문이다.

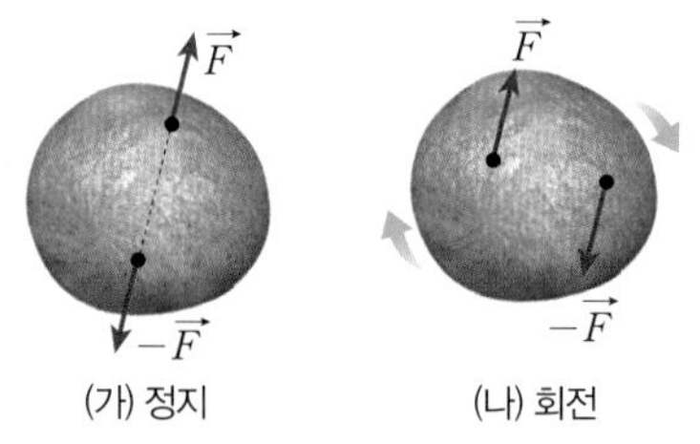

▲ 돌림힘의 평형과 회전 운동

(1) 돌림힘의 평형

물체에 힘이 작용하는데 물체가 회전하지 않거나 일정한 각속도로 회전한다면, 돌림힘이 평형을 이룬다고 한다. 이처럼 물체가 회전 운동에 대해 평형을 이루기 위해서는 임의의 어느 점을 회전축으로 하여도 돌림힘의 합이 0이 되어야 한다. 돌림힘의 합을 구할 때는 돌림힘의 방향에 따라 (+), (−)를 붙여 계산한다.

$$\sum\vec{\tau}_i=\vec{\tau}_1+\vec{\tau}_2+\vec{\tau}_3+\cdots\cdots=0$$

돌림힘의 평형

한 물체에 작용하는 돌림힘이 평형을 이룬다고 해서 물체가 회전하지 않는다고 생각하면 안 된다. 힘의 평형의 경우와 마찬가지로, 한 물체에 작용하는 돌림힘이 평형을 이루는 것은 물체가 회전하지 않거나 일정한 각속도로 회전하는 경우를 모두 포함한다.

(2) 두 돌림힘의 평형

오른쪽 그림과 같이 O점을 축으로 회전할 수 있는 막대에 두 힘 $\vec{F}_1$, $\vec{F}_2$가 수직으로 작용하여 막대가 정지해 있다면, 두 힘에 의한 돌림힘이 평형을 이루므로 다음 관계가 성립한다.

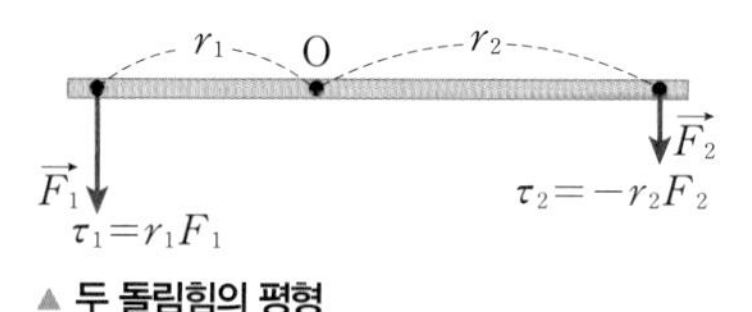

▲ 두 돌림힘의 평형

$$\vec{\tau}=\vec{\tau}_1+\vec{\tau}_2=r_1F_1+(-r_2F_2)=0 \Rightarrow r_1F_1=r_2F_2$$

(3) 시소에서 돌림힘의 평형

오른쪽 그림과 같이 시소를 타는 두 사람의 몸무게가 다를 때 시소 중심에서 두 사람이 앉는 자리까지의 거리가 몸무게에 반비례하도록 앉아야 돌림힘이 평형을 이루어 시소를 제대로 탈 수 있다. 즉, 몸무게가 무거운 사람이 회전축에 가깝게 앉아야 한다.

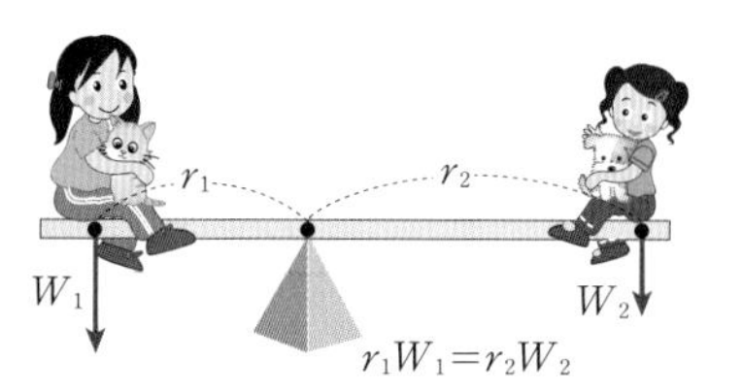

▲ 시소에서 돌림힘의 평형

축바퀴에서 돌림힘의 평형

축바퀴도 시소와 마찬가지로 축바퀴의 반지름에 반비례하는 무게를 매달아야 축바퀴의 돌림힘이 평형을 이룰 수 있다.

3. 역학적 평형의 조건

물체에 여러 힘이 작용하지만 물체의 병진 운동 상태와 회전 운동 상태가 모두 변하지 않을 때 역학적 평형을 이룬다고 한다. 물체가 역학적 평형을 이루려면 다음의 두 조건을 동시에 만족해야 한다.

- 물체에 작용하는 모든 힘의 합력이 0이 되어야 한다.

$$\vec{F}_1+\vec{F}_2+\vec{F}_3+\cdots\cdots=\sum\vec{F}_i=0 \text{ (병진 운동에 대한 평형)}$$

- 물체에 작용한 힘의 임의의 점에 대한 돌림힘의 합이 0이 되어야 한다.

$$\vec{\tau}_1+\vec{\tau}_2+\vec{\tau}_3+\cdots\cdots=\sum\vec{\tau}_i=0 \text{ (회전 운동에 대한 평형)}$$

정적 평형 상태

역학적 평형 상태 중에서도 물체가 병진 운동하지 않고 회전하지도 않는 경우, 즉 물체가 가만히 정지해 있는 상태를 정적 평형 상태라고 한다. 물체가 정적 평형 상태에 있기 위해서는 역학적 평형 조건과 함께 물체의 처음 운동 상태가 속도와 각속도가 모두 0인 정지 상태여야 한다.

예제

1. 그림과 같이 x축에서 30° 아래 방향으로 작용하는 $40\ \text{N}$의 힘 $\vec{F}_1$, 45° 위 방향으로 작용하는 $20\ \text{N}$의 힘 $\vec{F}_2$가 있다. 이 두 힘이 한 점 O에 작용할 때 합력 $\vec{F}$의 x 성분 F_x와 y 성분 F_y의 크기는 각각 몇 N인지 구하시오. (단, $\sqrt{2}=1.41$, $\sqrt{3}=1.73$으로 계산한다.)

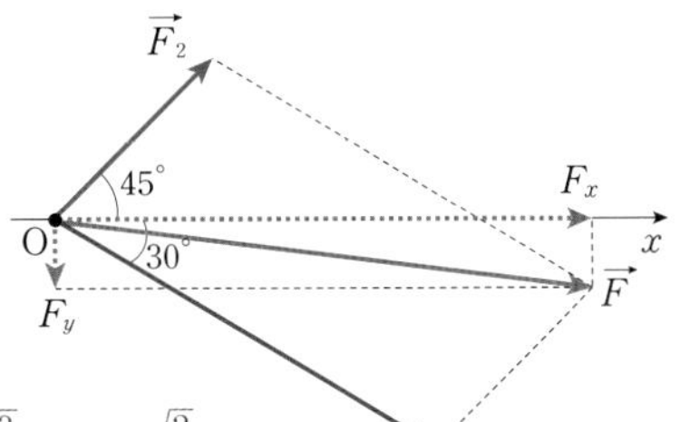

해설 $F_x=F_{1x}+F_{2x}=F_1\cos30^\circ+F_2\cos45^\circ=40\ \text{N}\times\frac{\sqrt{3}}{2}+20\ \text{N}\times\frac{\sqrt{2}}{2}=48.7\ \text{N}$

$F_y=F_{1y}+F_{2y}=-F_1\sin30^\circ+F_2\sin45^\circ=-40\ \text{N}\times\frac{1}{2}+20\ \text{N}\times\frac{\sqrt{2}}{2}=-5.9\ \text{N}$

정답 $|F_x|$: 48.7 N, $|F_y|$: 5.9 N

2. 그림과 같이 긴 막대의 양 끝 지점에 같은 방향으로 두 힘 $\vec{F}_1$, $\vec{F}_2$가 작용하고 있다. 두 힘과 역학적 평형을 이루는 힘을 $\vec{F}_3$이라고 하자. (단, 막대의 질량은 무시한다.)

(1) $\vec{F}_3$의 크기와 방향을 구하시오.

(2) $\vec{F}_3$의 작용점의 위치를 구하시오.

해설 (1) $\vec{F}_3$은 막대에 작용하는 두 힘 $\vec{F}_1$, $\vec{F}_2$와 힘의 평형을 이루므로, 두 힘 $\vec{F}_1$, $\vec{F}_2$의 합력과 크기는 같고 방향은 반대이어야 한다. ➡ $\vec{F}_1+\vec{F}_2=-\vec{F}_3$, $\therefore F_3=F_1+F_2$

(2) $\vec{F}_1$, $\vec{F}_2$, $\vec{F}_3$에 의한 돌림힘이 평형을 이루어야 한다. $\vec{F}_3$의 작용점을 회전축 O로 잡을 때, O에서 $\vec{F}_1$의 작용점까지의 거리를 r_1, O에서 $\vec{F}_2$의 작용점까지의 거리를 r_2라고 하면 다음 식이 성립한다.

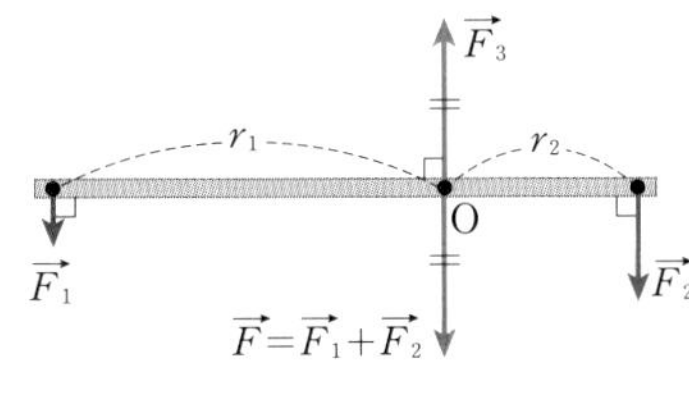

$$r_1F_1=r_2F_2,\ \therefore \frac{r_1}{r_2}=\frac{\frac{1}{F_1}}{\frac{1}{F_2}}$$

따라서 $\vec{F}_3$의 작용점의 위치는 두 힘의 크기 F_1, F_2의 역수의 비로 내분하는 점이다.

정답 (1) 크기: F_1+F_2, 방향: $\vec{F}_1$, $\vec{F}_2$와 반대 방향 (2) $\frac{1}{F_1}:\frac{1}{F_2}$로 내분하는 점

3. 그림과 같이 긴 막대에 반대 방향으로 두 힘 $\vec{F}_1$, $\vec{F}_2$가 작용하고 있다. 두 힘과 역학적 평형을 이루는 힘을 $\vec{F}_3$이라고 하자. (단, $F_2>F_1$이고, 막대의 질량은 무시한다.)

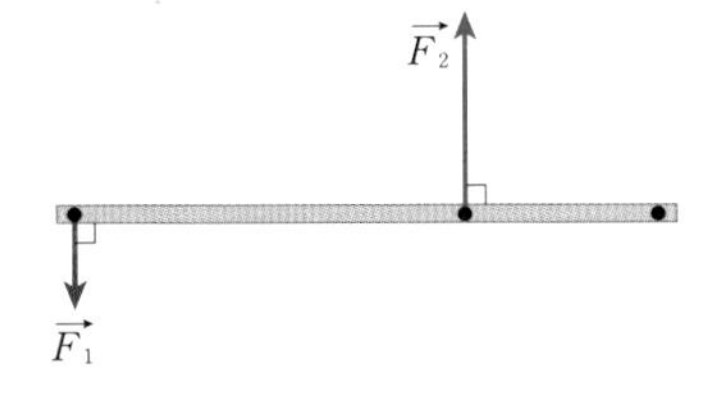

(1) $\vec{F}_3$의 크기와 방향을 구하시오.

(2) $\vec{F}_3$의 작용점의 위치를 구하시오.

해설 (1) 힘의 평형을 이루어야 하므로, $\vec{F}_3$은 두 힘 $\vec{F}_1$, $\vec{F}_2$의 합력과 크기는 같고 방향은 반대이어야 한다.
➡ $\vec{F}_1+\vec{F}_2=-\vec{F}_3$, $\therefore F_3=F_2-F_1$

(2) 임의의 점에서 $\vec{F}_1$, $\vec{F}_2$, $\vec{F}_3$에 의한 돌림힘이 평형을 이루어야 한다. 이때 $\vec{F}_3$의 작용점을 회전축 O로 잡으면 $\vec{F}_3$에 의한 돌림힘은 0이 되므로, O에서 $\vec{F}_1$의 작용점까지의 거리를 r_1, O에서 $\vec{F}_2$의 작용점까지의 거리를 r_2라고 하면 다음 식이 성립한다.

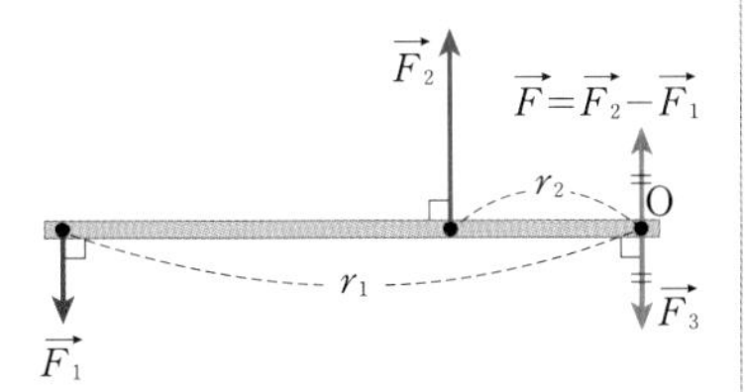

$$r_1F_1=r_2F_2,\ \therefore \frac{r_1}{r_2}=\frac{\frac{1}{F_1}}{\frac{1}{F_2}}$$

따라서 $\vec{F}_3$의 작용점의 위치는 두 힘의 크기 F_1, F_2의 역수의 비로 외분하는 점이다.

정답 (1) 크기: F_2-F_1, 방향: $\vec{F}_1$과 같은 방향 (2) $\frac{1}{F_1}:\frac{1}{F_2}$로 외분하는 점

역학적 평형 상태의 예

마찰이 없는 얼음 위를 회전하지 않고 일정한 속도로 미끄러지는 하키 퍽은 역학적 평형 상태이다.

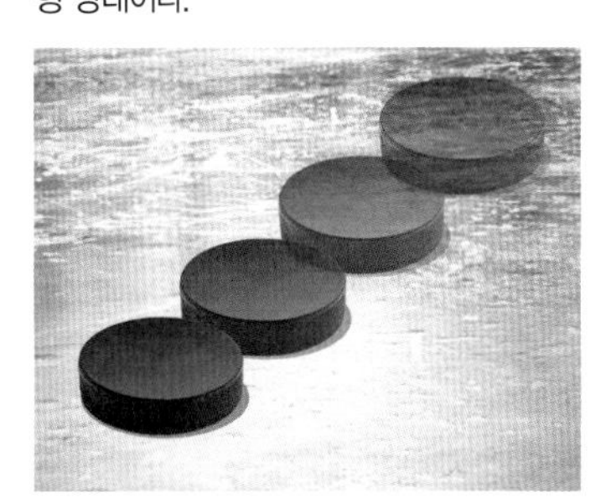

3 구조물의 안정성

고층 빌딩은 태풍이 불어도 견뎌야 하고, 다리는 트럭이 덜컹거리며 지나갈 때도 안정하게 정적 평형 상태를 유지해야 한다. 이처럼 건물이나 다리가 힘을 받아 흔들리더라도 다시 정적 평형 상태로 되돌아올 수 있으려면, 구조물에 작용하는 모든 힘과 돌림힘을 찾아내어 안정한 평형 상태를 이루도록 설계하는 것이 매우 중요하다.

건물, 다리, 기중기, 선반 등과 같은 구조물은 정적 평형 상태를 유지하고 있다. 이러한 구조물이 안정하려면 외부 요인에 의하여 일시적으로 역학적 평형이 깨지더라도 쉽게 무너지거나 쓰러지지 않고 다시 정적 평형 상태로 되돌아올 수 있어야 한다.

구조물이 안정하려면 다음의 조건을 충족해야 한다.

① 구조물에 작용하는 모든 힘과 돌림힘이 평형을 이루어야 한다.

② 구조물이 역학적 평형 상태에서 일정 범위만큼 벗어나더라도, 복원력이 작용하여 다시 원래의 역학적 평형 상태로 돌아올 수 있어야 한다.

1. 무게중심

물체의 역학적 평형 조건을 구할 때 절대 빠뜨리면 안 되는 힘 중의 하나가 중력이다. 크기가 있는 물체는 질량이 연속적으로 분포되어 있으므로, 물체를 이루는 각각의 질량 요소마다 중력이 작용한다. 알짜힘이나 돌림힘을 구하기 위해 물체에 작용하는 중력을 구할 때 물체의 모든 부분을 고려하는 대신에 물체의 전체 무게가 한 점에 작용하는 것으로 계산할 수 있는 점이 있는데, 이 점을 무게중심이라고 한다.

(1) **무게중심:** 물체의 각 부분에 작용하는 전체 중력이 한 점에 작용하는 것으로 볼 수 있는 점이다.

(2) **무게중심의 위치를 구하는 방법:** 오른쪽 그림과 같이 xy 평면 위에 놓여 있는 질량 M인 물체를 (x_1, y_1), (x_2, y_2), (x_3, y_3), …인 위치에 놓여 있는 질량이 m_1, m_2, m_3, …인 입자들로 이루어져 있다고 나타낼 수 있다.

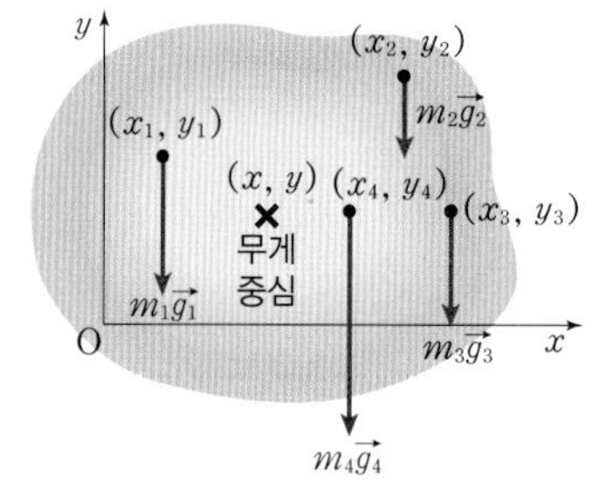

▲ 물체의 무게중심

원점 O를 회전축으로 할 때 (x_1, y_1)인 위치에 있는 입자에 작용하는 중력 $m_1\vec{g_1}$은 크기가 $x_1m_1g_1$인 돌림힘을 만들고, 물체의 모든 부분에 작용하는 중력에 의한 돌림힘의 합은 무게중심에 중력 $M\vec{g}$가 작용하여 생기는 돌림힘과 같으므로, 무게중심의 좌표를 (x, y)라 할 때 다음 식이 성립한다.

$$x(m_1+m_2+m_3+\cdots)g=x_1m_1g_1+x_2m_2g_2+x_3m_3g_3+\cdots$$

물체의 모든 부분에서 중력 가속도가 $\vec{g}$로 일정하다면, 무게중심의 x 좌표는 다음과 같다.

$$x=\frac{x_1m_1+x_2m_2+x_3m_3+\cdots}{m_1+m_2+m_3+\cdots}=\frac{\sum x_im_i}{M}$$

즉, 물체 전체에서 중력 가속도 $\vec{g}$가 일정하면 무게중심의 위치는 질량 중심과 같아진다. 이와 동일하게 무게중심의 y 좌표를 구하면 다음과 같다.

$$y=\frac{y_1m_1+y_2m_2+y_3m_3+\cdots}{m_1+m_2+m_3+\cdots}=\frac{\sum y_im_i}{M}$$

질량 중심

물체나 물체들로 이루어진 계에서 모든 질량이 한 점에 모여 있고, 외력이 그 점에 작용하는 것처럼 운동하는 점을 질량 중심이라고 한다. 질량 M인 물체를 왼쪽 그림과 같이 좌표계로 나타낼 때 질량 중심의 좌표 (x, y)는 다음과 같다.

$$x=\frac{\sum m_ix_i}{M},\ y=\frac{\sum m_iy_i}{M}$$

모양이 대칭인 물체의 무게중심

밀도가 균일하고 모양이 대칭인 물체는 무게중심(O)의 위치가 기하학적인 중심과 일치한다.

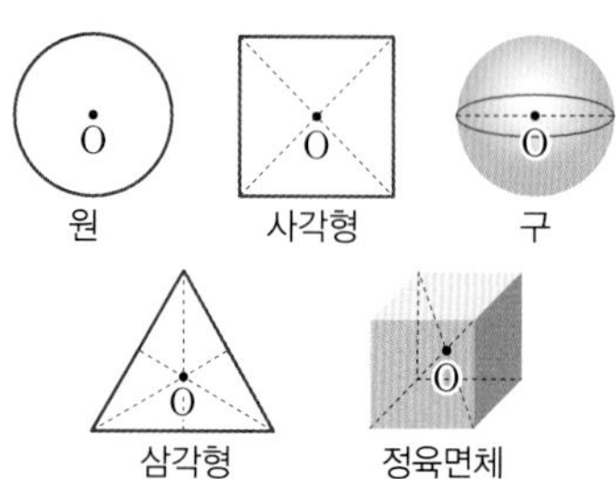

(3) **모양이 불규칙한 평평한 물체의 무게중심:** 물체의 한 점을 실에 매달면, 물체는 실을 연장한 연직선의 왼쪽과 오른쪽에 작용하는 중력에 의한 돌림힘이 평형을 이루는 위치에서 회전을 멈춘다. 즉, 무게중심은 항상 물체를 매단 점의 연직 아래 방향에 있으므로, 그림과 같이 서로 다른 지점 A, B를 각각 실에 매달았을 때 연직선 $\overline{Aa}$와 $\overline{Bb}$가 교차하는 점 O가 그 물체의 무게중심이 된다.

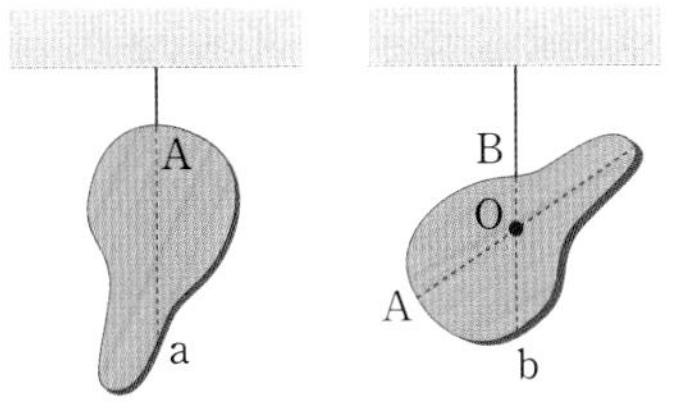

▲ 모양이 불규칙한 물체의 무게중심

2. 구조물의 역학적 평형

집중 분석 36쪽~38쪽

(1) **크레인의 균형추:** 그림과 같이 크레인은 물체를 들어 올리는 쪽의 반대쪽에 무거운 균형추가 달려 있다. 그래서 크레인으로 무거운 물체를 들어 올릴 때 다음과 같이 돌림힘의 평형을 이루어 크레인이 쓰러지지 않는다.

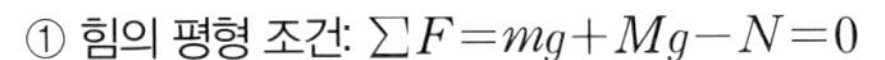
① 힘의 평형 조건: $\sum F = mg + Mg - N = 0$

② 돌림힘의 평형 조건: $\sum \tau = r_1 mg - r_2 Mg = 0$

(2) **선반의 받침대:** 그림과 같이 벽에 못으로 고정된 선반은 못이 선반을 당기는 힘 $\vec{F}$의 값이 못이 버틸 수 있는 한계를 넘으면 못이 빠지며 선반이 무너진다. 그런데 선반 아래에 받침대를 달면 받침대가 선반에 작용하는 힘 $\vec{F'}$에 의해 선반을 떠받치는 방향으로 $F'\sin\theta$에 의한 돌림힘이 더해지며 다음과 같이 역학적 평형을 이룬다. ($\vec{W}$는 못이 위로 받쳐 주는 힘이고, O점이 회전축이다.)

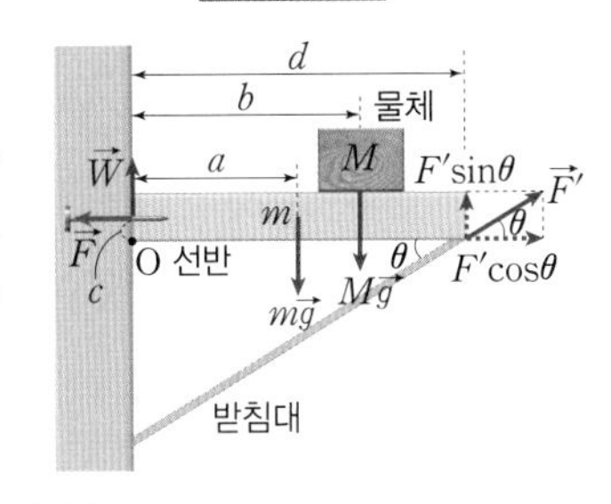

① 힘의 평형: $\sum F = W + F'\sin\theta - (mg + Mg) = 0$

② 돌림힘의 평형: $\sum \tau = cF + dF'\sin\theta - (amg + bMg) = 0$, $F = \dfrac{amg + bMg - dF'\sin\theta}{c}$

따라서 못이 선반에 작용하는 힘 F가 받침대가 없을 때보다 $\dfrac{dF'\sin\theta}{c}$만큼 작아지므로, 선반에 최대로 올릴 수 있는 물체의 무게도 받침대가 없을 때보다 증가한다.

예제

그림 (가)는 폭과 두께가 각각 10 cm, 2 cm이고 무게가 10 N인 선반을 못으로 벽에 고정한 것을, (나)는 이 선반에 삼각형의 보조 받침대를 추가로 설치하여 고정한 것을 나타낸 것이다. (단, 선반의 밀도는 균일하고, 못과 받침대의 무게는 무시한다.)

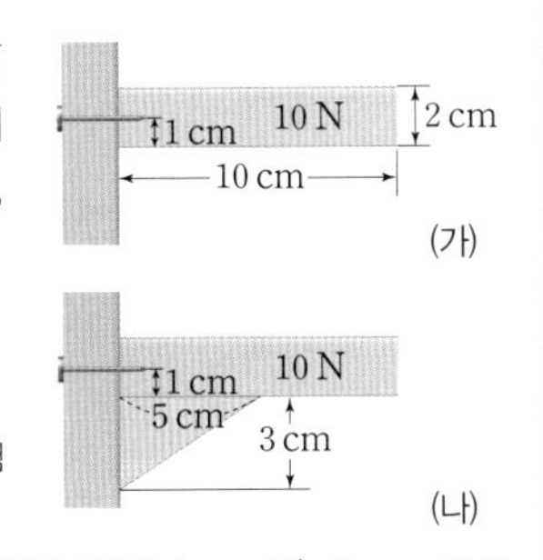

(1) (가)에서 못이 선반에 작용하는 힘의 최소 크기를 구하시오.

(2) (나)에서 못이 선반에 작용하는 힘의 최소 크기를 구하시오.

해설 (1) (가)에서 선반의 아래와 벽이 접촉한 점이 회전축이 되므로 돌림힘의 평형에 의해서 $1\text{ cm} \times F = 5\text{ cm} \times 10\text{ N}$이고, $F = 50\text{ N}$이다.

(2) (나)에서 받침대가 벽에 접촉한 점이 회전축이 되므로 돌림힘의 평형에 의해서 $4\text{ cm} \times F' = 5\text{ cm} \times 10\text{ N}$이고, $F' = 12.5\text{ N}$이다.

정답 (1) 50 N (2) 12.5 N

크레인의 균형추

선반의 받침대

3. 무게중심의 위치와 구조물의 안정성

(1) 안정성

평형 상태를 유지하려는 성질로, 물체가 평형 상태에서 벗어났을 때 다시 원래의 평형 상태로 되돌아가려는 경향을 말한다.

① **안정한 평형 상태:** 오목한 그릇의 중앙에 있는 물체처럼, 물체가 평형 상태에서 벗어나더라도 다시 평형 상태로 되돌아가려는 방향으로 변화가 일어나는 경우이다.

② **불안정한 평형 상태:** 엎어 놓은 그릇의 중앙에 놓인 물체처럼, 물체가 평형 상태에서 벗어났을 때 점점 변화를 가속시키는 방향으로 변화가 일어나는 경우이다.

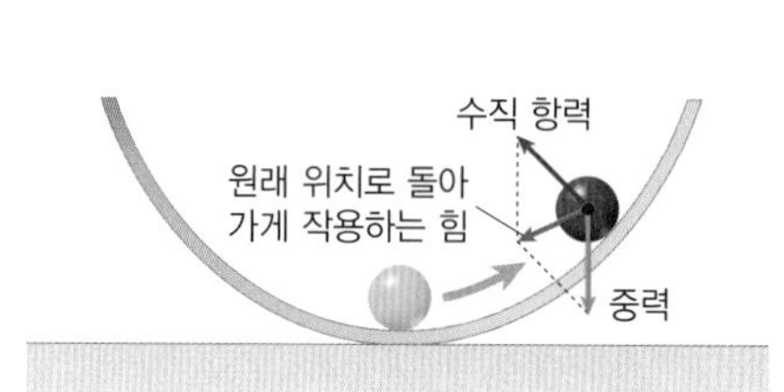

▲ **안정한 평형 상태의 예** 오목한 그릇의 중앙에 놓인 물체는 옆으로 조금 이동시켜도 물체에 작용하는 중력과 수직 항력의 합력이 항상 처음 위치(중앙)를 향하므로, 물체가 원래 위치로 되돌아간다.

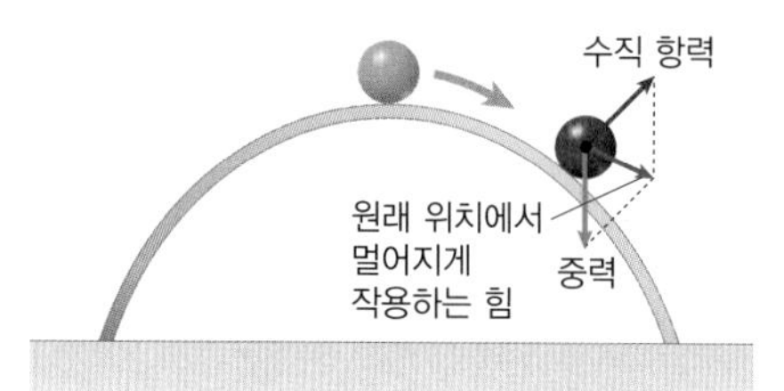

▲ **불안정한 평형 상태의 예** 엎어 놓은 그릇의 중앙에 놓인 물체는 옆으로 조금만 이동시켜도 중력과 수직 항력의 합력이 처음 위치(중앙)에서 멀어지는 쪽을 향하므로, 물체는 아래로 떨어진다.

(2) 무게중심의 위치와 물체의 안정성

바닥에 놓인 물체를 기울이면 무게중심이 이동하며 중력에 의한 돌림힘이 나타나 평형 상태가 깨진다.

① **물체의 무게중심에서 내린 연직선이 바닥면을 지나는 경우:** 물체를 기울일수록 무게중심의 위치가 평형 상태에서 점점 높아지므로 물체의 중력 퍼텐셜 에너지가 점점 증가한다. 이때 물체를 놓으면 물체에는 중력 퍼텐셜 에너지가 감소하는 방향인 원래 위치로 되돌아가는 방향으로 돌림힘이 작용하므로 물체는 원래 위치로 되돌아간다.

② **물체의 무게중심에서 내린 연직선이 바닥면에서 벗어난 경우:** 물체를 더 기울여 무게중심에서 내린 연직선이 바닥면에서 벗어나면 무게중심의 위치가 점점 낮아지고, 물체의 중력 퍼텐셜 에너지가 점점 감소한다. 이때는 물체를 놓아도 평형 상태로 되돌아가지 못하고, 물체는 처음 위치에서 멀어지는 방향으로 돌림힘을 받아 넘어진다.

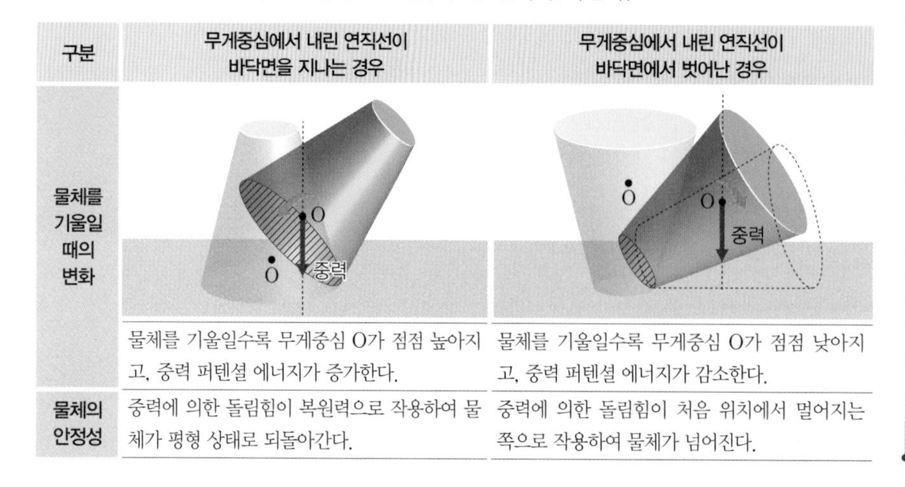

구분	무게중심에서 내린 연직선이 바닥면을 지나는 경우	무게중심에서 내린 연직선이 바닥면에서 벗어난 경우
물체를 기울일 때의 변화	물체를 기울일수록 무게중심 O가 점점 높아지고, 중력 퍼텐셜 에너지가 증가한다.	물체를 기울일수록 무게중심 O가 점점 낮아지고, 중력 퍼텐셜 에너지가 감소한다.
물체의 안정성	중력에 의한 돌림힘이 복원력으로 작용하여 물체가 평형 상태로 되돌아간다.	중력에 의한 돌림힘이 처음 위치에서 멀어지는 쪽으로 작용하여 물체가 넘어진다.

오뚝이의 원리

오뚝이는 둥근 아랫부분에 질량이 큰 물체를 넣어 무게중심이 구조물의 아래쪽에 위치하도록 한 장치이다. 오뚝이는 옆으로 완전히 넘어뜨려도 중력에 의한 돌림힘이 오뚝이를 일으키는 방향으로 작용하여 다시 일어난다.

안정한 모빌

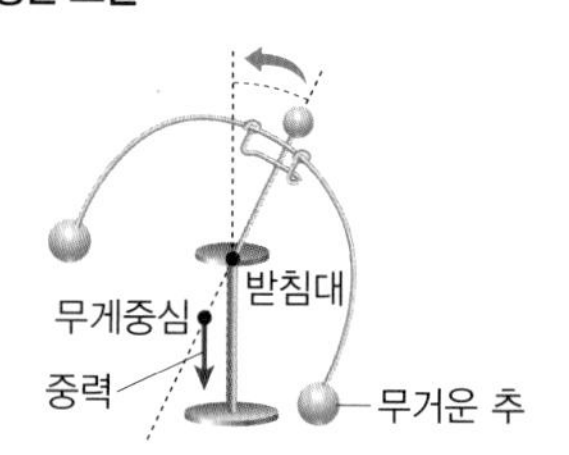

모빌 양쪽의 무거운 추에 의해 무게중심이 받침대의 아래쪽에 위치한다. 따라서 모빌이 흔들리더라도 중력에 의한 돌림힘이 복원력으로 작용하여 모빌이 잘 떨어지지 않는다.

이쑤시개에 꽂혀 있는 포크와 숟가락

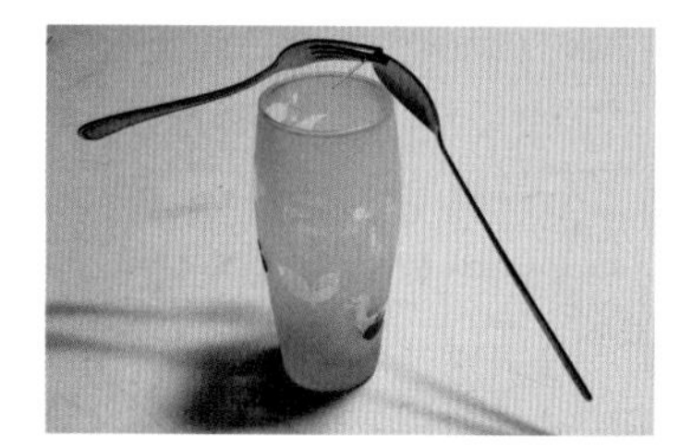

포크와 숟가락의 무게중심이 컵 안에 있으면 포크와 숟가락을 흔들어도 컵에서 잘 떨어지지 않는다.

(3) 물체의 안정성을 높이는 방법

일반적으로 물체는 바닥면이 넓고, 무게중심이 낮을수록 안정하다.

① 무게중심의 높이가 같은 경우: 바닥면이 넓을수록 안정하다. ➡ (가)와 같이 바닥면이 좁은 물체는 조금만 움직여도 무게중심이 바닥면 위에서 벗어나지만, (나)와 같이 바닥면이 넓은 물체는 더 많이 기울여야 무게중심이 바닥면 위를 벗어나므로 안정적이다.

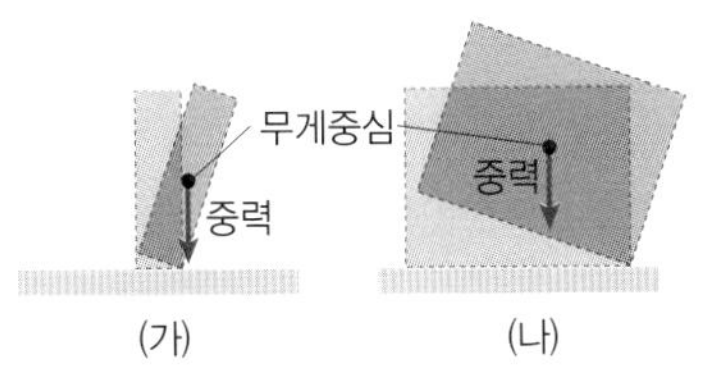

▲ 바닥면의 넓이와 안정성

② 바닥면의 넓이가 같은 경우: 무게중심이 낮을수록 안정하다. ➡ (가)와 같이 무게중심이 높은 물체는 (나)와 같이 무게중심이 낮은 물체에 비해 조금만 기울여도 무게중심이 바닥면 위에서 벗어나게 되어 중력에 의한 돌림힘이 넘어지는 쪽으로 작용한다.

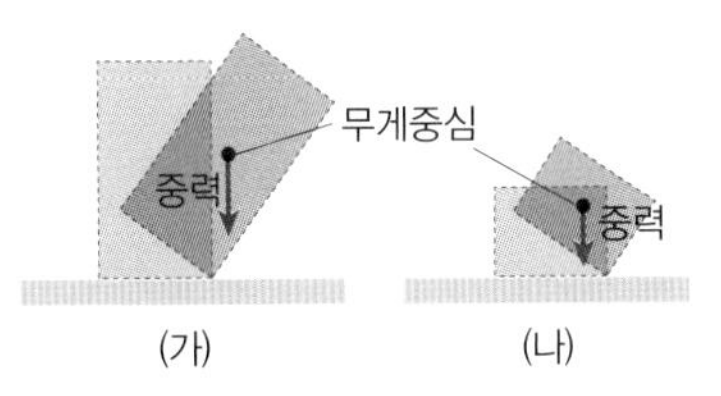

▲ 무게중심의 높이와 안정성

③ 생활 속에서 물체의 안정성을 높이는 예

▲ 사진기나 휴대전화를 삼각대에 설치하여 바닥면을 넓힌다.

▲ 럭비를 할 때 무게중심을 낮추면 잘 안 넘어진다.

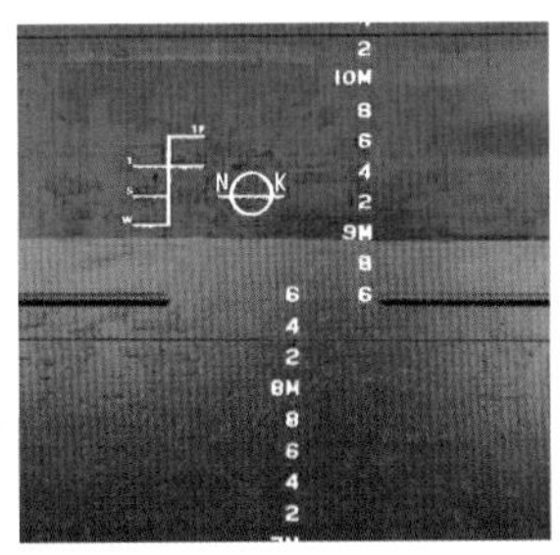
▲ 배에 만재흘수선을 표시하여 무게중심이 일정값 이상 높아지지 않도록 한다.

배의 만재흘수선

배는 부력과 중력이 평형을 이루어 물에 떠 있다. 배가 기울면 물에 잠긴 부분의 모양에 따라 부력의 작용점이 B에서 B′로 이동하므로, 부력과 중력에 의한 돌림힘이 발생한다. 그림 (가)와 같이 배의 무게중심 G가 낮은 경우 배가 약간 기울어도 부력과 중력에 의한 돌림힘이 배가 평형 상태로 되돌아가는 방향으로 작용하여 배는 원래 상태로 되돌아간다. 그러나 (나)와 같이 배의 무게중심 G가 높으면 배가 기울어졌을 때 부력과 중력에 의한 돌림힘이 배가 넘어지는 방향으로 작용한다.

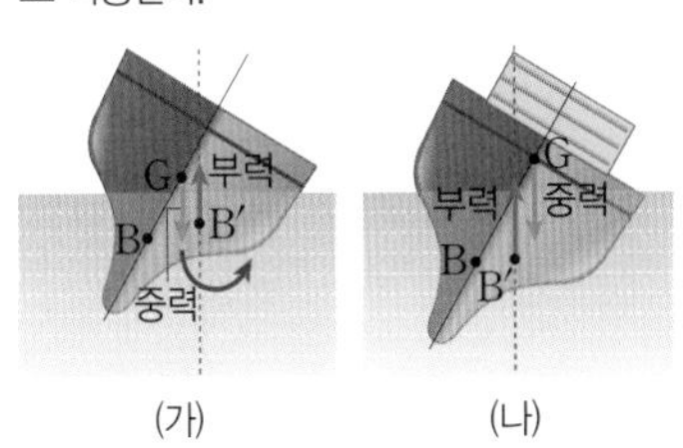

즉, 배 위에 짐을 많이 실을수록 무게중심이 높아져 배가 불안정해진다. 따라서 배에는 적재 한계량을 배의 표면에 만재흘수선으로 표시하여 쉽게 확인할 수 있도록 한다.

예제

그림과 같이 한 변의 길이가 20 cm인 직육면체 모양의 동일한 나무 도막을 왼쪽 부분을 4 cm씩 남겨 놓고 차례대로 쌓아 올린다. 나무 도막이 쓰러지지 않을 때까지 쌓아 올릴 수 있는 최대 개수는 몇 개인지 구하시오.

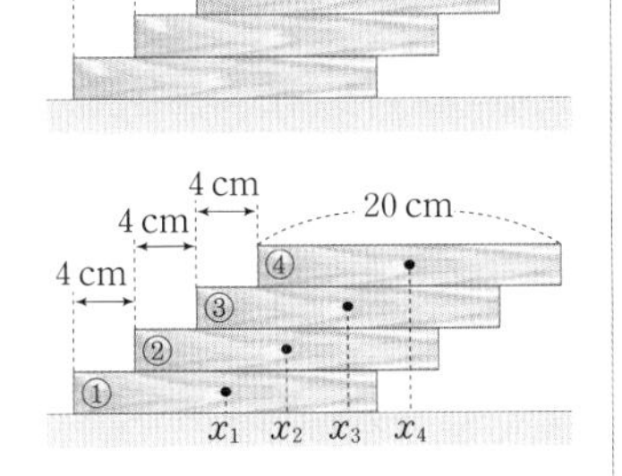

해설 나무 도막 전체의 무게중심이 맨 아래 나무 도막의 바닥면 위에 있으면 나무 도막이 쓰러지지 않는다. 맨 아래 나무 도막의 무게중심을 수평 방향 무게중심의 원점으로 잡고, 각각의 무게중심을 x_1, x_2, …라고 하면 한 개를 쌓아 올렸을 때 ①과 ②의 새로운 무게중심 X_2는 다음과 같다. (단, $m_1=m_2=m$)

$$X_2=\frac{m_1x_1+m_2x_2}{m_1+m_2}=\frac{m(x_1+x_2)}{2m}=\frac{x_1+x_2}{2}=\frac{0+4\text{ cm}}{2}=2\text{ cm}$$

마찬가지로 ①, ②, ③의 무게중심 $X_3=\frac{m(x_1+x_2+x_3)}{3m}=\frac{0+4\text{ cm}+8\text{ cm}}{3}=4\text{ cm}$이고,

①, ②, ③, ④의 무게중심 $X_4=\frac{m(x_1+x_2+x_3+x_4)}{4m}=\frac{0+4\text{ cm}+8\text{ cm}+12\text{ cm}}{4}=6\text{ cm}$이다.

즉, 나무 도막을 하나 더 쌓을 때마다 전체 무게중심이 2 cm씩 오른쪽으로 이동한다. 나무 도막의 개수가 5개가 되면, ① 나무 도막을 제외한 위쪽 4개의 무게중심이 ① 나무 도막의 오른쪽 끝 지점에 위치한다. 나무 도막의 개수가 6개가 되면 위쪽 5개의 무게중심이 ① 나무 도막의 윗면을 벗어나게 되어 ②~⑤ 나무 도막이 쓰러지므로, 최대로 쌓을 수 있는 나무 도막의 개수는 5개가 된다.

정답 5개

실전에 대비하는

역학적 평형 상태인 물체의 분석

역학적 평형 상태에 있는 구조물을 분석하는 문제는 고난도 문제로 종종 출제되며, 언뜻 보면 어렵고 복잡해 보인다. 그러나 구조물에 작용하는 힘들을 찾아내어 역학적 평형 조건, 즉 힘의 평형과 돌림힘의 평형을 만족하는 각각의 식을 잘 세우면 생각보다 문제를 쉽게 해결할 수 있다.

힘의 평형과 돌림힘의 평형에 대한 식을 세우기 위해서는 먼저 물체에 작용하는 모든 힘을 찾아 표시하고, 중력은 물체의 무게중심에 표시한다. 역학적 평형 상태일 때는 어느 지점을 회전축으로 잡아도 돌림힘이 평형을 이루어야 하므로, 돌림힘의 평형에 대한 식을 세우기 편리한 지점을 회전축으로 잡는다.

❶ 받침대의 양쪽에 물체가 있는 경우

그림과 같이 질량이 m이고 밀도가 균일한 막대의 O점을 받침대로 받치고, 받침대에서 거리 r_1, r_2만큼 떨어진 지점에 각각 질량 m_1, m_2인 물체 A, B를 올려놓았더니 막대가 기울어지지 않고 수평을 유지하였다.

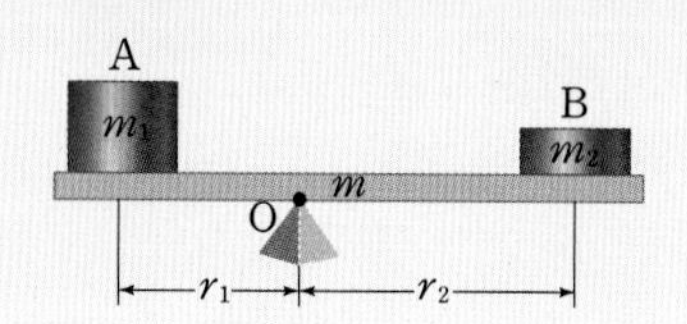

분석 막대가 정지해 있으므로 이 막대는 역학적 평형 상태에 있고, 힘의 평형과 돌림힘의 평형이 모두 성립한다. 막대에 작용하는 모든 힘을 찾아 표시하면 다음과 같다.

- A가 막대를 누르는 힘: $m_1\vec{g}$
- B가 막대를 누르는 힘: $m_2\vec{g}$
- 막대에 작용하는 중력: $m\vec{g}$
- 받침대가 막대를 떠받치는 힘: $\vec{F}$

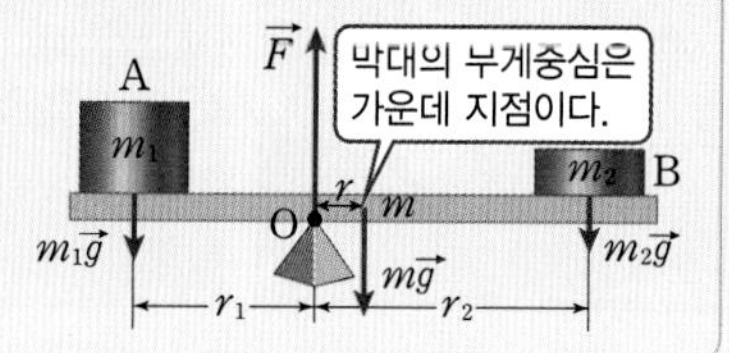

(1) **힘의 평형**: 막대에 작용하는 모든 힘의 합력이 0이 되므로, 연직 위 방향을 (+)로 나타내면 다음과 같다.

$$F-mg-m_1g-m_2g=0$$

(2) **돌림힘의 평형**: 임의의 점을 회전축으로 할 때 막대에 작용하는 모든 돌림힘의 합이 0이 되므로, O를 회전축으로 하여 시계 반대 방향으로 회전시키는 돌림힘의 방향을 (+)로 나타내면 다음과 같다.

$$r_1m_1g-rmg-r_2m_2g=0 \Rightarrow r_1m_1-rm-r_2m_2=0$$

회전축
회전축은 모든 지점이 가능하지만, 받침점을 회전축으로 잡으면 $\vec{F}$에 의한 돌림힘이 0이 되어 계산을 줄일 수 있다.

예제

❶ 그림과 같이 길이가 $12L$인 막대의 양쪽에 각각 질량 2 kg, 1 kg인 두 물체를 올려놓고 받침대를 설치하였더니 막대가 기울어지지 않고 수평을 유지하였다. (단, 막대의 굵기와 밀도는 균일하며, 중력 가속도는 10 m/s^{2}이다.)

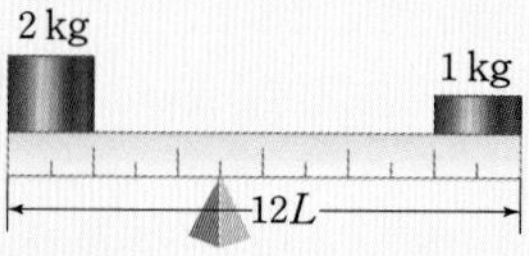

2 kg
1 kg
$12L$

(1) 막대의 질량은 몇 kg인지 구하시오.
(2) 받침대가 막대에 작용하는 힘의 크기는 몇 N인지 구하시오.

해설 (1) 받침점을 회전축으로 하여 돌림힘의 평형을 적용하면 막대의 질량 m은 다음과 같다.

$$4L\times2\ \text{kg}\times10\ \text{m/s}^2=L\times m\times10\ \text{m/s}^2+6L\times1\ \text{kg}\times10\ \text{m/s}^2,\ \therefore m=2\ \text{kg}$$

(2) 힘의 평형을 적용하면 받침대가 막대에 작용하는 힘의 크기 $F=(2+1+2)\ \text{kg}\times10\ \text{m/s}^2=50$ N이다.

정답 (1) 2 kg (2) 50 N

❷ 받침대가 2개인 경우

그림과 같이 받침대 P, Q 위에 길이가 $6L$이고, 질량이 M인 밀도가 균일한 막대를 놓고, 막대 위에 질량 m인 물체를 위치 x에 올려놓았더니 막대가 수평을 유지하였다.

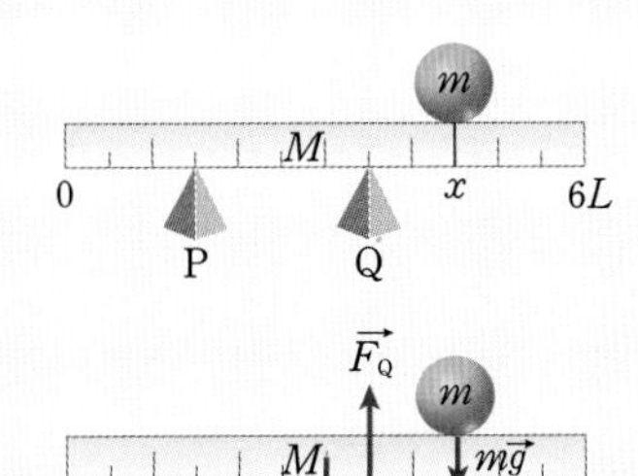

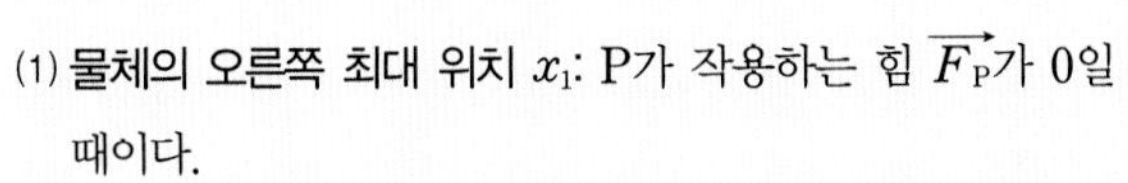

(1) **물체의 오른쪽 최대 위치 x_1:** P가 작용하는 힘 $\vec{F_P}$가 0일 때이다.

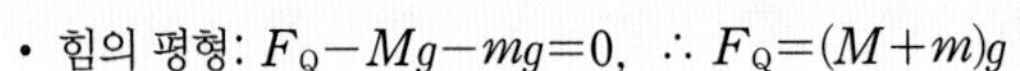

- 힘의 평형: $F_Q - Mg - mg = 0$, $\therefore F_Q = (M+m)g$
- 돌림힘의 평형: Q를 회전축으로 할 때, 다음 식이 성립한다.

$$0.5LMg - (x_1 - 3.5L)mg = 0$$

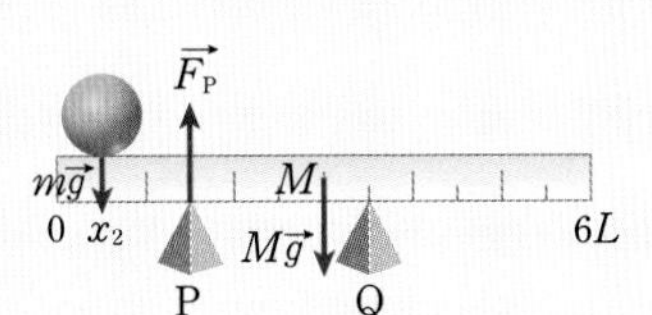

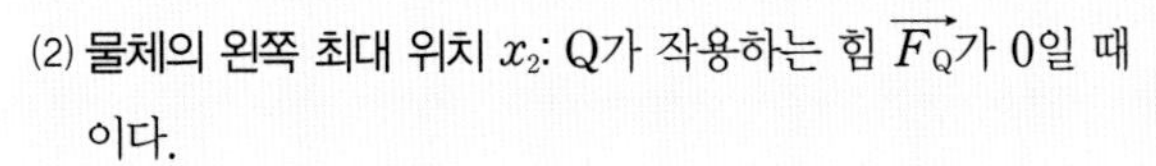

(2) **물체의 왼쪽 최대 위치 x_2:** Q가 작용하는 힘 $\vec{F_Q}$가 0일 때이다.

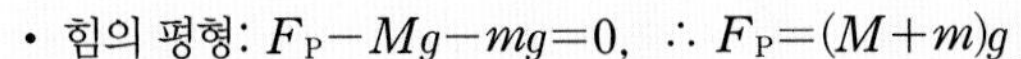

- 힘의 평형: $F_P - Mg - mg = 0$, $\therefore F_P = (M+m)g$
- 돌림힘의 평형: P를 회전축으로 할 때, 다음 식이 성립한다.

$$(1.5L - x_2)mg - 1.5LMg = 0$$

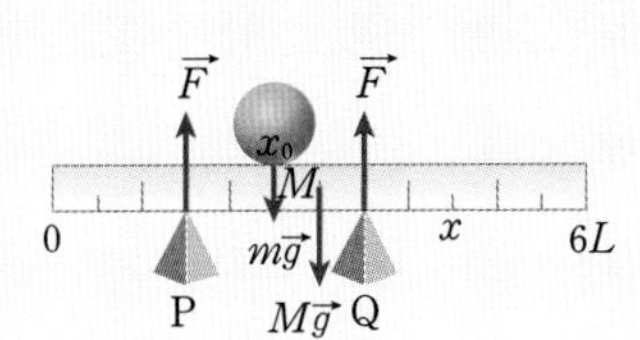

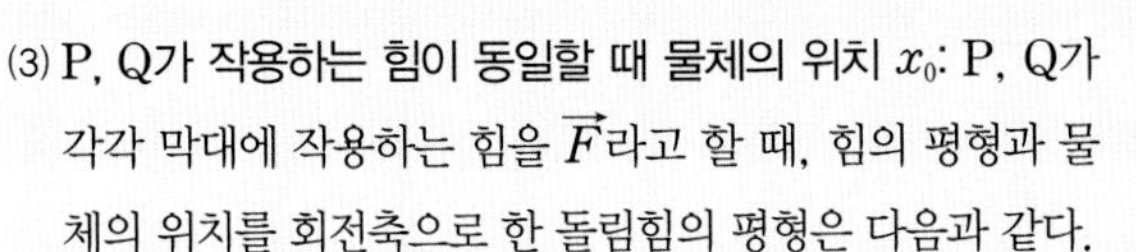

(3) **P, Q가 작용하는 힘이 동일할 때 물체의 위치 x_0:** P, Q가 각각 막대에 작용하는 힘을 $\vec{F}$라고 할 때, 힘의 평형과 물체의 위치를 회전축으로 한 돌림힘의 평형은 다음과 같다.

- 힘의 평형: $F = \dfrac{(M+m)g}{2}$
- 돌림힘의 평형: 물체의 위치를 회전축으로 할 때, 다음 식이 성립한다.

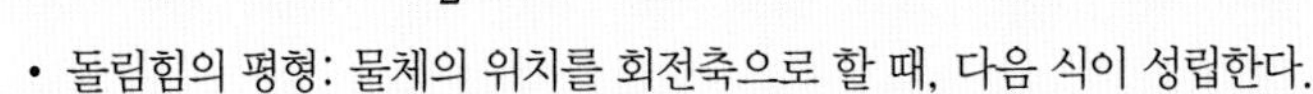

$$-(x_0 - 1.5L)F - (3L - x_0)Mg + (3.5L - x_0)F = 0$$

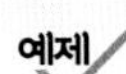

❷ 그림은 질량 1 kg인 막대 위의 x인 지점에 질량 2 kg인 물체를 놓았을 때 막대가 두 받침 P, Q 위에서 수평을 유지하고 있는 것을 나타낸 것이다. 막대의 길이는 $6L$이다. (단, 막대의 굵기와 밀도는 균일하며, 중력 가속도는 10 m/s²이다.)

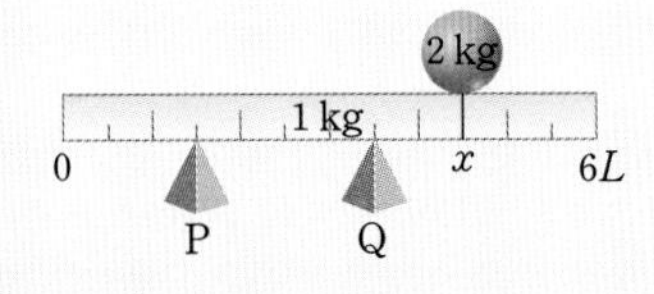

(1) 물체의 오른쪽 최대 위치 x_1과 왼쪽 최대 위치 x_2의 차이 $x_1 - x_2$를 구하시오.
(2) P, Q가 막대를 받쳐주는 힘이 동일할 때 물체의 위치를 구하시오.

해설 (1) 물체의 위치가 x_1, x_2일 때 각각 P, Q에 작용하는 힘은 0이고, 각각 Q, P의 위치를 회전축으로 할 때 돌림힘의 평형은 다음과 같다.

- 물체의 오른쪽 최대 위치 x_1일 때 돌림힘의 평형(회전축 Q): $0.5L \times 10\ \text{N} = (x_1 - 3.5L) \times 20\ \text{N}$
- 물체의 왼쪽 최대 위치 x_2일 때 돌림힘의 평형(회전축 P): $1.5L \times 10\ \text{N} = (1.5L - x_2) \times 20\ \text{N}$

따라서 $x_1 = \frac{15}{4}L$, $x_2 = \frac{3}{4}L$이고, $x_1 - x_2 = 3L$이다.

(2) 물체와 막대의 무게가 30 N이므로 P, Q가 막대를 받쳐주는 힘은 각각 15 N이다. 물체의 위치 x_0를 회전축으로 하여 돌림힘의 평형에 대한 식을 세우면

$$(x_0 - 1.5L) \times 15\ \text{N} + (3L - x_0) \times 10\ \text{N} = (3.5L - x_0) \times 15\ \text{N}$$

이므로, 이때 물체의 위치 $x_0 = \frac{9}{4}L$이다.

정답 (1) $3L$ (2) $\frac{9}{4}L$

③ 회전축의 같은 방향에 받침대와 물체가 있는 경우

그림과 같이 벽에 회전축으로 연결된 질량을 무시할 수 있는 막대를 받침대로 받친 후 질량 m인 물체를 놓았더니 막대가 수평을 유지하였다. 이때 받침대가 막대에 작용하는 힘은 $\vec{F}$, 회전축이 막대에 작용하는 힘은 $\vec{F}'$이었다.

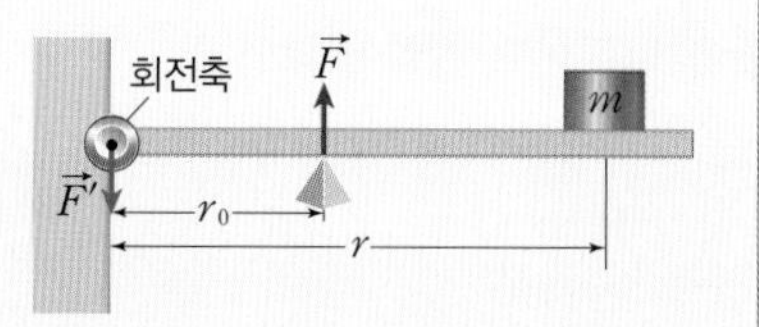

(1) 힘의 평형: $F-F'-mg=0$

(2) 돌림힘의 평형: 벽의 회전축과 받침점을 각각 회전축으로 할 때 돌림힘의 합은 모두 0이 된다.

- 벽의 회전축을 기준으로 할 때: $r_0F-rmg=0$
- 받침점을 회전축으로 할 때: $r_0F'-(r-r_0)mg=0$

③ 그림은 벽에 회전축으로 연결된 막대에 질량 m인 물체를 올리고 P에서 Q로 이동하였을 때 받침대가 막대에 작용하는 힘이 2배가 되는 것을 나타낸 것이다. 막대의 질량은 2 kg이다. (단, 막대의 굵기와 밀도는 균일하며, 중력 가속도는 10 m/s²이고, 회전축의 마찰은 무시한다.)

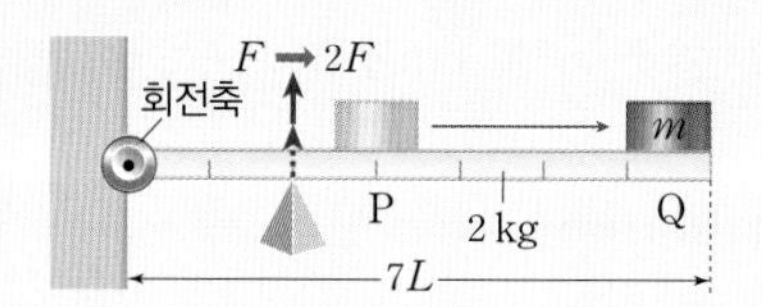

(1) 물체의 질량 m은 몇 kg인지 구하시오.

(2) 회전축이 막대에 작용하는 힘은 몇 배가 되는지 구하시오.

해설 (1) 물체가 P, Q에 있을 때 각각 회전축을 기준으로 하는 돌림힘의 평형에 의해 $2L\times F=3.5L\times20\text{ N}+3L\times10\text{ m/s}^2\times m$, $2L\times2F=3.5L\times20\text{ N}+6.5L\times10\text{ m/s}^2\times m$이 성립한다. 따라서 $m=14$ kg이다.

(2) 물체가 P, Q에 있을 때 회전축이 작용하는 힘을 각각 $\vec{F}_\text{P}$, $\vec{F}_\text{Q}$라고 하면, 받침점을 회전축으로 한 돌림힘의 평형식은 다음과 같다.

$2L\times F_\text{P}=1.5L\times20\text{ N}+1L\times140\text{ N}=170L\text{ N}$, $\therefore F_\text{P}=85$ N이고,

$2L\times F_\text{Q}=1.5L\times20\text{ N}+4.5L\times140\text{ N}=660L\text{ N}$, $\therefore F_\text{Q}=330$ N이므로, $\frac{66}{17}$배가 된다.

정답 (1) 14 kg (2) $\frac{66}{17}$배

유제

정답과 해설 186쪽

그림과 같이 길이가 $6L$, 질량이 $3m$인 막대의 오른쪽 끝을 줄과 축바퀴로 수평면에 있는 질량 m인 물체에 연결하고, 막대 위에 질량 m인 물체를 올렸다. 막대가 받침대 위에서 수평을 유지하는 물체의 위치를 x라고 할 때, 이에 대한 설명으로 옳은 것만을 보기에서 있는 대로 고른 것은? (단, 막대의 굵기와 밀도는 균일하며, 줄의 질량 및 모든 마찰은 무시한다.)

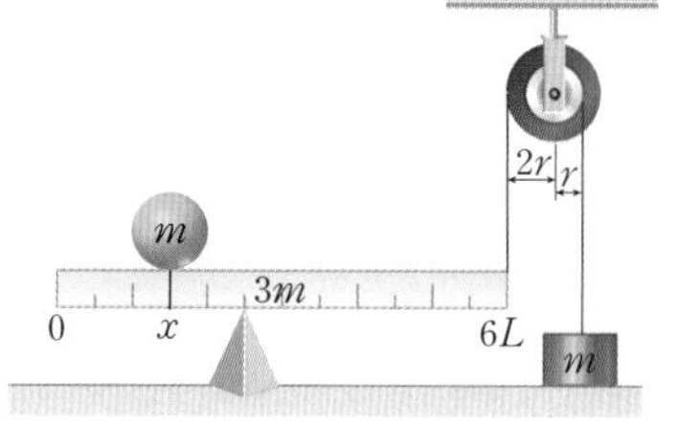

보기

ㄱ. x가 최소일 때 줄의 장력은 0이다.

ㄴ. x의 최댓값과 최솟값의 차이는 $\frac{7}{4}L$이다.

ㄷ. 막대가 수평을 유지하는 동안 받침이 막대를 받쳐주는 힘의 크기는 일정하다.

① ㄱ ② ㄷ ③ ㄱ, ㄴ ④ ㄱ, ㄷ ⑤ ㄱ, ㄴ, ㄷ

개념 모아 정리하기

정답과 해설 187쪽

02 힘의 평형과 안정성

❶ 돌림힘

1. 돌림힘 물체의 (❶) 운동을 변화시키는 원인이 되는 물리량이다.

- 돌림힘의 크기: 회전축 O에서 $\vec{r}$만큼 떨어진 지점에 힘 $\vec{F}$가 $\vec{r}$에 수직으로 작용할 때 돌림힘의 크기 τ는 다음과 같다.

τ=(❷) (단위: N·m)

- $\vec{r}$와 $\vec{F}$가 θ의 각을 이룰 때, 돌림힘의 크기 τ=(❸) 이다.
- 돌림힘의 방향: 오른손의 네 손가락을 $\vec{r}$에서 작은 각도로 $\vec{F}$의 방향으로 감아쥘 때 엄지손가락이 가리키는 방향이다.

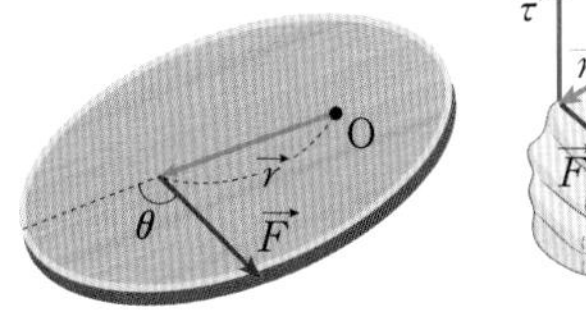

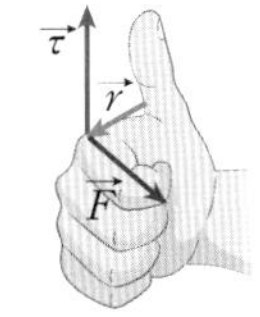

2. 도구와 돌림힘 지레와 축바퀴 모두 $a<b$이면 $F<W$이므로 W보다 작은 힘으로 물체를 움직일 수 있다.

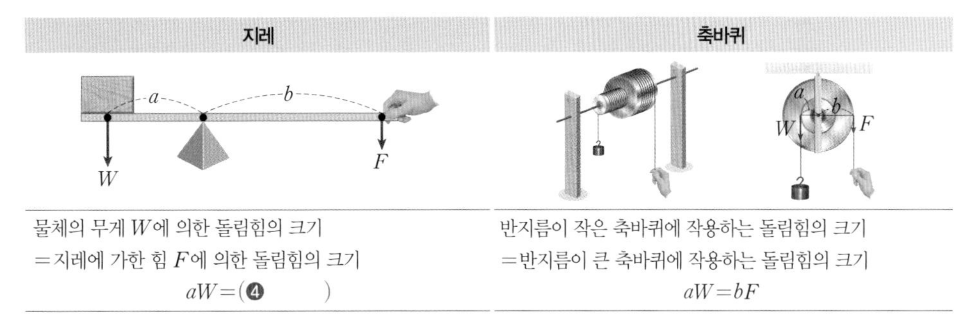

지레	축바퀴
물체의 무게 W에 의한 돌림힘의 크기 =지레에 가한 힘 F에 의한 돌림힘의 크기 aW=(❹)	반지름이 작은 축바퀴에 작용하는 돌림힘의 크기 =반지름이 큰 축바퀴에 작용하는 돌림힘의 크기 $aW=bF$

- 일의 원리: 도구를 사용하여 일을 할 때 힘의 크기가 줄어들면 힘을 작용한 거리가 (❺)하므로, 결국 힘이 한 (❻)은 변화가 없다.

❷ 물체의 평형 상태

1. 역학적 평형 상태 물체의 병진 운동과 회전 운동 상태가 모두 변하지 않는 상태이다.

2. 역학적 평형의 조건 물체에 작용하는 모든 힘의 합력과 (❼)의 합이 모두 0이 되어야 한다.

$$\vec{F}_1+\vec{F}_2+\vec{F}_3+\cdots\cdots=\sum\vec{F}_i=0,\quad \vec{\tau}_1+\vec{\tau}_2+\vec{\tau}_3+\cdots\cdots=\sum\vec{\tau}_i=(❽\quad)$$

❸ 구조물의 안정성

1. 무게중심 물체의 각 부분에 작용하는 전체 중력이 한 곳에 작용한다고 볼 수 있는 점이다.

2. 무게중심의 위치와 안정성 물체를 기울이면 무게중심이 이동하면서 중력에 의한 (❾)이 작용한다.

무게중심에서 내린 연직선이 바닥면을 지날 때		무게중심에서 내린 연직선이 바닥면 위를 벗어났을 때	
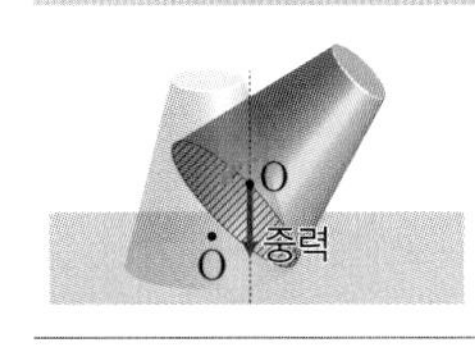 	물체를 기울여 무게중심이 (❿)지면, 중력에 의한 돌림힘이 복원력으로 작용하여 물체가 평형 상태로 되돌아간다.	O O 중력	물체를 기울여 무게중심이 (⓫)지면, 중력에 의한 돌림힘이 평형 상태에서 멀어지는 쪽으로 작용하여 물체가 넘어진다.

3. 구조물이 안정하기 위한 조건 구조물이 역학적 (⓬) 상태를 유지해야 하며, 구조물이 역학적 (⓬) 상태에서 조금 벗어나더라도 구조물의 (⓭)이 바닥면 위를 벗어나지 않고, 무게중심의 높이가 낮을수록 안정하다.

정답과 해설 187쪽

01 그림과 같이 물체의 두 점 a, d에 서로 반대 방향으로 크기가 F인 힘을 각각 작용하였다. b, c는 a와 d 사이를 거리 r로 3등분한 두 점이다. 회전축을 다음의 점으로 할 때, 두 힘이 작용하는 돌림힘의 합의 크기를 구하시오.

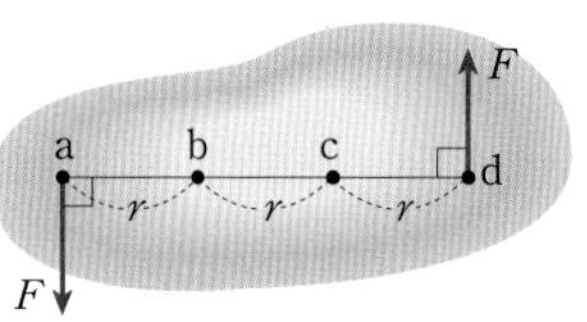

(1) a　　(2) b

(3) c　　(4) d

02 그림과 같이 원판의 중심에 달린 나사에 스패너를 끼운 후 원판의 중심에서 r만큼 떨어진 지점에 크기가 F인 힘을 각각 가하였다. 원판의 중심을 회전축으로 할 때, 각 힘에 의한 돌림힘의 크기와 방향을 각각 구하시오.

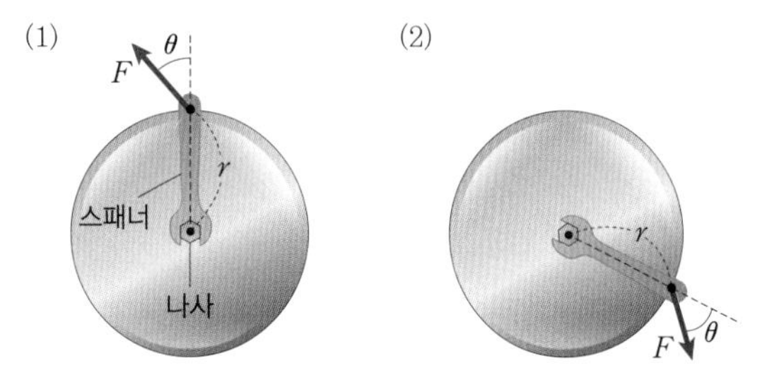

03 그림과 같은 지레를 사용하여 무게가 300 N인 물체를 100 N의 힘으로 들어 올려 수평을 유지하고 있다. 받침점 O에서 작용점 P까지의 거리는 a이고, P에서 힘점 Q까지의 거리는 b이다. (단, 지레의 질량은 무시한다.)

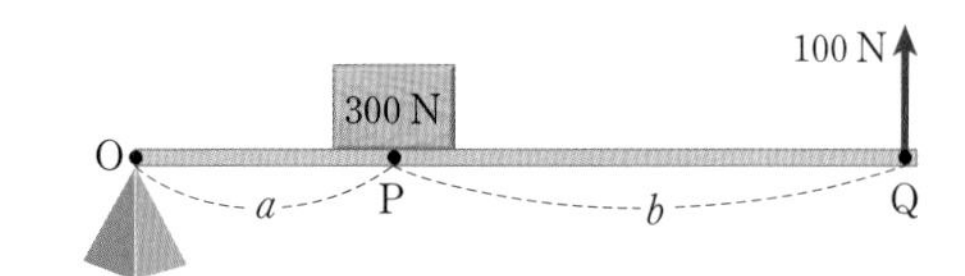

(1) $a : b$를 구하시오.

(2) P가 위로 10 cm 올라갔을 때 Q는 몇 cm 올라가는지 구하시오.

04 그림은 일정한 속력으로 달리는 자전거의 체인과 페달을 나타낸 것으로, 톱니바퀴의 지름은 r_0이고, 회전축에서 페달까지의 거리는 r이다. (단, 페달과 체인, 톱니바퀴의 질량 및 모든 마찰은 무시한다.)

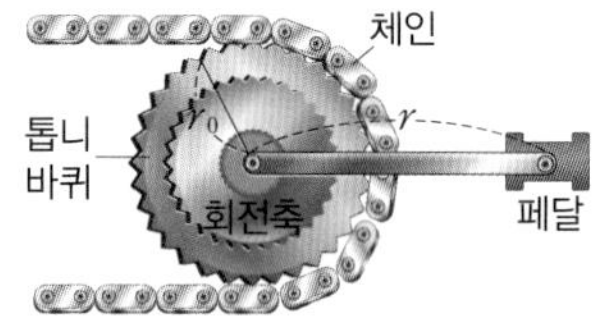

(1) 페달이 거리 s만큼 회전할 때 체인이 이동한 거리를 구하시오.

(2) 페달을 r에 수직인 방향으로 크기가 F인 힘으로 밟았을 때 톱니바퀴가 체인에 작용하는 힘을 구하시오.

(3) 페달에 크기가 F인 힘을 수직으로 작용하여 거리 s만큼 회전하는 동안 페달이 하는 일과 체인이 하는 일을 각각 구하시오.

05 그림은 원통형 막대 끝에 납작한 원판의 중심이 연결되어 있는 모습이다. 막대의 길이는 L이고, 막대의 질량은 M, 원판의 질량은 $1.5M$이다. 막대의 왼쪽 끝의 위치를 $x=0$으로 정할 때 물체 전체의 무게중심의 x 좌표를 구하시오. (단, 막대와 원판의 밀도는 균일하다.)

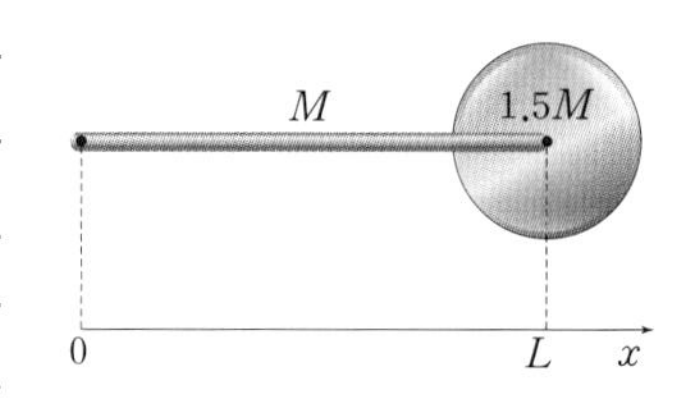

06 그림과 같이 저울 A, B를 1.6 m 떨어뜨려 놓고 나무판을 올려놓은 후 저울의 눈금이 0이 되도록 조정하였다. 이 나무판 위에 영희가 누웠더니 저울 A가 300 N, 저울 B가 250 N을 가리키며 나무판이 수평을 유지하였다.

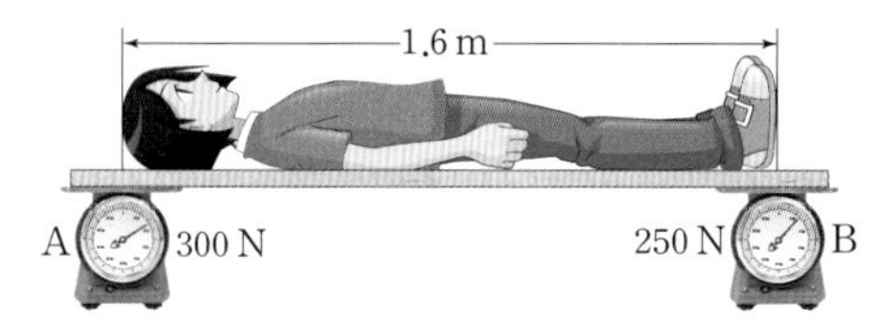

이때 영희의 무게중심은 저울 B의 위치에서부터 몇 m 떨어진 지점인지 구하시오. (단, 나무판의 질량은 무시한다.)

07 그림과 같이 받침대 위에 무게 100 N, 길이 L인 밀도가 균일한 막대를 놓고, 막대의 P점에 200 N의 물체를 매달고 Q점에 500 N의 물체를 매달았더니 막대가 수평을 이루며 정지하였다.

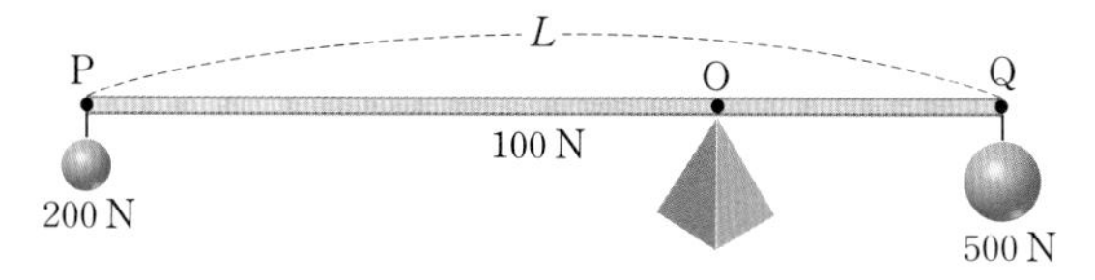

(1) 받침대가 막대에 작용하는 힘의 크기는 몇 N인지 구하시오.

(2) P에서 받침점 O까지의 거리는 얼마인지 구하시오.

08 그림과 같이 벽에 회전축으로 연결된 막대에 무게가 W인 물체와 줄이 막대의 서로 다른 위치에 각각 연결되어 막대가 수평을 유지하였다.

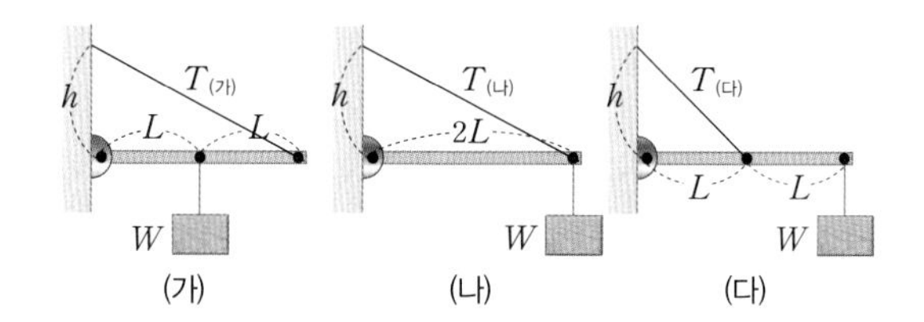

(가), (나), (다)에서 줄의 장력의 크기를 각각 $T_{(가)}$, $T_{(나)}$, $T_{(다)}$라고 할 때, 그 크기를 등호 또는 부등호를 사용하여 비교하시오. (단, 막대와 줄의 질량 및 모든 마찰은 무시한다.)

09 그림과 같이 길이가 3 m이고 질량이 6 kg인 막대의 왼쪽 끝에서 2 m인 위치에 질량 3 kg인 상자를 매달고, 철수와 영희가 막대가 수평을 유지하도록 막대의 양쪽 끝을 연직 방향으로 받치고 있다.

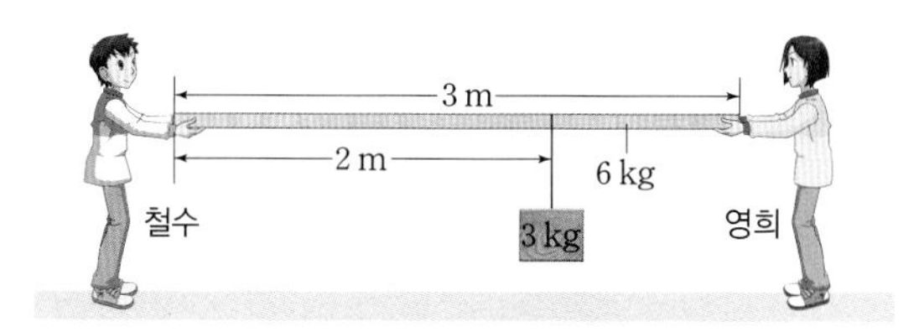

철수와 영희가 막대에 작용하는 힘의 크기의 비($F_{철수}$: $F_{영희}$)를 구하시오. (단, 막대의 굵기와 밀도는 균일하다.)

10 그림과 같이 크레인의 가로 빔 양쪽에 물체와 균형추가 각각 매달려 있다. 물체, 가로 빔, 균형추의 질량이 각각 $4m$, m, $10m$일 때 평형을 유지한 채 물체를 움직일 수 있는 x의 범위를 부등호로 쓰시오. (단, 가로 빔의 굵기와 밀도는 균일하며, 빔 위쪽 구조물의 무게는 무시한다.)

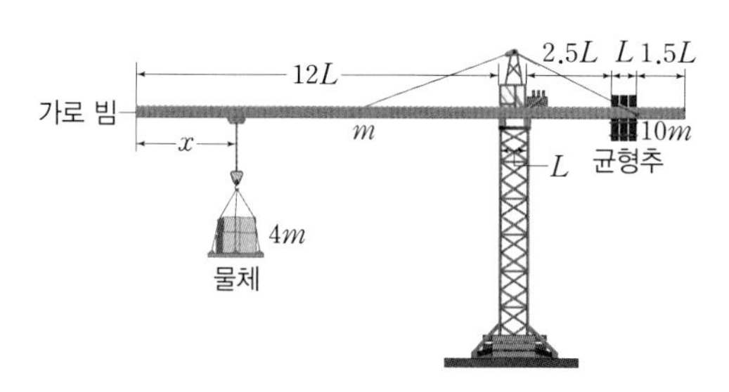

11 그림 (가)는 수평면에 놓인 물체의 모습을, (나), (다)는 물체를 손으로 밀어 점차 기울이는 순간의 모습을 나타낸 것이다. P점은 물체의 무게중심이고, 점선은 물체의 무게중심과 바닥을 연직 방향으로 이은 선이다.

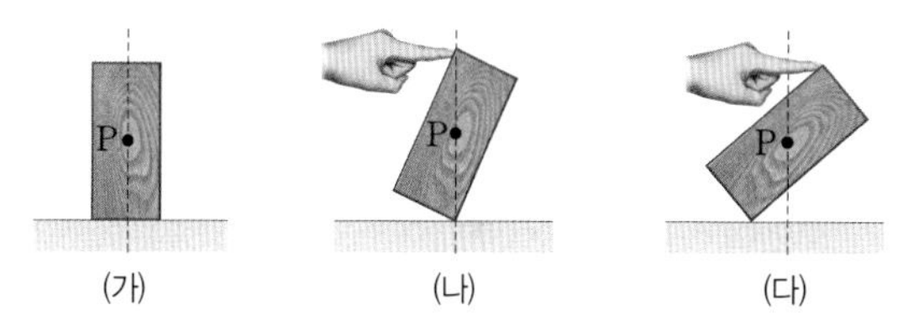

이에 대한 설명으로 옳은 것만을 보기에서 있는 대로 고르시오.

보기
ㄱ. (가) → (나) 과정에서 P는 위로 올라간다.
ㄴ. (나) → (다) 과정에서 P는 아래로 내려간다.
ㄷ. (다) 상태에서 손을 놓으면 물체는 쓰러진다.

12 구조물을 안정하게 하기 위한 방법으로 옳은 것만을 보기에서 있는 대로 고르시오.

보기
ㄱ. 구조물의 무게중심을 낮추고, 바닥면을 넓힌다.
ㄴ. 구조물이 평형 상태에서 기울어졌을 때 무게중심이 낮아져야 한다.
ㄷ. 구조물이 평형 상태에서 기울어졌을 때 무게중심에서 내린 연직선이 구조물의 바닥면을 벗어나지 않아야 한다.

> 정답과 해설 189쪽

01

> 돌림힘

그림은 양쪽으로 눈금 5까지 추를 매달 수 있고, O점을 중심으로 자유롭게 회전할 수 있는 막대의 왼쪽 눈금 4인 위치에 질량 5 kg인 추를 매달고 손으로 받치고 있는 모습이다.

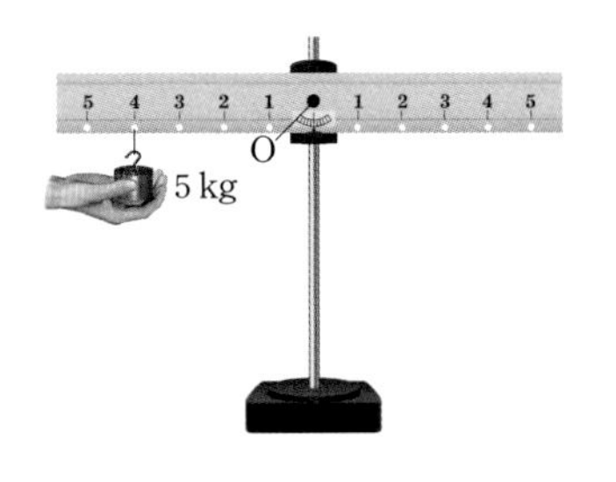

받치고 있던 손을 치웠을 때, 이에 대한 설명으로 옳은 것만을 보기에서 있는 대로 고른 것은? (단, 중력 가속도는 10 m/s^{2}이고, 막대의 질량 및 모든 마찰은 무시한다.)

보기

ㄱ. O를 회전축으로 할 때, 추가 내려가는 동안 추가 막대를 당기는 힘이 작용하는 돌림힘의 크기는 일정하다.

ㄴ. 질량 3 kg인 추를 1개 더 매달아 막대가 수평을 유지하게 할 수 있다.

ㄷ. 질량 10 kg인 추를 1개 더 매달아 막대가 수평을 유지할 때, O의 회전축이 막대를 떠받치는 힘의 크기는 150 N이다.

① ㄴ ② ㄷ ③ ㄱ, ㄷ ④ ㄴ, ㄷ ⑤ ㄱ, ㄴ, ㄷ

• 돌림힘의 크기는 회전축으로부터 힘의 작용선까지의 수직 거리와 힘의 크기를 곱한 값이다.

02

> 축바퀴

그림은 반지름이 r, $3r$인 축바퀴의 양쪽에 질량이 $2M$인 물체 A와 질량이 M인 물체 B를 매달고 축바퀴를 손으로 잡아 A, B가 정지해 있는 모습을 나타낸 것이다.

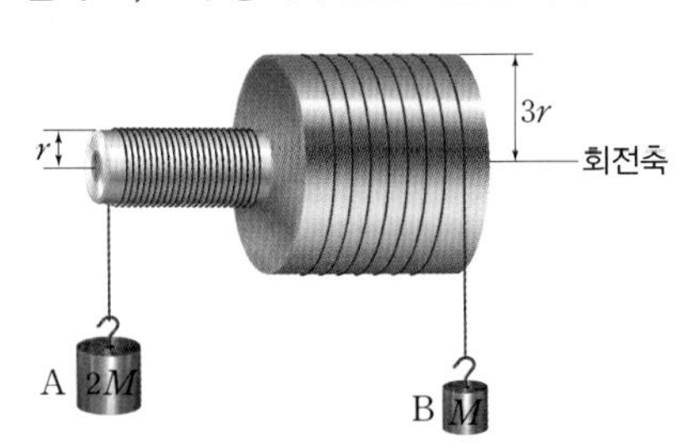

이에 대한 설명으로 옳은 것만을 보기에서 있는 대로 고른 것은? (단, 중력 가속도는 g이고, 줄의 질량 및 모든 마찰은 무시한다.)

보기

ㄱ. 회전축을 중심으로 A에 작용하는 중력이 축바퀴에 작용하는 돌림힘의 크기는 $2rMg$이다.

ㄴ. 손을 놓으면 A는 올라가고, B는 내려간다.

ㄷ. A, B가 운동할 때 매 순간 A의 속력은 B의 속력의 3배이다.

① ㄱ ② ㄷ ③ ㄱ, ㄴ ④ ㄴ, ㄷ ⑤ ㄱ, ㄴ, ㄷ

• 축바퀴는 줄을 당기는 힘에 의해 돌림힘을 얻으며, 같은 시간 동안 두 원형 바퀴가 회전하는 각도는 같다.

03

> 돌림힘의 평형

그림 (가)는 막대의 중심 O점을 중심으로 자유롭게 회전할 수 있는 막대의 점 p와 점 q에 질량이 각각 M_1, m인 물체 A, B를 각각 실로 매달아 막대가 수평을 이룬 것을 나타낸 것이다. 그림 (나)는 (가)에서 B를 p에 옮겨 매달고, q에 질량이 M_2인 물체 C를 매달아 막대가 다시 수평을 이룬 것을 나타낸 것이다. 막대의 중심 O에서 p까지의 거리가 q까지의 거리보다 크다.

(가)　　(나)

이에 대한 설명으로 옳은 것만을 보기에서 있는 대로 고른 것은? (단, 막대의 밀도와 굵기는 균일하고, 실의 질량 및 모든 마찰은 무시한다.)

보기

ㄱ. (가)에서 O를 회전축으로 할 때, 돌림힘의 크기는 A가 B보다 크다.

ㄴ. O를 회전축으로 할 때, 돌림힘의 크기는 (나)의 C가 (가)의 A보다 크다.

ㄷ. $m=\sqrt{M_1M_2}$이다.

① ㄱ　② ㄴ　③ ㄷ　④ ㄴ, ㄷ　⑤ ㄱ, ㄴ, ㄷ

• 두 돌림힘의 크기가 같고 방향이 반대일 때 두 돌림힘이 평형을 이룬다.

04

> 돌림힘의 평형

그림과 같이 연직 방향의 벽에 회전축과 줄로 연결되어 있는 길이 $2L$인 막대의 중간에, 무게가 W인 물체를 연결하였더니 막대가 수평을 유지하였다. 줄은 벽에 회전축으로부터 h만큼 떨어진 곳에 연결되어 있다.

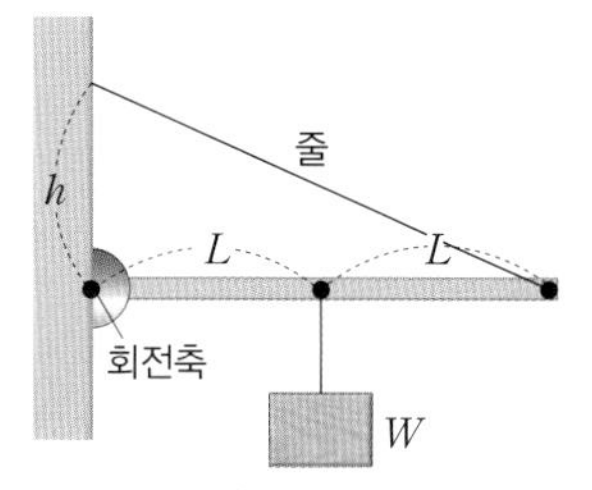

줄의 장력의 크기는? (단, 막대와 줄의 질량은 무시한다.)

① $\frac{\sqrt{h^2+L^2}}{2h}W$　② $\frac{\sqrt{h^2+2L^2}}{2h}W$　③ $\frac{\sqrt{h^2+4L^2}}{2h}W$

④ $\frac{L\sqrt{h^2+L^2}}{h^2}W$　⑤ $\frac{L\sqrt{h^2+4L^2}}{h^2}W$

• 막대는 역학적 평형 상태이므로, 줄이 막대에 작용하는 돌림힘과 물체가 막대에 작용하는 돌림힘의 크기가 같다.

고난도

05

› 돌림힘의 평형

그림과 같이 받침대 위에 놓인 판의 한쪽에 고정된 물통 위로 1초에 $0.4\ \mathrm{kg}$의 물이 일정하게 흘러내리고 있고, 반대쪽에는 질량이 $0.8\ \mathrm{kg}$인 장난감 자동차가 화살표 방향의 일정한 속력 v로 움직이고 있다. 받침점에서 물통 중심까지 거리가 $2\ \mathrm{m}$, 물통과 물통에 있는 물의 질량의 합이 $0.2\ \mathrm{kg}$일 때 받침점에서 자동차 중심까지의 거리는 x이다. 자동차가 움직이는 동안 판은 계속 수평을 유지하였다.

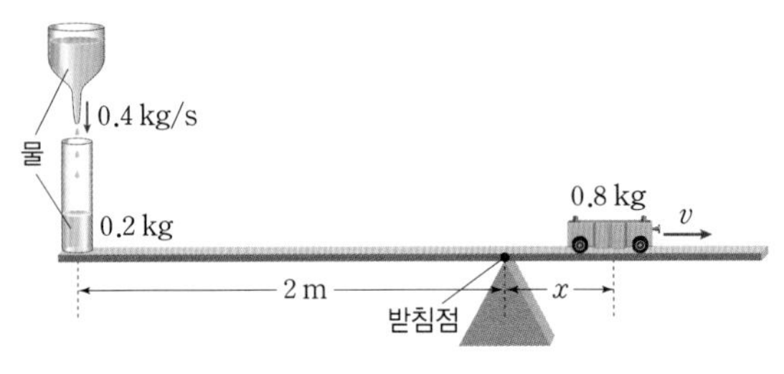

이에 대한 설명으로 옳은 것만을 보기에서 있는 대로 고른 것은? (단, 중력 가속도는 $10\ \mathrm{m/s^2}$이고, 판의 질량, 물이 흘러내리면서 작용하는 힘의 효과는 무시한다.)

보기

ㄱ. $x=0.5\ \mathrm{m}$이다.
ㄴ. $v=2\ \mathrm{m/s}$이다.
ㄷ. 받침점이 판에 작용하는 힘의 크기는 일정하다.

① ㄱ　② ㄷ　③ ㄱ, ㄴ　④ ㄱ, ㄷ　⑤ ㄴ, ㄷ

• 질량이나 무게중심에 변화가 있더라도 돌림힘의 평형이 유지된다면 판은 수평 상태를 유지한다.

06

› 역학적 평형

그림과 같이 길이가 $8\ \mathrm{m}$이고, 질량이 $4\ \mathrm{kg}$인 막대의 한쪽 끝에 받침대 A를 놓고, $6\ \mathrm{m}$인 지점에 또 다른 받침대 B를 놓았다. 이 막대 위에 질량이 $2\ \mathrm{kg}$인 물체를 $7\ \mathrm{m}$ 지점에 놓았더니 막대가 수평을 유지하였다. A가 막대에 작용하는 힘의 크기는 F_A, B가 막대에 작용하는 힘의 크기는 F_B이다.

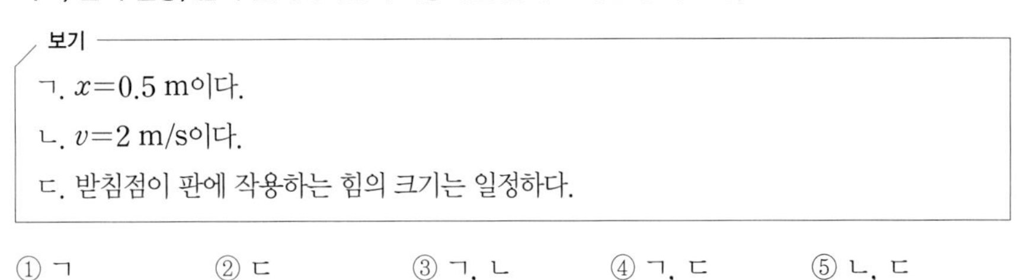

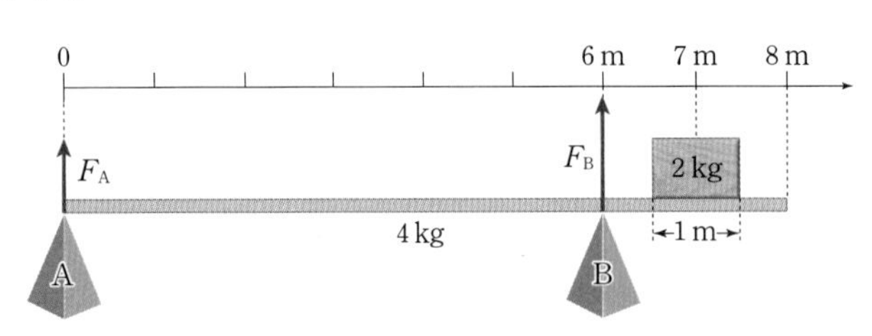

이때 F_A와 F_B는 각각 몇 N인가? (단, 중력 가속도는 $10\ \mathrm{m/s^2}$이고, 막대의 굵기와 밀도는 균일하다.)

	F_A	F_B		F_A	F_B
①	10 N	40 N	②	10 N	50 N
③	20 N	40 N	④	20 N	50 N
⑤	30 N	30 N			

• 모든 힘의 합력이 0이고, 동시에 돌림힘의 합도 0이어야 역학적 평형을 이룬다.

07

> 무게중심

그림은 밀도가 균일한 직육면체 나무 도막 A, B, C와 피에로가 평형을 유지하고 있는 모습이다. 피에로와 A, B의 질량은 각각 $2m$, $3m$, m이고, C는 수평면 위에 고정되어 있다. B의 길이는 $5d$이고, 가로 길이가 d인 A와 C는 그림과 같은 위치에 놓여 있고, x는 B의 왼쪽 끝에서 피에로까지의 거리이다.

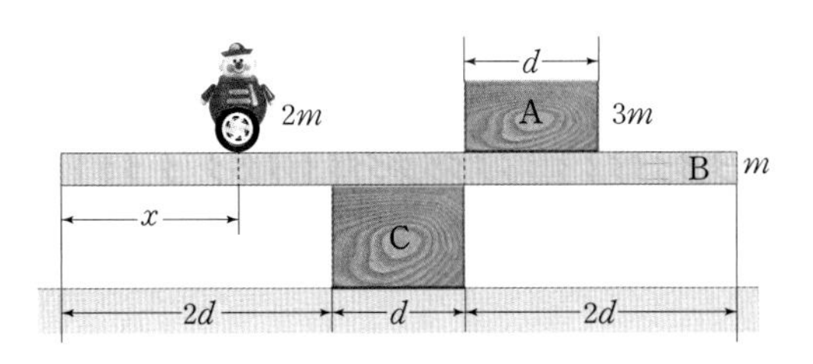

피에로가 B 위를 움직이는 묘기를 부릴 때, 평형을 유지하며 움직일 수 있는 x의 최댓값은?

① $0.5d$ ② d ③ $1.5d$ ④ $2.5d$ ⑤ $3d$

- 구조물이 안정하려면 무게중심의 연직선이 바닥면을 벗어나지 않아야 한다.

08

> 구조물의 안정성

그림 (가)는 바닥에 고정된 젓가락 위에 코르크 마개를 올려놓은 것으로, 코르크 마개는 옆으로 조금만 기울여도 떨어졌다. 그림 (나)는 코르크 마개에 손잡이 부분이 무거운 포크 2개를 끼워 고정된 젓가락 위에 올려놓은 것으로, 옆으로 조금 기울여도 흔들릴 뿐 젓가락 위에서 떨어지지는 않았다.

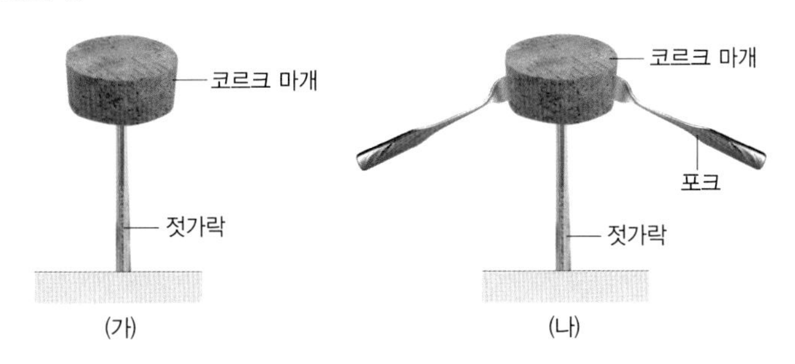

이에 대한 설명으로 옳은 것만을 보기에서 있는 대로 고른 것은?

보기

ㄱ. (가)에서 코르크 마개를 옆으로 기울이는 동안 코르크 마개의 무게중심은 낮아진다.

ㄴ. (나)의 코르크 마개와 두 포크 전체의 무게중심은 (가)의 코르크 마개의 무게중심보다 낮다.

ㄷ. (나)에서 코르크 마개를 옆으로 기울이는 동안 코르크 마개와 두 포크 전체의 중력 퍼텐셜 에너지는 증가한다.

① ㄱ ② ㄴ ③ ㄱ, ㄷ ④ ㄴ, ㄷ ⑤ ㄱ, ㄴ, ㄷ

- 물체의 무게중심이 접촉점보다 낮은 곳에 위치해 있으면 물체를 기울였을 때 무게중심이 높아진다.

03 평면상의 등가속도 운동

학습 Point 평면상의 변위, 속도, 가속도 > 평면상의 등가속도 운동 > 연직 방향으로 던진 물체의 운동 > 포물선 운동

1 평면상의 운동의 기술

이 단원에서는 평면상에서 움직이는 물체의 운동에 대해 배운다. 평면상의 운동은 직선 운동과 같은 방법으로 표현하며, 단지 운동의 방향을 표시하기 위해 (+), (−) 부호 대신 완전한 벡터로 기술해야 한다는 점만 다르다. 이를 위해 먼저 위치, 속도, 가속도의 벡터적 성질에 대해 살펴보자.

1. 위치 벡터와 변위

(1) 위치 벡터

기준점에 대한 물체의 위치를 나타내는 벡터를 위치 벡터라고 한다. 오른쪽 그림과 같이 위치 벡터는 어떤 기준점(또는 좌표의 원점)에서 물체의 위치까지 그은 직선(화살표)으로 나타낸다. 그림에서 벡터 $\vec{r_1}$과 $\vec{r_2}$는 O를 기준으로 한 점 P와 Q의 위치 벡터를 나타낸다.

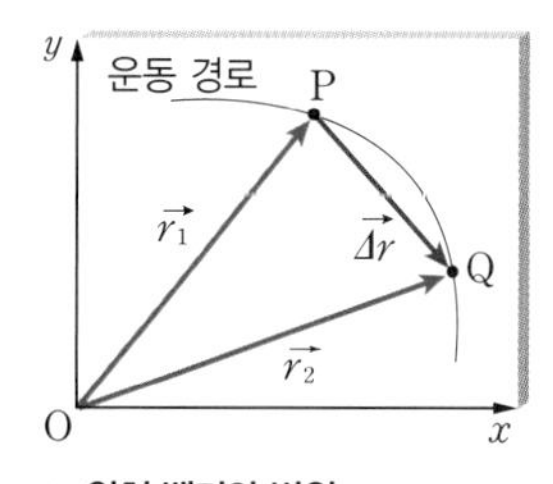

▲ 위치 벡터와 변위

위치의 표시
물체의 위치를 표시할 때에는 기준점(원점)과 기준이 되는 직선(좌표축)을 정해야 한다.

(2) 변위

시간 Δt 동안 물체가 위치 $\vec{r_1}$인 P에서 위치 $\vec{r_2}$인 Q까지 운동하였다면, 이 시간 동안 물체의 위치 변화, 즉 변위 $\Delta\vec{r}$는 다음과 같다.

델타(Δ)
네 번째 그리스 문자로, 물리량의 미소 변화량이나 두 물리량의 차를 나타낼 때 사용한다.

$$\Delta\vec{r}=\vec{r_2}-\vec{r_1}$$

① 변위는 물체의 위치 변화를 나타내는 벡터로, 나중 위치 벡터($\vec{r_2}$)에서 처음 위치 벡터($\vec{r_1}$)를 뺀 것으로 정의한다.
② 변위는 이동 경로에 관계없이 처음 위치에서 나중 위치를 연결한 직선의 크기와 그 방향이다. 따라서 변위의 크기는 물체의 실제 이동 거리보다 클 수 없다.
③ 위치는 기준점을 어디로 정하는지에 따라 달라지지만, 변위는 기준점의 위치가 바뀌어도 변하지 않는다.

예제

오른쪽 그림과 같이 어떤 사람이 A점에서 출발하여 P점, Q점을 거쳐 화살표를 따라 B점까지 운동하였다. 이 사람의 이동 거리와 변위의 크기는 각각 몇 m인지 구하시오.

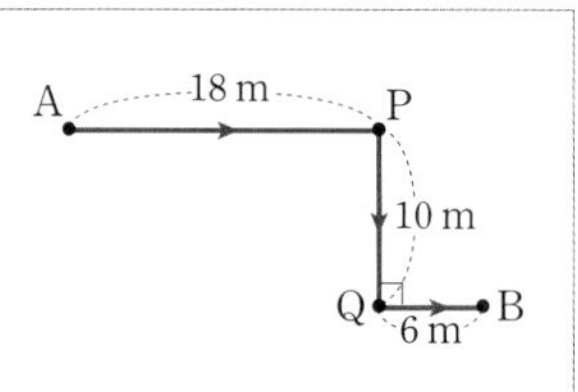

해설 이동 거리는 경로의 총 길이로 18 m+10 m+6 m=34 m이고, 변위의 크기는 $\sqrt{(18\text{ m}+6\text{ m})^2+(10\text{ m})^2}=26\text{ m}$이다.

정답 이동 거리: 34 m, 변위의 크기: 26 m

2. 속도

직선 운동에서와 같이 평면상의 운동에서도 속도는 단위 시간 동안의 변위를 의미한다. 다만, 직선 운동에서는 속도의 방향을 (+), (−) 부호를 사용하여 나타냈다면, 평면상의 운동에서는 속도를 벡터로 나타내야 한다.

(1) 속도

물체가 운동할 때 단위 시간(1초) 동안의 변위를 속도라고 한다. 물체가 시간 $\varDelta t$ 동안에 변위 $\varDelta\vec{r}$만큼 이동하였을 때 속도 $\vec{v}$는 다음과 같다.

$$\text{속도}=\frac{\text{변위}}{\text{걸린 시간}},\ \vec{v}=\frac{\varDelta\vec{r}}{\varDelta t}\ (\text{단위: m/s})$$

이때 시간 $\varDelta t$는 양(+)의 스칼라량이므로, 벡터량인 변위를 시간으로 나누게 되면 벡터의 크기만 변한다. 따라서 속도는 방향이 변위 $\varDelta\vec{r}$와 같은 벡터량이다.

(2) 평균 속도와 순간 속도

① **평균 속도:** 어느 시간 동안의 평균적인 속도이다. 어떤 물체가 오른쪽 그림과 같이 시각 t_1일 때 위치 벡터 $\vec{r_1}$인 P에서 시각 t_2일 때 위치 벡터 $\vec{r_2}$인 Q까지 곡선을 따라 운동하였다면, t_1~t_2 시간 동안의 변위 $\varDelta\vec{r}=\vec{r_2}-\vec{r_1}$이므로 물체의 평균 속도는 다음과 같다.

$$\vec{v}_{\text{평균}}=\frac{\varDelta\vec{r}}{\varDelta t}=\frac{\vec{r_2}-\vec{r_1}}{t_2-t_1}$$

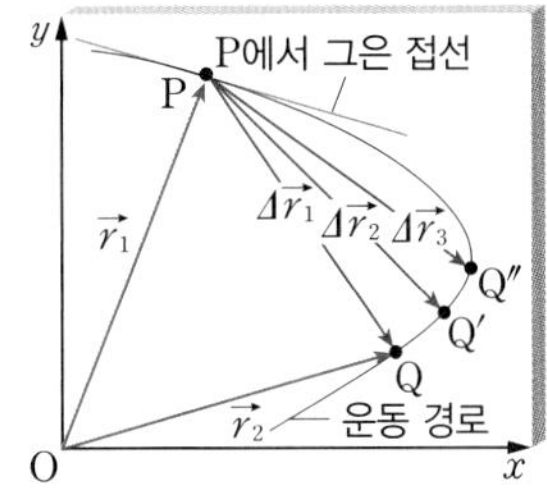

▲ 평균 속도

이때 평균 속도 $\vec{v}_{\text{평균}}$의 방향은 변위 $\varDelta\vec{r}$의 방향이다.

② **순간 속도:** 위 그림과 같이 물체의 운동을 관측하는 시간 $\varDelta t(=t_2-t_1)$를 점점 짧게 하면 Q는 Q′, Q″이 되어 P에 점점 가까워지고, 변위 $\varDelta\vec{r}$의 방향은 P에서 그은 운동 경로의 접선 방향으로 근접한다. $\varDelta t$가 0으로 접근할 때 $\varDelta\vec{r}$도 0으로 접근하며, 이러한 극한에서의 속도를 P에서의 순간 속도(또는 단순히 속도) $\vec{v}$라고 한다.

$$\vec{v}=\lim_{\varDelta t\to 0}\frac{\varDelta\vec{r}}{\varDelta t}=\frac{d\vec{r}}{dt}$$

- 오른쪽 그림과 같이 P에서 물체의 순간 속도 $\vec{v}$의 방향은 P에서 그은 운동 경로의 접선 방향과 같다.
- P에서의 순간 속도 $\vec{v}$의 x 성분과 y 성분은 다음과 같이 $\vec{r}$의 x, y 성분을 각각 미분하여 얻는다.

$$v_x=\frac{dx}{dt},\ v_y=\frac{dy}{dt}$$

순간 속도 ▶

등속 직선 운동
순간 속도가 계속 일정한 물체의 운동을 등속 직선 운동(등속도 운동)이라고 하며, 이때 평균 속도와 순간 속도는 같다.

lim
lim은 limit(극한)의 약자로, 순간 속도 식 $\lim_{\varDelta t\to 0}\frac{\varDelta\vec{r}}{\varDelta t}$는 극한적으로 $\varDelta t$를 0에 가깝게 할 때 $\frac{\varDelta\vec{r}}{\varDelta t}$의 값을 구한다는 것을 의미한다. 즉, 변위 $\varDelta\vec{r}$를 시간 t에 대해 미분한 값인 $\frac{d\vec{r}}{dt}$을 의미한다.

(3) 상대 속도

상대 속도: 운동하는 관측자가 본 물체의 속도를 관측자에 대한 물체의 상대 속도라고 한다. 관측자 A는 $\vec{v}_{\text{A}}$의 속도로, 물체 B는 $\vec{v}_{\text{B}}$의 속도로 운동할 때, 관측자 A가 본 물체 B의 상대 속도 $\vec{v}_{\text{AB}}$는 다음과 같다.

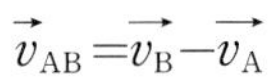

$$\vec{v}_{\text{AB}}=\vec{v}_{\text{B}}-\vec{v}_{\text{A}}$$

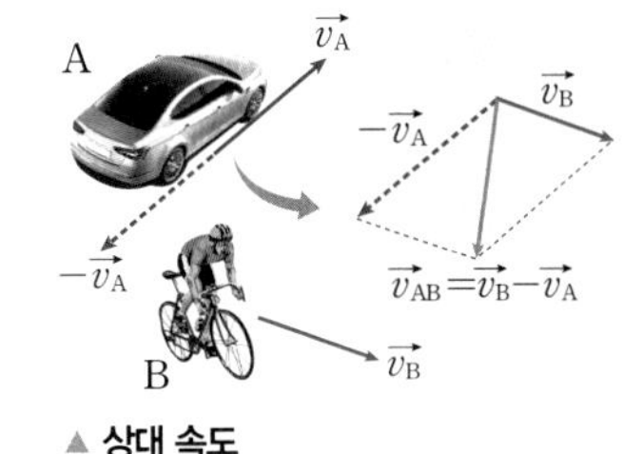

▲ 상대 속도

3. 가속도

평면상에서 속력이나 운동 방향이 시시각각으로 변하는 물체는 속도가 변하므로 가속도 운동을 한다. 평면상의 운동에서도 가속도는 직선 운동에서의 정의와 같이 단위 시간 동안의 속도 변화량으로 구한다.

(1) 여러 가지 가속도 운동과 속도 변화량

물체가 어떤 경로를 따라 운동할 때 시간 $\varDelta t$ 동안에 순간 속도가 $\vec{v}_1$에서 $\vec{v}_2$로 변했다면, 이 시간 동안의 속도 변화량 $\varDelta\vec{v}$는 벡터의 뺄셈으로 구할 수 있다.

$$\varDelta\vec{v}=\vec{v}_2-\vec{v}_1$$

다음과 같은 여러 가지 가속도 운동에서 속도 변화량 $\varDelta\vec{v}$는 다음과 같다.

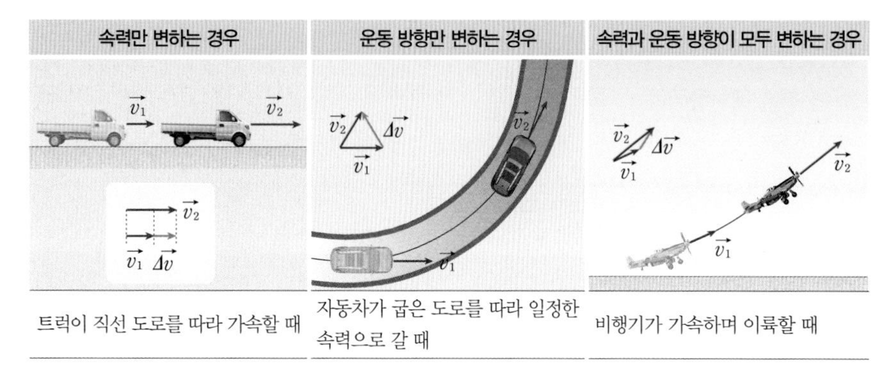

속도 변화량 벡터의 표시
속도 $\vec{v}_1$, $\vec{v}_2$의 출발점을 임의의 점 O에 평행 이동시켜 그리면, 처음 속도 $\vec{v}_1$의 화살 머리에서 나중 속도 $\vec{v}_2$의 화살 머리로 그은 화살표가 $\varDelta\vec{v}$가 된다.

속력이 일정한 가속도 운동
속력이 일정해도 운동 방향이 변하면 가속도 운동이다.

(2) 가속도: 단위 시간(1초) 동안의 속도 변화량을 가속도라고 한다. 시간 $\varDelta t$ 동안 물체의 순간 속도가 $\varDelta\vec{v}$만큼 변한다면 가속도 $\vec{a}$는 다음과 같다.

$$\text{가속도}=\frac{\text{속도 변화량}}{\text{걸린 시간}},\quad \vec{a}=\frac{\varDelta\vec{v}}{\varDelta t}\ (\text{단위: m/s}^2)$$

가속도 $\vec{a}$의 방향은 속도 변화량 $\varDelta\vec{v}$의 방향과 같다.

(3) 평균 가속도와 순간 가속도

① **평균 가속도:** 시각 t_1일 때 P에서의 순간 속도가 $\vec{v}_1$이고 시각 t_2일 때 Q에서의 순간 속도가 $\vec{v}_2$일 때, 시간 $\varDelta t$ 동안의 속도 변화량은 $\varDelta\vec{v}$이다. 따라서 $t_1 \sim t_2$ 시간 동안의 평균 가속도 $\vec{a}_{\text{평균}}$은 다음과 같다.

$$\vec{a}_{\text{평균}}=\frac{\varDelta\vec{v}}{\varDelta t}=\frac{\vec{v}_2-\vec{v}_1}{t_2-t_1}$$

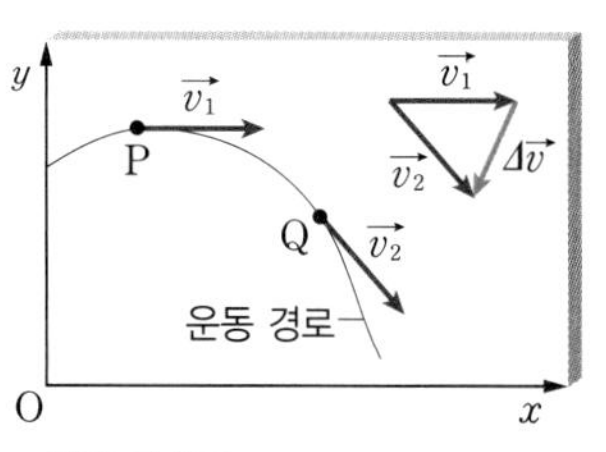

▲ 평균 가속도

② **순간 가속도:** 시간 $\varDelta t$가 0으로 접근할 때 $\varDelta\vec{v}$도 0으로 접근하며, 이때 $\frac{\varDelta\vec{v}}{\varDelta t}$의 극한값을 그 시각에서의 순간 가속도(또는 단순히 가속도)라고 한다.

$$\vec{a}=\lim_{\varDelta t\to 0}\frac{\varDelta\vec{v}}{\varDelta t}=\frac{d\vec{v}}{dt}$$

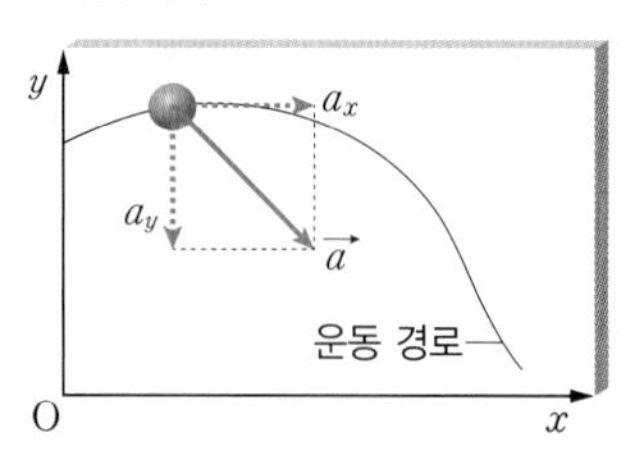

▲ 순간 가속도

순간 가속도의 방향은 그 순간 물체에 작용하는 알짜힘의 방향과 같다.

시야 확장 ⊕ 호도그래프

❶ 그림에서 화살 앞머리 Q의 변위 $\overrightarrow{Q_0Q_1}$은 처음 운동의 속도 변화 $\Delta\vec{v}$를 의미한다. 이와 같이 곡선 경로 위의 각 점 P_0, P_1, P_2, ⋯에서의 속도 벡터 $\vec{v_0}$, $\vec{v_1}$, $\vec{v_2}$, ⋯의 출발점을 어떤 점 O에 평행 이동시켰을 때 벡터의 머리 끝을 연결한 연속적인 선을 이 운동의 호도그래프(hodograph) 또는 속도 그림이라고 한다.

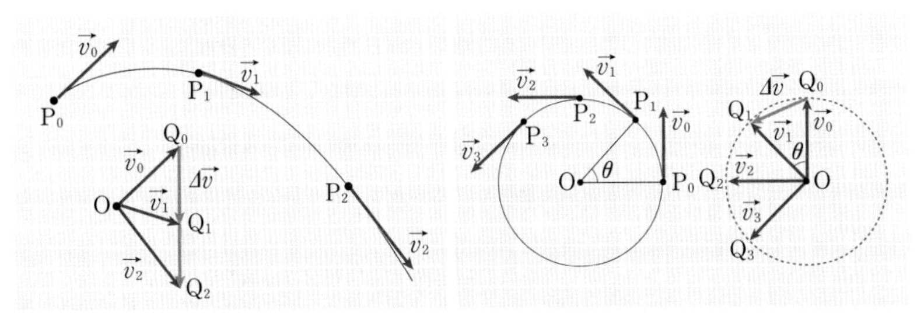

❷ 등속도 운동의 호도그래프는 하나의 점이고, 가속도 운동의 호도그래프는 직선 또는 곡선이다.

❸ 호도그래프의 각 속도점의 이동 속도는 그에 대응하는 운동 경로상의 가속도를 나타낸다.

예제

그림과 같이 어떤 자동차가 반지름 200 m인 원형 도로를 따라 72 km/h의 일정한 속력으로 A에서 B까지 이동하였다. (단, 자동차의 크기는 무시한다.)

(1) A에서 B까지 평균 속력은 몇 m/s인지 구하시오.

(2) A에서 B까지 평균 속도의 크기는 몇 m/s인지 구하시오.

(3) A에서 B까지 평균 가속도의 크기는 몇 m/s^2인지 구하시오.

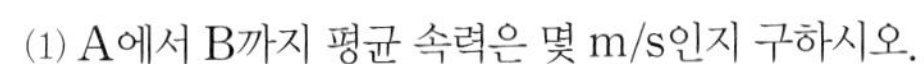

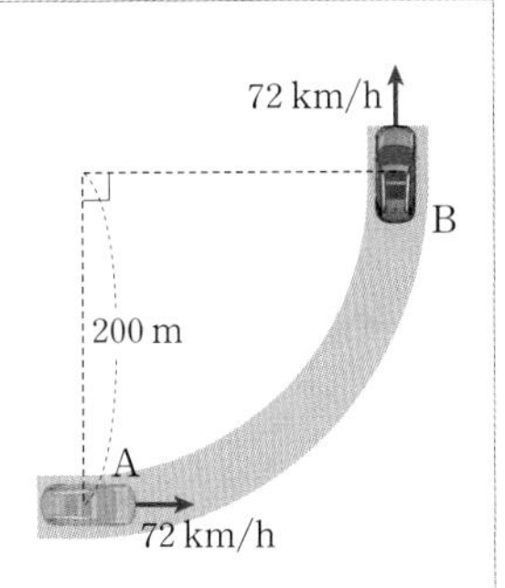

해설 (1) 속력이 일정하므로 평균 속력은 $72\ km/h = \frac{72000\ m}{3600\ s} = 20\ m/s$이다.

(2) A에서 B까지 이동 거리는 $\frac{1}{4} \times (2\pi \times 200\ m) = 100\pi\ m$이므로 걸린 시간은 $\frac{100\pi\ m}{20\ m/s} = 5\pi\ s$이다. 변위의 크기는 $200\sqrt{2}\ m$이므로 평균 속도의 크기는 $\frac{200\sqrt{2}\ m}{5\pi\ s} = \frac{40\sqrt{2}}{\pi}\ m/s$이다.

(3) A에서 B까지 속도 변화량의 크기는 $20\sqrt{2}\ m/s$이므로 평균 가속도의 크기는 $\frac{20\sqrt{2}\ m/s}{5\pi\ s} = \frac{4\sqrt{2}}{\pi}\ m/s^2$이다.

정답 (1) 20 m/s (2) $\frac{40\sqrt{2}}{\pi}$ m/s (3) $\frac{4\sqrt{2}}{\pi}$ m/s^2

시선 집중 ★ 직선상을 운동하는 물체의 운동 그래프

❶ 위치-시간 그래프에서 평균 속도와 순간 속도

- 평균 속도: 시간 $t_1 \sim t_2$ 동안의 평균 속도는 위치-시간 그래프상의 A와 B를 이은 직선의 기울기와 같다.

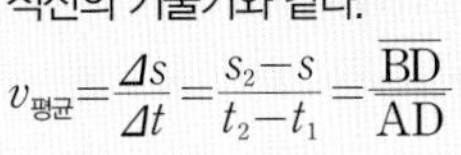

$$v_{평균} = \frac{\Delta s}{\Delta t} = \frac{s_2 - s_1}{t_2 - t_1} = \frac{\overline{BD}}{\overline{AD}}$$

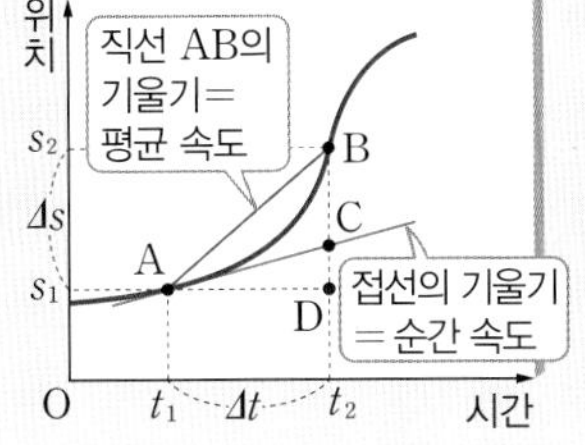

- 순간 속도: 시각 t_1일 때의 순간 속도는 위치-시간 그래프상의 A에서 그은 접선의 기울기와 같다. ➡ $v = \frac{\overline{CD}}{\overline{AD}}$

❷ 속도-시간 그래프에서 평균 가속도와 순간 가속도

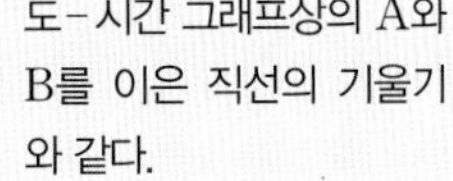

- 평균 가속도: 시간 $t_1 \sim t_2$ 동안의 평균 가속도는 속도-시간 그래프상의 A와 B를 이은 직선의 기울기와 같다.

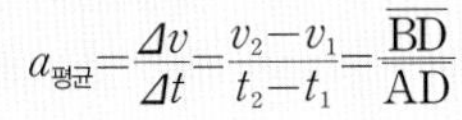

$$a_{평균} = \frac{\Delta v}{\Delta t} = \frac{v_2 - v_1}{t_2 - t_1} = \frac{\overline{BD}}{\overline{AD}}$$

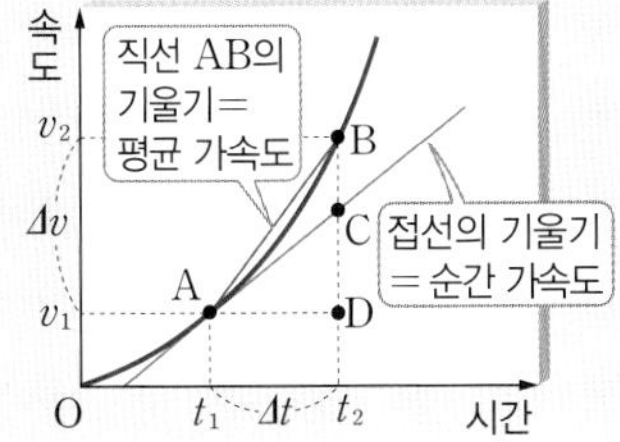

- 순간 가속도: 시각 t_1일 때의 순간 가속도는 속도-시간 그래프상의 A에서 그은 접선의 기울기와 같다. ➡ $a = \frac{\overline{CD}}{\overline{AD}}$

2 평면상의 등가속도 운동

물리학Ⅰ에서는 직선 운동에서 가속도가 일정한 경우인 등가속도 직선 운동을 배웠다. 이제 평면상에서 가속도의 크기와 방향이 일정한 등가속도 운동에 대해 알아보자.

1. 평면상의 운동의 특징

마찰이 없는 수평한 얼음판 위를 x 방향으로 등속도로 미끄러지는 물체는 (가)와 같이 일정한 시간마다 같은 거리를 움직인다. 동일하게 운동하는 물체에 A 지점에서 순간적으로 힘을 가해 y 방향의 속도 성분이 생기게 하면, 이 물체는 그림 (나)와 같이 비스듬히 운동한다. 그러나 이 경우에도 물체 속도의 x 성분은 변하지 않는다. 즉, y 방향의 운동은 x 방향의 운동에 어떠한 영향도 주지 않았음을 알 수 있다. 평면상의 운동은 다음과 같은 특징이 있다.

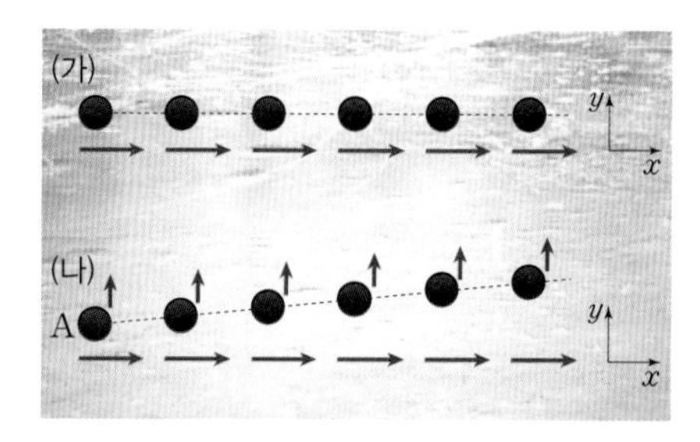

▲ 마찰이 없는 면을 따라 미끄러지는 물체

> 평면상의 운동에서 서로 수직인 x 방향과 y 방향의 운동은 서로 어떠한 영향도 주지 않는다. 즉, 평면상의 운동은 x 성분과 y 성분의 각각 독립된 2개의 운동으로 기술할 수 있다.

2. 평면상의 등가속도 운동 분석

그림 (가)와 같이 xy 평면에서 x축과 θ의 각도로 처음 속도가 $\vec{v_0}$이고 가속도가 $+x$ 방향으로 크기가 $\vec{a}$로 일정한 등가속도 운동을 하는 물체의 운동을 분석해 보자.

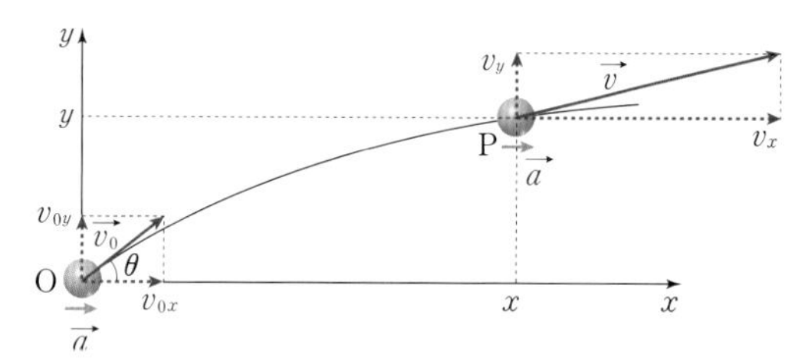

(가) 평면상의 등가속도 운동

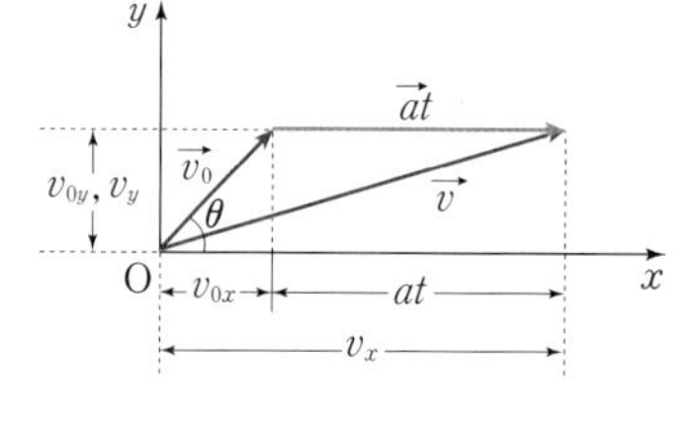

(나) 시간 t일 때 물체의 속도 벡터

가속도의 정의에 따라 시간 t일 때 이 물체의 속도 $\vec{v}$는 다음과 같다.

$$\vec{v}=\vec{v_0}+\vec{a}t$$

위 식에서 $\vec{v}$, $\vec{v_0}$, $\vec{a}$의 성분을 각각 (v_x, v_y), (v_{0x}, v_{0y}), $(a, 0)$으로 나타낼 수 있으며, 물체의 운동을 x 성분과 y 성분에 대하여 서로 독립된 2개의 운동으로 기술할 수 있다. x 방향으로는 가속도가 a로 일정한 등가속도 운동을 하고, y 방향으로는 가속도가 0인 등속도 운동을 한다. 따라서 물체의 처음 위치를 (x_0, y_0)이라고 하면 t초일 때 물체의 속도, 위치의 x, y 성분은 다음과 같이 분리하여 구할 수 있다. $v_{0x}=v_0\cos\theta$, $v_{0y}=v_0\sin\theta$이다.

x 방향

가속도 a=일정 ➡ 등가속도 운동

- 속도의 x 성분: $v_x=v_{0x}+at$
- 위치의 x 성분: $x=x_0+v_{0x}t+\frac{1}{2}at^2$

y 방향

가속도 0 ➡ 등속도 운동

- 속도의 y 성분: $v_y=v_{0y}=$일정
- 위치의 y 성분: $y=y_0+v_{0y}t$

등속도 운동과 등가속도 운동

- 등속도 운동: 속도가 일정한 운동으로, 물체의 빠르기와 운동 방향이 모두 일정하다.
- 등가속도 운동: 가속도가 일정한 운동으로, 물체의 빠르기나 운동 방향이 변한다.

(1) **등가속도 직선 운동**

$\theta=0°$, $180°$일 때로, 처음 속도의 방향과 가속도의 방향이 같거나 또는 반대 방향일 때, 즉 처음 속도의 방향과 가속도의 방향이 나란할 때의 운동이다. 두 경우 모두 $\sin\theta=0$이므로 처음 속도의 y 성분은 0이고, 가속도에 의해 위치와 속도의 x 성분만 변하므로 물체는 x 방향으로 직선 경로를 따라 운동하는 등가속도 직선 운동을 한다.

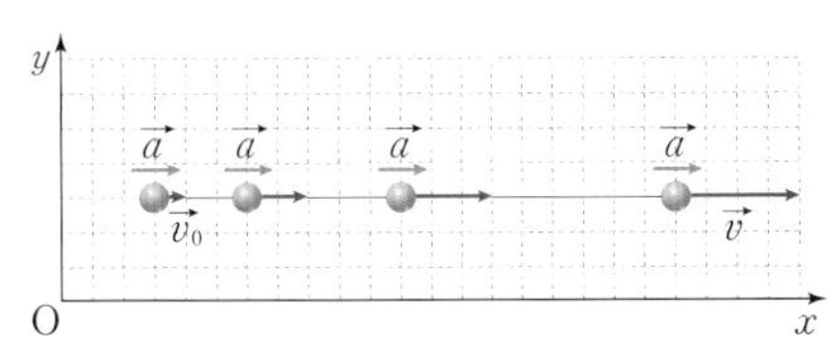

▲ $\theta=0°$일 때 물체의 운동

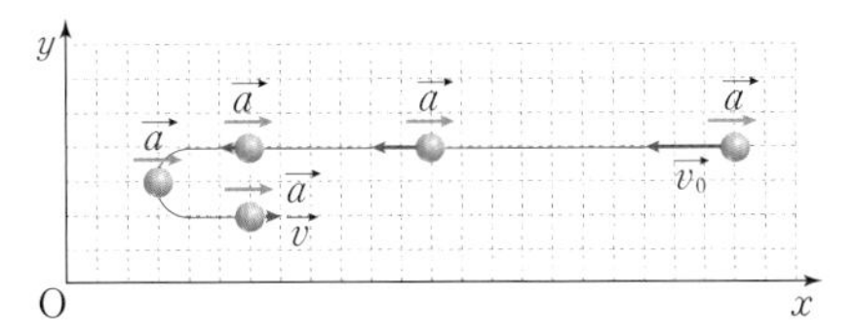

▲ $\theta=180°$일 때 물체의 운동

(2) **등가속도 포물선 운동**

$\theta=0°$, $180°$가 아닐 때, 즉 처음 속도의 방향과 가속도의 방향이 나란하지 않을 때의 운동이다. $\sin\theta\neq0$이므로, 물체는 가속도의 방향과 수직인 y 방향으로는 v_{0y}의 속도로 등속도 운동을 하고, 가속도의 방향과 나란한 x 방향으로는 등가속도 운동을 한다. y 방향의 등속도 운동 식에서 걸린 시간 $t=\frac{y-y_0}{v_{0y}}$으로 나타낼 수 있다. 따라서 위치의 x 성분은 다음과 같이 y^2의 관계식으로 표현되므로, 물체는 xy 평면에서 포물선 경로를 따라 운동한다.

$$x=x_0+v_{0x}\times\frac{y-y_0}{v_{0y}}+\frac{1}{2}a\left(\frac{y-y_0}{v_{0y}}\right)^2$$

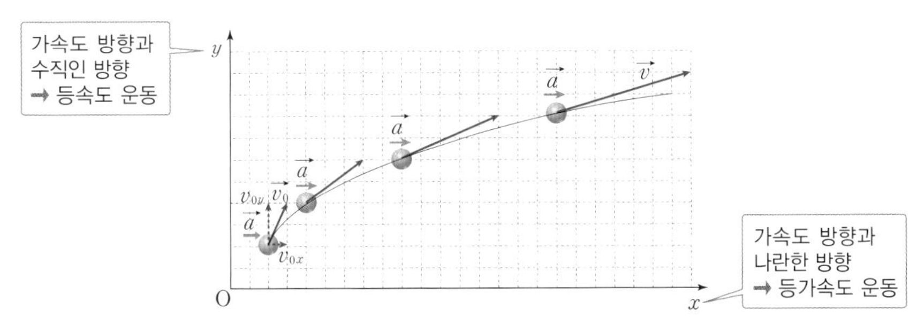

▲ 평면상의 등가속도 포물선 운동

예제

그림과 같이 어떤 물체가 xy 평면의 원점$(0, 0)$에서 처음 속도 $\vec{v_0}$으로 운동하기 시작하여 일정한 가속도 $\vec{a}$로 운동하고 있다. $\vec{v_0}$의 성분은 $(0, 5\ \text{m/s})$이고, $\vec{a}$의 성분은 $(1\ \text{m/s}^2, 0)$이다.

(1) 5초일 때 물체의 속도 벡터가 x축과 이루는 각도를 구하시오.

(2) t초일 때 물체의 위치의 x 성분과 y 성분을 각각 구하시오.

해설 (1) t초일 때 속도의 x 성분과 y 성분은 다음과 같다.

• $v_x=v_{0x}+at=1\ \text{m/s}^2\times t$ • $v_y=v_{0y}=5\ \text{m/s}$

따라서 5초일 때 속도의 성분은 $(5\ \text{m/s}, 5\ \text{m/s})$이므로, 속도 벡터가 x축과 이루는 각도는 $45°$이다.

(2) t초일 때 위치의 x 성분과 y 성분은 다음과 같다.

• $x=x_0+v_{0x}t+\frac{1}{2}at^2=\frac{1}{2}\times(1\ \text{m/s}^2)\times t^2$ • $y=y_0+v_{0y}t=(5\ \text{m/s})\times t$

정답 (1) $45°$ (2) x 성분: $\frac{1}{2}t^2$ m, y 성분: $5t$ m

등가속도 직선 운동에서 평균 속도와 이동 거리

등가속도 직선 운동의 경우, 평균 속도 $v_{평균}$은 처음 속도 v_0과 나중 속도 v의 중간값, 즉 $\frac{v_0+v}{2}$로 구할 수 있으며, 시간 t 동안의 변위 $s=v_{평균}\times t$로 구할 수 있다.

등가속도 직선 운동과 등가속도 포물선 운동

둘 다 가속도(힘)의 크기와 가속도(힘)의 방향이 일정한 운동이므로, 가속도의 방향과 나란한 방향으로는 등가속도 운동을 한다.

포물선

평면상의 한 점과 이 점을 지나지 않는 한 직선까지의 거리가 같은 점의 자취를 포물선이라고 한다. 포물선의 방정식은 $y=ax^2+bx+c$로, y가 x에 대한 이차함수 형태이다.

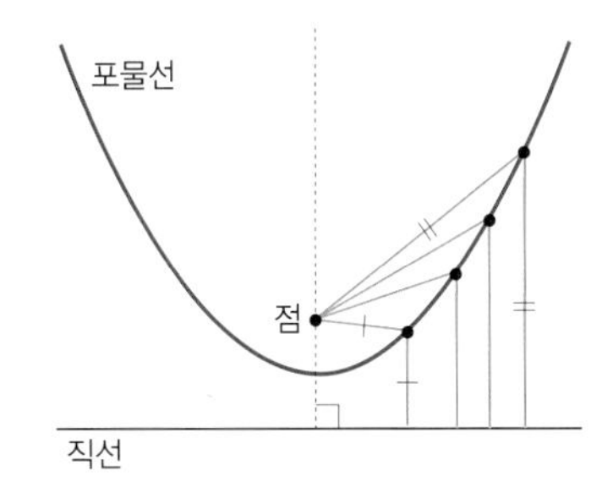

3 포물선 운동

지표면 근처에서 던진 물체는 가속도가 연직 아래 방향의 중력 가속도로 일정한 등가속도 운동을 한다. 이때 물체를 던지는 방향에 따라 직선을 따라 운동하거나 포물선 경로를 따라 운동한다. 특히 포물선 운동은 가속도에 나란한 연직 방향과 가속도에 수직인 수평 방향으로 분해하여 그 운동 상태를 분석하는 것이 편리하다.

1. 중력 가속도

(1) **중력 가속도($\vec{g}$):** 공기 저항과 지구 자전 효과 등을 무시하면 지표면 근처에서 던진 물체는 중력만을 받아 운동하므로, 가속도가 연직 아래 방향으로 일정한 운동을 한다. 이 가속도를 중력 가속도라고 하고, $\vec{g}$로 나타낸다.

(2) **중력 가속도의 크기:** 지표면 근처에서 중력 가속도의 크기 g는 다음과 같다.

$$g \fallingdotseq 9.8\ \mathrm{m/s^2}$$

2. 연직 방향으로 던진 물체의 운동

연직 방향으로 던진 물체는 가속도가 $\vec{g}$로 일정한 등가속도 운동을 한다. 물체의 처음 속도의 방향과 가속도의 방향이 나란하므로, 위치와 속도의 연직 방향 성분만 변하여 물체는 연직 방향의 직선을 따라 등가속도 운동을 한다.

(1) 연직 아래로 던진 물체의 운동(연직 투하 운동)

원점 O에서 물체를 속도 v_0으로 연직 아래로 던진 경우, 물체는 중력을 받아 연직 아래로 속력이 점점 증가하는 등가속도 직선 운동을 한다. 물체의 처음 운동 방향인 연직 아래 방향을 (+)로 나타내면, 처음 속도는 v_0, 가속도 $a=g$가 되므로, 등가속도 직선 운동 식에 의해 시간 t일 때 속도 v와 낙하 거리 s는 다음과 같다.

v-t 식	$v=v_0+gt$
s-t 식	$s=v_0t+\frac{1}{2}gt^2$
s-v 식	$2gs=v^2-v_0^2$

▲ 연직 아래로 던진 물체의 운동

(2) 연직 위로 던진 물체의 운동(연직 투상 운동)

원점 O에서 물체를 속도 v_0으로 연직 위로 던진 경우, 물체는 올라가면서 속력이 점점 감소하고 최고 높이에서 속력이 0이 되었다가 낙하하면서 속력이 다시 증가하는 운동을 한다. 물체의 처음 운동 방향인 연직 윗방향을 (+)로 나타내면, 처음 속도는 v_0, 가속도 $a=-g$가 되므로, 등가속도 직선 운동 식에 의해 시간 t일 때 속도 v와 높이 s는 다음과 같다.

v-t 식	$v=v_0-gt$
s-t 식	$s=v_0t-\frac{1}{2}gt^2$
s-v 식	$-2gs=v^2-v_0^2$

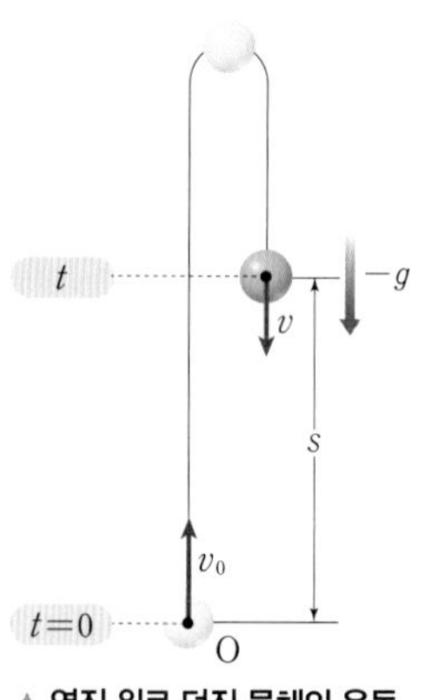

▲ 연직 위로 던진 물체의 운동

등가속도 직선 운동의 식

직선을 따라 일정한 가속도 a로 움직이는 물체의 처음 속도가 v_0일 때, t초 후의 속도 v와 변위 s의 관계식은 다음과 같다.

- $v=v_0+at$
- $s=v_0t+\frac{1}{2}at^2$
- $2as=v^2-v_0^2$

연직 아래로 던진 물체의 운동 그래프

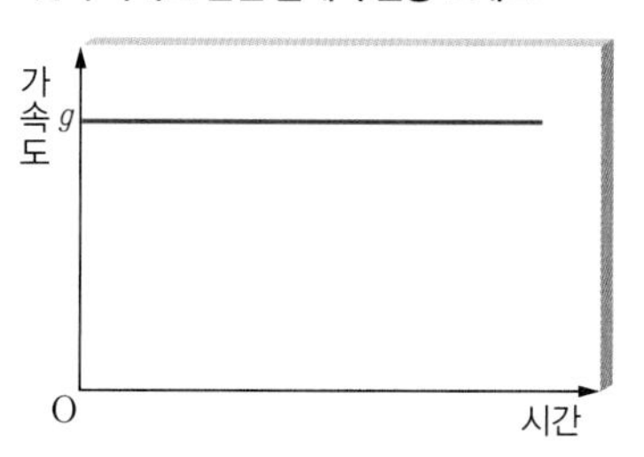

(가) 가속도-시간 그래프

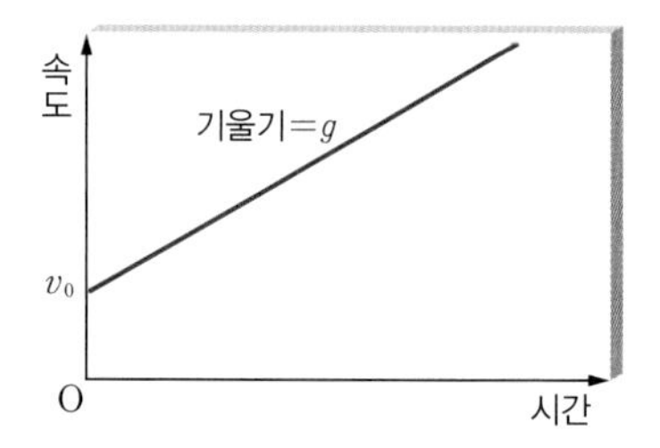

(나) 속도-시간 그래프

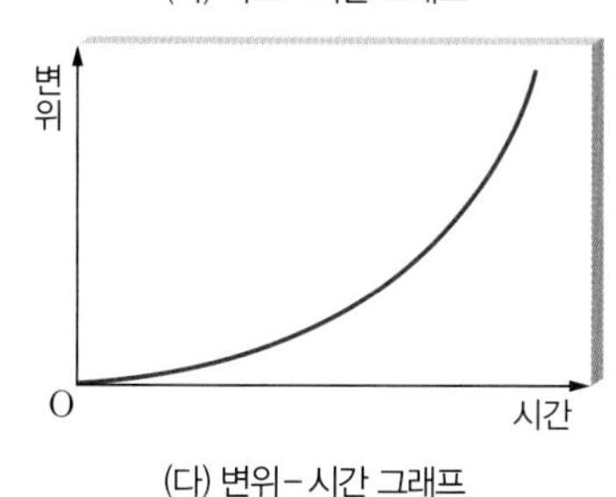

(다) 변위-시간 그래프

① **최고점 도달 시간(t_1)과 최고점의 높이(H)**: 가속도의 방향과 처음 속도의 방향이 반대이므로, 연직 위로 던진 물체는 얼마 후 최고 높이에 도달하며, 그때의 속도는 0이 된다.

- 최고점 도달 시간(t_1): 최고점에서 속도 $v=0$이므로 $v=v_0-gt$ 식을 이용하면 최고점까지 올라가는 데 걸리는 시간 t_1은 다음과 같다.

$$0=v_0-gt_1 \Rightarrow t_1=\frac{v_0}{g}$$

- 최고점의 높이(H): 최고점의 높이를 H라고 할 때, $-2gs=v^2-v_0^2$에 $s=H$, $v=0$을 대입하면 H는 다음과 같다.

$$-2gH=0^2-v_0^2 \Rightarrow H=\frac{v_0^2}{2g}$$

② **출발점(처음 위치) 도달 시간(t_2)과 속도(v_2)**: 연직 위로 처음 속도 v_0으로 던진 물체가 다시 처음 위치인 출발점에 도달하는 시간과 속도를 각각 t_2, v_2라고 하면, 그때의 변위 $s=0$이므로, t_2, v_2는 다음과 같다.

$$s=v_0t_2-\frac{1}{2}gt_2^2=0 \Rightarrow t_2\neq0\text{이므로, } t_2=\frac{2v_0}{g}=2t_1$$

$$-2gs=v_2^2-v_0^2=0 \Rightarrow v_2=-v_0$$

따라서 출발점으로 다시 돌아오는 데 걸리는 시간(t_2)은 최고점에 도달하는 데 걸리는 시간(t_1)의 2배이고, 이때의 속도는 처음 속도(v_0)와 크기가 같고 방향은 반대가 된다.

③ **연직 투상 운동의 대칭성**: 연직 위로 던진 물체가 출발점에서 최고점까지 상승하는 운동(속도가 $v_0 \to 0$이 되는 운동)과 최고점에서 출발점까지 낙하하는 운동(속도가 $0 \to -v_0$이 되는 운동)은 대칭적이다.

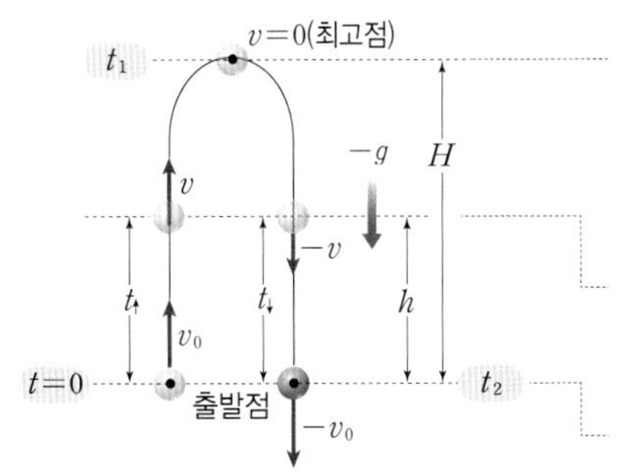

최고점 ⇅ 출발점	• 높이(이동 거리): $H=\frac{v_0^2}{2g}$ • 걸린 시간: $T_\uparrow=T_\downarrow=\frac{v_0}{g}$
높이 h ⇅ 출발점	• 높이 h에서 속도: $v_\uparrow=v$, $v_\downarrow=-v$ • 걸린 시간: $t_\uparrow=t_\downarrow$
출발점	• 속도: $v_\uparrow=v_0$, $v_\downarrow=-v_0$

▲ **연직 투상 운동의 대칭성**

시야 확장 ⊕ 이차함수의 최댓값·최솟값을 이용한 최고점 도달 시간과 높이

변위 s는 시간 t의 함수이므로 $s-t$ 식 $s=v_0t-\frac{1}{2}gt^2$에서 이차함수의 최댓값과 최솟값을 이용하면 최고점까지의 도달 시간(t_1)과 이때의 높이(H)를 구할 수 있다. $s=y$로 하면

$$y=v_0t-\frac{1}{2}gt^2=-\frac{1}{2}g\left(t-\frac{v_0}{g}\right)^2+\frac{v_0^2}{2g} \text{ (이차함수)}$$

이다. $-\frac{1}{2}g\left(t-\frac{v_0}{g}\right)^2=0$일 때 y는 최대이므로 최고점까지의 도달 시간 t_1과 t_1일 때의 y값인 최고점의 높이 H는 각각 다음과 같다.

$$t_1=\frac{v_0}{g},\ H=\frac{v_0^2}{2g}$$

연직 위로 던진 물체의 운동 그래프

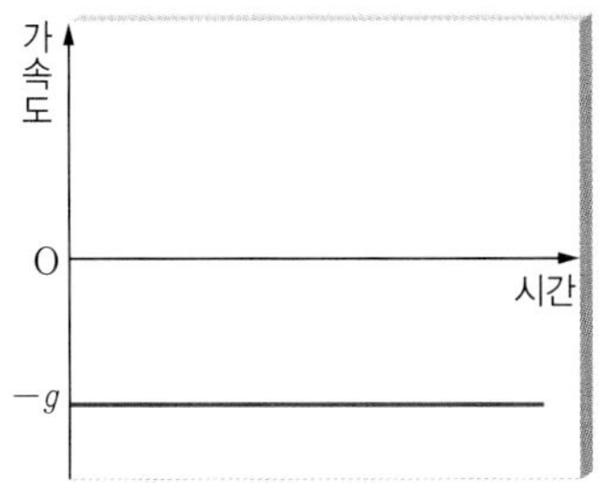

(가) 가속도-시간 그래프

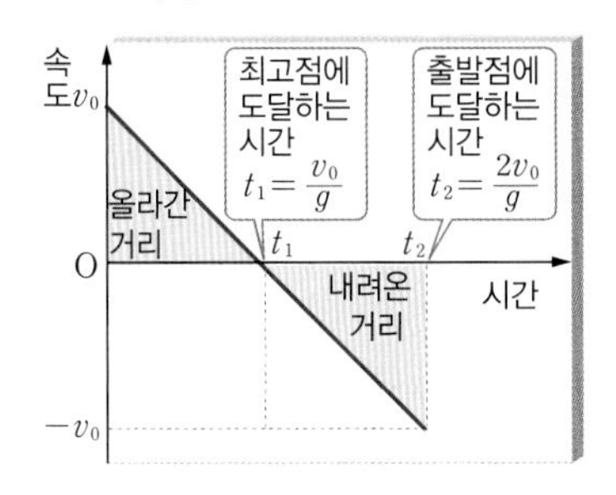

(나) 속도-시간 그래프

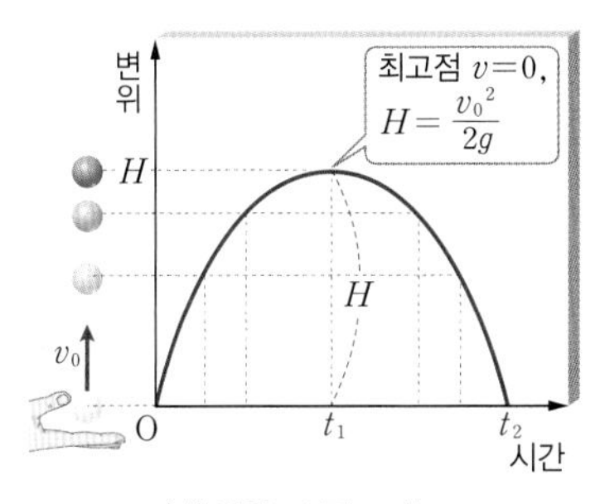

(다) 변위-시간 그래프

3. 수평 방향으로 던진 물체의 운동

수평 방향으로 $\vec{v_0}$의 속도로 던진 물체의 운동은 수평 방향인 x 방향과 연직 방향인 y 방향으로 각각 독립하여 기술할 수 있다. 공기 저항을 무시할 때 물체는 연직 아래 방향의 중력만을 받으며 운동하는데, 수평 방향으로는 가속도가 0이므로 등속도 운동을 하고, 연직 방향으로는 연직 아래 방향으로 가속도가 g로 일정한 등가속도 운동(자유 낙하 운동)을 한다. 물체의 운동을 기술하기 위해 오른쪽과 연직 아래 방향을 각각 (+)로 나타내면, 가속도, 처음 속도, 각 방향의 운동은 다음과 같다.

구분	수평 방향(x 성분)	연직 방향(y 성분)
가속도	$a_x=0$	$a_y=g$
처음 속도	$v_{0x}=v_0$	$v_{0y}=0$
운동	등속도 운동	자유 낙하 운동

(1) **t초 후의 속도($\vec{v}$):** 시간 t초 후 물체의 속도 $\vec{v}$의 수평 방향 성분 v_x와 연직 방향 성분 v_y는 다음과 같다.

• 수평 방향: $v_x=v_0$ (등속도 운동)　　• 연직 방향: $v_y=gt$ (자유 낙하 운동)

따라서 t초 후 물체의 속도 v의 크기와 방향은 다음과 같다.

• 크기: $v=\sqrt{{v_x}^2+{v_y}^2}=\sqrt{{v_0}^2+(gt)^2}$　　• 방향: $\tan\theta=\dfrac{v_y}{v_x}=\dfrac{gt}{v_0}$

(2) **t초 후의 변위($\vec{r}$):** 출발점을 원점으로 할 때 t초 후 물체의 변위 $\vec{r}$의 x, y 성분은 다음과 같다.

• 수평 방향: $x=v_0t$　　• 연직 방향: $y=\dfrac{1}{2}gt^2$

위 변위의 x 성분의 식을 $t=\dfrac{x}{v_0}$로 변환하여 변위의 y 성분의 식에 대입하면, 시간 t가 소거되어 다음과 같은 물체의 운동 경로 식을 얻을 수 있다. 이 식에서 y는 x에 대한 이차함수로 나타나므로, 수평 방향으로 던진 물체는 포물선 경로를 따라 운동하는 것을 알 수 있다.

$$y=\frac{1}{2}g\left(\frac{x}{v_0}\right)^2=\frac{g}{2{v_0}^2}x^2 \quad \text{(포물선 방정식)}$$

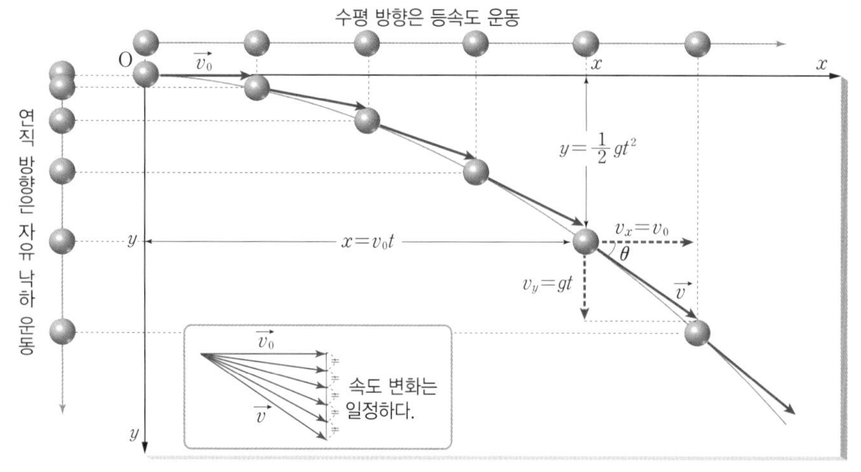

▲ 수평 방향으로 던진 물체의 운동

자유 낙하 하는 공과 수평 방향으로 던진 공의 운동 비교

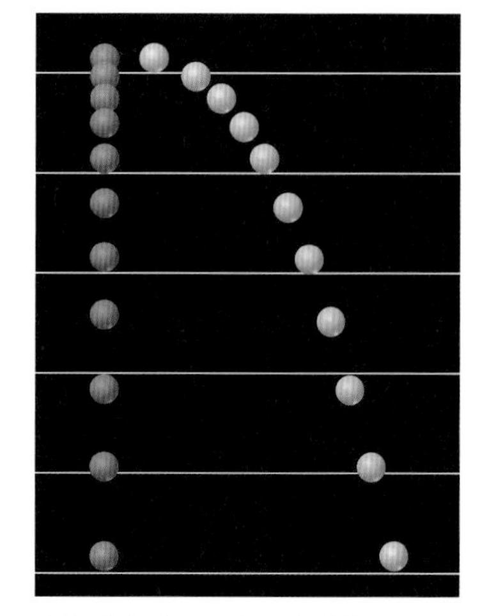

자유 낙하 하는 공과 수평 방향으로 던진 공을 일정한 시간 간격으로 찍은 사진을 보면, 두 공은 연직 방향으로 동일한 운동을 하는 것을 알 수 있다.

(3) **지면 도달 시간(T):** 물체를 높이 H에서 수평 방향으로 던졌을 때, 연직 방향의 운동은 수평 방향의 속도 v_0과 관계없다. 따라서 물체가 지면에 도달하는 데 걸린 시간 T는 다음과 같이 높이 H에서 자유 낙하 하는 데 걸린 시간과 같다.

$$H=\frac{1}{2}gT^2 \Rightarrow T=\sqrt{\frac{2H}{g}}$$

(4) **수평 도달 거리(R):** 수평 방향으로 물체는 지면 도달 시간 T 동안 v_0의 속도로 등속도 운동을 하므로, 수평 도달 거리 R는 다음과 같다.

$$R=v_0T=v_0\sqrt{\frac{2H}{g}}$$

(5) **지면 도달 속도($\vec{V}$):** 물체가 지면에 도달하는 순간의 속도 $\vec{V}$의 수평 방향 성분 $V_x=v_{0x}=v_0$이고 연직 방향 성분 $V_y=gT=\sqrt{2gH}$이므로, 지면 도달 속도 $\vec{V}$의 크기와 방향은 각각 다음과 같다.

- 크기: $V=\sqrt{{V_x}^2+{V_y}^2}=\sqrt{{v_0}^2+2gH}$
- 방향: $\tan\theta=\frac{V_y}{V_x}=\frac{\sqrt{2gH}}{v_0}$

예제

그림과 같이 수평으로 날아가고 있는 폭격기에서 일정한 시간 간격으로 폭탄을 가만히 떨어뜨렸다. 이 폭탄들이 낙하하는 어느 순간의 모습을 지상의 카메라로 찍었더니 첫 번째와 두 번째로 낙하시킨 폭탄의 위치가 그림과 같았다. (단, 중력 가속도는 $10\ m/s^2$이고, 공기 저항은 무시한다.)

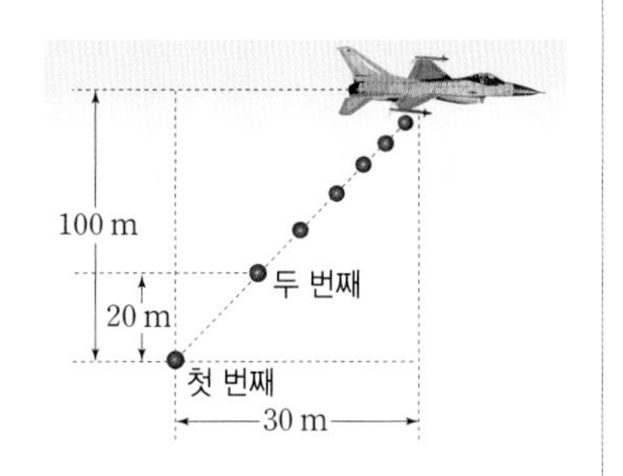

(1) 폭탄을 떨어뜨리는 시간 간격은 몇 초인지 구하시오.

(2) 이 폭격기의 가속도의 크기는 몇 m/s^2인지 구하시오.

해설 (1) 폭탄이 폭격기에 대하여 그림과 같이 직선으로 낙하하면 폭격기는 등가속도 직선 운동을 하는 것이다. 또, 지상에서 보면 폭탄은 수평 방향으로 던진 물체와 같이 운동하므로, 첫 번째 폭탄과 두 번째 폭탄이 현재 위치까지 낙하하는 데 걸린 시간 t_1, t_2는 각각 다음과 같다.

$$s=\frac{1}{2}gt^2 \Rightarrow t_1=\sqrt{\frac{2s}{g}}=\sqrt{\frac{2\times100\ m}{10\ m/s^2}}=2\sqrt{5}\ s,\ t_2=\sqrt{\frac{2\times80\ m}{10\ m/s^2}}=4\ s$$

따라서 폭탄을 떨어뜨리는 시간 간격 $\Delta t=t_1-t_2=(2\sqrt{5}-4)$ s이다.

(2) 오른쪽 그림과 같이 $t=0$일 때 폭격기의 속도가 v_0, 가속도가 a이면, 시간 t 동안 폭격기와 폭탄의 수평 방향의 이동 거리는 다음과 같다.

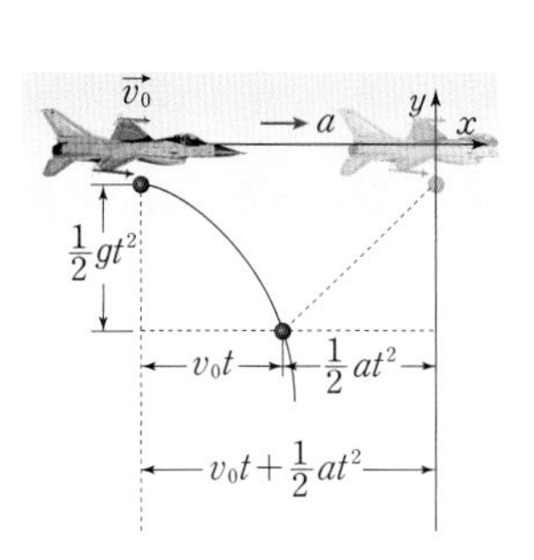

- 폭격기의 수평 이동 거리: $x_1=v_0t+\frac{1}{2}at^2$
- 폭탄의 수평 이동 거리: $x_2=v_0t$

따라서 폭격기에 대한 폭탄의 수평 방향 위치는 다음과 같다.

$$x=x_2-x_1=-\frac{1}{2}at^2$$

따라서 첫 번째 폭탄의 $t_1=2\sqrt{5}$ s, $x=-30$ m를 대입하면 폭격기의 가속도 a는 다음과 같다.

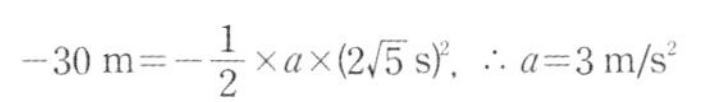

$$-30\ m=-\frac{1}{2}\times a\times(2\sqrt{5}\ s)^2,\ \therefore a=3\ m/s^2$$

정답 (1) $(2\sqrt{5}-4)$ s (2) $3\ m/s^2$

폭격기에서 떨어진 폭탄의 운동
수평으로 날아가고 있는 폭격기에서 가만히 떨어뜨린 폭탄은 수평 방향으로 던진 물체와 같이 운동하므로, 수평 방향으로는 등속도 운동을 하고, 연직 방향으로는 등가속도 운동을 한다. 이때 폭탄의 처음 속도는 그 시각의 폭격기의 속도와 같고, 폭탄은 포물선 경로를 따라 운동한다.

4. 비스듬히 위로 던진 물체의 운동

탐구 60쪽~61쪽 집중 분석 62쪽~63쪽

수평면과 각 θ를 이루는 방향의 속도 $\vec{v_0}$으로 비스듬히 위로 던진 물체는 공기 저항을 무시할 때 연직 아래 방향의 중력만을 받으며 운동하므로, 물체는 평면상의 등가속도 운동으로 포물선 경로를 따라 운동한다. 즉, 이 물체의 운동은 수평 방향으로는 등속도 운동, 연직 방향으로는 연직 위로 던진 물체의 운동(등가속도 운동)으로 기술할 수 있다. 오른쪽과 연직 위 방향을 각각 (+)로 나타내면, 가속도, 처음 속도, 각 방향의 운동은 다음과 같다.

구분	수평 방향(x 성분)	연직 방향(y 성분)
가속도	$a_x=0$	$a_y=-g$
처음 속도	$v_{0x}=v_0\cos\theta$	$v_{0y}=v_0\sin\theta$
운동	등속도 운동	연직 위로 던진 물체의 운동

(1) **t초 후의 속도($\vec{v}$)**: 시간 t초 후 물체의 속도 $\vec{v}$의 수평 방향 성분 v_x와 연직 방향 성분 v_y는 다음과 같다.

- 수평 방향: $v_x=v_{0x}=v_0\cos\theta$ (등속도 운동)
- 연직 방향: $v_y=v_{0y}-gt=v_0\sin\theta-gt$ (연직 위로 던진 물체의 운동)

따라서 t초 후 물체의 속도 $\vec{v}$와 수평 방향이 이루는 각을 ϕ라고 하면, $\vec{v}$의 크기와 방향은 다음과 같다.

- 크기: $v=\sqrt{v_x{}^2+v_y{}^2}=\sqrt{(v_0\cos\theta)^2+(v_0\sin\theta-gt)^2}$
- 방향: $\tan\phi=\dfrac{v_y}{v_x}=\dfrac{v_0\sin\theta-gt}{v_0\cos\theta}$

(2) **t초 후의 변위($\vec{r}$)**: 출발점을 원점으로 할 때 t초 후 물체의 변위 $\vec{r}$의 x, y 성분은 다음과 같다.

- 수평 방향: $x=v_0\cos\theta\cdot t$
- 연직 방향: $y=v_{0y}t-\dfrac{1}{2}gt^2=v_0\sin\theta\cdot t-\dfrac{1}{2}gt^2$

위 변위의 x 성분의 식을 $t=\dfrac{x}{v_0\cos\theta}$로 변환하여 변위의 y 성분의 식에 대입하면, 다음과 같이 물체의 운동 경로가 포물선으로 나타남을 알 수 있다.

$$y=\tan\theta\cdot x-\frac{g}{2v_0{}^2\cos^2\theta}x^2 \text{ (포물선 방정식)}$$

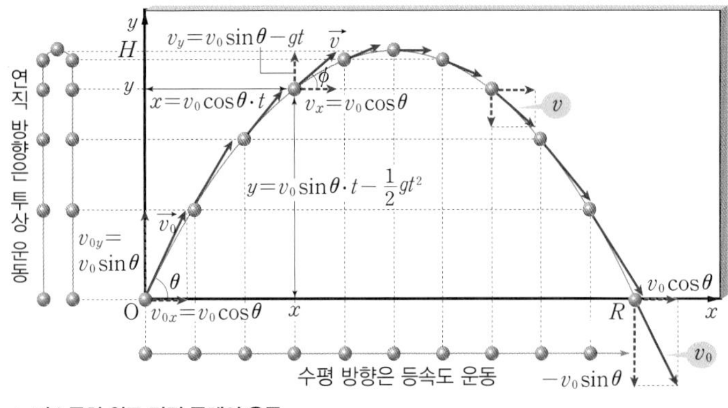

▲ 비스듬히 위로 던진 물체의 운동

비스듬히 던져 올린 물체의 변위

비스듬히 던져 올린 물체의 t초일 때 변위 $\vec{r}$는 중력이 없을 때 물체의 변위 $\vec{v}t$에서 중력 가속도로 인한 연직 방향의 변위 $\frac{1}{2}\vec{g}t^2$을 더한 것과 같다.

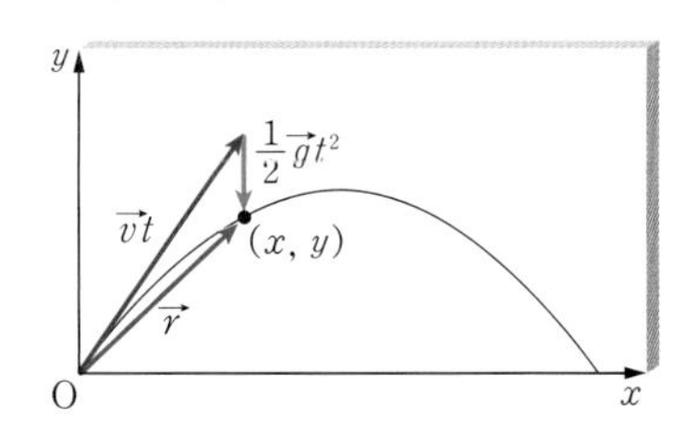

(3) 포물선 운동의 최고점

비스듬히 위로 던진 물체가 최고점에 도달하면 물체의 속도는 수평 방향 성분이 $v_0\cos\theta$이고, 연직 방향 성분은 0이 된다. 따라서 최고점 도달 시간과 최고점의 높이 등을 구할 때에는 그 점에서 연직 방향의 속도 성분이 0이므로 연직 방향의 운동 식에 $v_y=0$을 대입하여 구한다.

① **최고점에서의 속도($\vec{V}$)**: 최고점에서의 속도 $\vec{V}$의 수평 성분 $V_x=v_0\cos\theta$이고, 연직 성분 $V_y=0$이므로, $\vec{V}$의 크기와 방향은 수평 성분과 같다.

• 크기: $V=V_x=v_0\cos\theta$ • 방향: 수평 방향

② **최고점 도달 시간(T_1)**: 최고점 도달 시간은 $v_y=0$일 때의 시간이므로, $v_y=v_0\sin\theta-gt$ 식으로 구한다.

$$v_y=v_0\sin\theta-gT_1=0 \Rightarrow T_1=\frac{v_0\sin\theta}{g}$$

③ **최고점의 높이(H)**: 연직 방향으로는 등가속도 운동을 하는데, 처음 속도의 연직 방향 성분 $v_{0y}=v_0\sin\theta$이고, 최고점에서 속도의 연직 방향 성분 $v_y=0$이므로 $-2gy=v_y{}^2-v_{0y}{}^2$에서 최고점 높이 H는 다음과 같다.

$$-2gH=0^2-(v_0\sin\theta)^2 \Rightarrow H=\frac{v_0{}^2\sin^2\theta}{2g}$$

④ **최고점까지의 수평 이동 거리(x_1)**: 수평 방향으로는 $v_0\cos\theta$의 속도로 등속도 운동을 하므로, 시간 T_1 동안 수평 방향으로 이동한 거리 x_1은 다음과 같다.

$$x_1=v_{0x}T_1=v_0\cos\theta\times\frac{v_0\sin\theta}{g}=\frac{v_0{}^2\sin2\theta}{2g}$$

(4) 수평 도달 거리(R)

비스듬히 위로 던진 물체가 출발점과 동일 수평면상에 떨어졌을 때 출발점에서 그 지점까지의 거리를 수평 도달 거리라고 하며, 이때 연직 방향의 변위 y는 0이 된다.

① **수평 도달 거리까지 걸리는 시간(T_2)**: 포물선을 그리며 다시 수평면에 도달할 때까지의 시간 T_2는 연직 방향의 속도 $v_0\sin\theta$로 연직 위로 던진 물체가 출발점으로 되돌아오는 데 걸리는 시간과 같다. 따라서 연직 방향의 운동 식 $y=v_{0y}t-\frac{1}{2}gt^2$을 이용하여 $y=0$이 되는 시간 T_2를 구하면 다음과 같이 수평 도달 시간 T_2는 최고점 도달 시간 T_1의 2배가 된다.

$$0=\left(v_{0y}-\frac{1}{2}gT_2\right)T_2,\ T_2\neq0 \Rightarrow T_2=\frac{2v_{0y}}{g}=\frac{2v_0\sin\theta}{g}=2T_1$$

② **수평 도달 거리(R)**: 비스듬히 위로 던진 물체가 시간 T_2 동안, 즉 수평 방향으로 최고점 도달 시간의 2배가 되는 시간 동안 수평 방향의 속도 $v_{0x}=v_0\cos\theta$로 등속도 운동을 한 거리이므로 다음과 같다.

$$R=v_{0x}T_2=v_0\cos\theta\times\frac{2v_0\sin\theta}{g}=\frac{v_0{}^2\sin2\theta}{g}$$

• 수평 최대 도달 거리: 물체를 일정한 속력으로 던질 때 수평 도달 거리 R가 최대로 되는 것은 $\sin2\theta$가 최댓값인 1이 될 때, 즉 $2\theta=90°$, $\theta=45°$인 경우이다. 이때 R의 최댓값 $R_M=\frac{v_0{}^2}{g}$을 수평 최대 도달 거리라고 한다.

최고점에서 속도의 방향

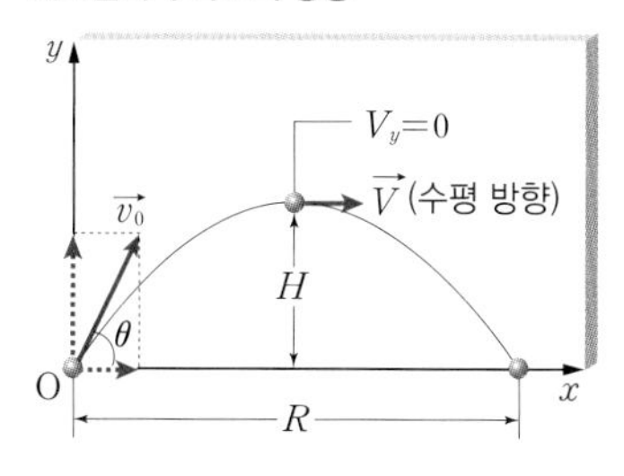

삼각함수 2배각 공식

$\sin2\alpha=2\sin\alpha\cos\alpha$

공기 저항과 수평 최대 도달 거리

물체가 공기 중에서 운동할 때 (속력)^{2}에 비례하는 공기 저항력을 받으므로, 실제로는 수평 방향과의 각 39° 전후로 던져 올릴 때 물체가 가장 멀리 간다.

(5) 같은 수평 도달 거리를 가는 발사각

① 발사각과 수평 도달 거리: 비스듬히 위로 던진 물체의 수평 도달 거리 $R=\frac{v_0^2\sin2\theta}{g}$에서 $\sin2\theta=\sin(180^\circ-2\theta)=\sin2(90^\circ-\theta)$이므로, 앙각 θ와 $90^\circ-\theta$로 던져 올린 두 물체의 수평 도달 거리 R는 같다. 즉, 같은 속력으로 서로 여각의 관계($\theta_1+\theta_2=90^\circ$)를 이루는 두 각 θ_1, θ_2로 던져 올린 두 물체는 같은 지점에 떨어진다.

② 수평 도달 거리까지 걸리는 시간: 같은 속력으로 θ와 $90^\circ-\theta$의 각으로 던져 올리면 같은 지점에 도달하지만, 그 지점까지 도달하는 데 걸리는 시간은 다르다. 각각의 수평 도달 거리까지 걸리는 시간을 T_2, T_2'이라고 하면 다음과 같다.

$$T_2=\frac{2v_0\sin\theta}{g},\ T_2'=\frac{2v_0\sin(90^\circ-\theta)}{g}=\frac{2v_0\cos\theta}{g} \Rightarrow T_2=T_2'\tan\theta$$

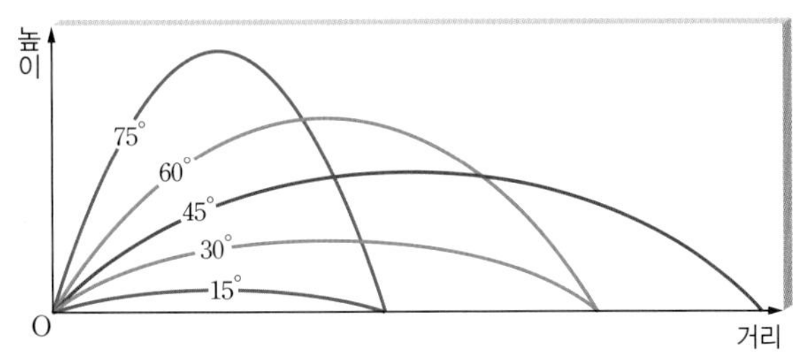

◀ 원점에서 동일한 속력으로 비스듬히 위로 던진 물체의 발사각에 따른 궤적

앙각
낮은 곳에서 높은 곳을 올려다볼 때 시선과 지평선이 이루는 각, 즉 올려본 각이다.

발사각과 수평 도달 속력
발사 속력과 높이가 같으면 수평면에 도달하는 순간의 속력은 발사각과 관계없이 모두 같다.

5. 비스듬히 아래로 던진 물체의 운동

수평면과 각 θ를 이루는 방향의 속도 $\vec{v_0}$으로 비스듬히 아래로 던진 물체는 수평 방향으로는 $v_{0x}=v_0\cos\theta$의 속력으로 등속도 운동을 하고, 연직 방향으로는 $v_{0y}=v_0\sin\theta$의 속력으로 연직 아래로 던진 물체와 같은 등가속도 운동을 한다. 물체의 운동을 기술하기 위해 오른쪽과 연직 아래 방향을 각각 (+)로 나타내면, 연직 방향의 가속도 $a_y=g$이므로, 시간 t초 후의 속도와 변위는 다음과 같다.

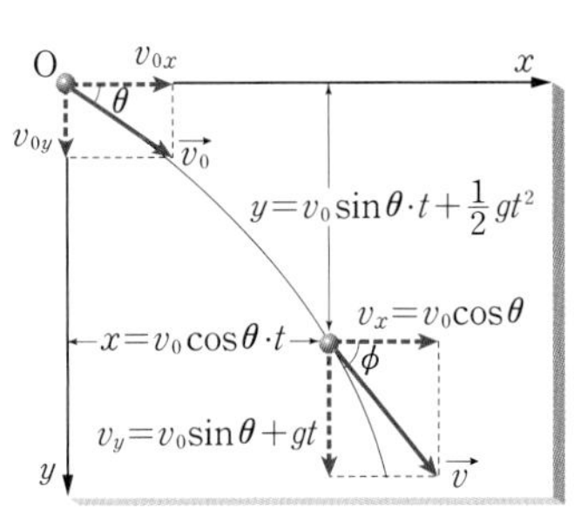

▲ 비스듬히 아래로 던진 물체의 운동

(1) **t초 후의 속도($\vec{v}$)**: t초 후 물체의 속도 $\vec{v}$의 수평 방향 성분 v_x와 연직 방향 성분 v_y는 다음과 같다.

• 수평 방향: $v_x=v_{0x}=v_0\cos\theta$ (등속도 운동)

• 연직 방향: $v_y=v_{0y}+gt=v_0\sin\theta+gt$ (연직 아래로 던진 물체의 운동)

t초 후 속도 $\vec{v}$와 수평 방향이 이루는 각을 ϕ라고 하면, $\vec{v}$의 크기와 방향은 다음과 같다.

• 크기: $v=\sqrt{v_x^2+v_y^2}=\sqrt{(v_0\cos\theta)^2+(v_0\sin\theta+gt)^2}$

• 방향: $\tan\phi=\frac{v_y}{v_x}=\frac{v_0\sin\theta+gt}{v_0\cos\theta}$

(2) **t초 후의 변위($\vec{r}$)**: 출발점을 원점으로 할 때 t초 후 물체의 변위 $\vec{r}$의 x, y 성분은 다음과 같다.

• 수평 방향: $x=v_0\cos\theta\cdot t$

• 연직 방향: $y=v_{0y}t+\frac{1}{2}gt^2=v_0\sin\theta\cdot t+\frac{1}{2}gt^2$

앞의 두 식에서 시간 t를 소거하면 물체의 운동 경로의 식은 다음과 같이 포물선으로 나타남을 알 수 있다.

$$y=\tan\theta\cdot x+\frac{g}{2{v_0}^2\cos^2\theta}x^2 \text{ (포물선 방정식)}$$

예제

1. 그림과 같이 원점에서 수평면에 대하여 각 60°의 방향으로 속도 20 m/s로 던져 올린 물체가 있다. (단, 중력 가속도는 10 m/s^2이고, 공기 저항은 무시한다.)

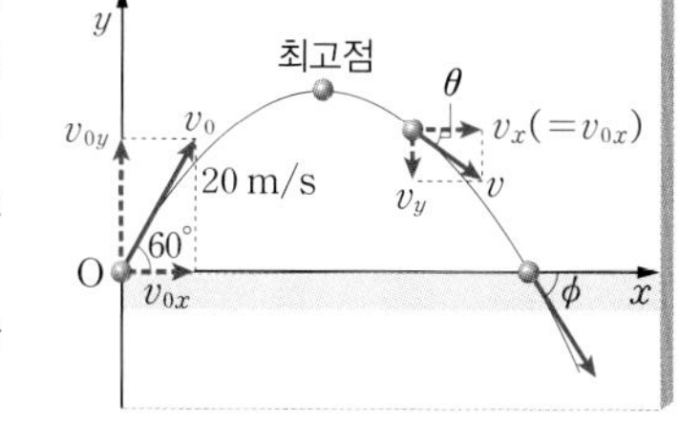

(1) 물체가 최고점에 도달하는 데 걸리는 시간과 최고점의 높이를 각각 구하시오.

(2) 3초 후 물체의 속도의 방향($\tan\theta$)과 크기를 각각 구하시오.

(3) 수평 도달 거리와 수평면에 도달할 때의 속도 방향이 수평면과 이룬 각 ϕ를 각각 구하시오.

해설 (1) 처음 속도의 수평 방향 성분과 연직 방향 성분의 크기는 다음과 같다.

$$v_{0x}=v_0\cos60^\circ=20\text{ m/s}\times\frac{1}{2}=10\text{ m/s}$$

$$v_{0y}=v_0\sin60^\circ=20\text{ m/s}\times\frac{\sqrt{3}}{2}=10\sqrt{3}\text{ m/s}$$

최고점에서 속도의 연직 방향 성분은 0이므로 $v_y=v_{0y}-gt=0$이다. 따라서 최고점 도달 시간(T)과 최고점의 높이(H)는 다음과 같다.

$$T=\frac{v_{0y}}{g}=\frac{10\sqrt{3}\text{ m/s}}{10\text{ m/s}^2}=\sqrt{3}\text{ s}$$

$$-2gH={v_y}^2-{v_{0y}}^2,\ -2gH=0-{v_{0y}}^2,\ \therefore H=\frac{{v_{0y}}^2}{2g}=\frac{(10\sqrt{3}\text{ m/s})^2}{2\times10\text{ m/s}^2}=15\text{ m}$$

(2) 3초 후 물체의 속도를 v라고 하면, 속도의 x 성분 v_x와 y 성분 v_y의 크기는 다음과 같다.

$$v_x=v_{0x}=10\text{ m/s},\ v_y=v_{0y}-gt=10\sqrt{3}\text{ m/s}-10\text{ m/s}^2\times3\text{ s}=-10(3-\sqrt{3})\text{ m/s}$$

따라서 속도 v의 크기는 $v=\sqrt{{v_x}^2+{v_y}^2}=\sqrt{10^2+10^2(3-\sqrt{3})^2}=10\sqrt{1^2+(3-\sqrt{3})^2}=10\sqrt{13-6\sqrt{3}}\text{ (m/s)}$

이고, 수평 방향과 속도의 방향이 이루는 각이 θ이면 $\tan\theta=\frac{|v_y|}{v_x}=3-\sqrt{3}$이다.

(3) 물체가 올라가는 데 걸리는 시간과 내려오는 데 걸리는 시간이 같으므로 지면 도달 시간은 $2\sqrt{3}$초이고, 수평 도달 거리 $R=v_{0x}\cdot2t=10\text{ m/s}\times2\sqrt{3}\text{ s}=20\sqrt{3}\text{ m}$. 대칭성에 의해 속도 방향이 수평면과 이루는 각 $\phi=60^\circ$이다.

정답 (1) $\sqrt{3}$ s, 15 m (2) $\tan\theta=3-\sqrt{3}$인 비스듬한 아래 방향으로 $10\sqrt{13-6\sqrt{3}}$ m/s (3) $20\sqrt{3}$ m, 60°

2. 그림과 같이 수평면에서 작은 돌을 비스듬히 위로 던져 올릴 때 운동 경로상의 P점에 도달하는 시간이 t_1, P에서 수평면에 도달할 때까지의 시간이 t_2이었다. 수평면에서 P까지의 높이 h를 구하시오. (단, 중력 가속도는 g이고, 공기 저항은 무시한다.)

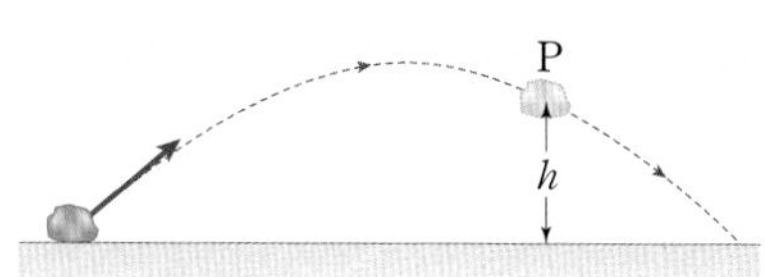

해설 포물선 운동의 대칭성에 의해 위로 올라갈 때와 내려올 때 같은 높이에서의 연직 성분 속력은 같다. 오른쪽 그림과 같이 P에서 연직 방향 속력을 v라고 하면, 출발점에서 P까지의 운동 (가)는 P에서 v의 속력으로 던져 올린 운동 (나)와 대칭이 된다. 따라서 P의 높이를 0으로 하고 t_1일 때의 변위를 구하면

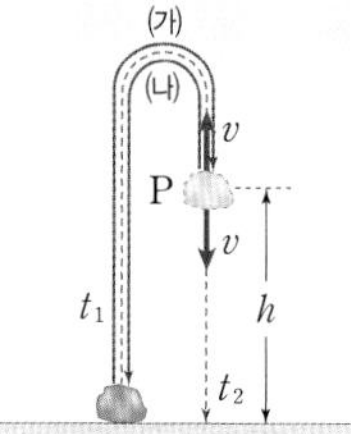

$$-h=vt_1-\frac{1}{2}g{t_1}^2\ \cdots\ ①$$

P에서 아래로 떨어지는 운동은 속도와 가속도의 방향이 같으므로 낙하 거리는

$$h=vt_2+\frac{1}{2}g{t_2}^2\ \cdots\ ②$$

식 ①+②를 하면 $0=v(t_1+t_2)-\frac{1}{2}g({t_1}^2-{t_2}^2)$에서 $v=\frac{1}{2}g(t_1-t_2)$이고, 이 값을 식 ①에 다시 대입하면 다음과 같다.

$$-h=\frac{1}{2}g(t_1-t_2)t_1-\frac{1}{2}g{t_1}^2,\ \therefore h=\frac{1}{2}gt_1t_2$$

정답 $\frac{1}{2}gt_1t_2$

과정이 살아 있는 **탐구**

비스듬히 위로 던진 물체의 운동

동영상을 분석하여 비스듬히 위로 던진 물체의 가속도를 계산할 수 있고, 물체의 운동 경로를 확인할 수 있다.

과정

1 모눈이 그려진 넓은 종이를 칠판에 고정하고, 종이 전체를 촬영할 수 있도록 디지털카메라를 설치한다.

2 모눈이 그려진 종이의 아래쪽 모서리에서 공을 발사할 수 있도록 장치를 설치한다.

3 비스듬히 위로 공을 발사하여 공이 종이 전체 영역을 통과하여 날아가는 모습을 동영상으로 촬영한다.

4 동영상 분석 프로그램을 이용하여 촬영한 동영상에서 0.1초 간격으로 시간에 따른 공의 위치를 수평 방향, 연직 방향으로 측정하고 표에 기록한다.

5 공의 위치를 모눈이 그려진 종이에 표시하여 공의 운동 경로를 확인한다.

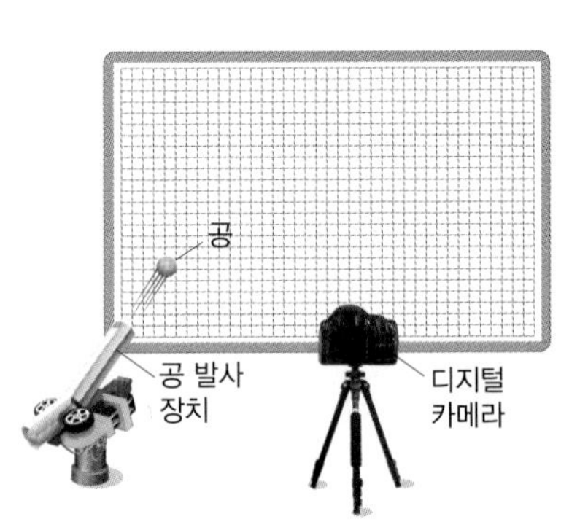

유의점

- 모눈이 그려진 종이는 연직 방향으로 세워서 사용한다.
- 공의 궤적이 종이에 닿을 정도로 가깝도록 공 발사 장치를 설치한 후 동영상을 촬영한다.
- 사고 예방을 위하여 부드러운 공을 사용한다.
- 실제로는 공기 저항이 있으므로 실험 결과를 분석할 때 이를 고려하여 결론을 도출하도록 한다.

결과

1 과정 **4**에서 0.1초 간격으로 시간에 따른 공의 수평 방향과 연직 방향의 위치를 측정한 값은 다음과 같다.

시간(초)	0	0.1	0.2	0.3	0.4	0.5	0.6
수평 위치(m)	0.00	0.20	0.40	0.60	0.79	0.99	1.18
연직 위치(m)	0.00	0.24	0.38	0.43	0.39	0.25	0.01

2 위 **1**번의 측정 결과를 이용하여 공의 수평 방향과 연직 방향의 구간별 이동 거리, 평균 속도, 평균 가속도를 구하면 다음과 같다.

[수평 방향]

시간(초)	0	0.1	0.2	0.3	0.4	0.5	0.6
수평 위치(m)	0.00	0.20	0.40	0.60	0.79	0.99	1.18
구간 이동 거리(m)		0.20	0.20	0.20	0.19	0.20	0.19
구간 평균 속도(m/s)		2.0	2.0	2.0	1.9	2.0	1.9
구간 평균 가속도(m/s^2)		0	0	−1	1	−1	

[연직 방향]

시간(초)	0	0.1	0.2	0.3	0.4	0.5	0.6
연직 위치(m)	0.00	0.24	0.38	0.43	0.39	0.25	0.01
구간 이동 거리(m)		0.24	0.14	0.05	−0.04	−0.14	−0.24
구간 평균 속도(m/s)		2.4	1.4	0.5	−0.4	−1.4	−2.4
구간 평균 가속도(m/s^2)		−10	−9	−9	−10	−10	

3 위 **2**번의 표를 이용하여 공의 수평 방향과 연직 방향의 운동에 대한 변위-시간 그래프와 속도-시간 그래프를 그리면 다음과 같다.

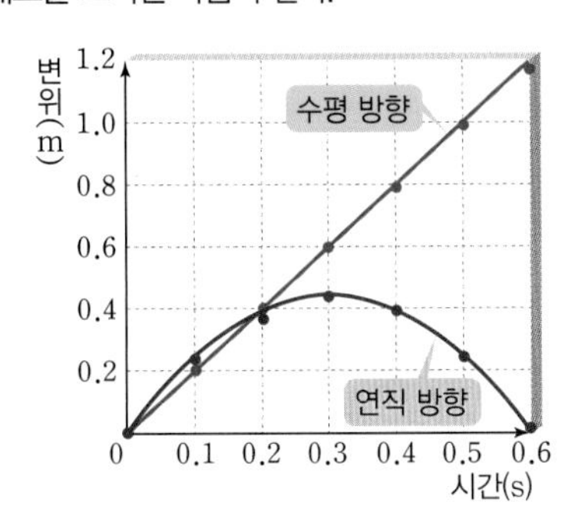

- 수평 방향: 변위가 시간에 비례한다.
- 연직 방향: 구간 이동 거리의 차이가 일정하게 감소하므로, 변위가 시간의 제곱에 비례한다.

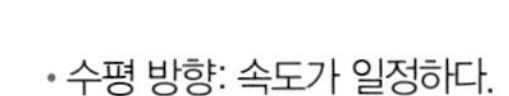

- 수평 방향: 속도가 일정하다.
- 연직 방향: 속도가 일정하게 감소하므로, 가속도가 일정하다.

4 시간에 따른 공의 위치를 모눈이 그려진 종이에 표시하면, 공은 다음과 같이 포물선 경로를 따라 운동하는 것을 알 수 있다.

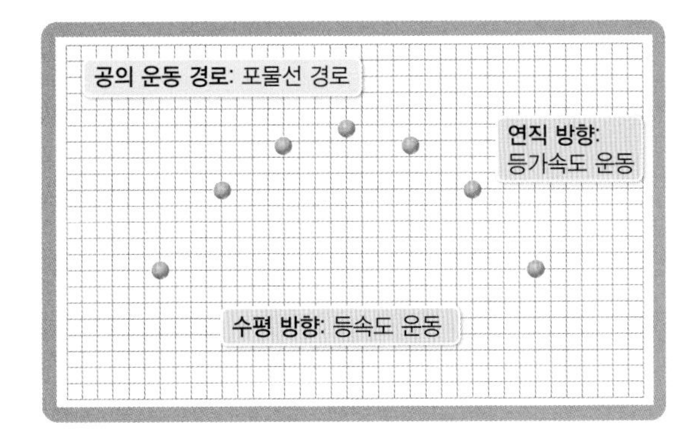

정리

- 비스듬히 위로 던진 물체는 수평 방향으로 등속도 운동을 한다.
- 비스듬히 위로 던진 물체는 연직 방향으로 등가속도 운동을 한다.

➡ 비스듬히 위로 던진 물체는 포물선 경로를 따라 운동한다.

수평 방향의 위치와 연직 방향의 위치의 관계

수평 방향의 위치는 시간에 비례하므로 시간은 수평 위치에 비례한다. 연직 방향의 위치는 시간의 제곱에 비례하고, 시간은 수평 위치에 비례하므로 결국 연직 방향의 위치는 수평 방향의 위치의 제곱에 비례한다.

탐구 확인 문제

> 정답과 해설 190쪽

01 위 실험에 대한 설명으로 옳은 것을 모두 고르시오. (정답 3개)

① 수평 방향의 물체의 위치는 시간에 비례하여 증가한다.
② 수평 방향으로 물체는 등속도 운동을 한다.
③ 연직 방향으로 물체는 등가속도 운동을 한다.
④ 물체의 연직 방향의 속도는 시간에 관계없이 일정하다.
⑤ 최고점에서 물체의 속력은 0이다.

02 공을 던지는 속력은 같게 하고, 던지는 각도를 다르게 하여 공을 비스듬히 위로 던지며 위의 실험을 하였다. (단, 공기 저항은 무시한다.)

(1) 던지는 각도에 따른 공이 위로 올라갔다 다시 같은 높이로 내려오는 데 걸리는 시간을 비교하시오.

(2) 던지는 각도에 따른 공의 가속도를 비교하시오.

포물선 운동의 적용

지표면 근처에서 던진 물체는 공기 저항을 무시할 때 등가속도 운동을 한다. 물체를 연직 방향으로 던지면 등가속도 직선 운동을 하고, 비스듬히 던지면 포물선 운동을 한다. 포물선 운동을 연직 방향과 수평 방향으로 분해하여 분석하는 것이 일반적이지만, 벡터의 성질을 이용하여 임의의 방향으로 분해하여 분석하는 방법도 알아두어야 한다.

❶ 포물선 운동의 최고점과 수평 도달 거리

연직 아래 방향으로 가속도가 $\vec{g}$인 공간에서 수평면과 θ의 각도로 처음 속도 $\vec{v_0}$으로 던진 물체의 운동은 다음과 같다.

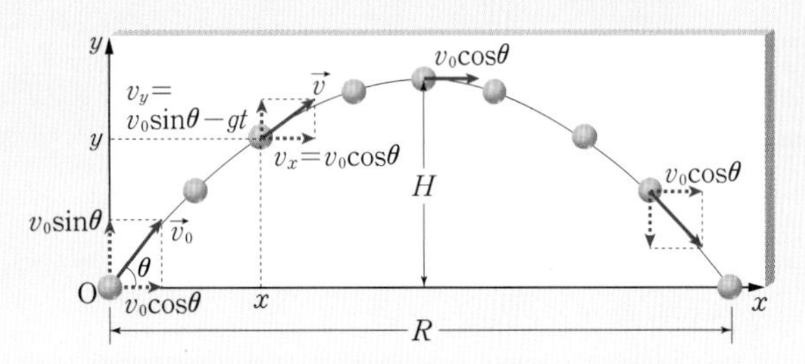

(1) 최고점 높이: $-2gH=0^2-(v_0\sin\theta)^2 \Rightarrow H=\dfrac{v_0^2\sin^2\theta}{2g}$

(2) 최고점 도달 시간: $v_0\sin\theta \quad gT_1=0 \Rightarrow T_1=\dfrac{v_0\sin\theta}{g}$

(3) 수평 도달 거리:

$$R=v_0\cos\theta\times 2T_1=v_0\cos\theta\times\frac{2v_0\sin\theta}{g}=\frac{v_0^2\sin 2\theta}{g}$$

❶ 그림은 수평면에서 수평면과 θ의 각도로 20 m/s의 속력으로 물체를 비스듬히 위로 던졌을 때 물체가 포물선 경로를 따라 운동하여 수평 도달 거리가 40 m인 것을 나타낸 것이다. (단, 중력 가속도는 10 m/s^{2}이고, 공기 저항은 무시한다.)

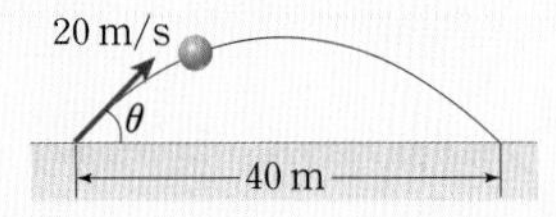

(1) 물체를 던진 방향과 수평면이 이루는 각 θ를 구하시오.
(2) 수평면으로부터 최고점의 높이를 구하시오.
(3) 물체를 던진 순간부터 수평면에 떨어질 때까지 걸리는 시간을 구하시오.

해설 (1) 수평 도달 거리는 $40\text{ m}=\dfrac{(20\text{ m/s})^2\times\sin 2\theta}{10\text{ m/s}^2}$이므로 $\theta=45°$이다.

(2) 최고점의 높이 $H=\dfrac{(20\text{ m/s})^2\times\sin^2 45°}{2\times 10\text{ m/s}^2}=10\text{ m}$이다.

(3) 최고점 도달 시간 $T_1=\dfrac{20\text{ m/s}\times\sin 45°}{10\text{ m/s}^2}=\sqrt{2}\text{ s}$이므로, 수평 도달 거리까지 걸리는 시간은 $2\sqrt{2}\text{ s}$이다.

정답 (1) 45° (2) 10 m (3) $2\sqrt{2}$ s

❷ 출발점과 도착점의 높이가 다른 경우

수평면과 θ의 각도로 처음 속도 $\vec{v_0}$으로 던진 물체가 던진 지점보다 높이 h만큼 낮은 지점에 떨어졌을 때의 운동은 다음과 같다.

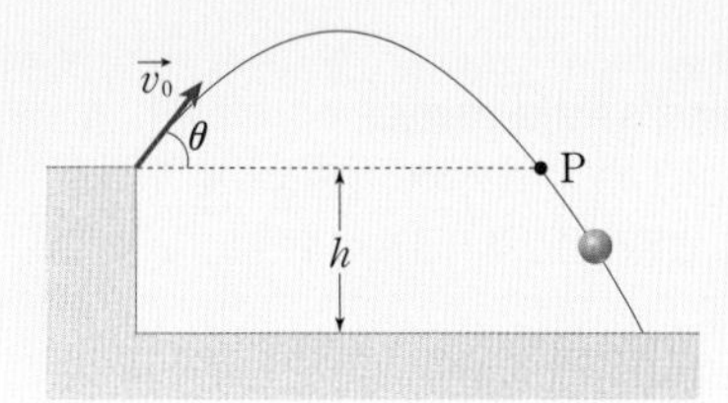

(1) 물체는 처음과 같은 높이의 P점까지는 수평면에서 비스듬히 위로 던진 물체와 동일한 포물선 운동을 한다.

(2) 물체를 던진 지점부터 떨어진 지점까지 걸린 시간이 t_3일 때 등가속도 직선 운동의 식으로부터 다음의 관계식이 성립한다. (단, g는 중력 가속도이다.)

$$-h=v_0\sin\theta\cdot t_3-\frac{1}{2}gt_3^2$$

❷ 그림은 수평면으로부터 높이 15 m에서 수평면과 30°의 각도로 20 m/s의 속도로 던진 물체의 포물선 경로를 나타낸 것이다. (단, 중력 가속도는 10 m/s^{2}이고, 공기 저항은 무시한다.)

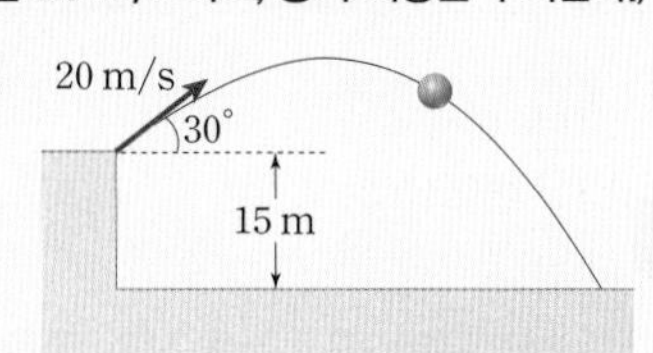

(1) 물체가 수평면에 도달할 때까지 걸리는 시간을 구하시오.
(2) 물체가 수평면에 도달할 때까지 수평 이동 거리를 구하시오.

해설 (1) 연직 방향으로 등가속도 직선 운동을 하므로 $-15\text{ m}=20\text{ m/s}\times\sin 30°\times t-\dfrac{1}{2}\times 10\text{ m/s}^2\times t^2$에서 $t=3\text{ s}$이다.

(2) 수평 방향으로 등속도 운동을 하므로 $20\text{ m/s}\times\cos 30°\times 3\text{ s}=R$에서 수평 이동 거리 $R=30\sqrt{3}\text{ m}$이다.

정답 (1) 3 s (2) $30\sqrt{3}$ m

❸ 빗면에 나란한 방향, 수직인 방향으로 분석

경사각 θ인 빗면 위에서 빗면과 θ_0의 각으로 처음 속도 $\overrightarrow{v_0}$으로 던진 물체의 운동을 분석할 때, 빗면에 나란한 방향을 x축, 빗면에 수직인 방향을 y축으로 잡고, 각각의 방향에 대해 기술하면 다음과 같다.

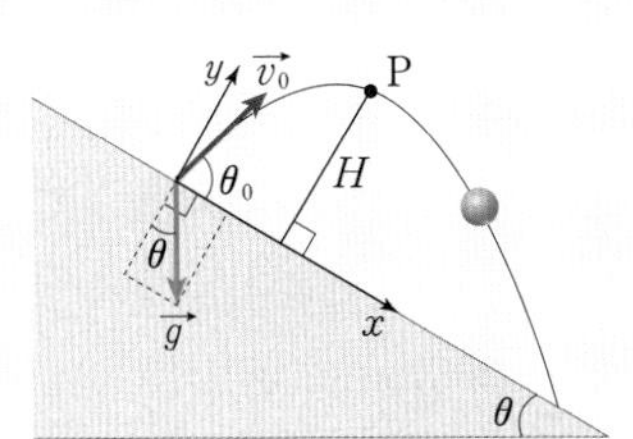

(1) 물체의 처음 속도와 가속도의 x 성분과 y 성분

구분	처음 속도의 성분	가속도의 성분	운동
x 성분(빗면에 나란한 방향)	$v_{0x}=v_0\cos\theta_0$	$a_x=g\sin\theta$	등가속도 운동
y 성분(빗면에 수직인 방향)	$v_{0y}=v_0\sin\theta_0$	$a_y=-g\cos\theta$	등가속도 운동

(2) 빗면에 다시 도달할 때까지의 시간(t_1): y축 방향으로 가속도가 $-g\cos\theta$인 등가속도 운동을 한다.

$$v_0\sin\theta_0+(-g\cos\theta)\times t_1=-v_0\sin\theta_0 \Rightarrow t_1=\frac{2v_0\sin\theta_0}{g\cos\theta}$$

(3) 빗면에 수직인 방향으로 가장 먼 P점까지의 거리(H):

$$2\times a_y\times H=0^2-v_{0y}^{\ 2} \Rightarrow 2\times(-g\cos\theta)\times H=0^2-(v_0\sin\theta_0)^2 \Rightarrow H=\frac{(v_0\sin\theta_0)^2}{2g\cos\theta}$$

> **비스듬히 던져진 물체에 작용하는 힘과 물체의 운동**
> 공기 저항을 무시할 때, 물체에 작용하는 힘은 중력이고, 중력은 연직 아래 방향으로 작용하므로 물체는 포물선 운동을 한다. 이때 수평 방향으로는 등속도 운동, 연직 방향으로는 등가속도 운동을 하지만, ❸과 같이 빗면에 나란한 방향과 빗면에 수직인 방향으로 분해하는 경우에는 두 방향으로 모두 등가속도 운동을 하게 된다.

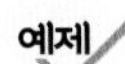

❸ 그림은 수평면과 경사각이 30°인 빗면에서 빗면에 수직인 방향으로 20 m/s의 속력으로 던진 물체의 포물선 경로를 나타낸 것이다. (단, 중력 가속도는 10 m/s²이고, 공기 저항은 무시한다.)

(1) 물체가 빗면에 다시 도달할 때까지 걸리는 시간을 구하시오.
(2) 빗면에서 가장 먼 지점 P까지의 거리 H를 구하시오.

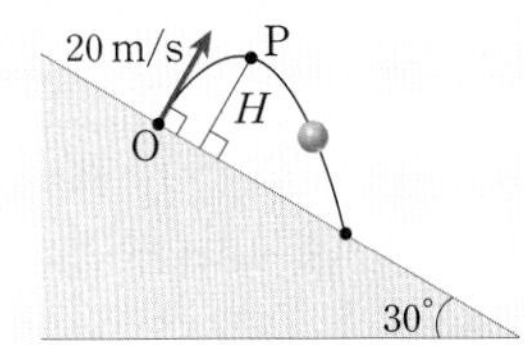

해설 (1) 빗면에 수직인 방향으로 가속도의 크기가 $g\cos\theta=10\ \text{m/s}^2\times\cos30°=5\sqrt{3}\ \text{m/s}^2$인 등가속도 운동을 하므로 물체가 빗면에 다시 도달할 때까지 걸리는 시간 $t_1=\frac{2v_0\sin\theta_0}{g\cos\theta}=\frac{2\times20\ \text{m/s}}{5\sqrt{3}\ \text{m/s}^2}=\frac{8\sqrt{3}}{3}$ s이다.

(2) 빗면으로부터 가장 멀리 떨어진 P까지의 거리 $H=\frac{(20\ \text{m/s})^2}{2\times10\ \text{m/s}^2\times\cos30°}=\frac{40\sqrt{3}}{3}$ m이다.

정답 (1) $\frac{8\sqrt{3}}{3}$ s (2) $\frac{40\sqrt{3}}{3}$ m

정답과 해설 190쪽

그림과 같이 수평면과 경사각이 θ인 빗면의 O에서 빗면에 수직인 방향으로 v_0의 속력으로 물체를 던졌더니 Q에 떨어졌다. 빗면에서 가장 먼 지점 P까지의 거리는 H이다.
이 물체에 대한 설명으로 옳은 것만을 보기에서 있는 대로 고른 것은? (단, 중력 가속도는 g이고, 공기 저항은 무시한다.)

보기
ㄱ. P에서 물체 속도의 연직 성분은 0이다.
ㄴ. O에서 Q까지 걸리는 시간은 O에서 P까지의 2배이다.
ㄷ. $H=\frac{v_0^{\ 2}}{2g\sin\theta}$이다.

① ㄱ ② ㄴ ③ ㄱ, ㄷ ④ ㄴ, ㄷ ⑤ ㄱ, ㄴ, ㄷ

정답과 해설 191쪽

03 평면상의 등가속도 운동

1 평면상의 운동의 기술

1. 위치 벡터와 변위

- 위치 벡터: 기준점에 대한 물체의 위치를 나타내는 벡터 ➡ $\vec{r_1}$, $\vec{r_2}$
- (❶): 물체의 위치 변화를 나타내는 벡터 $\Delta\vec{r}(=\vec{r_2}-\vec{r_1})$로, 처음 위치에서 나중 위치를 연결한 직선의 크기와 그 방향이다.

2. 속도 단위 시간 동안 물체의 변위 ➡ $\vec{v}=\dfrac{\Delta\vec{r}}{\Delta t}$

- 평균 속도: 어느 시간 동안의 변위를 걸린 시간으로 나눈 값 ➡ $\vec{v}_{평균}$=(❷)
- 순간 속도: 아주 짧은 시간 동안의 평균 속도로, 방향은 그 점에서 그은 운동 경로의 (❸) 방향이다.

3. 가속도 단위 시간 동안의 속도 변화량 ➡ $\vec{a}=\dfrac{\Delta\vec{v}}{\Delta t}$

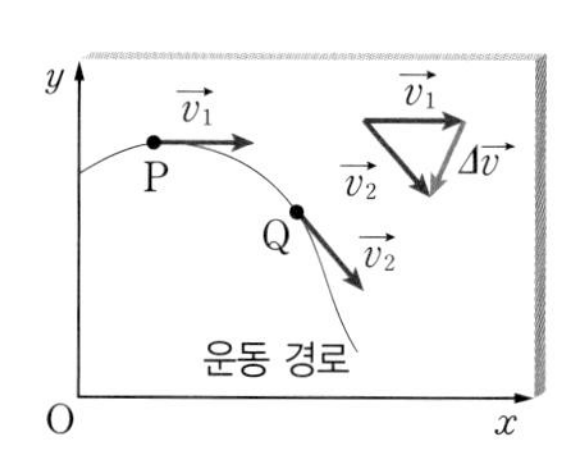

- 평균 가속도: t_1일 때 속도 $\vec{v_1}$, t_2일 때 속도 $\vec{v_2}$이면, $t_1 \sim t_2$ 동안의 평균 가속도 $\vec{a}_{평균}$=(❹)이다.
- (❺) 가속도: 아주 짧은 시간 동안의 평균 가속도로, 방향은 알짜 힘의 방향과 같다.

2 평면상의 등가속도 운동

1. 가속도의 방향과 처음 속도의 방향이 나란한 경우 (❻) 운동을 한다.

2. 가속도의 방향과 처음 속도의 방향이 나란하지 않은 경우 가속도가 x축 방향으로 일정할 때, 가속도의 방향과 나란한 x축 방향으로는 (❼) 운동을 하고, 가속도의 방향과 수직인 y축 방향으로는 (❽) 운동을 한다. ➡ 물체는 (❾) 경로를 따라 운동한다.

3 포물선 운동

1. 지표면 근처에서 던진 물체의 운동 공기 저항을 무시할 때, 지표면 근처에서 던진 물체는 가속도가 중력 가속도 $\vec{g}$로 일정한 등가속도 운동을 한다.

- 가속도의 방향: 연직 아래 방향 • 가속도의 크기: $g \fallingdotseq 9.8\,\mathrm{m/s^2}$

2. 연직 아래로 던진 물체의 운동 연직 아래 방향을 (+)로 나타낼 때, 처음 속도 v_0, 가속도는 (❿)인 등가속도 직선 운동을 하므로, 시간 t일 때 물체의 속도 v, 변위 s는 다음과 같다.

$$v=v_0+gt,\ s=v_0t+\frac{1}{2}gt^2,\ 2gs=v^2-{v_0}^2$$

3. 연직 위로 던진 물체의 운동 연직 위 방향을 (+)로 나타낼 때, 처음 속도 v_0, 가속도는 (⓫)인 등가속도 직선 운동을 하므로, 시간 t일 때 물체의 속도 v, 변위 s는 다음과 같다.

$$v=v_0-gt,\ s=(⓬\quad),\ -2gs=v^2-{v_0}^2$$

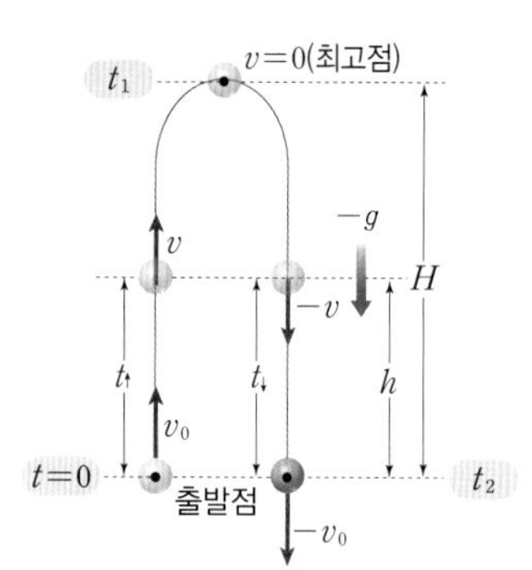

- 최고점까지 올라가는 데 걸리는 시간: $t_1=\dfrac{v_0}{g}$
- 최고점의 높이: H=(⓭)
- 출발점까지 되돌아오는 데 걸리는 시간: $t_2=\dfrac{2v_0}{g}=2t_1$

4. 수평 방향으로 던진 물체의 운동 높이 H에서 수평 방향으로 속도 $\vec{v_0}$으로 던진 물체의 경우

수평 방향(x 성분) ➡ (⑭) 운동	연직 방향(y 성분) ➡ (⑮) 운동
• $a_x=0$, $v_{0x}=v_0$ • t초 후 속도, 변위: $v_x=v_0$, $x=v_0t$	• $a_y=g$, $v_{0y}=0$ • t초 후 속도, 변위: $v_y=gt$, $y=\frac{1}{2}gt^2$

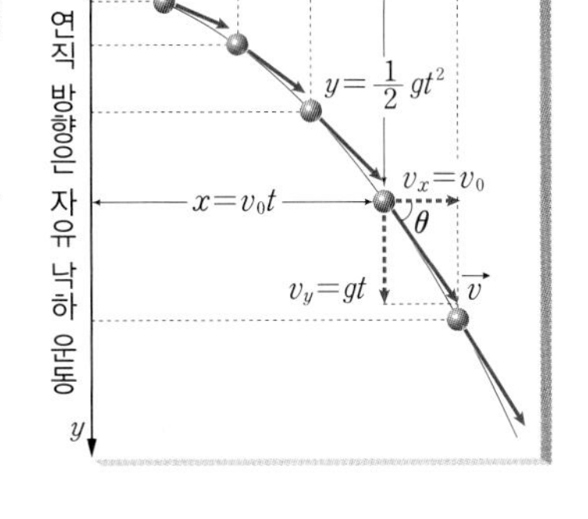

- t초 후 속도의 크기와 방향: $v=\sqrt{{v_0}^2+(gt)^2}$, $\tan\theta=\frac{v_y}{v_x}=\frac{gt}{v_0}$
- 운동 경로: $y=\frac{1}{2}g\left(\frac{x}{v_0}\right)^2=\frac{g}{2{v_0}^2}x^2$ ➡ 포물선 운동
- 지면 도달 시간: $T=$(⑯)
- 수평 도달 거리: $R=v_0T=v_0\sqrt{\frac{2H}{g}}$

5. 비스듬히 위로 던진 물체의 운동 수평면과 θ의 각도로 속도 $\vec{v_0}$으로 비스듬히 위로 던진 물체의 경우

수평 방향(x 성분) ➡ 등속도 운동	연직 방향(y 성분) ➡ 연직 위로 던진 물체와 같은 운동
• $a_x=0$, $v_{0x}=v_0\cos\theta$ • t초 후 속도, 변위: $v_x=v_0\cos\theta$, $x=v_0\cos\theta\cdot t$	• $a_y=-g$, $v_{0y}=v_0\sin\theta$ • t초 후 속도, 변위: $v_y=v_0\sin\theta-gt$, $y=v_0\sin\theta\cdot t-\frac{1}{2}gt^2$

- t초 후 속도의 크기와 방향:

  $v=\sqrt{(v_0\cos\theta)^2+(v_0\sin\theta-gt)^2}$, $\tan\phi=$(⑰)

- 운동 경로: $y=\tan\theta\cdot x-\frac{g}{2{v_0}^2\cos^2\theta}x^2$

  ➡ 포물선 운동

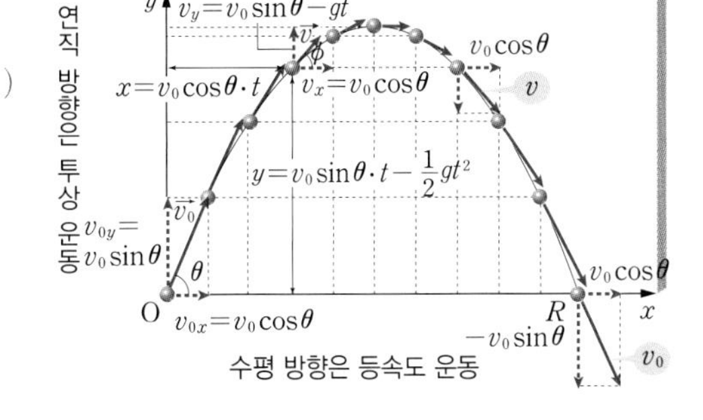

- 최고점 도달 시간: $T_1=\frac{v_0\sin\theta}{g}$
- 최고점의 높이: $H=\frac{{v_0}^2\sin^2\theta}{2g}$
- 수평 도달 거리: $R=v_{0x}\cdot 2T_1=\frac{{v_0}^2\sin2\theta}{g}$ ➡ $\theta=$(⑱)일 때 수평 도달 거리가 최대가 된다.

6. 비스듬히 아래로 던진 물체의 운동 수평면과 θ의 각도로 속도 $\vec{v_0}$으로 비스듬히 아래로 던진 물체의 경우

- t초 후 속도의 크기와 방향:

  $v=$(⑲), $\tan\phi=\frac{v_0\sin\theta+gt}{v_0\cos\theta}$

- 운동 경로: $y=\tan\theta\cdot x+\frac{g}{2{v_0}^2\cos^2\theta}x^2$ ➡ 포물선 운동

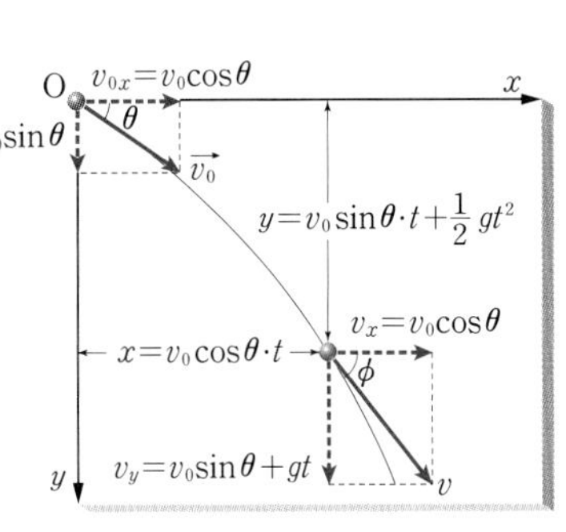

01 그림은 원점에서 0초일 때 속도가 y축 방향으로 3 m/s인 물체가 x축 방향으로 가속도가 일정한 운동을 하여 2초 동안 x축 방향으로의 이동 거리가 8 m인 것을 나타낸 것이다.

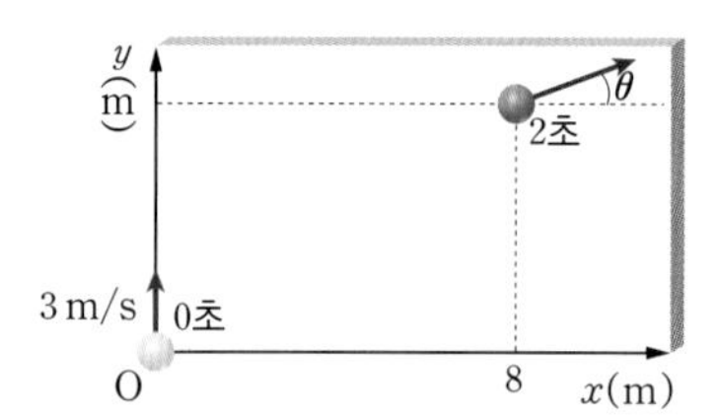

(1) 2초일 때 y축 방향의 위치는 몇 m인지 구하시오.

(2) 물체의 가속도의 크기는 몇 m/s²인지 구하시오.

(3) 2초일 때 물체의 속도의 크기는 몇 m/s인지 구하시오.

(4) 2초일 때 물체의 운동 방향과 $+x$축 방향이 이루는 각이 θ일 때, $\tan\theta$를 구하시오.

02 그림 (가), (나)는 xy 평면에서 등가속도 운동을 하는 물체의 위치의 x 성분과 속도의 y 성분 v_y를 각각 시간에 따라 나타낸 것이다.

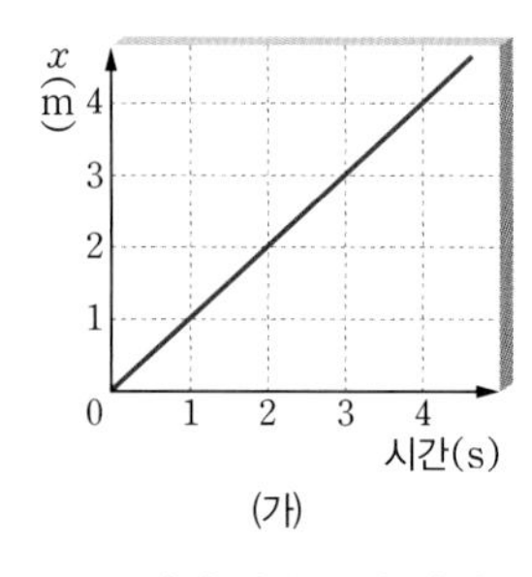

(가)

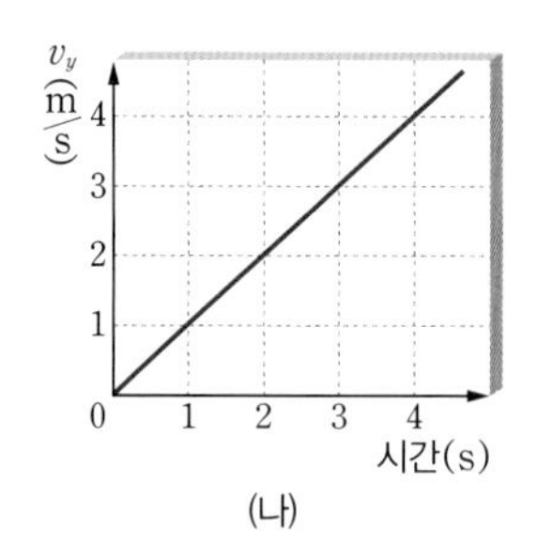

(나)

(1) 물체의 가속도의 방향을 쓰시오.

(2) 물체의 가속도의 크기는 몇 m/s²인지 구하시오.

(3) 3초일 때 물체의 속도의 크기는 몇 m/s인지 구하시오.

03 그림은 두 공 A, B를 수평면에서 같은 속력 v로 수평면과 각각 30°, 60°의 각도로 던져 올리는 모습이다.

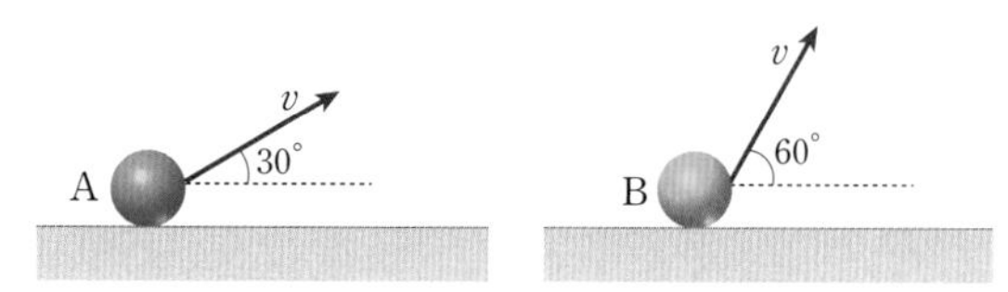

두 공이 가지는 물리량 중에서 같은 값을 가지는 것만을 보기에서 있는 대로 고르시오. (단, 물체의 크기와 공기 저항은 무시한다.)

보기
ㄱ. 가속도
ㄴ. 수평면에 도달한 순간의 속력
ㄷ. 수평면에 도달하는 데 걸리는 시간
ㄹ. 수평 도달 거리

04 그림과 같이 수평면으로부터 높이 h인 지점에서 수평 방향으로 15 m/s의 속도로 물체를 던졌더니 수평 거리 30 m인 수평면에 떨어졌다. (단, 중력 가속도는 10 m/s²이고, 공기 저항은 무시한다.)

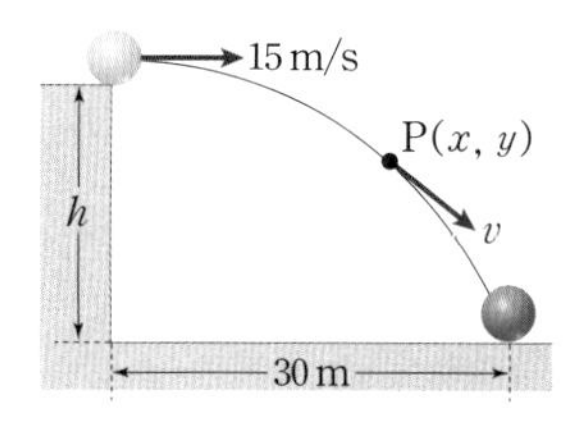

(1) 물체가 수평면에 떨어질 때까지 걸린 시간은 몇 초인지 구하시오.

(2) 물체를 던진 높이 h는 몇 m인지 구하시오.

(3) 물체를 던진 후 0.5초 동안 속도 변화량의 크기는 몇 m/s인지 구하시오.

(4) 던진 위치를 원점으로 할 때, 위치 좌표 P(x, y)인 점을 지나는 순간 속도의 크기는 몇 m/s인지 구하시오.

05
어떤 물체를 지구 표면에서 수평 도달 거리 60 m를 던질 수 있는 사람이 같은 물체를 달 표면에서 지구에서와 같은 속도와 같은 각도로 던졌다.
물체가 도달할 수 있는 수평 도달 거리는 몇 m인지 구하시오.
(단, 달 표면에서의 중력 가속도는 지구 표면에서의 $\frac{1}{6}$배이고, 공기 저항은 무시한다.)

06
그림과 같이 수평면에서 연직 방향으로 서 있는 벽을 향해 45° 방향으로 20 m/s의 속도로 공을 던졌더니 공이 벽에 수직으로 충돌하였다.

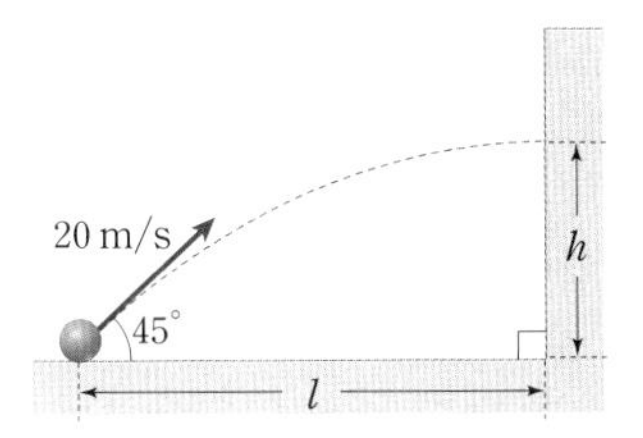

공이 벽에 부딪힌 지점의 높이 h와 공을 던진 지점에서 벽까지의 거리 l은 각각 몇 m인지 구하시오. (단, 중력 가속도는 10 m/s²이고, 공의 크기 및 공기 저항은 무시한다.)

07
그림과 같이 수평면으로부터 높이 h인 지점에서 수평면과 60°의 방향으로 물체를 40 m/s의 속도로 던졌더니 8초 후에 물체가 수평면에 떨어졌다. (단, 중력 가속도는 10 m/s²이고, 공기 저항은 무시한다.)

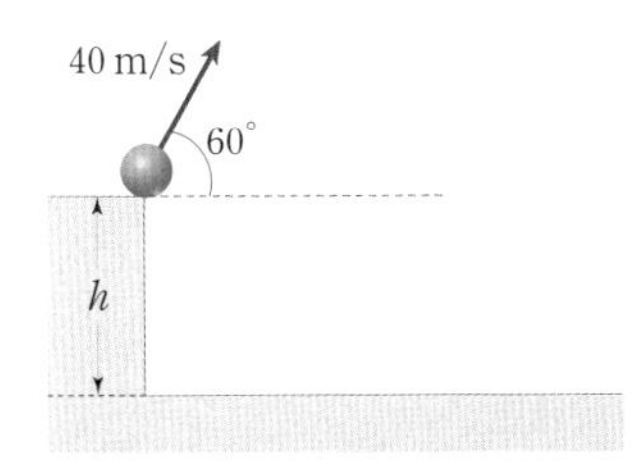

(1) 최고점 도달 시간과 최고점에서 물체의 속력을 각각 구하시오.

(2) h와 물체가 운동하는 동안의 수평 도달 거리를 각각 구하시오.

08
그림과 같이 오토바이를 타고 가던 사람이 P점을 수평면에 대해 45°의 각으로 떠날 때 구덩이에 빠지지 않기 위한 최소의 속력은 대략 몇 m/s이어야 하는지 구하시오. (단, 중력 가속도는 10 m/s²이고, 오토바이의 크기 및 공기 저항은 무시한다.)

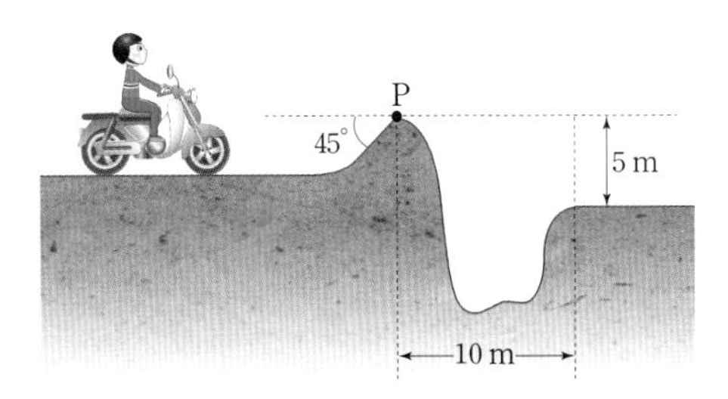

09
그림과 같이 수평면으로부터 각각 높이 40 m, h인 곳에서 물체 A, B를 각각 수평 방향의 같은 속도로 던지면 A와 B는 점 Q에 떨어진다. A의 처음 위치는 점 P의 연직 위이고, B의 처음 위치는 P와 Q 사이의 중점의 연직 위이다.

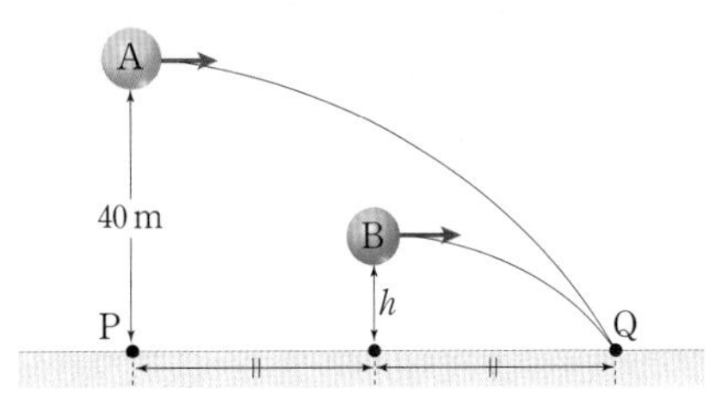

B의 처음 높이 h는 몇 m인지 구하시오. (단, P, Q는 같은 수평면 위에 있으며, 물체의 크기와 공기 저항은 무시한다.)

10
그림과 같이 스키 선수가 운동하다가 A점에서 수평 방향의 속도 5 m/s로 날았다.

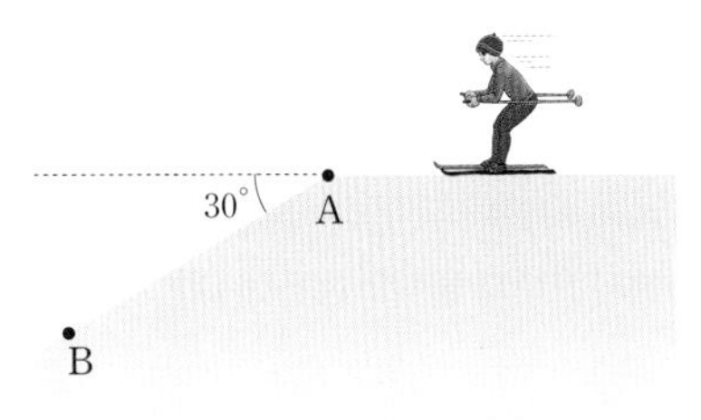

스키 선수가 수평면과 30°인 빗면의 B점에 떨어졌다면, A와 B 사이의 거리는 몇 m인지 구하시오. (단, 중력 가속도는 10 m/s²이고, 스키 선수의 크기 및 공기 저항은 무시한다.)

 정답과 해설 192쪽

01

평면상의 등가속도 운동

그림은 xy 평면에서 등가속도 운동을 하는 물체의 위치를 1초 간격으로 나타낸 것이다.

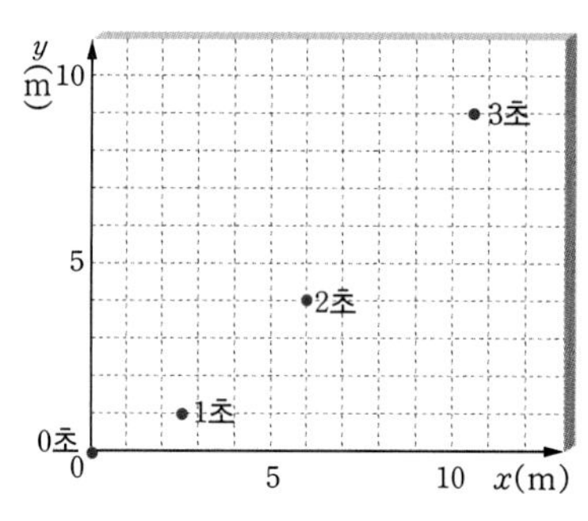

물체의 운동에 대한 설명으로 옳은 것만을 보기에서 있는 대로 고른 것은?

보기

ㄱ. 가속도의 방향은 $+y$축 방향이다.
ㄴ. 가속도의 크기는 $\sqrt{5}$ m/s²이다.
ㄷ. 2초일 때 속력은 $4\sqrt{2}$ m/s이다.

① ㄱ ② ㄴ ③ ㄷ ④ ㄴ, ㄷ ⑤ ㄱ, ㄴ, ㄷ

- 등가속도 운동에서 1초일 때 속도는 0~2초 사이의 평균 속도와 같다.

02

평면상의 등가속도 운동

그림은 xy 평면에서 등가속도 운동을 하는 물체가 $+y$축 방향으로 4 m/s의 속력으로 원점 O를 통과하여 P점을 $+x$축 방향으로 4 m/s의 속력으로 통과하는 것을 나타낸 것이다.

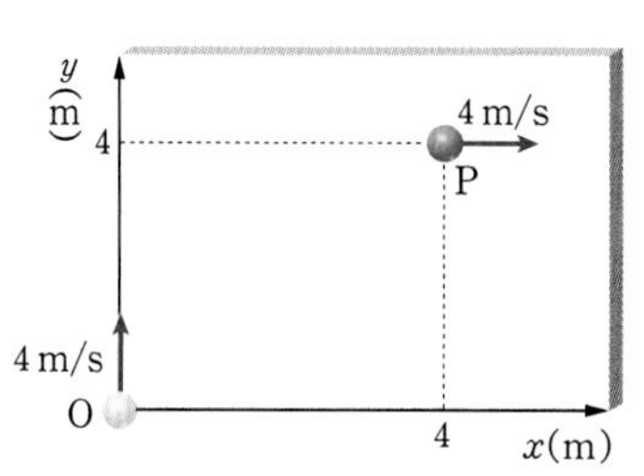

O에서 P까지 물체의 운동에 대한 설명으로 옳은 것만을 보기에서 있는 대로 고른 것은?

보기

ㄱ. 가속도의 방향은 $+x$축 방향과 45°의 각을 이룬다.
ㄴ. 가속도의 크기는 $2\sqrt{2}$ m/s²이다.
ㄷ. O에서 P까지 이동하는 데 걸린 시간은 2초이다.

① ㄱ ② ㄷ ③ ㄱ, ㄴ ④ ㄴ, ㄷ ⑤ ㄱ, ㄴ, ㄷ

- x 방향과 y 방향의 속도 변화량의 크기가 같으면 x 방향과 y 방향의 가속도의 크기는 같다.

03

> 평면상의 등가속도 운동

그림은 xy 평면에서 0초일 때 원점에 정지해 있던 물체의 가속도의 x, y 방향의 성분 a_x, a_y를 시간에 따라 나타낸 것이다.

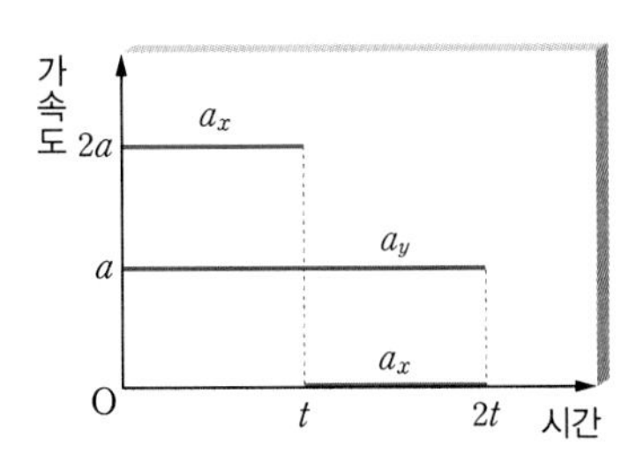

물체의 운동에 대한 설명으로 옳은 것만을 보기에서 있는 대로 고른 것은?

보기

ㄱ. 0초부터 시간 t까지 가속도의 크기는 $3a$이다.

ㄴ. 0초부터 시간 t까지 운동 경로는 직선이다.

ㄷ. 물체의 속력은 $2t$일 때가 t일 때의 3배이다.

① ㄱ ② ㄴ ③ ㄱ, ㄷ ④ ㄴ, ㄷ ⑤ ㄱ, ㄴ, ㄷ

가속도 $\vec{a}$의 x, y 성분이 각각 a_x, a_y일 때 가속도의 크기 $a=\sqrt{a_x^2+a_y^2}$이고, 가속도-시간 그래프에서 그래프 아래 면적은 속도 변화량을 나타낸다.

04

> 포물선 운동

그림은 수평면에 대해 θ의 각으로 기울어진 xy 평면의 O에서 수평인 $+x$ 방향으로 v_0의 속도로 밀어 놓은 물체가 시간 t 후 O에서 45°가 되는 방향에 있는 P를 지나는 것을 나타낸 것이다.

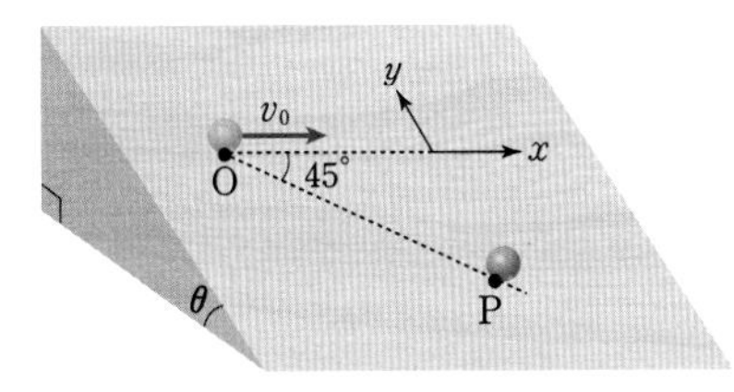

물체의 운동에 대한 설명으로 옳은 것만을 보기에서 있는 대로 고른 것은? (단, 중력 가속도는 g이고, 물체의 크기 및 모든 마찰과 공기 저항은 무시한다.)

보기

ㄱ. 가속도의 크기는 $g\sin\theta$이다.

ㄴ. O에서 P까지 이동하는 데 걸린 시간은 $\dfrac{v_0}{g\sin\theta}$이다.

ㄷ. O에서 P까지 변위의 크기는 $\dfrac{\sqrt{2}v_0^2}{g\sin\theta}$이다.

① ㄱ ② ㄷ ③ ㄱ, ㄴ ④ ㄴ, ㄷ ⑤ ㄱ, ㄴ, ㄷ

빗면에 놓인 물체는 빗면이 받쳐 주는 힘(수직 항력)과 중력을 받아 운동한다. 45° 방향에 있는 물체는 x, y 방향의 이동 거리가 같다.

고난도

05

> 포물선 운동

그림은 O점에서 수평면과 θ의 각을 이루며 물체를 v_0의 속력으로 비스듬히 위로 던졌을 때 물체가 P, Q를 지나는 포물선 경로로 운동하는 것을 나타낸 것이다. P, Q의 높이는 같고, Q에서 물체는 수평 방향과 각 α를 이루며 운동하고, 물체가 O에서 P, P에서 Q까지 이동하는 데 걸린 시간은 같다.

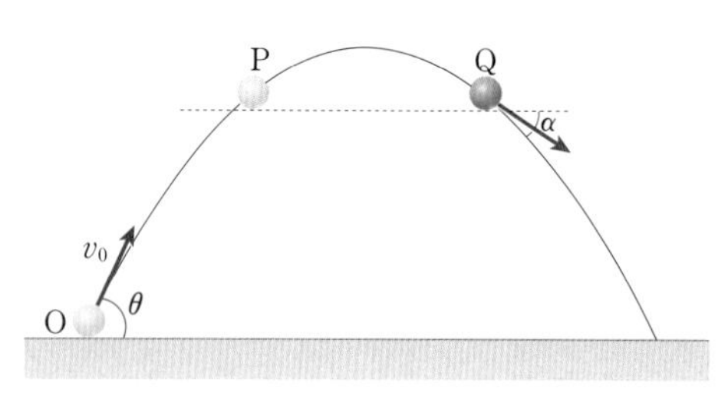

물체의 운동에 대한 설명으로 옳은 것만을 보기에서 있는 대로 고른 것은? (단, 중력 가속도는 g이고, 공기 저항은 무시한다.)

보기

ㄱ. O에서 P까지 이동하는 데 걸린 시간은 $\frac{2v_0\sin\theta}{3g}$이다.

ㄴ. P, Q 사이의 거리는 $\frac{v_0^2\sin2\theta}{3g}$이다.

ㄷ. $\tan\alpha=\frac{1}{3}\tan\theta$이다.

① ㄱ　② ㄱ, ㄴ　③ ㄱ, ㄷ　④ ㄴ, ㄷ　⑤ ㄱ, ㄴ, ㄷ

- 물체가 포물선 운동을 할 때, 높이가 같은 두 지점 사이를 운동하는 데 걸린 시간이 t이면 최고점에서 그 지점까지 낙하하는 데 걸린 시간은 $\frac{t}{2}$이다.

06

> 포물선 운동

그림과 같이 수평면에서 연직 위로 v_0의 속력으로 던진 물체 A가 최고점에 도달한 순간 물체 B를 수평 방향으로 v_0의 속력으로 던졌더니, A와 B가 동시에 수평면에 도달하였다. B의 수평 도달 거리는 L이다.

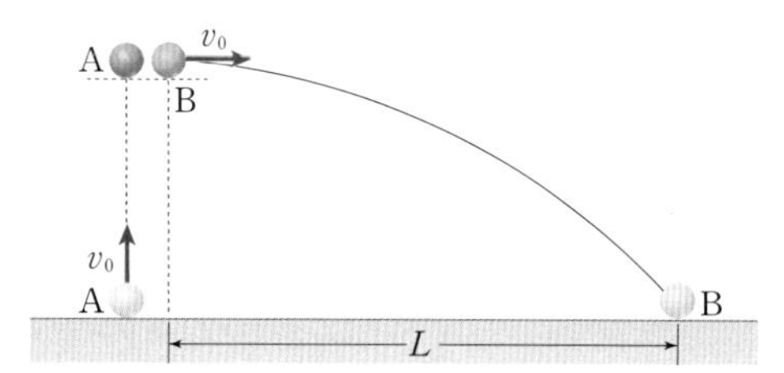

B의 운동에 대한 설명으로 옳은 것만을 보기에서 있는 대로 고른 것은? (단, 중력 가속도는 g이고, 물체의 크기와 공기 저항은 무시한다.)

보기

ㄱ. $L=\frac{v_0^2}{g}$이다.

ㄴ. 수평면에 도달한 순간 속력은 $\sqrt{2}v_0$이다.

ㄷ. 던진 순간부터 수평면에 도달할 때까지 평균 속도의 크기는 v_0이다.

① ㄱ　② ㄷ　③ ㄱ, ㄴ　④ ㄴ, ㄷ　⑤ ㄱ, ㄴ, ㄷ

- 수평으로 던진 물체의 가속도는 연직 아래 방향의 중력 가속도이며, 속도의 수평 성분은 일정하다.

07

> 포물선 운동

그림과 같이 수평면 위의 점 O로부터 높이 h인 지점에서 수평 방향으로 v_A의 속력으로 물체 A를 던졌더니, O로부터 수평 방향으로 거리 $\frac{h}{2}$만큼 떨어진 지점에서 연직 위로 v_B의 속력으로 던져진 물체 B와 충돌하였다.

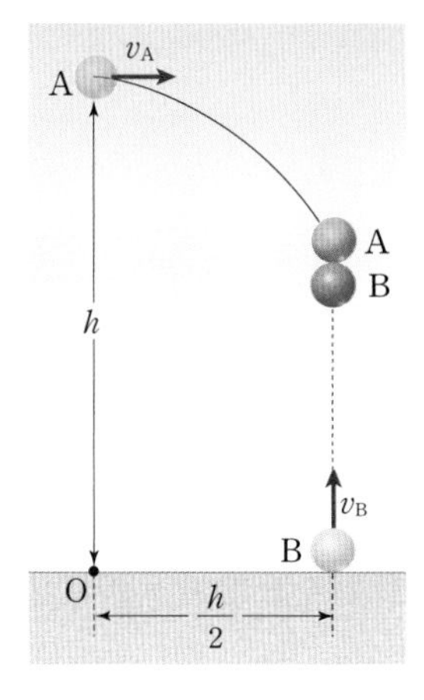

A와 B를 동시에 던졌다면, 속력의 비 $v_A : v_B$는? (단, 물체의 크기와 공기 저항은 무시한다.)

① 1 : 2　② 1 : 3　③ 2 : 1　④ 2 : 3　⑤ 3 : 1

A는 수평 방향으로는 $\frac{h}{2}$만큼 이동하였고, 던진 순간부터 충돌할 때까지의 시간 동안 두 물체의 연직 방향 변위의 합은 h이다.

고난도 08

> 포물선 운동

그림은 물체 A, B를 수평면과 이루는 각이 각각 α, β가 되도록 하여 같은 속력 v로 비스듬히 위로 던졌을 때의 운동 경로를 나타낸 것이다. A, B의 수평 도달 거리 L은 같으며, $\alpha > \beta$이다.

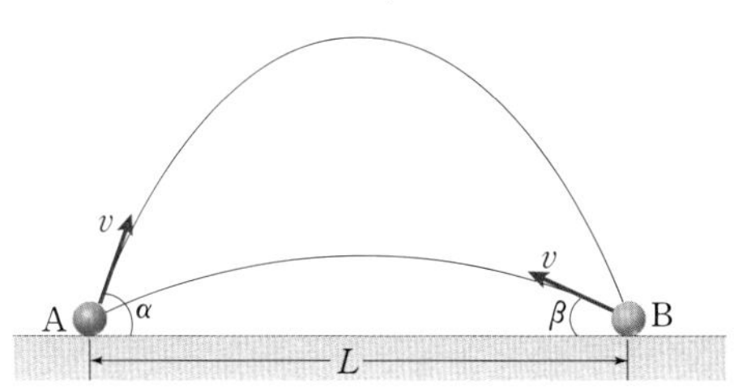

이에 대한 설명으로 옳은 것만을 보기에서 있는 대로 고른 것은? (단, 물체의 크기와 공기 저항은 무시한다.)

보기

ㄱ. $\alpha + \beta = 90°$이다.

ㄴ. 날아가는 시간은 A가 B의 $\tan\alpha$배이다.

ㄷ. 최고점의 높이는 A가 B의 $\frac{1}{\tan\beta}$배이다.

① ㄱ　② ㄷ　③ ㄱ, ㄴ　④ ㄴ, ㄷ　⑤ ㄱ, ㄴ, ㄷ

수평면과 θ의 각으로 v_0의 속력으로 던진 물체의 수평 도달 거리 $R = \frac{v_0^2 \sin 2\theta}{g}$이다.

고난도

09

› 포물선 운동

그림은 수평면상의 A점에서 수평면과 θ의 각으로 속력 v_0으로 비스듬히 위로 던진 물체가 장애물의 모서리 B와 C를 스치듯이 지나가서 수평면상의 D에 도달하는 것을 나타낸 것이다. 장애물의 높이는 3 m, 폭은 6 m이고, A, D는 각각 장애물에서 2 m 떨어져 있다.

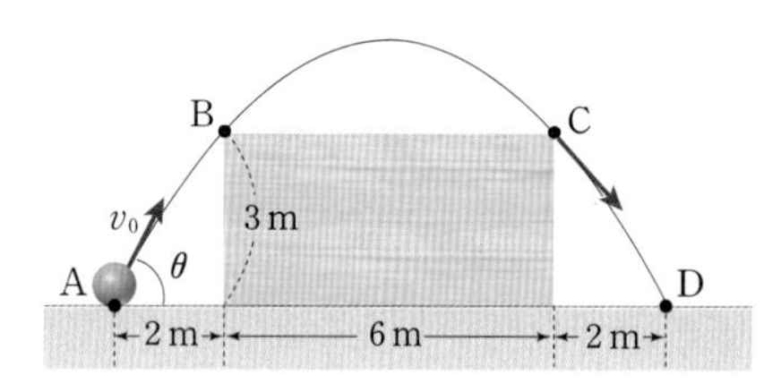

v_0과 $\tan\theta$를 옳게 짝 지은 것은? (단, 중력 가속도는 $10\ \mathrm{m/s^2}$이고, 물체의 크기와 공기 저항은 무시한다.)

	v_0(m/s)	$\tan\theta$
①	$\frac{17\sqrt{15}}{8}$	$\frac{17}{8}$
②	$\frac{17\sqrt{15}}{8}$	$\frac{15}{8}$
③	$\frac{17\sqrt{15}}{6}$	$\frac{17}{8}$
④	$\frac{17\sqrt{15}}{6}$	$\frac{15}{8}$
⑤	$\frac{17\sqrt{15}}{5}$	$\frac{15}{8}$

• 비스듬히 위로 던진 물체의 포물선 운동 경로의 식은 다음과 같다.

$$y=\tan\theta\cdot x-\frac{g}{2{v_0}^2\cos^2\theta}x^2$$

10

› 포물선 운동

그림은 점 P와 Q에서 각각 수평으로 v_0, $2v_0$의 속력으로 발사된 두 물체 A, B의 포물선 운동 경로를 나타낸 것이다. A가 발사된 후 t_0초일 때 B가 발사되고, B가 발사된 후 t초일 때 A는 Q에, B는 P의 연직 아래인 점 R에 도달하였다.

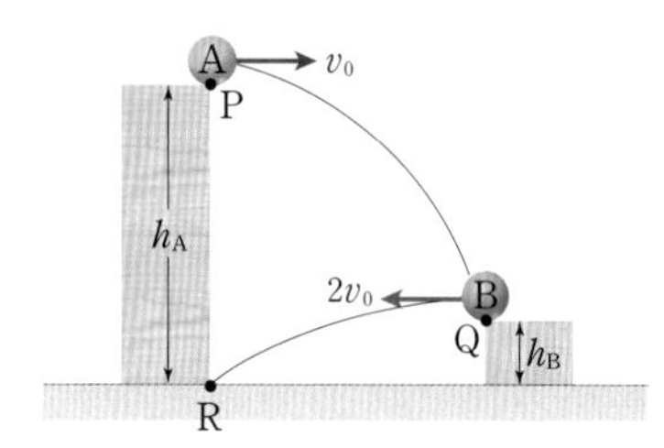

A, B의 처음 높이가 각각 h_A, h_B일 때, $h_A : h_B$는? (단, 물체의 크기와 공기 저항은 무시한다.)

① 4 : 1　② 5 : 1　③ 6 : 1　④ 11 : 2　⑤ 15 : 4

• A와 B가 낙하하는 동안 수평 방향의 이동 거리가 같다.

고난도

11

> 평면상의 등가속도 운동

그림은 x축과 $45°$의 각도로 v_0의 속력으로 원점 O에 입사한 입자가 일정한 가속도로 포물선 경로를 따라 xy 평면에서 운동을 하여 P를 지나 Q를 x축에 수직인 방향으로 통과하는 것을 나타낸 것이다. P는 y축 방향의 최대 변위이다.

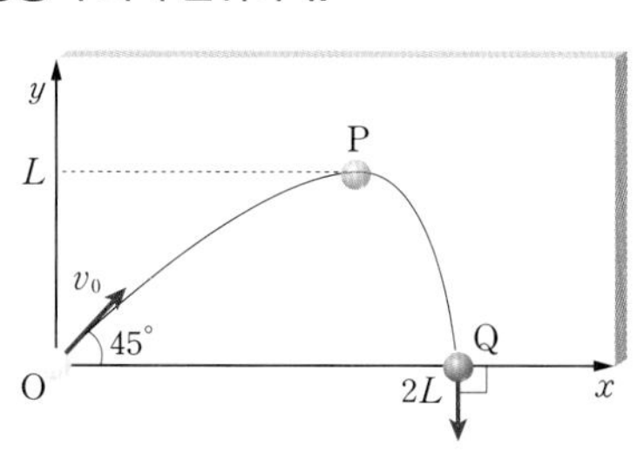

입자의 운동에 대한 설명으로 옳은 것만을 보기에서 있는 대로 고른 것은?

보기

ㄱ. 가속도의 크기는 y 성분이 x 성분의 2배이다.

ㄴ. 이동하는 데 걸린 시간은 O에서 P까지가 P에서 Q까지의 2배이다.

ㄷ. Q에서의 속력은 $\frac{\sqrt{2}}{2}v_0$이다.

① ㄴ ② ㄷ ③ ㄱ, ㄷ ④ ㄴ, ㄷ ⑤ ㄱ, ㄴ, ㄷ

• 가속도가 일정하므로 x 방향과 y 방향으로 각각 등가속도 운동을 한다. 따라서 x, y 성분은 각각 등가속도 직선 운동으로 표현할 수 있다.

고난도

12

> 포물선 운동

그림은 수평면에 대해 경사각이 $30°$인 빗면의 O에서 빗면에 수직인 방향으로 던진 물체가 포물선 경로를 따라 날아가 빗면의 Q에 도달하는 것을 나타낸 것이다. 물체가 P를 지날 때 빗면과 물체 사이의 거리는 최댓값인 H이다.

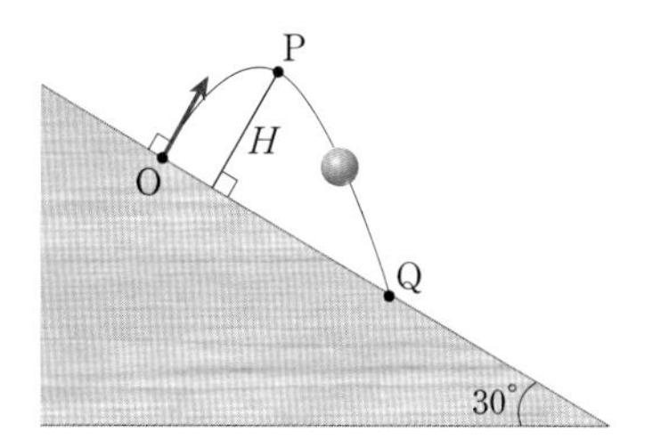

물체의 운동에 대한 설명으로 옳은 것만을 보기에서 있는 대로 고른 것은? (단, 중력 가속도는 g이고, 공기 저항은 무시한다.)

보기

ㄱ. O에서 P까지 이동하는 데 걸린 시간은 $\sqrt{\frac{4\sqrt{3}H}{3g}}$ 이다.

ㄴ. O에서 Q까지의 거리는 $\frac{4\sqrt{3}}{3}H$이다.

ㄷ. Q에서의 속력은 $\sqrt{\frac{4\sqrt{3}}{3}gH}$이다.

① ㄱ ② ㄷ ③ ㄱ, ㄴ ④ ㄴ, ㄷ ⑤ ㄱ, ㄴ, ㄷ

• 빗면에 수직인 방향의 가속도는 크기가 $g\cos30°$이고, 빗면에 나란한 방향의 가속도는 $g\sin30°$이며, 빗면에 수직인 방향과 나란한 방향의 속도와 변위는 등가속도 직선 운동의 식으로 구할 수 있다.

2
행성의 운동과 상대성

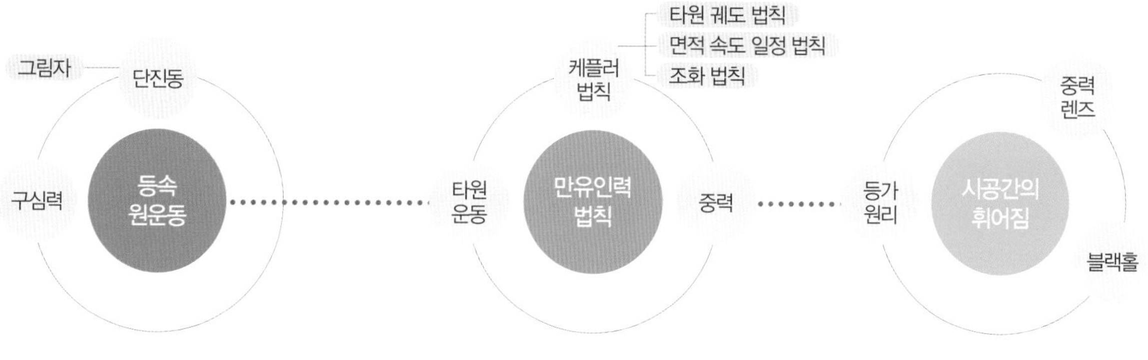

등속 원운동과 단진동

행성의 운동

일반 상대성 이론

01 등속 원운동과 단진동

학습 Point 등속 원운동의 속도, 가속도 > 구심력 > 단진동의 변위, 속도, 가속도, 복원력, 주기 > 여러 가지 진자의 주기

1 등속 원운동

태양 주위를 도는 행성의 운동을 해석하기 위해서는 먼저 등속 원운동에 대한 이해가 필요하다. 등속 원운동을 하는 물체의 특성을 이해하고, 등속 원운동에 관련된 물리량 사이의 관계를 알면, 등속 원운동을 하는 물체의 속도, 가속도를 구할 수 있다.

1. 등속 원운동

회전하는 관람차를 보면 각각의 관람차가 원을 그리면서 일정한 속력으로 회전하는 것을 볼 수 있다. 이와 같이 물체가 반지름이 일정한 원둘레를 따라 일정한 속력으로 회전하는 운동을 등속 원운동이라고 한다.

등속 원운동을 하는 물체의 운동 방향은 원 궤도의 접선 방향이므로, 등속 원운동은 속도의 크기는 일정하지만 방향이 계속해서 변하는 가속도 운동이다. 등속 원운동을 분석할 때는 주기, 진동수, 각속도 등을 이용하면 편리하다.

▲ 등속 원운동을 하는 회전 관람차

(1) 주기(T)

물체가 원둘레를 한 바퀴 도는 데 걸리는 시간을 주기라고 한다. 물체가 반지름 r인 원둘레를 따라 속력 v로 등속 원운동을 할 때 주기 T는 다음과 같다.

$$T=\frac{2\pi r}{v} \text{ (단위: s)}$$

(2) 진동수(f)

단위 시간(1초) 동안에 물체가 회전하는 횟수를 진동수라고 하고, 단위는 Hz(헤르츠)를 사용한다. 진동수 f와 주기 T 사이에는 다음과 같이 역수 관계가 성립한다.

$$f=\frac{1}{T}=\frac{v}{2\pi r} \text{ (단위: Hz, 1 Hz}=1\text{ s}^{-1}\text{)}$$

Hz(헤르츠)
단위 Hz는 전자기파를 처음으로 발생시켜 그 존재를 입증한 헤르츠(Hertz, H. R., 1857~1894)의 이름을 따 온 것이다.

(3) 등속 원운동의 속력

물체가 등속 원운동을 할 때 물체의 속력은 일정하지만 물체의 운동 방향은 원의 접선 방향으로 계속 변하므로 속도 $\vec{v}$는 일정하지 않고 계속 변한다. 물체가 반지름이 r인 원둘레를 일정한 속력 v로 한 바퀴 도는 데 주기 T만큼 시간이 걸렸다면, 물체의 속력 v는 다음과 같다.

$$v=\frac{2\pi r}{T} \text{ (단위: m/s)}$$

등속 원운동의 속력
등속 원운동의 속력은 원 궤도의 접선 방향의 속력을 의미한다.

(4) **각속도(ω):** 등속 원운동을 하는 물체가 얼마나 빠르게 회전하는지는 단위 시간 동안 회전한 각도로 나타낼 수 있으며, 이 값을 각속도라고 한다. 물체가 시간 t 동안에 각 θ(rad)만큼 회전하였을 때 각속도 ω는 다음과 같다.

$$\omega=\frac{\theta}{t} \text{ (단위: rad/s)}$$

물체는 주기 T 동안에 360°, 즉 2π(rad)만큼 회전하므로 각속도는 다음과 같이 나타낼 수 있다.

$$\omega=\frac{\theta}{t}=\frac{2\pi}{T}=2\pi f \text{ (단위: rad/s)}$$

▲ 각 (θ)과 각속도(ω)의 관계

rad(라디안)

이 단원에서 각도의 단위는 모두 호도법의 rad(radian, 라디안)을 사용한다. rad은 원호의 길이 s를 반지름 r로 나눈 것으로, $\theta=\frac{s}{r}$로 표시한다.

1 rad은 원호의 길이가 반지름과 같을 때의 중심각이며, 약 57.3°이다. 따라서 360° 회전하면 원호는 $2\pi r$가 되어 그 중심각은 2π rad이 된다.

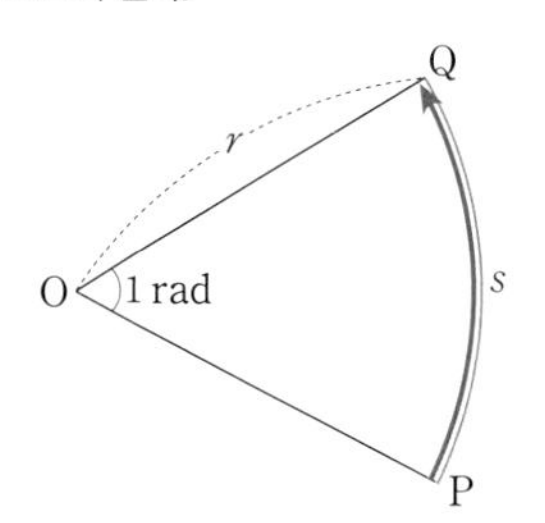

2. 등속 원운동의 이동 거리와 속도, 가속도

집중 분석 84쪽

(1) **이동 거리(s):** 속력 v로 등속 원운동을 하는 물체가 시간 t 동안 각 θ(rad)만큼 회전하면, rad 단위의 정의에 의해 물체가 원둘레를 따라 이동한 거리 s(호의 길이)는 다음과 같다.

$$s=vt=r\theta \text{ (단위: m)}$$

(2) **속도($\vec{v}$):** 등속 원운동을 하는 물체의 속력은 일정하고, 위 식에서 $s=r\theta$이므로, 등속 원운동을 하는 물체의 속도 $\vec{v}$의 크기는 다음과 같다.

$$v=\frac{s}{t}=\frac{r\theta}{t}=r\omega \text{ (단위: m/s)}$$

• 속도의 방향은 그 지점에서 원의 접선 방향이다.

(3) **등속 원운동의 속도 변화량:** 오른쪽 그림 (가)와 같이 등속 원운동을 하는 물체가 시간 Δt 동안 P에서 Q로 이동하였다면, 속도 변화량은

$$\Delta\vec{v}=\vec{v_2}-\vec{v_1}$$

이다. 그림 (나)와 같이 속도 $\vec{v_1}$, $\vec{v_2}$를 평행 이동시켜 출발점(C)이 일치하도록 하여 △ABC를 그리면 $\overline{AB}$의 길이가 속도 변화량 $\Delta\vec{v}$의 크기이다.

그림 (가)와 (나)에서 △PQO와 △ABC를 비교해 보면 중심각 ∠POQ=∠ACB=$\Delta\theta$이다. 등속 원운동이므로 $\vec{v_1}$과 $\vec{v_2}$의 크기를 모두 v라고 하면, 선분 $\overline{OP}=\overline{OQ}=r$, $\overline{AC}=\overline{BC}=v$이고, △POQ와 △ACB는 닮은꼴이므로 다음과 같다.

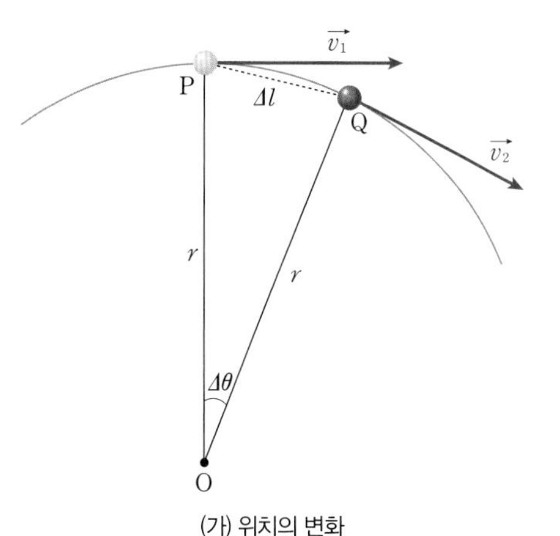

(가) 위치의 변화

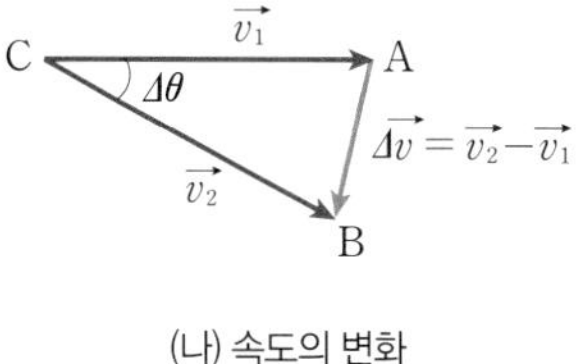

(나) 속도의 변화

▲ 등속 원운동의 위치와 속도의 변화

$$\frac{\Delta l}{r}=\frac{|\Delta\vec{v}|}{v}$$

이때 Δt를 매우 짧게 하면 현 $\overline{PQ}$를 호 $\overset{\frown}{PQ}$로 근사할 수 있고, $\overline{PQ}=\overset{\frown}{PQ}=v\Delta t$가 되므로 속도 변화량의 크기 $|\Delta\vec{v}|$는 다음과 같다.

$$\frac{v\Delta t}{r}=\frac{|\Delta\vec{v}|}{v} \Rightarrow |\Delta\vec{v}|=\frac{v^2}{r}\Delta t$$

(4) **구심 가속도**

① **구심 가속도:** 가속도 $\vec{a}=\dfrac{\Delta\vec{v}}{\Delta t}$이므로 등속 원운동의 가속도 크기 $|\vec{a}|=a$는 다음과 같다.

$$a=\frac{|\Delta\vec{v}|}{\Delta t}=\frac{v^2}{r}=r\omega^2=\frac{4\pi^2 r}{T^2}=v\omega$$

또, 가속도 $\vec{a}$의 방향은 $\Delta\vec{v}$의 방향과 같고, $\Delta\theta$를 매우 작게 하면 $\Delta\vec{v}$는 $\vec{v_1}$이나 $\vec{v_2}$와 거의 직각을 이루게 되어 순간 가속도의 방향은 원의 중심을 향한다. 따라서 등속 원운동에서의 가속도는 항상 원의 중심을 향하므로, 이를 구심 가속도라고 한다.

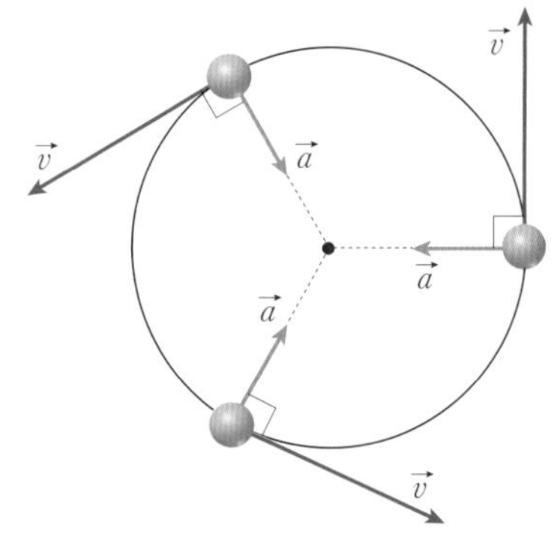

▲ 구심 가속도

② **구심 가속도의 방향과 크기:** 등속 원운동의 구심 가속도 $\vec{a}$는 방향이 항상 원의 중심을 향하고, 그 크기 a는 다음과 같다.

$$a=\frac{v^2}{r}=r\omega^2=\frac{4\pi^2 r}{T^2}=v\omega \ \text{(단위: m/s}^2\text{)}$$

③ 등속 원운동에서 구심 가속도의 크기는 일정하지만 가속도의 방향이 원 궤도의 중심을 향하여 계속 변하므로, 등속 원운동은 등가속도 운동이 아니다.

등속 원운동하는 물체의 가속도
가속도는 속력의 변화가 아니라 속도의 변화량을 걸린 시간으로 나누어 구한다. 등속 원운동에서는 속력은 일정하지만 속도 벡터의 방향이 계속 바뀌므로 가속도를 가진다.

시야 확장 ⊕ 속도, 가속도의 정의와 구심 가속도 유도

❶ **등속 원운동을 하는 물체의 위치**

그림과 같이 xy 평면의 원점을 원의 중심으로 하고 x축으로부터 반지름이 r인 원을 따라 θ의 각도를 회전한 물체의 위치를 좌표로 표시하면 다음과 같다.

$$\vec{r}=(r\cos\theta,\ r\sin\theta)=r(\cos\theta,\ \sin\theta)$$

여기서 위치 $\vec{r}$의 크기는 r이고, 방향은 원점에서 물체를 향하는 방향이다.

속력 v로 등속 원운동을 하는 물체의 각속도의 크기는 $\omega=\dfrac{v}{r}$이다. 따라서 0초일 때 x축 위에서 출발하여 시간 t 동안 θ의 각을 회전하였을 때 $\theta=\omega t$이고, 위치 $\vec{r}$는 다음과 같다.

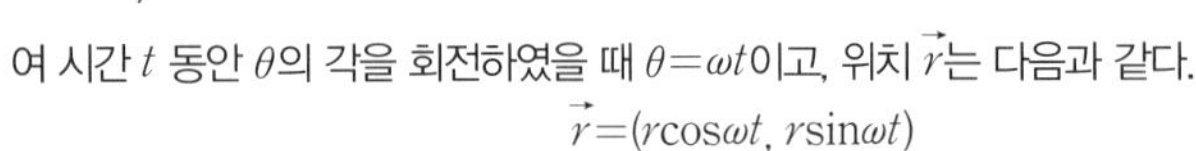

$$\vec{r}=(r\cos\omega t,\ r\sin\omega t)$$

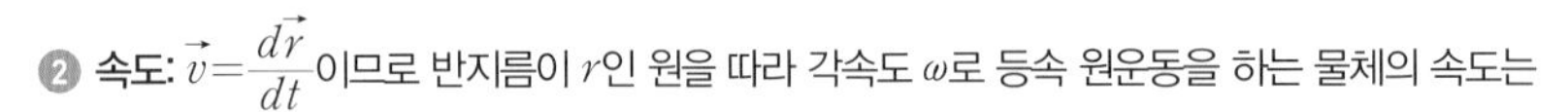

❷ **속도:** $\vec{v}=\dfrac{d\vec{r}}{dt}$이므로 반지름이 r인 원을 따라 각속도 ω로 등속 원운동을 하는 물체의 속도는

$$\vec{v}=\frac{d(r\cos\omega t,\ r\sin\omega t)}{dt}=(-r\omega\sin\omega t,\ r\omega\cos\omega t)=r\omega(-\sin\theta,\ \cos\theta)$$

이다. 따라서 속도의 크기 $v=r\omega$이고, 방향은 위치 $\vec{r}$와 수직인 원의 접선 방향이다.

❸ **가속도:** $\vec{a}=\dfrac{d\vec{v}}{dt}$이므로 반지름이 r인 원을 따라 각속도 ω로 등속 원운동을 하는 물체의 가속도는

$$\vec{a}=\frac{d(-r\omega\sin\omega t,\ r\omega\cos\omega t)}{dt}=-r\omega^2(\cos\theta,\ \sin\theta)$$

이다. 따라서 가속도의 크기 $a=r\omega^2$이고, 방향은 위치 $\vec{r}$와 반대 방향인 물체에서 원의 중심을 향하는 방향이 되어 구심 가속도임을 알 수 있다.

각속도($\vec{\omega}$)
각속도도 벡터량이다. 다만, 일정한 원 궤도를 따라 회전하는 물체는 시계 방향이나 시계 반대 방향의 회전만 있으므로, (+)와 (−)로 각속도의 방향을 나타낼 수 있다. 각속도 $\vec{\omega}$의 방향은 오른손의 네 손가락을 물체의 회전 방향으로 감아쥐었을 때 엄지손가락이 가리키는 방향으로 정의한다.

삼각함수 미분

$$\frac{d}{dx}\sin(ax)=a\cos(ax)$$

$$\frac{d}{dx}\cos(ax)=-a\sin(ax)$$

3. 구심력

심화 86쪽

(1) 등속 원운동의 알짜힘

① **구심력**: 물체에 작용하는 알짜힘은 질량과 가속도의 곱이므로, 등속 원운동을 하는 물체에 작용하는 알짜힘은 구심 가속도와 같이 항상 원의 중심을 향한다. 따라서 이를 구심력이라고 한다.

② **구심력의 크기**: 뉴턴 운동 제2법칙에 의해 반지름이 r인 원 궤도를 일정한 속력 v로 회전하는 질량 m인 물체에 작용하는 구심력의 크기 F는 다음과 같다.

$$F=ma=m\frac{v^2}{r}=mr\omega^2=\frac{4\pi^2 mr}{T^2}$$

③ 구심력은 크기는 일정해도 방향이 계속 변하므로, 힘이 일정한 것이 아니다.

(2) 구심력과 운동 방향

등속 원운동을 하는 물체의 운동 방향은 원의 접선 방향이고, 구심력은 원의 중심 방향이므로, 운동 방향과 구심력의 방향은 항상 서로 수직이다. 즉, 일정한 크기의 힘이 항상 운동 방향에 수직인 방향으로 작용하면, 이 힘이 구심력이 되어 물체는 등속 원운동을 하게 된다.

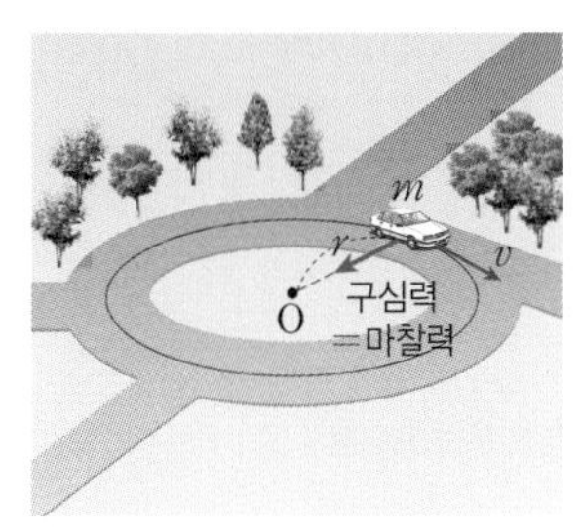

(가) 마찰력 수평면에서 자동차가 등속 원운동을 할 때 지면과 타이어 사이의 마찰력이 구심력이 된다.

$$F=\frac{mv^2}{r}=\mu N$$

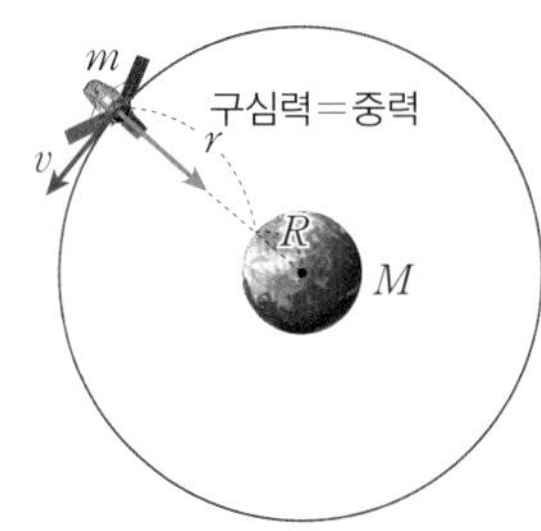

(나) 중력 인공위성이 지구 주위를 등속 원운동을 할 때 중력이 구심력의 역할을 한다.

$$F=\frac{mv^2}{(R+r)}=G\frac{Mm}{(R+r)^2}$$

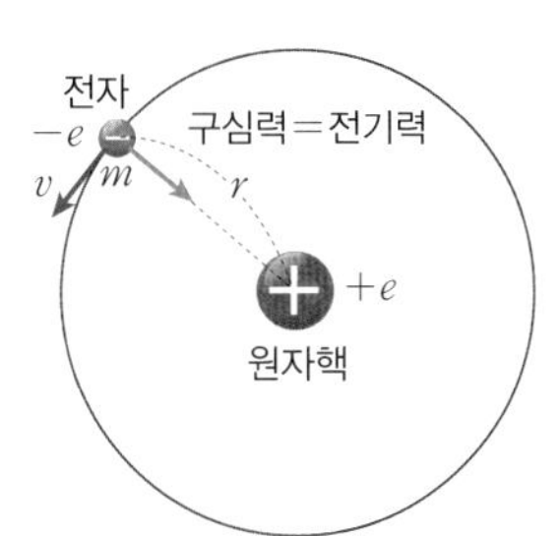

(다) 전기력 원자핵 주위를 도는 전자의 운동은 전기력이 구심력의 역할을 한다.

$$F=\frac{mv^2}{r}=-k\frac{e^2}{r^2}$$

▲ 여러 가지 등속 원운동의 구심력

구심력

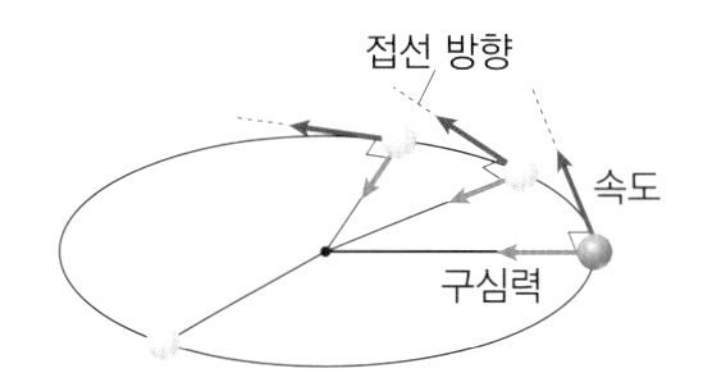

물체가 등속 원운동을 계속하려면 구심력이 작용해야 하고, 이 구심력은 물체의 운동 방향에 수직으로 작용하므로 속도의 방향만을 바꾸어 줄 뿐 속도의 크기는 변화시키지 못한다.

예제

그림은 길이가 L인 줄로 회전축에 매달려 일정한 속력 v로 원운동을 하는 물체를 나타낸 것이다. 줄이 연직 방향과 이루는 각은 θ이다. (단, 줄의 질량과 공기 저항은 무시한다.)

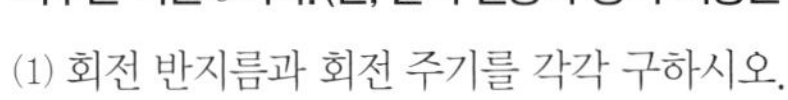

(1) 회전 반지름과 회전 주기를 각각 구하시오.

(2) 각속도의 크기를 구하시오.

(3) 가속도의 크기를 구하시오.

해설 (1) 물체가 회전하는 원의 회전 반지름 $r=L\sin\theta$이다. 원둘레 $2\pi r=2\pi L\sin\theta$를 v의 속력으로 회전하므로 주기 $T=\frac{2\pi L\sin\theta}{v}$이다.

(2) 각속도의 크기 $\omega=\frac{2\pi}{T}=\frac{v}{L\sin\theta}$이다.

(3) 가속도의 크기 $a=\frac{v^2}{r}=\frac{v^2}{L\sin\theta}$이다.

정답 (1) 회전 반지름: $L\sin\theta$, 회전 주기: $\frac{2\pi L\sin\theta}{v}$ (2) $\frac{v}{L\sin\theta}$ (3) $\frac{v^2}{L\sin\theta}$

2 단진동

집중 분석 85쪽

등속 원운동을 물체가 운동하는 평면에 평행한 방향으로 투영한 것이 단진동이다. 따라서 등속 원운동의 각 물리량을 통해 단진동의 물리량을 얻을 수 있다.

1. 단진동과 등속 원운동

물체가 두 지점 사이를 일정한 시간 간격으로 왕복 운동을 반복할 때 이 운동을 진동이라고 한다. 이러한 진동 중에서 가장 기본적인 진동이 단진동으로, 용수철에 매달린 추의 진동처럼 물체가 평형 위치로부터의 변위에 비례하는 복원력을 받을 때 단진동이 일어난다. 단진동의 특성은 등속 원운동을 통해서 쉽게 알아볼 수 있다.

오른쪽 그림과 같이 어떤 물체 Q가 용수철에 매달려 진폭 A로 단진동을 할 때, 동시에 회전하는 원판에 물체 P를 놓고 반지름 A인 등속 원운동을 시킨 후 평행하게 빛을 비춘다. P의 각속도를 조절하여 P, Q의 주기를 같게 하면, P, Q의 그림자가 길이 $2A$인 직선을 따라 동일하게 운동을 하는 것을 볼 수 있다. 즉, 단진동은 등속 원운동을 지름 방향으로 투영한 것과 같으며, 이를 이용해 단진동의 변위, 속도, 가속도를 기술할 수 있다.

복원력
복원력은 계가 평형점으로부터 벗어났을 때 원래의 상태로 되돌아가려는 힘으로, 물체의 위치만의 함수이며, 평형 위치로 되돌아가려는 방향으로 작용한다.

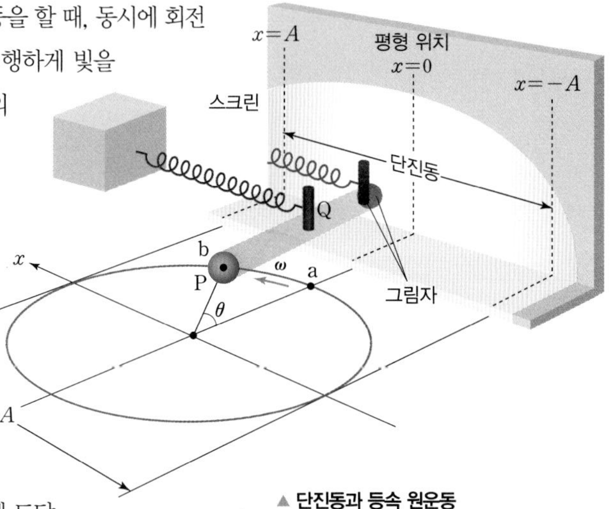

▲ 단진동과 등속 원운동

(1) **단진동의 변위(x):** 진동하는 물체에 작용하는 힘이 0인 위치를 평형 위치(단진동의 중심 위치)라고 하고, 단진동의 변위는 평형 위치를 기준점으로 한다. 그림과 같이 a점에 있던 물체 P가 반지름 A, 각속도 ω인 등속 원운동을 하여 t초 후에 b점에 도달하였다면 x축에 투영시킨 그림자의 변위 x는 다음과 같다.

$$x = A\sin\omega t \ (A\text{: 진폭},\ \omega t(=\theta)\text{: 위상})$$

일반적으로 직선 운동을 하는 물체의 변위가 위의 식과 같이 주어지면 그 물체의 운동을 단진동이라고 하며, 변위 x와 시간 t 사이의 관계를 그래프로 그리면 sin 곡선으로 나타난다.

① **진폭:** 위 식에서 A는 진폭으로, 평형 위치에서 변위가 최대인 지점까지의 거리이다.

② **각진동수:** 위 식에서 각속도 ω를 단진동의 각진동수라고 하며, 단위는 rad/s를 사용한다.

③ **위상:** $\omega t(=\theta)$는 등속 원운동의 회전 각도에 해당하는 양으로, 위상이라고 한다.

등속 원운동과 단진동의 물리량 표현 비교

등속 원운동	단진동
회전 반지름 A	진폭 A
각속도 ω	각진동수 ω
회전 주기 T	진동 주기 T

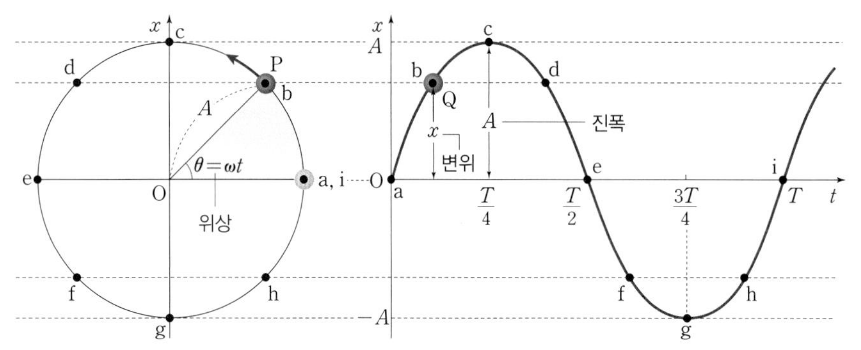

▲ 등속 원운동을 통해 본 단진동 하는 물체의 변위

(2) **단진동의 속도:** 그림과 같이 등속 원운동을 하는 물체 P의 속력은 $A\omega$($\because$ 속력 $v=r\omega$)이고, 단진동 하는 그림자 Q의 속도 v는 $A\omega$의 x 성분과 같으므로, 다음과 같다.

$$v=A\omega\cos\omega t=\pm\omega\sqrt{A^2-x^2}$$

단진동 하는 물체의 속력은 진동 중심($x=0$인 점)을 지날 때 가장 빠르고(최대 속도 $V=A\omega$), 양 끝으로 갈수록 느려져서 양 끝 지점에서 속력은 0이 된다.

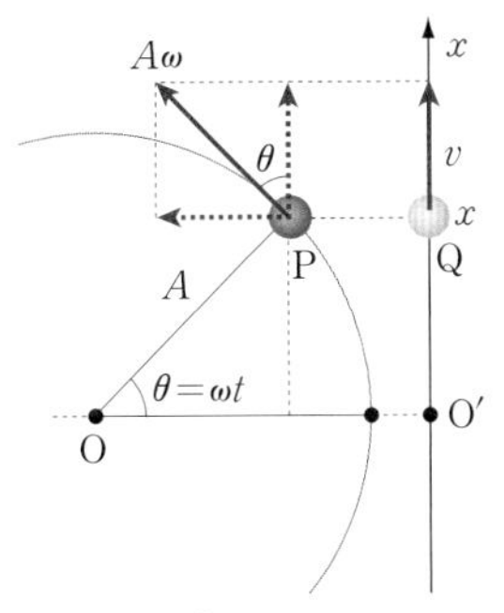

▲ 단진동의 속도

(3) **단진동의 가속도:** 그림과 같이 물체 P의 가속도는 원의 중심 O를 향하고, 그 크기는 $A\omega^2$($\because$ 구심 가속도 $a=r\omega^2$)이다. 따라서 단진동 하는 그림자 Q의 가속도 a는 $A\omega^2$의 x 성분으로 다음과 같고 방향은 진동 중심을 향한다.

$$a=-A\omega^2\sin\omega t=-\omega^2 x$$

단진동 하는 물체의 가속도는 변위 x에 비례하고, 그 방향은 변위와 반대 방향으로 항상 진동 중심을 향한다.

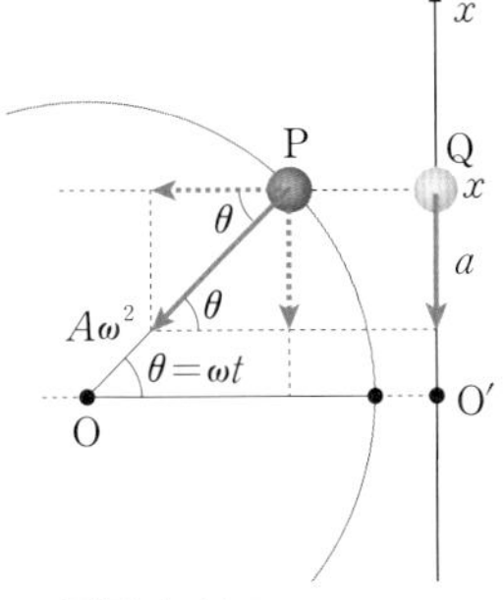

▲ 단진동의 가속도

(4) **단진동 하는 물체에 작용하는 힘(복원력):** 단진동 하는 물체의 질량을 m이라고 하면, 물체에 작용하는 힘 F는 뉴턴 운동 제2법칙에 의해 $F=ma=-m\omega^2x$가 된다. 이 식에서 상수 $m\omega^2=k$라고 놓으면 단진동 하는 물체에 작용하는 힘은 다음과 같다.

$$F=-kx\ (k=m\omega^2\text{: 비례 상수})$$

위 식에서 (−)부호는 힘 F가 변위 x와 항상 반대 방향임을 의미한다. 즉, 단진동 하는 물체에는 힘의 크기가 변위 x의 크기에 비례하고, 그 방향이 항상 진동 중심을 향하는 힘이 작용하는데, 이와 같은 힘을 복원력이라고 한다.

(5) **단진동의 주기:** 단진동의 주기 T는 등속 원운동의 주기 $T=\dfrac{2\pi}{\omega}$와 같다. $m\omega^2=k$에서 $\omega=\sqrt{\dfrac{k}{m}}$이므로 단진동의 주기는 다음과 같이 나타낼 수 있다.

$$T=\frac{2\pi}{\omega}=2\pi\sqrt{\frac{m}{k}}$$

질량 0.5 kg인 물체가 직선상의 한 점 O에서의 거리에 비례하고 방향은 항상 O를 향하는 힘을 받으며 직선상에서 운동하고 있다. O에서 거리가 1 m일 때 물체에 작용한 힘의 크기가 8 N이었다면, 이 물체의 진동 주기는 몇 초인지 구하시오. (단, $\pi=3.14$로 계산한다.)

해설 $m=0.5$ kg, $F=-8$ N, $x=1$ m이므로, $F=-m\omega^2x=-0.5\text{ kg}\times\omega^2\times1\text{ m}=-8$ N에서 $\omega=4$(rad/s)이다. 따라서 이 물체의 진동 주기 $T=\dfrac{2\pi}{\omega}=\dfrac{2\pi\text{ rad}}{4\text{ rad/s}}=1.57$ s이다.

정답 1.57 s

$v=A\omega\cos\omega t$의 계산

$v=A\omega\cos\omega t$

$v^2=A^2\omega^2\cos^2\omega t \leftarrow \sin^2\theta+\cos^2\theta=1$

$=A^2\omega^2(1-\sin^2\omega t)$

$=\omega^2(A^2-A^2\sin^2\omega t) \leftarrow x=A\sin\omega t$

$=\omega^2(A^2-x^2)$

$\therefore v=\pm\omega\sqrt{A^2-x^2}$

단진동의 $v-x$ 그래프

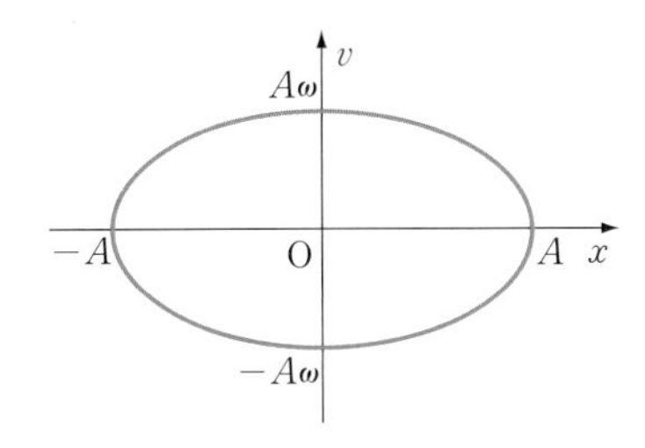

단진동의 $a-x$(또는 $F-x$) 그래프

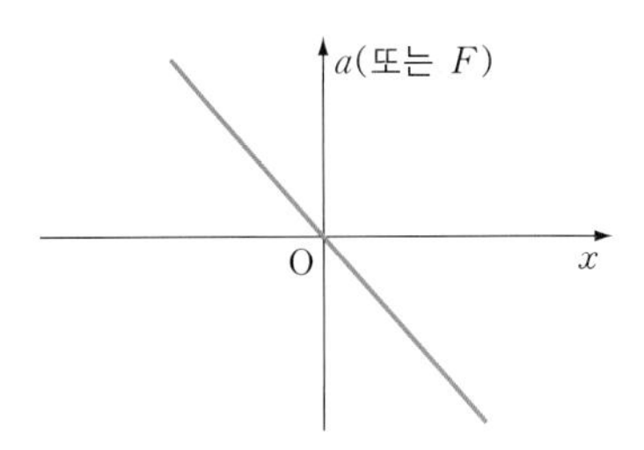

단진동의 변위, 속도, 가속도 사이의 관계

수학적으로 변위 x, 속도 v, 가속도 a의 관계는 다음과 같다.

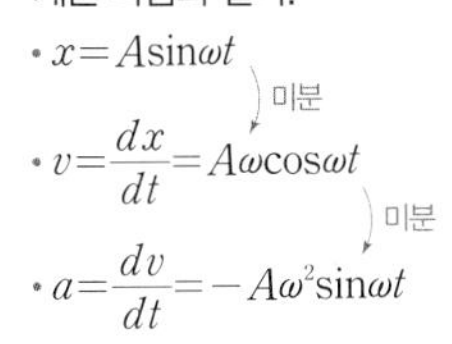

- $x=A\sin\omega t$
- $v=\dfrac{dx}{dt}=A\omega\cos\omega t$
- $a=\dfrac{dv}{dt}=-A\omega^2\sin\omega t$

시선 집중 ★ 단진동

❶ 단진동 하는 물체의 변위(x)에 따른 속도(v), 가속도(a), 힘(F)

물체의 위치	변위(x)	속도(v)	가속도(a)	힘(F)
진동 중심	0	$\pm A\omega$(최대)	0	0
양 끝	$\pm A$(최대)	0	$\mp A\omega^2$	$\mp m\omega^2 A$

❷ 등속 원운동과 단진동의 비교

구분	등속 원운동 하는 물체	단진동 하는 물체
원점(또는 평형점)으로부터의 거리(x)	A	$A\sin\omega t$
속도(v)	$A\omega$	$A\omega\cos\omega t$
가속도(a)	$A\omega^2$	$-A\omega^2\sin\omega t=-\omega^2 x$
주기(T)	$\frac{2\pi}{\omega}$	$\frac{2\pi}{\omega}$

2. 여러 가지 진자의 주기

(1) **수평 방향으로 진동하는 용수철 진자:** 오른쪽 그림과 같이 매끄러운 수평면 위에서 용수철 상수 k인 용수철의 왼쪽 끝을 고정하고, 오른쪽 끝에 질량 m인 물체를 매단 다음, 용수철이 평형 위치에서 A만큼 늘어나도록 물체를 잡아 당겼다가 놓으면, 물체는 수평면 위에서 좌우로 진동을 한다.

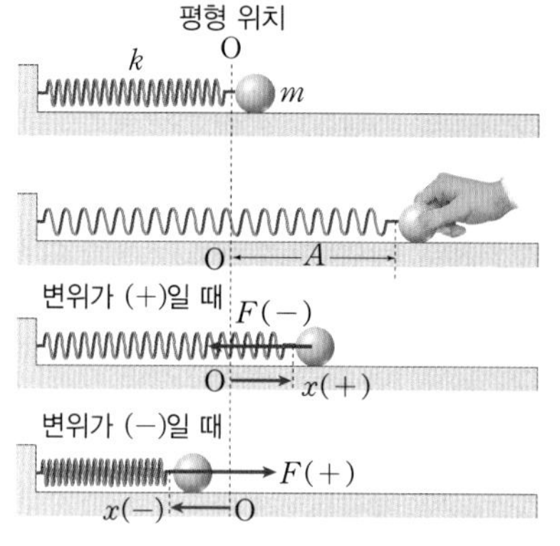

▲ 수평 방향으로 진동하는 용수철 진자

① 물체에 작용하는 복원력: 평형 위치 O를 기준으로 한 물체의 변위가 x일 때 물체에 작용하는 용수철의 탄성력은 다음과 같다.

$$F=-kx$$

이 힘 F는 변위 x에 비례하고, 방향은 변위와 반대 방향으로 항상 평형 위치를 향한다. 따라서 이 힘이 물체를 단진동시키는 복원력이다.

② 물체의 가속도: 가속도 법칙에 의해 물체의 가속도 a는 다음과 같다.

$$F=ma=-kx \Rightarrow a=-\frac{k}{m}x$$

③ 용수철 진자의 주기: 용수철 진자에 작용하는 복원력 $F=-m\omega^2 x=-kx$에서 단진동의 각진동수 $\omega=\sqrt{\frac{k}{m}}$가 된다. 따라서 용수철 진자의 주기 T는 다음과 같다.

$$T=\frac{2\pi}{\omega}=2\pi\sqrt{\frac{m}{k}}$$

즉, 용수철 진자의 진동 주기는 용수철의 변위 x, 힘 F 등과는 관계없고, 진자의 질량 m과 용수철 상수 k에만 관계한다. 따라서 물체의 질량이 크고, 용수철 상수가 작을수록 용수철 진자의 진동 주기는 길어진다.

훅의 법칙

수평면에 놓인 용수철에 물체를 매달고, 탄성 한계의 범위 내에서 길이 x만큼 용수철을 변형시켰을 때, 용수철이 물체에 작용하는 탄성력 F는 다음과 같이 용수철이 변형된 길이에 비례한다.

$$F=-kx$$

이것을 훅의 법칙이라고 하고, 비례 상수 k를 용수철 상수라고 한다. 용수철 상수는 용수철의 종류에 따라 다르다.

(2) **연직 방향으로 진동하는 용수철 진자**

① **용수철 진자의 평형 위치:** 오른쪽 그림과 같이 용수철 상수 k인 가벼운 용수철의 위쪽을 고정하고, 아래쪽에 질량 m인 물체를 매달아 가만히 놓는다. 물체는 용수철의 탄성력과 물체의 중력이 평형을 이루는 지점에서 정지하므로, 이 지점의 변위를 x_0이라고 하면 다음 식이 성립한다.

$F=mg-kx_0=0 \Rightarrow mg=kx_0$

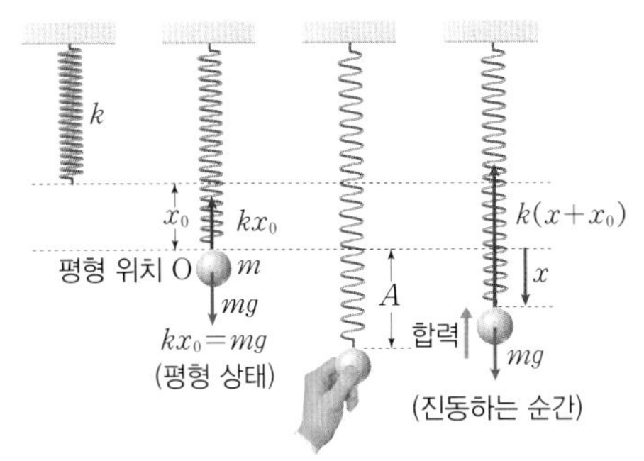

▲ 연직 방향으로 진동하는 용수철 진자

② **평형 위치 O에서의 변위가 x일 때의 복원력:** O에서 아래로 A만큼 당겼다 놓으면, 물체는 O를 중심으로 진폭 A의 단진동을 한다. 아래 방향을 (+)로 하면, 물체가 O에서 x만큼 떨어진 지점을 지날 때 받는 알짜힘은 탄성력 $-k(x+x_0)$과 중력 mg의 합력으로, 다음과 같다.

$$F=mg-k(x+x_0)=-kx \ (\because mg=kx_0)$$

③ **용수철 진자의 가속도와 주기:** 물체에 작용하는 복원력 F와 변위 x의 관계는 수평으로 진동하는 용수철 진자와 동일하므로, 물체의 가속도 a와 주기 T도 같게 된다.

$$a=-\frac{k}{m}x,\ T=\frac{2\pi}{\omega}=2\pi\sqrt{\frac{m}{k}}$$

(3) **단진자:** 오른쪽 그림과 같이 길이 l인 가벼운 실에 질량 m인 추를 매달고 추를 조금 당겼다 놓으면, 추에 작용하는 장력 T와 중력 mg의 합력이 복원력이 되어 추는 연직면 내에서 왕복 운동을 하는데, 이러한 진자를 단진자라고 한다.

① **물체에 작용하는 복원력:** 실이 연직 방향과 θ의 각을 이룰 때 θ가 충분히 작으면 최하점 O로부터 호를 따라 측정된 변위 x와 실의 길이 l은 근사적으로 $\sin\theta \fallingdotseq \theta=\frac{x}{l}$가 된다. 따라서 물체가 받는 알짜힘 F는 다음과 같다.

$$F=-mg\sin\theta=-\frac{mg}{l}x=-kx\ \left(k=\frac{mg}{l}\right)$$

즉, 힘 F는 변위 x에 비례하고 그 방향은 x가 증가하는 방향과 반대 방향, 즉 항상 진동 중심 O를 향하므로, 이 힘이 복원력이 되어 물체는 단진동을 한다.

② **단진자의 주기:** θ가 작을 때 단진자의 복원력 $F=-m\omega^2x=-\frac{mg}{l}x$이므로, $\omega=\sqrt{\frac{g}{l}}$가 된다. 따라서 단진자의 주기 T는 다음과 같이 줄의 길이 l에 따라서만 달라진다.

$$T=\frac{2\pi}{\omega}=2\pi\sqrt{\frac{l}{g}}$$

③ **단진자의 가속도:** 단진자는 θ가 작을 때 추가 접선 방향으로 근사적으로 단진동을 하는 것이지 추의 운동 자체가 단진동은 아니다. 추를 가만히 놓는 순간 가속도의 방향은 원운동을 시작하는 접선 방향이고, 최하점을 지나가는 순간 추는 등속 원운동과 같은 운동을 하므로 가속도는 원운동의 중심을 향하는 방향이다. 그 중간 지점에서는 가속도의 방향이 처음의 접선 방향보다 조금씩 위를 향하는 방향으로 변한다. 이와 같이 단진자의 운동은 가속도의 크기와 방향이 모두 변하는 복잡한 운동이다.

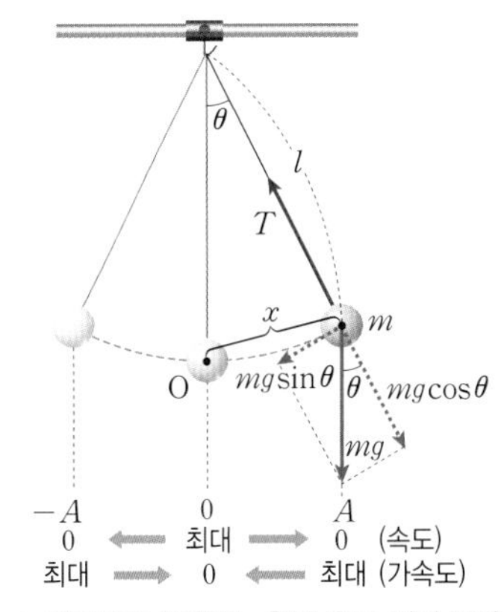

▲ **단진자에 작용하는 힘과 운동** 장력 T와 중력의 분력 $mg\cos\theta$는 추의 운동 방향에 수직으로 작용하므로 추의 속력을 변화시키지 못한다. 중력의 분력 $mg\sin\theta$만이 변위의 반대 방향으로 작용하여 속력을 변화시키므로 이 힘이 복원력이 되어 추가 진동을 한다.

단진자의 가속도 방향

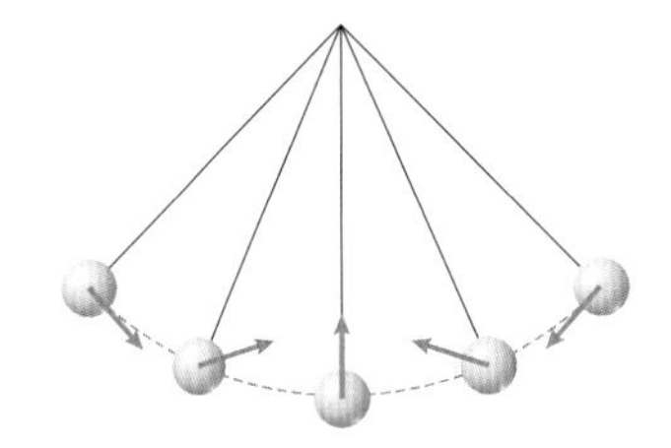

등속 원운동과 단진동

체인으로 연결되어 원운동을 하는 두 바퀴 겉은 속력이 서로 같고, 회전하는 원판의 중심으로부터 떨어진 거리가 다른 지점들은 각속도가 같은 반면, 속력과 가속도의 크기, 구심력의 크기가 다르다. 줄에 매달린 물체에 작용하는 줄의 장력과 중력, 원뿔 모양의 빗면에 있는 물체에 작용하는 중력과 수직 항력 등 두 힘의 합력에 의해 수평으로 등속 원운동을 하는 상황이 제시되거나, 등속 원운동을 하는 물체와 물체 그림자의 운동을 연관 지은 단진동 상황이 제시되는 경우가 많다.

❶ 등속 원운동의 비교

그림과 같이 A, B는 체인으로 연결되어 속력이 같고, B, C는 동일 원판이므로 각속도가 같다. 따라서 A, B, C의 속력, 각속도 크기, 가속도 크기는 다음과 같다.

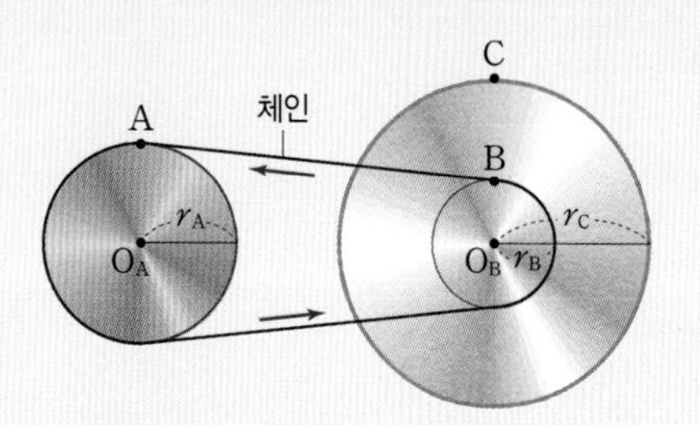

(1) 속력: $v_A = v_B = v$, $v_B = r_B\omega$, $v_C = r_C\omega$

(2) 각속도: $\omega_A = \dfrac{v}{r_A}$, $\omega_B = \dfrac{v}{r_B} = \omega_C = \dfrac{v_C}{r_C} = \omega$

(3) 가속도의 크기: $a_A = \dfrac{v^2}{r_A}$, $a_B = \dfrac{v^2}{r_B} = r_B\omega^2$, $a_C = \dfrac{{v_C}^2}{r_C} = r_C\omega^2$

❷ 등속 원운동의 구심력

그림과 같이 고무마개에 줄을 연결하여 질량 M인 추의 무게로 고무마개를 잡아당겨 고무마개를 등속 원운동 시켰다. (단, 줄의 질량과 모든 마찰은 무시한다.)

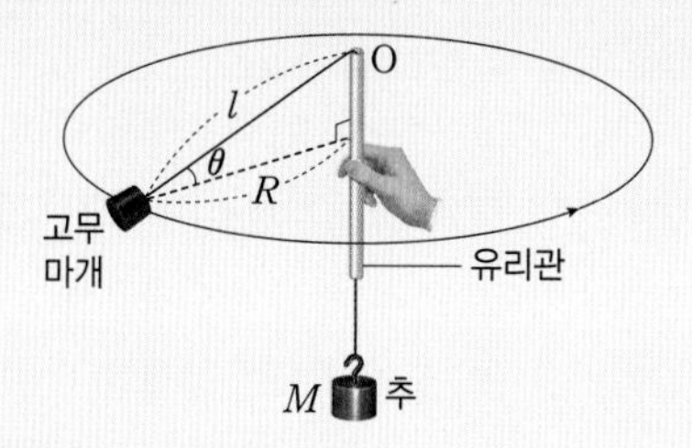

(1) 회전 반지름: $R = l\cos\theta$

(2) 연직 방향으로 고무마개에 작용하는 고무마개의 중력과 장력의 연직 성분은 평형 상태이다.

고무마개의 무게 = 줄의 장력(Mg) × $\sin\theta$

(3) 고무마개에 작용하는 구심력의 크기: 줄의 장력(Mg) × $\cos\theta$

예제

❶ 그림은 3개의 원형 바퀴로 이루어진 동력 전달 장치를 나타낸 것이다. A, B, C는 각 바퀴의 가장자리에 있는 점이다. A, B는 각각 O_A, O_B를 중심으로 체인으로 연결되어 등속 원운동을 하고, B와 C는 결합되어 O_B를 중심으로 등속 원운동을 한다.

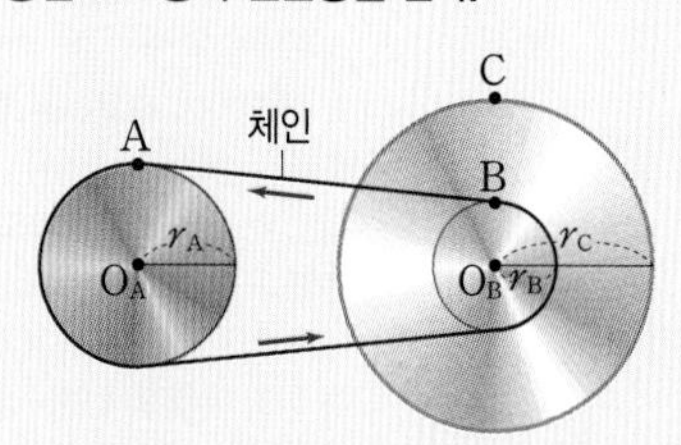

점 A, B, C의 구심 가속도의 크기를 각각 a_A, a_B, a_C라 할 때, $a_A : a_B : a_C$를 r_A, r_B, r_C로 나타내시오.

해설 $a_C = r_C\omega^2 = r_C\left(\dfrac{v}{r_B}\right)^2$이므로, 점 A, B, C의 구심 가속도의 크기 비는 다음과 같다.

$a_A : a_B : a_C = \dfrac{v^2}{r_A} : \dfrac{v^2}{r_B} : r_C\left(\dfrac{v}{r_B}\right)^2 = {r_B}^2 : r_Ar_B : r_Ar_C$

정답 ${r_B}^2 : r_Ar_B : r_Ar_C$

예제

❷ 그림 (가), (나)는 실의 한쪽 끝에 질량이 각각 M_1, M_2인 추를 매달아 질량 m인 고무마개를 각각 등속 원운동 시키는 것을 나타낸 것이다. (단, 실의 질량과 모든 마찰은 무시한다.)

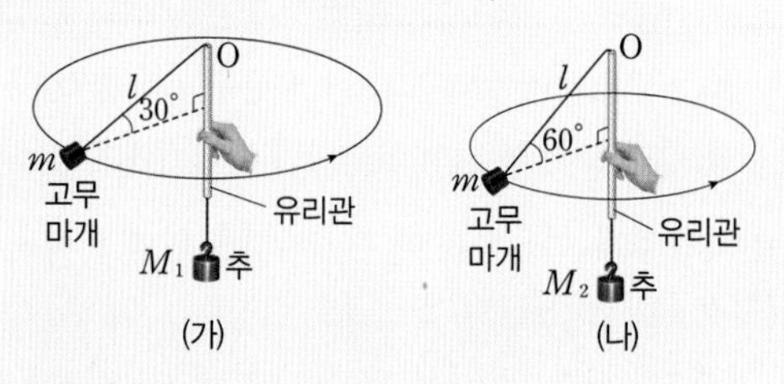

(1) 두 추의 질량의 비 $M_1 : M_2$를 구하시오.

(2) (가), (나)에서 고무마개의 속력이 v_1, v_2일 때 ${v_1}^2 : {v_2}^2$을 구하시오.

해설 (1) 고무마개의 무게는 장력의 연직 성분과 크기가 같으므로 $mg = M_1g\sin30° = M_2g\sin60°$이고, $M_1 : M_2 = \sqrt{3} : 1$이다.

(2) $\dfrac{m{v_1}^2}{l\cos30°} = M_1g\cos30°$, $\dfrac{m{v_2}^2}{l\cos60°} = M_2g\cos60°$이므로, (가), (나)에서 고무마개의 속력의 제곱의 비 ${v_1}^2 : {v_2}^2 = 3\sqrt{3} : 1$이다.

정답 (1) $\sqrt{3} : 1$ (2) $3\sqrt{3} : 1$

❸ 단진동의 위치 - 시간 그래프

그림은 용수철에 매달려 진폭 A로 단진동 하는 질량 m인 물체의 위치를 시간에 따라 나타낸 것이다.

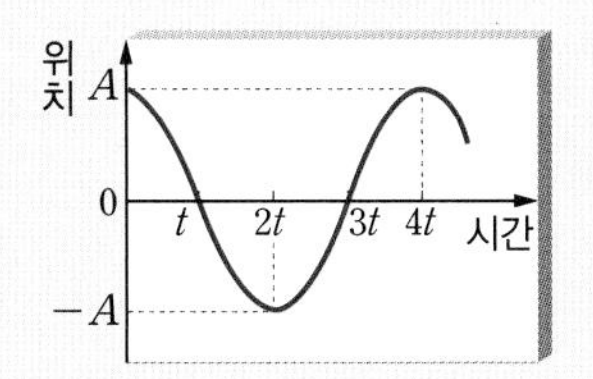

(1) 주기: $T=4t$

(2) 용수철 상수: $T=2\pi\sqrt{\frac{m}{k}}=4t$ ➡ $k=\frac{\pi^2 m}{4t^2}$

(3) 최대 속력: $V=A\omega=\frac{\pi A}{2t}$

(4) 최대 가속도의 크기: $a=A\omega^2=\frac{\pi^2 A}{4t^2}$

❹ 단진동의 속도 - 변위 그래프

그림은 용수철에 매달려 진폭 A로 단진동 하는 질량 m인 물체의 속도와 변위의 관계를 나타낸 것이다.

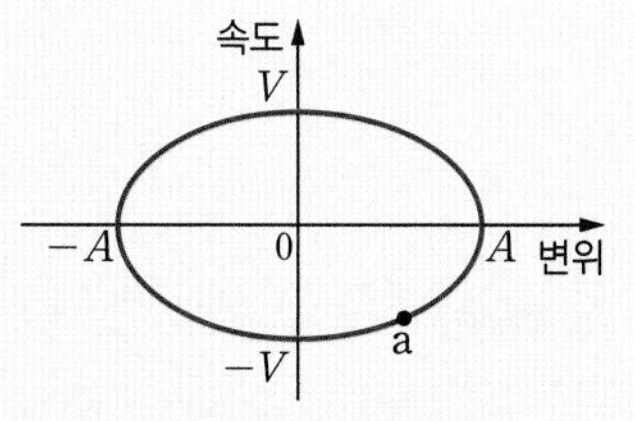

(1) 최대 변위: 가속도가 최대일 때 변위가 최대이다. ➡ A, $-A$

(2) 최대 속도: 가속도가 0일 때 속도가 최대이다. ➡ V, $-V$

(3) a의 운동 상태: 용수철이 늘어난 상태에서 줄어들면서 속력이 증가한다.

(4) 용수철 상수: $\frac{1}{2}kA^2=\frac{1}{2}mV^2$ ➡ $k=\frac{V^2}{A^2}m$

예제

❸ 그림은 동일한 용수철에 각각 연결되어 단진동 하는 물체 A, B의 변위를 시간에 따라 나타낸 것이다.

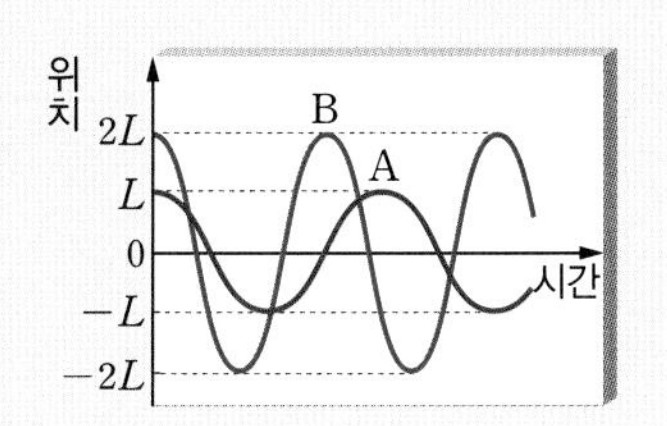

(1) A와 B의 질량을 비교하시오.

(2) A와 B의 최대 가속도의 크기를 비교하시오.

해설 (1) A의 주기가 B보다 크므로 $T=2\pi\sqrt{\frac{m}{k}}$에서 A의 질량이 B보다 크다.

(2) 각진동수$\left(\omega=\frac{2\pi}{T}\right)$와 진폭이 B가 A보다 크므로 $a=A\omega^2$에서 최대 가속도의 크기는 B가 A보다 크다.

정답 (1) A>B (2) A<B

예제

❹ 그림은 수평면에서 용수철 A, B에 매달려 단진동 하는 동일한 물체의 운동량을 각각 단진동의 중심 위치로부터의 변위에 따라 나타낸 것이다.

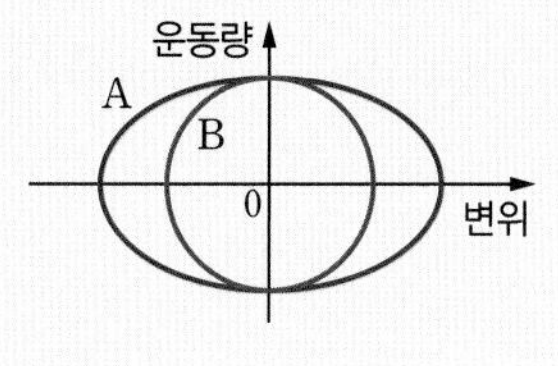

(1) A와 B의 용수철 상수의 크기를 비교하시오.

(2) A와 B에 매달린 물체의 주기를 비교하시오.

해설 (1) A, B의 질량이 같으므로, 변위가 0일 때 A, B의 운동량이 같으면 이 순간 A, B의 최대 속력도 동일하다. 단진동에서 변위가 0일 때 최대 속력 $V=A\omega\cos\omega t=A\omega$이므로, $A_A\omega_A=A_B\omega_B$이다. 그래프에서 진폭은 $A_A>A_B$이므로, $\omega_A<\omega_B$이다. 각진동수 $\omega=\sqrt{\frac{k}{m}}$이므로 용수철 상수는 $k_A<k_B$이다.

(2) $T=2\pi\sqrt{\frac{m}{k}}$에서 용수철 상수가 큰 B의 주기가 A보다 작다.

정답 (1) A<B (2) A>B

유제

> 정답과 해설 195쪽

그림과 같이 반지름이 R인 원을 따라 등속 원운동을 하는 물체에 물체가 운동하는 평면에 평행한 방향으로 빛을 비추면, 스크린에 나타나는 그림자는 단진동을 한다. 이에 대한 설명으로 옳은 것만을 보기에서 있는 대로 고른 것은?

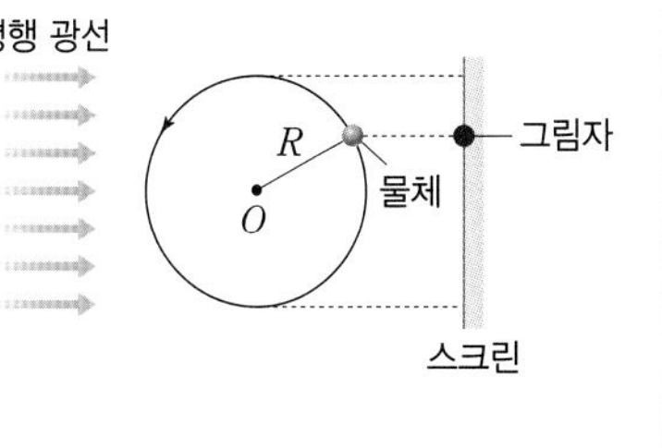

보기
ㄱ. 물체의 속력은 그림자의 최대 속력과 같다.
ㄴ. 물체의 원운동 주기는 그림자의 단진동 주기보다 길다.
ㄷ. 물체의 가속도 크기는 그림자의 최대 가속도 크기와 같다.

① ㄱ　② ㄴ　③ ㄱ, ㄷ　④ ㄴ, ㄷ　⑤ ㄱ, ㄴ, ㄷ

연직면 원운동

놀이 공원의 롤러코스터는 빠른 속력으로 곡선 구간을 달리며 완전히 아래위로 한 바퀴 회전하여 거꾸로 달리는 때도 있다. 롤러코스터가 한 바퀴 회전하여 거꾸로 달려도 떨어지지 않고 안전하게 운행하려면 그 최소 속력이 얼마나 되어야 하는지 연직면에서의 원운동을 분석하여 알아보자.

❶ 연직면에서의 원운동

그림 (가)는 롤러코스터와 같이 연직면으로 놓인 반지름이 r인 원 궤도를 따라 운동하는 질량이 m인 물체를 나타낸 것이고, (나)는 물체가 최하점 Q로부터 θ만큼 회전한 지점을 지날 때 물체에 작용하는 중력 $m\vec{g}$와 궤도가 물체를 떠받치는 수직 항력 $\vec{N}$을 나타낸 것이다.

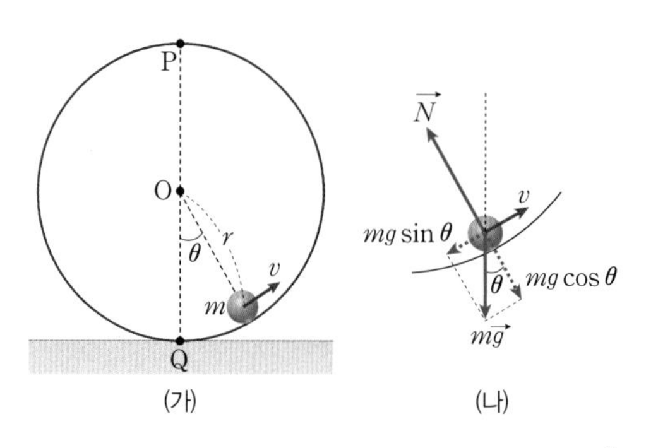

(가) (나)

어느 순간 물체가 v의 속력으로 원 궤도를 따라 운동하려면 원의 중심 방향으로 구심력 $\frac{mv^2}{r}$이 작용해야 한다. 따라서 물체가 받는 수직 항력의 크기는 다음과 같다.

$$N-mg\cos\theta=\frac{mv^2}{r} \Rightarrow N=mg\cos\theta+\frac{mv^2}{r}$$

이것은 물체가 받는 수직 항력이 중력의 원 궤도에 수직인 성분보다 크다는 것을 의미한다.

❷ 최고점과 최하점에서의 속력

물체가 최고점 P를 지날 때 속력이 느려서 구심력이 중력보다 작으면 물체는 원운동을 계속하지 못하고 포물선을 그리며 떨어지게 된다. 물체가 원운동을 계속하려면, $F=\frac{mv^2}{r}\geq mg$가 되어야 하므로, P에서의 최소 속력 v_0은 다음의 조건을 만족해야 한다.

$$\frac{mv_0^2}{r}=mg \cdots\cdots ①$$

물체가 P에서 Q로 높이 $2r$만큼 내려가는 동안 역학적 에너지는 보존되므로 물체의 운동 에너지는 $2mgr$만큼 증가한다. 식 ①에서 $mgr=mv_0^2$이므로, Q에서의 속력 v_1은 다음과 같다.

$$\frac{1}{2}mv_1^2=\frac{1}{2}mv_0^2+2mgr \Rightarrow \frac{1}{2}mv_1^2=\frac{5}{2}mv_0^2 \Rightarrow v_1=\sqrt{5}v_0$$

- 최하점 Q에서 물체에 작용하는 구심력: $F_1=\frac{mv_1^2}{r}=\frac{5mv_0^2}{r}=5mg$
- 최하점 Q에서 궤도가 물체에 작용하는 수직 항력: $N_1=\frac{5mv_0^2}{r}+mg=6mg$

한편, 최하점 Q에서 θ만큼 회전한 지점은 최고점과의 높이차가 $r(1+\cos\theta)$이므로 이때의 속력 v는 다음과 같다.

$$\frac{1}{2}mv^2=\frac{1}{2}mv_0^2+mgr(1+\cos\theta) \Rightarrow v=\sqrt{3+2\cos\theta}\,v_0$$

알짜힘의 방향

연직면으로 놓인 원 궤도를 따라 중력에 의해 운동하는 물체에 작용하는 알짜힘의 방향은 중력과 수직 항력의 합력 방향이고, 줄에 매달린 물체에 작용하는 알짜힘의 방향은 중력과 장력의 합력 방향이다.

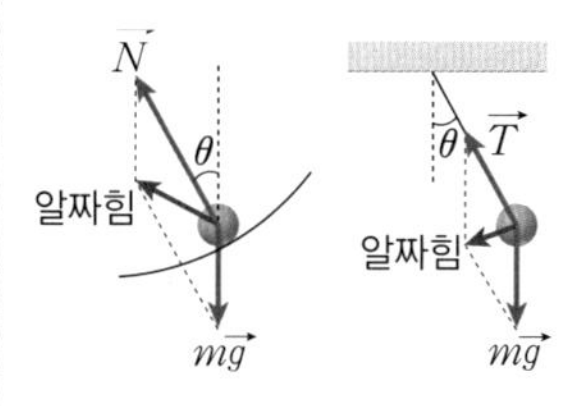

롤러코스터의 최하점에서 느끼는 중력

최고점에서 최소한의 속력으로 회전할 때 최하점에서는 느끼는 중력의 크기는 정지했을 때의 6배이다.

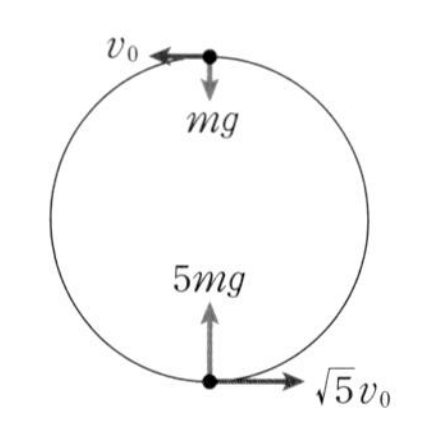

01 등속 원운동과 단진동

❶ 등속 원운동

1. 등속 원운동 물체가 반지름(r)이 일정한 원둘레를 따라 일정한 속력(v)으로 회전하는 운동이다.

• 등속 원운동은 속력은 일정하지만 운동 방향이 계속해서 변하는 가속도 운동이다.

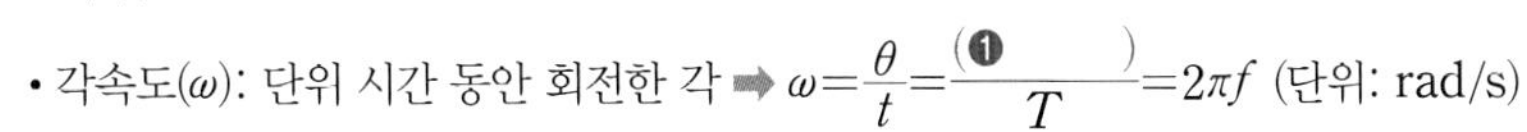

• 각속도(ω): 단위 시간 동안 회전한 각 ➡ $\omega=\dfrac{\theta}{t}=\dfrac{(❶\qquad)}{T}=2\pi f$ (단위: rad/s)

• 주기(T)와 진동수(f): 주기와 진동수는 서로 (❷   ) 관계이다. ➡ $f=\dfrac{1}{T}=\dfrac{v}{2\pi r}=\dfrac{\omega}{2\pi}$

2. 등속 원운동의 이동 거리, 속도의 크기, 가속도의 크기

이동 거리	속도의 크기	구심 가속도의 크기
$s=vt=$(❸)	$v=\dfrac{\Delta s}{\Delta t}=\dfrac{r\Delta\theta}{\Delta t}=$(❹)	$a=\dfrac{v^2}{r}=$(❺)$=\dfrac{4\pi^2r}{T^2}=v\omega$

3. 구심력

• 구심력의 크기: 반지름 r인 원 궤도를 따라 일정한 속력 v로 원운동 하는 질량 m인 물체에 작용하는 구심력의 크기 F는 다음과 같다.

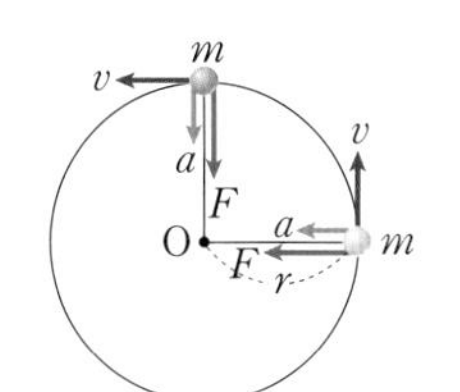

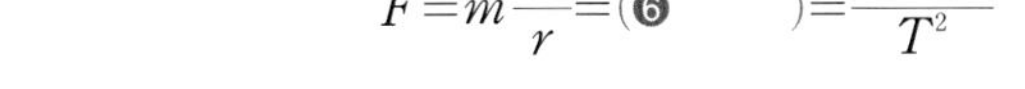

$$F=m\frac{v^2}{r}=(❻\qquad)=\frac{4\pi^2mr}{T^2}$$

• 운동 방향은 원의 (❼   ) 방향이고, 구심력의 방향은 원의 (❽   ) 방향이다.

❷ 단진동

1. 단진동과 등속 원운동 단진동은 변위에 (❾   )하는 복원력이 작용하여 직선상을 주기적으로 왕복하는 물체의 운동으로, 등속 원운동을 지름 방향으로 투영한 것과 같다. 진폭 A, 각속도 ω인 단진동의 변위, 속도, 가속도는 다음과 같다.

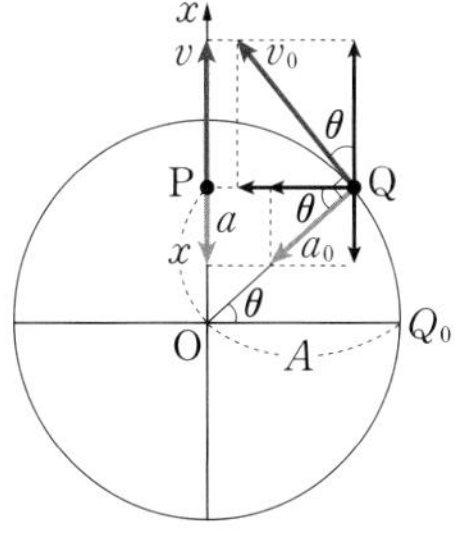

변위	속도	가속도
$x=A\sin\omega t$	$v=A\omega\cos\omega t$	$a=-A\omega^2\sin\omega t=-\omega^2x$

• (❿   ): 단진동 하는 물체에 작용하는 힘으로, 다음과 같이 변위 x의 크기에 비례하고, 변위의 방향과 반대 방향이다. ➡ $F=ma=-m\omega^2x=-kx$ ($k=m\omega^2$: 비례 상수)

• 단진동의 주기: 등속 원운동의 주기 $T=\dfrac{2\pi}{\omega}$와 같으므로 $m\omega^2=k$에서 다음과 같다. ➡ $T=\dfrac{2\pi}{\omega}=$(⓫   )

2. 여러 가지 진자의 주기

• 용수철 진자의 주기: 수평 방향과 연직 방향으로 진동하는 용수철 진자는 평형점에서의 변위 x에 비례하는 복원력 $F=-kx$를 받으며 단진동 하므로, 주기는 물체의 질량 m과 용수철 상수 k에만 관계한다. ➡ $T=\dfrac{2\pi}{\omega}=$(⓬   )

• 단진자의 주기: 실에 물체를 매달고 연직면 내에서 진동하는 단진자의 주기는 실의 길이 l에 따라서만 달라진다. ➡ $T=\dfrac{2\pi}{\omega}=$(⓭   )

01 그림은 수평면에서 등속 원운동을 하는 물체를 $\frac{1}{10}$초 간격으로 찍은 사진이다. 물체의 회전 반지름은 40 cm이다.

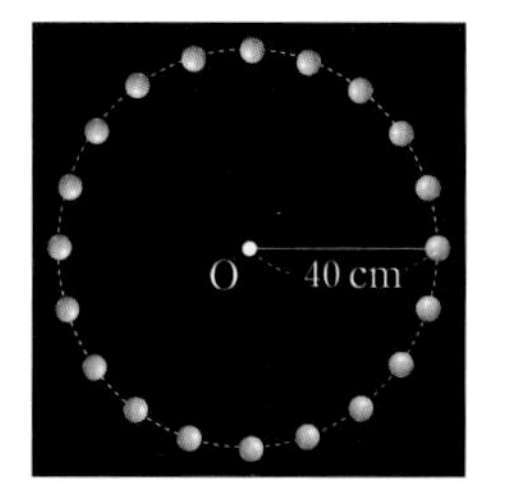

(1) 주기는 몇 초인지 구하시오.

(2) 진동수는 몇 Hz인지 구하시오.

(3) 각속도의 크기는 몇 rad/s인지 구하시오.

(4) 속력은 몇 m/s인지 구하시오.

02 그림과 같이 xy 평면에서 물체 A는 $+x$ 방향의 일정한 속력으로 운동하고, 물체 B는 O를 중심으로 등속 원운동을 한다. A와 B의 속력은 같고, A가 x축에 있는 P에서 Q까지 운동하는 시간은 t이다. B의 각속도의 크기를 구하시오. (단, 물체의 크기는 무시한다.)

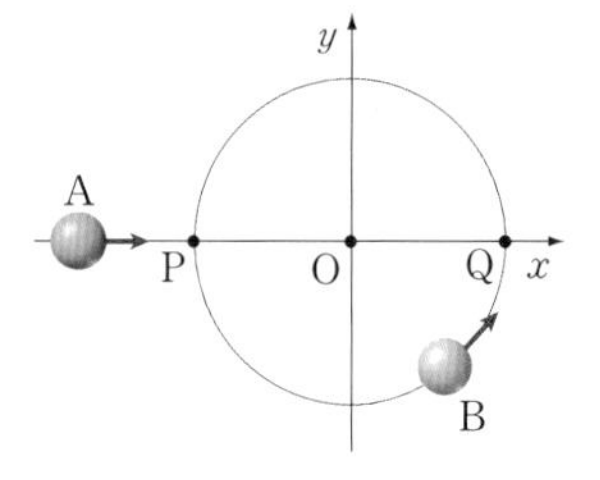

03 그림은 두 물체 A, B가 O를 중심으로 각각 반지름이 $2R$, R인 원 궤도를 따라 등속 원운동을 하는 모습을 나타낸 것이다. A에 대한 B의 속도의 크기는 일정하다.
이에 대한 설명으로 옳은 것만을 보기에서 있는 대로 고르시오.

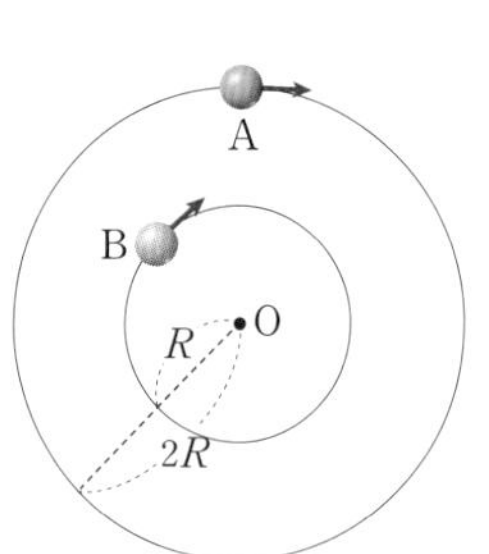

보기
ㄱ. 각속도의 크기는 A가 B보다 크다.
ㄴ. 속력은 A와 B가 서로 같다.
ㄷ. 구심 가속도의 크기는 A가 B의 2배이다.

04 그림과 같이 반지름이 각각 2 m와 3 m인 두 원판이 맞닿아 등속 원운동을 하고 있다. 0초일 때 원판의 가장자리에 고정된 점 a, b가 동시에 기준선과 접하였고, a의 주기는 2초이다.

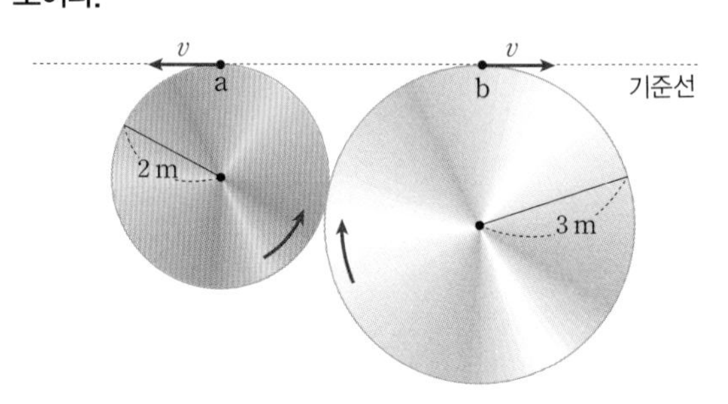

이에 대한 설명으로 옳은 것만을 보기에서 있는 대로 고르시오.

보기
ㄱ. a, b의 속력은 2π m/s이다.
ㄴ. 가속도의 크기는 a가 b의 $\frac{2}{3}$배이다.
ㄷ. a, b는 6초일 때 다시 기준선과 동시에 만난다.

05 그림과 같이 길이 1 m인 실에 질량 0.2 kg인 물체를 매달고 마찰이 없는 수평면상에서 일정한 속력으로 매분 300번씩 회전시킬 때, 이 실이 물체를 잡아당기는 힘의 크기는 몇 N인지 구하시오. (단, 실의 질량, 공기 저항은 무시한다.)

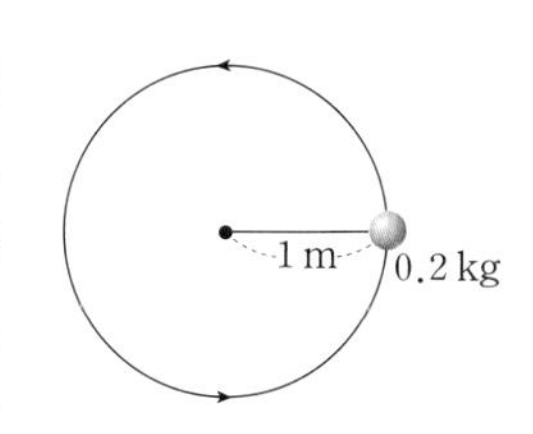

06 원운동을 하는 물체와 물체에 작용하는 구심력이 옳게 짝지어진 것만을 보기에서 있는 대로 고르시오.

보기
ㄱ. 수평면상의 원형 도로를 따라 일정한 속력으로 달리는 자동차 – 마찰력
ㄴ. 지구 주위를 도는 인공위성 – 중력
ㄷ. 원자핵 주위를 회전하는 전자 – 자기력

07 그림과 같이 수평면상에서 반지름 r인 등속 원운동을 하는 물체에 질량 0.1 kg인 추가 정지한 상태로 실에 매달려 있다. 반지름 r를 일정하게 하면서 물체의 속력을 2배로 증가시키려면 질량이 몇 kg인 추를 매달아야 하는지 구하시오. (단, 실의 질량과 모든 마찰과 공기 저항은 무시한다.)

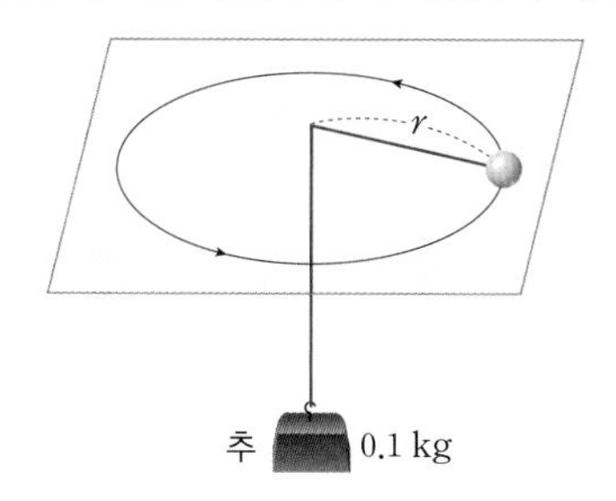

08 그림 (가), (나)와 같이 질량이 각각 m, $2m$인 물체 A, B가 마찰이 없고 수평인 실험대의 구멍을 지나는 실로 연결되어 있다. (가)에서 A는 구멍을 중심으로 속력 v_A, 반지름 r인 등속 원운동을 하고, B는 정지한 상태로 실에 매달려 있다. (나)에서 B는 속력 v_B, 반지름 r인 등속 원운동을 하고, A는 정지한 상태로 실에 매달려 있다.

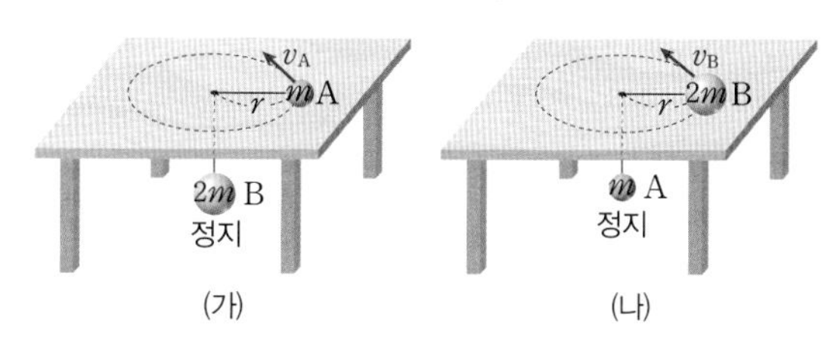

$v_A : v_B$를 구하시오. (단, A와 B의 크기, 실의 질량, 모든 마찰과 공기 저항은 무시한다.)

09 그림과 같이 길이 l인 실의 위를 고정하고 아래쪽에 질량 m인 추를 매달아 수평면에서 등속 원운동을 시켰다. 이때 실은 연직과 각 θ를 이룬다. (단, 중력 가속도는 g이고, 실의 질량과 공기 저항은 무시한다.)

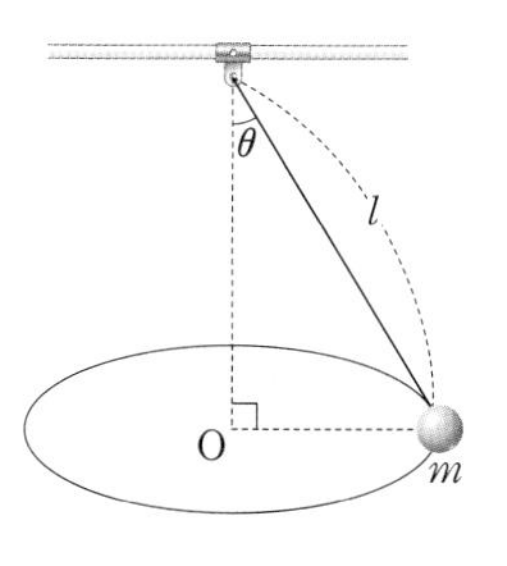

(1) 실의 장력의 크기와 구심력의 크기를 구하시오.

(2) 각속도의 크기를 구하시오.

(3) 추의 원운동 주기를 구하시오.

10 반지름 6 m, 각속도 $\frac{\pi}{6}$ rad/s로 등속 원운동을 하고 있는 물체가 있다. 물체가 운동하는 면에 평행한 방향으로 평행 광선을 비추면 스크린에 나타난 물체의 그림자가 단진동을 하는 것으로 보이고, 0초일 때 그림자가 단진동의 중심점에 위치한다.

(1) 1초일 때 중심점으로부터 그림자의 변위는 몇 m인지 구하시오.

(2) 2초일 때 그림자의 속도는 몇 m/s인지 구하시오.

(3) 3초일 때 그림자의 가속도는 몇 m/s²인지 구하시오.

11 그림은 용수철에 질량 1 kg인 추를 매달아 수평 방향으로 단진동 시킬 때 추의 변위와 시간의 관계를 나타낸 것이다.

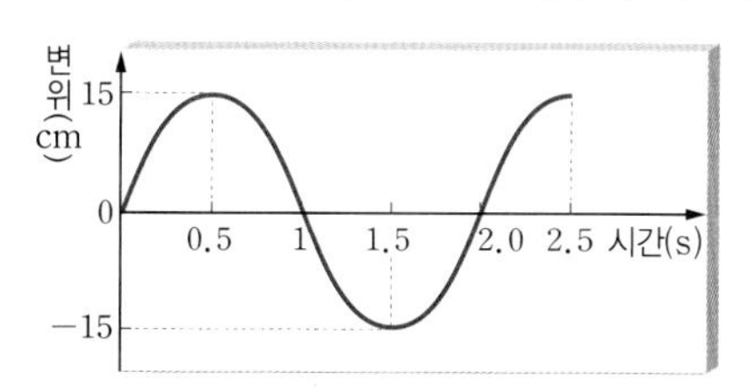

(1) 단진동 하는 추의 변위 y(m)와 시간 t(s)의 관계식을 구하시오.

(2) 용수철 상수는 몇 N/m인지 구하시오.

12 그림은 용수철에 매달려 수평 방향으로 단진동 하는 질량 0.5 kg인 물체의 변위 x에 따른 알짜힘 F를 나타낸 것이다.

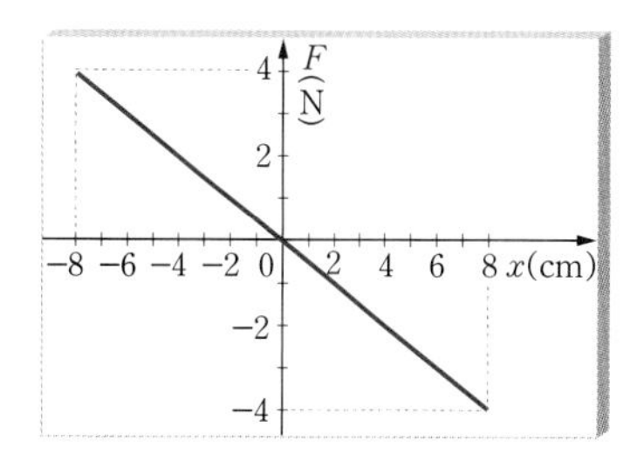

(1) 용수철 상수는 몇 N/m인지 구하시오.

(2) 이 물체의 주기는 몇 초인지 구하시오.

01

> 등속 원운동

그림은 길이가 d인 줄 3개로 연결된 질량이 m으로 같은 물체 A, B, C가 수평면상에서 O를 중심으로 일정한 각속도 ω로 등속 원운동 하는 것을 나타낸 것이다.

이에 대한 설명으로 옳은 것만을 보기에서 있는 대로 고른 것은? (단, 물체의 크기와 줄의 질량, 모든 마찰과 공기 저항은 무시한다.)

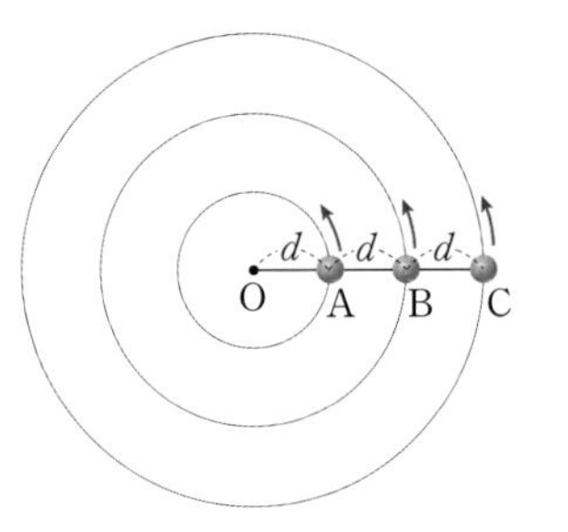

보기

ㄱ. 속력은 C가 A의 3배이다.

ㄴ. 가속도의 크기는 B가 A의 2배이다.

ㄷ. O와 A 사이에 연결된 줄의 장력은 $6md\omega^2$이다.

① ㄱ ② ㄴ ③ ㄷ ④ ㄴ, ㄷ ⑤ ㄱ, ㄴ, ㄷ

• A, B, C에 작용하는 알짜힘의 크기는 각각 $md\omega^2$, $2md\omega^2$, $3md\omega^2$이다.

02

> 등속 원운동

그림은 질량 m인 물체가 막대에 연결되어 연직면상에서 O를 중심으로 반지름 r, 속력 v로 등속 원운동 하는 것을 나타낸 것이다. A, B는 각각 원운동 궤도의 최고점과 최저점이고, $\frac{mv^2}{r} > mg$이다.

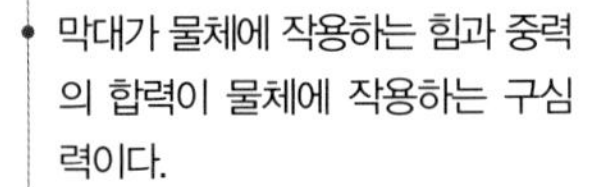
• 막대가 물체에 작용하는 힘과 중력의 합력이 물체에 작용하는 구심력이다.

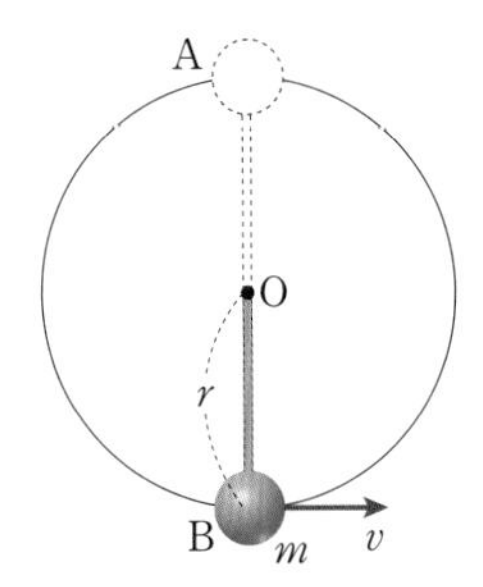

이 물체에 대한 설명으로 옳은 것만을 보기에서 있는 대로 고른 것은? (단, 중력 가속도는 g이고, 막대의 질량과 공기 저항은 무시한다.)

보기

ㄱ. 가속도의 크기는 A에서가 B에서보다 크다.

ㄴ. 막대가 작용하는 힘의 크기는 B에서가 A에서보다 $2mg$만큼 크다.

ㄷ. A, B에서 역학적 에너지는 같다.

① ㄱ ② ㄴ ③ ㄱ, ㄷ ④ ㄴ, ㄷ ⑤ ㄱ, ㄴ, ㄷ

03

> 등속 원운동

그림은 경사각이 일정한 원형의 실험 장치에서 질량이 같은 두 물체 A, B가 반지름이 각각 r_1, r_2인 원을 따라 등속 원운동을 하는 것을 나타낸 것이다.

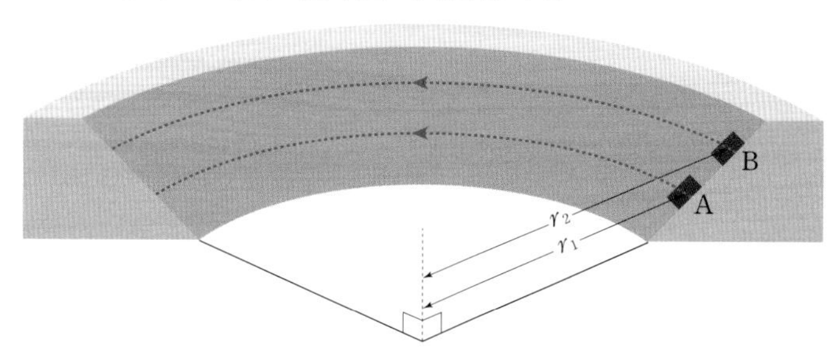

A, B의 구심 가속도의 크기 비($a_A : a_B$)와 속력의 비($v_A : v_B$)를 옳게 짝 지은 것은? (단, 모든 마찰은 무시한다.)

	$a_A : a_B$	$v_A : v_B$
①	$1:1$	$\sqrt{r_1} : \sqrt{r_2}$
②	$1:1$	$\sqrt{r_2} : \sqrt{r_1}$
③	$r_1 : r_2$	$\sqrt{r_1} : \sqrt{r_2}$
④	$r_2 : r_1$	$\sqrt{r_2} : \sqrt{r_1}$
⑤	$r_1 : r_2$	$r_2 : r_1$

• 중력과 빗면이 물체를 받쳐 주는 수직 항력의 합력이 물체에 작용하는 알짜힘이다. 구심력이 같을 때 속력은 $v \propto \sqrt{r}$이다.

04

> 등속 원운동

그림은 길이 l인 실에 매달려 수평으로 등속 원운동을 하는 레이저 포인터와 수평 바닥에 비친 레이저 포인터 빛의 이동 경로를 나타낸 것이다. 실과 연직 방향이 이루는 각은 θ이다.

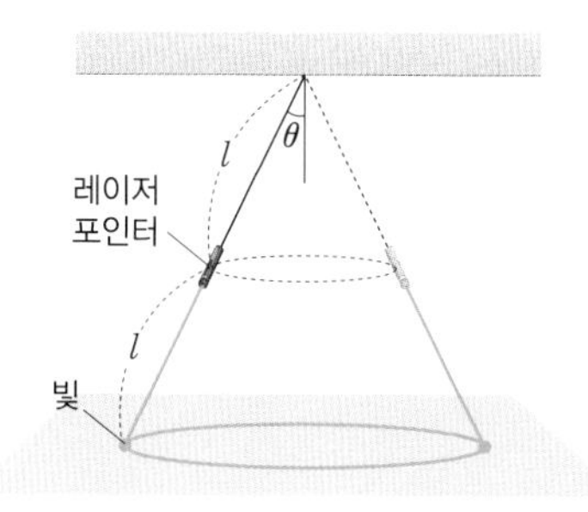

이에 대한 설명으로 옳은 것만을 보기에서 있는 대로 고른 것은? (단, 중력 가속도는 g이고, 실의 질량, 레이저 포인터의 크기는 무시한다.)

보기

ㄱ. 레이저 포인터의 각속도의 크기는 $\sqrt{\dfrac{g}{l\cos\theta}}$이다.

ㄴ. 레이저 포인터의 속력은 $\sqrt{gl\tan\theta\sin\theta}$이다.

ㄷ. 바닥에 비친 빛의 가속도 크기는 $g\sin\theta$이다.

① ㄴ ② ㄷ ③ ㄱ, ㄴ ④ ㄱ, ㄷ ⑤ ㄴ, ㄷ

• 실의 장력과 중력의 합력이 레이저 포인터의 구심력이다. 레이저 포인터와 빛은 각속도는 같고, 회전 반지름은 빛이 레이저 포인터의 2배이다.

05

› 등속 원운동

그림은 일정한 각속도로 회전하는 원판 위의 p점으로부터 높이 h인 곳에서 물체를 가만히 놓은 것을 나타낸 것이다. 물체를 가만히 놓은 순간부터 물체가 p에 충돌할 때까지 p는 한 바퀴 회전하였다. p의 회전 반지름은 r이다.

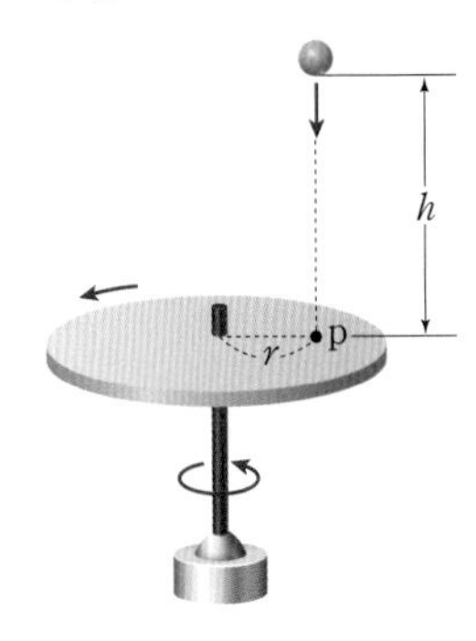

p의 가속도의 크기는? (단, 중력 가속도는 g이고, 공기 저항은 무시한다.)

① $\frac{\pi^2 rg}{4h}$ ② $\frac{\pi^2 rg}{2h}$ ③ $\frac{\pi^2 rg}{h}$

④ $\frac{2\pi^2 rg}{h}$ ⑤ $\frac{4\pi^2 rg}{h}$

• 물체가 낙하하는 높이는 $h=\frac{1}{2}gt^2$이고 p가 한 바퀴 도는 동안 이동한 거리는 $2\pi r$이다.

06

› 등속 원운동

그림은 마찰이 없는 수평면에서 용수철에 연결된 질량 m인 물체가 각속도 ω로 반지름 R인 등속 원운동을 하는 것을 나타낸 것이다. 용수철이 평형 위치로부터 늘어난 길이는 L이다.

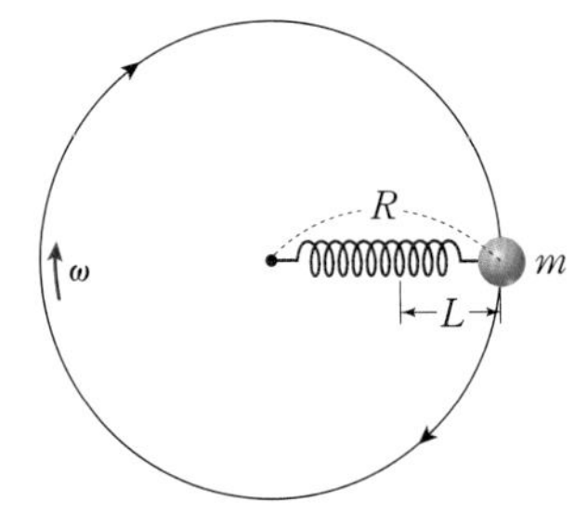

이 물체에 대한 설명으로 옳은 것만을 보기에서 있는 대로 고른 것은? (단, 용수철의 질량, 물체의 크기, 공기 저항은 무시한다.)

보기

ㄱ. 구심력의 크기는 $mR\omega^2$이다.

ㄴ. 용수철 상수는 $\frac{mR\omega^2}{L}$이다.

ㄷ. 용수철과 물체가 같고 각속도가 2배가 되면 L의 크기는 4배가 된다.

① ㄱ ② ㄷ ③ ㄱ, ㄴ ④ ㄴ, ㄷ ⑤ ㄱ, ㄴ, ㄷ

• 탄성력이 구심력이므로 $kL=mR\omega^2$이다.

고난도

07 > 단진동

그림 (가)는 질량이 각각 m, $2m$인 두 물체 A, B가 용수철 상수가 각각 k_A, k_B인 두 용수철에 연결되어 마찰이 없는 수평면상에서 각각 단진동 하는 것을 나타낸 것이고, (나)는 A, B의 변위를 시간에 따라 나타낸 것이다.

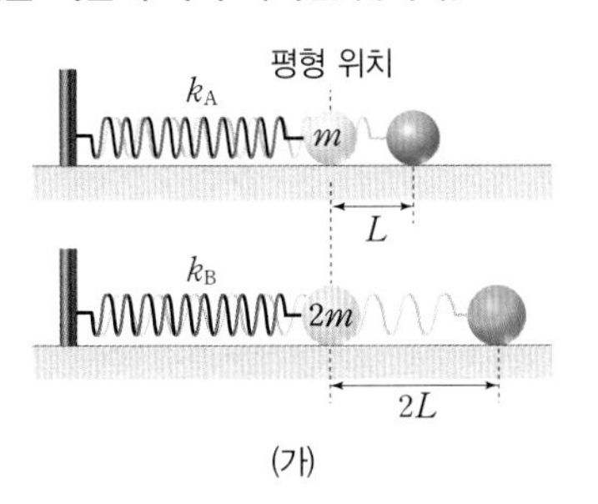

(가)

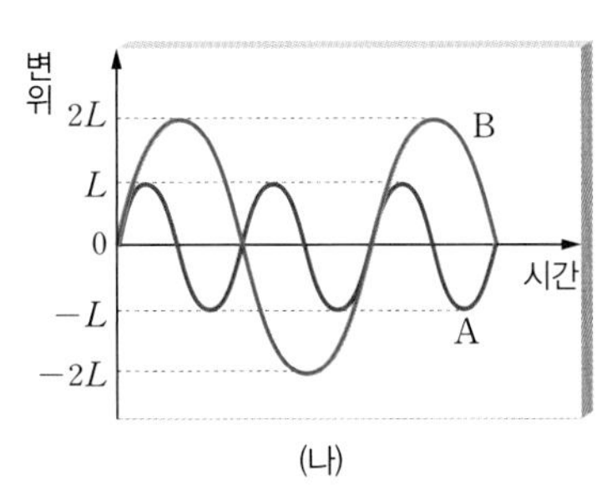

(나)

A의 물리량이 B의 2배인 것만을 보기에서 있는 대로 고른 것은? (단, 용수철의 질량, 물체의 크기, 공기 저항은 무시한다.)

보기
ㄱ. 용수철 상수
ㄴ. 가속도 크기의 최댓값
ㄷ. 속력의 최댓값

① ㄱ ② ㄴ ③ ㄷ ④ ㄱ, ㄴ ⑤ ㄴ, ㄷ

• 단진동의 주기 $T=2\pi\sqrt{\frac{m}{k}}$이고, 가속도 크기의 최댓값은 단진동의 변위가 최대일 때이다. 운동 에너지의 최댓값은 탄성 퍼텐셜 에너지의 최댓값과 같다.

08 > 단진동

그림 (가), (나)는 수평면과 빗면 위에서 한쪽이 고정된 동일한 용수철에 질량이 같은 물체 A, B를 각각 연결하고 손으로 밀고 있는 것을 나타낸 것이다. 이때 압축 상태의 용수철의 길이는 l로 같다. 밀고 있던 손을 치웠더니 A, B는 각각 단진동 하였다.

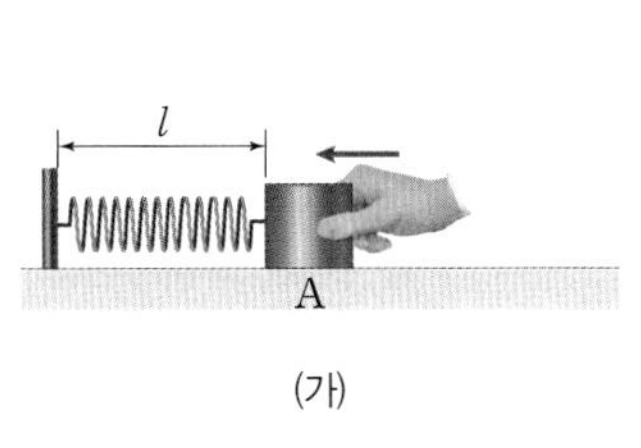

(가)

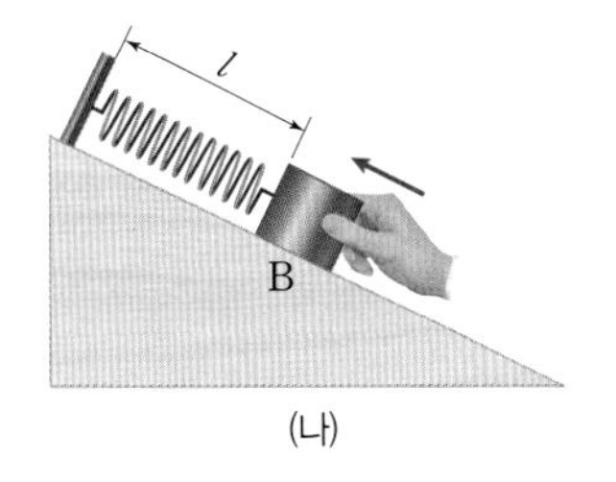

(나)

A와 B의 운동에 대한 설명으로 옳은 것만을 보기에서 있는 대로 고른 것은? (단, 용수철의 질량과 모든 마찰, 공기 저항은 무시한다.)

보기
ㄱ. A의 주기와 B의 주기는 같다.
ㄴ. A의 진폭은 B의 진폭보다 크다.
ㄷ. 진동 중심에서 A의 속력과 B의 속력은 같다.

① ㄱ ② ㄷ ③ ㄱ, ㄴ ④ ㄴ, ㄷ ⑤ ㄱ, ㄴ, ㄷ

• 용수철에 매달린 물체는 중력에 관계없이 같은 주기로 단진동 한다. 중력이 있을 때 단진동의 중심은 탄성력과 중력이 평형을 이루는 지점이다.

02 행성의 운동

학습 Point 케플러 법칙 > 만유인력 법칙 > 만유인력과 중력 > 인공위성의 운동

1 케플러 법칙

옛날 사람들은 태양이나 달, 별들이 지구 주위를 회전한다는 천동설을 믿었다. 그러나 정밀한 천체 관측을 통해 지구가 태양 주위를 회전한다는 지동설을 과학적으로 설명하는 케플러 법칙이 발견되었고, 이는 곧 뉴턴이 행성의 운동과 관련된 힘의 비밀을 푸는 단서가 되었다.

1. 케플러 법칙의 의의

중세 시대에 코페르니쿠스가 지구와 행성들이 태양을 중심으로 돈다는 지동설(태양 중심설)을 주장한 이후, 태양과 그 외 모든 천체들이 지구를 중심으로 돈다는 천동설(지구 중심설)과 지동설은 많은 논쟁을 낳았다. 덴마크의 천문학자 티코 브라헤는 행성의 위치를 정확하게 관측함으로써 이러한 논쟁이 해결될 수 있다고 믿었다. 티코 브라헤의 이러한 시도는 철학적 믿음을 바탕으로 우주의 현상을 설명하려던 당시로서는 매우 혁신적인 생각이었다. 그는 맨눈으로 행성의 운동을 놀라울 정도로 정밀하게 관측한 후 천동설과 지동설을 절충한 모형을 제기하였지만 인정받지 못했다. 이후 케플러는 수십 년 동안 티코 브라헤가 관측한 자료를 분석하여 행성의 운동에 대한 세 가지 규칙성을 발견하였으며, 이러한 케플러의 발견은 뉴턴이 만유인력 법칙을 발견하는 데 매우 중요한 역할을 하였다.

코페르니쿠스(Copernicus, N., 1473~1543)
폴란드의 천문학자로, 맨눈으로 천체를 관측하여 지동설(태양 중심설)을 제창하였다. '천구의 회전에 관하여'를 저술하였다.

케플러(Kepler, J., 1571~1630)
독일의 천문학자로, 튀빙겐 대학에서 미하일 매스트린 교수로부터 지동설을 접했다. 신교가 박해를 당하게 되자 프라하로 가서 티코 브라헤(덴마크의 천문학자)의 조수가 된다.

2. 케플러 법칙

케플러가 발표한 행성의 운동 법칙, 간단히 케플러 법칙은 태양계 행성의 운동에 대한 물리학 법칙으로, 다음과 같은 세 가지로 구성되어 있다.

(1) **케플러 제1법칙(타원 궤도 법칙):** 행성의 궤도는 그동안 알려진 것과 같이 기하학적으로 완벽한 원이 아니라 타원이라는 새로운 이론을 내세웠는데, 이것을 타원 궤도 법칙 또는 궤도 법칙이라고 한다.

> 타원 궤도 법칙: 행성은 태양을 한 초점으로 하는 타원 궤도를 그리면서 공전한다.

① 타원: 평면 위의 두 점으로부터 거리의 합이 일정한 점들의 집합으로, 이 두 점을 초점이라고 한다.

- 긴반지름(a): 두 초점으로부터의 거리 차가 최대인 A와 B를 이은 선분의 절반을 긴반지름이라고 한다.
- 짧은반지름(b): 두 초점과 같은 거리에 있는 C와 D를 이은 선분의 절반을 짧은반지름이라고 한다.

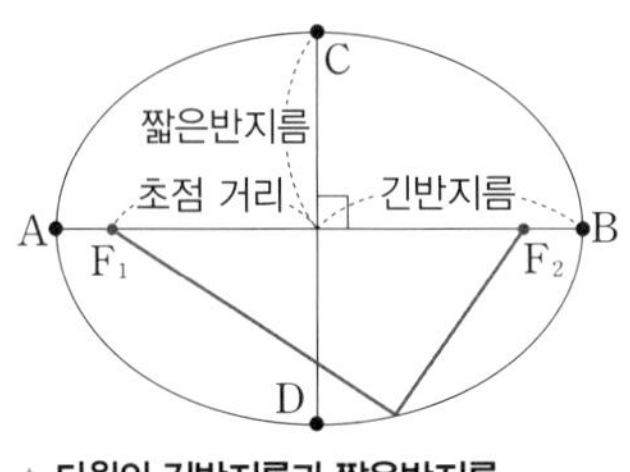

▲ 타원의 긴반지름과 짧은반지름

타원 그리기
그림과 같이 두 초점에 실을 고정하고 연필로 실이 팽팽한 상태가 되도록 잡아당겨 그림을 그리면 타원이 된다.

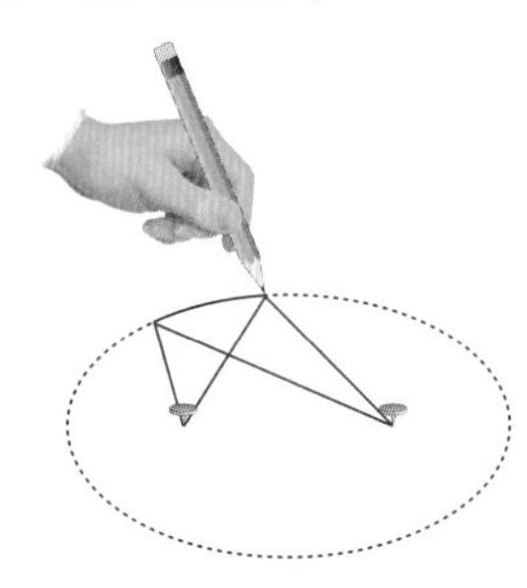

② 케플러 제1법칙과 행성의 궤도

행성은 태양을 한 초점으로 하는 타원 궤도를 따라 돌며, 나머지 한 초점은 빈 공간에 있다. 행성의 궤도에서 태양으로부터의 거리가 가장 가까운 점을 근일점이라고 하며, 태양에서 가장 먼 지점을 원일점이라고 한다.

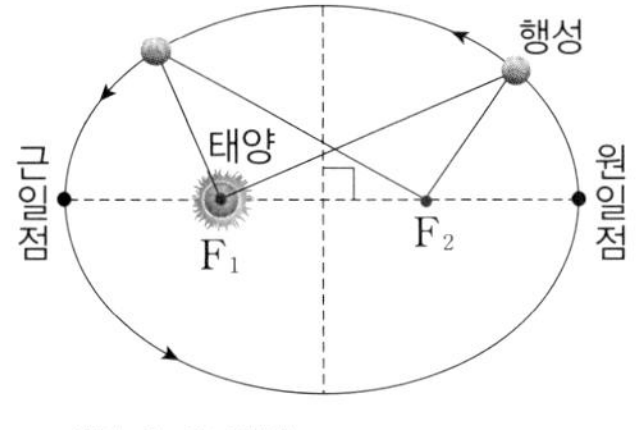

▲ 케플러 제1법칙

(2) 케플러 제2법칙(면적 속도 일정 법칙)

면적 속도 일정 법칙: 행성과 태양을 연결하는 선분이 같은 시간 동안 쓸고 지나가는 면적은 항상 같다.

① 오른쪽 그림과 같이 같은 시간 동안 근일점 근처에서 태양과 행성을 잇는 직선이 쓸고 간 면적을 S_1, 원일점 근처에서 쓸고 간 면적을 S_2라 할 때, 두 면적이 같아지려면 근일점 근처에서 행성이 이동한 거리가 원일점보다 커야 된다. 따라서 행성의 속력은 근일점 근처에서는 빠르고, 원일점 근처에서는 느리다.

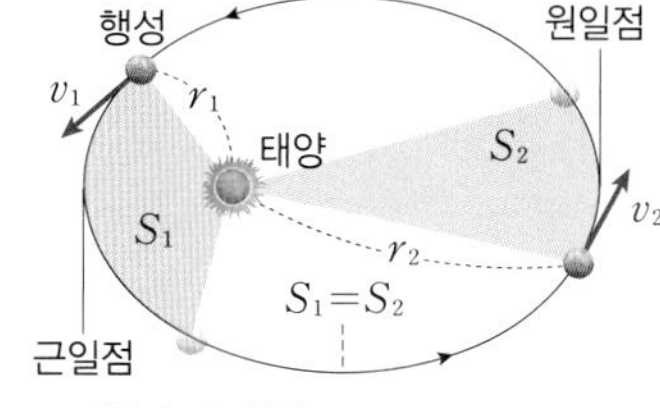

▲ 케플러 제2법칙

② 태양과 행성을 연결한 거리가 각각 r_1, r_2일 때 공전 속력이 각각 v_1, v_2라면 다음의 관계식이 성립한다.

$$r_1v_1=r_2v_2=\text{일정}$$

(3) 케플러 제3법칙(조화 법칙)

조화 법칙: 행성의 공전 주기의 제곱은 타원 궤도 긴반지름의 세제곱에 비례한다.

케플러는 태양으로부터 각 행성까지의 거리와 각 행성이 태양을 도는 데 필요한 시간을 나타내는 표를 보고 있다가 행성의 공전 주기 T와 공전 궤도의 긴반지름 a 사이에 다음과 같은 관계가 있음을 알아냈다.

$$T^2 \propto a^3$$

이것을 조화 법칙 또는 주기의 법칙이라고 한다. 이 법칙으로부터 근대 과학의 기본이 되는 뉴턴의 만유인력 법칙이 나오게 되었다.

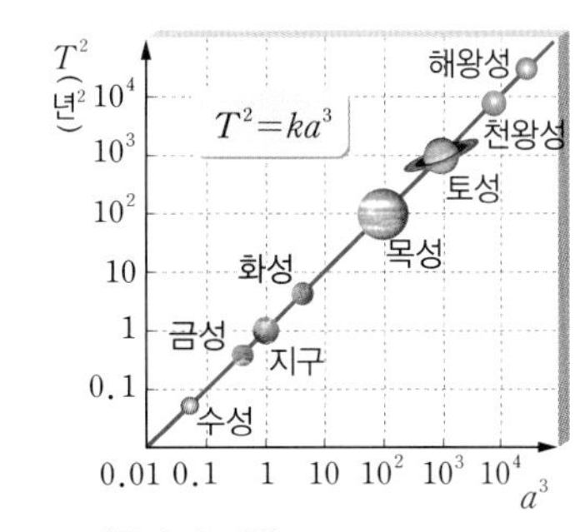

▲ 케플러 제3법칙

예제

지구는 공전 궤도의 긴반지름이 1 AU(=1.5×10^8 km)이고, 1년에 1번 공전한다. 만일 공전 궤도의 긴반지름이 4 AU인 행성이 있다면, 이 행성은 1번 공전하는 데 몇 년이 걸리겠는가?

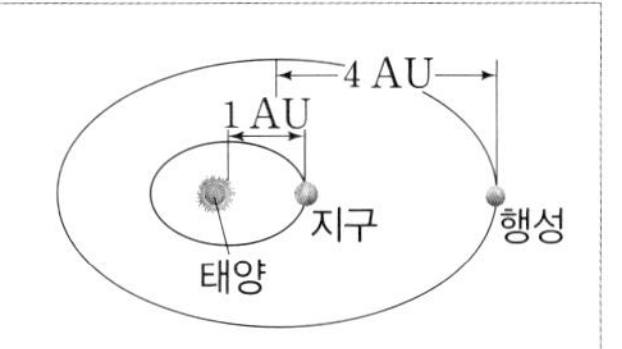

해설 케플러 제3법칙에 의해 $\frac{(1\text{년})^2}{(1\ \text{AU})^3}=\frac{T^2}{(4\ \text{AU})^3}$이므로 $T=8$년이다.

정답 8년

행성 공전 궤도의 이심률(e)

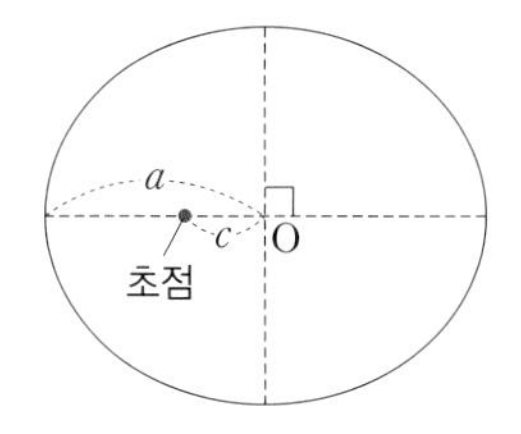

이심률 $e=\frac{c}{a}$로, $e=0$이면 원, $0<e<1$이면 타원을 의미한다. 태양계 행성들의 이심률은 다음 표와 같으며, 이심률이 작을수록 행성의 공전 궤도는 원 궤도에 더 가까워진다.

행성	긴반지름 (×10^8 km)	이심률
수성	0.579	0.205
금성	1.08	0.007
지구	1.50	0.017
화성	2.28	0.094
목성	7.78	0.049
토성	14.3	0.057
천왕성	28.7	0.046
해왕성	45.0	0.011

[출처: 미국항공우주국(NASA)]

행성의 긴반지름과 공전 주기의 관계

행성	공전 주기 (일)	$\frac{(\text{공전 주기})^2}{(\text{긴반지름})^3}$ (×10^{-29} 일^2/m^3)
수성	88.0	3.99
금성	224.7	3.99
지구	365.2	3.98
화성	687.0	3.99
목성	4331	3.97
토성	10747	3.92
천왕성	30589	3.95
해왕성	59800	3.94

[출처: 미국항공우주국(NASA)]

2 만유인력 법칙

1687년 이전까지 행성의 운동에 대한 수많은 관측 자료가 쌓였음에도 불구하고 행성이 이러한 운동을 하는 원인이 무엇인지 설명할 수 없었다. 그러나 그 해에 뉴턴이 행성들의 움직임을 지배하는 힘이 사과를 땅으로 떨어뜨리는 힘과 다르지 않다는 것을 보임으로써, 인류는 중력에 대해 한 단계 더 이해할 수 있게 되었다.

1. 뉴턴의 만유인력 법칙

뉴턴은 케플러 법칙을 분석하여 태양과 행성 사이에 인력이 작용함을 짐작할 수 있었다. 즉, 행성에 가해지는 힘은 태양을 향하는 방향으로 작용하며, 이 힘은 태양으로부터 멀어질수록 작아진다는 것이다. 이는 우주에 존재하는 물체의 운동을 관장하는 만유인력 법칙을 발견하게 된 계기가 되었다.

뉴턴(Newton, I., 1642~1727)
영국의 물리학자, 수학자. 만유인력 법칙, 빛의 스펙트럼 분석, 미적분학을 발견하였다.

(1) 만유인력 법칙의 유도

행성은 태양 주위를 회전하고 있기 때문에 이 회전 운동에 필요한 힘인 구심력을 태양으로부터 받고 있음을 알 수 있다. 태양계에 있는 행성의 타원 궤도는 이심률이 작아 원 궤도로 볼 수 있으므로, 행성의 구심력을 구하기 위해 행성이 등속 원운동을 한다고 가정하고, 그림과 같이 원 궤도의 반지름을 r, 행성의 공전 주기를 T, 행성의 질량을 m이라고 하면, 행성에 작용하는 구심력의 크기 F는 다음과 같다.

$$F=mr\omega^2=mr\left(\frac{2\pi}{T}\right)^2$$

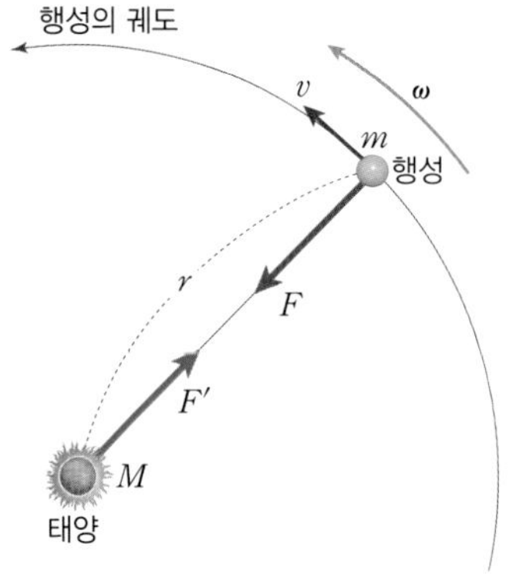

▲ 태양과 행성 사이에 작용하는 만유인력

케플러 제3법칙에서 비례 상수를 k라고 하면 $T^2=kr^3$이므로, 이 값을 위 식에 대입하면

- 태양이 행성을 끌어당기는 힘: $F=\dfrac{4\pi^2 m}{kr^2}$

이 된다. 즉, 행성이 태양으로부터 받는 구심력의 크기는 행성의 질량(m)에 비례하고, 태양과 행성 사이 거리의 제곱(r^2)에 반비례한다. 한편, 태양의 질량을 M이라 하면, 행성이 태양을 끌어당기는 힘의 크기 F'도 이와 같이 생각할 수 있다.

- 행성이 태양을 끌어당기는 힘: $F'=\dfrac{4\pi^2 M}{k'r^2}$

두 힘은 작용 반작용 관계로 크기가 같으므로, $\dfrac{4\pi^2 m}{kr^2}=\dfrac{4\pi^2 M}{k'r^2}$이 된다. 새로운 비례 상수 G를 사용하여 질량 M에 비례하는 $\dfrac{4\pi^2}{k}=GM$으로 나타내면, 행성과 태양 사이의 인력의 크기 F는 다음과 같이 나타낼 수 있다.

$$F=G\frac{mM}{r^2}$$

뉴턴은 태양과 행성 사이에 작용하는 인력이 두 천체의 질량과 거리에 의해서만 결정되므로, 어떤 특정한 천체에 한정되는 것이 아니라 질량이 있는 모든 두 물체 사이에 작용한다고 생각했다. 뉴턴은 위 식의 적용 범위를 확장하여, 1687년에 만유인력 법칙을 발표하였다.

(2) 만유인력 법칙(뉴턴 중력 법칙)

질량을 가진 두 물체 사이에는 물체를 잇는 선분 방향으로 서로 잡아당기는 힘(인력)이 작용하며, 이 힘의 크기는 두 물체의 질량 m, M의 곱에 비례하고 두 물체 사이의 거리 r의 제곱에 반비례한다.

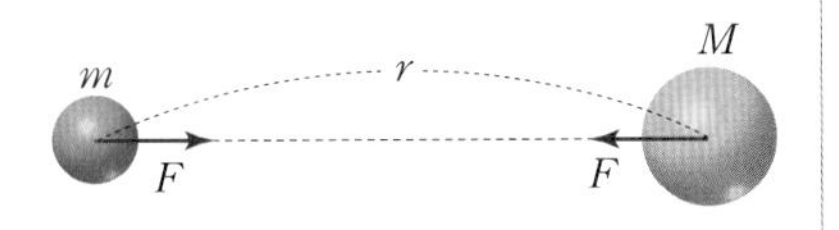

$$F=G\frac{mM}{r^2}\ (\text{만유인력 상수 } G=6.67\times10^{-11}\ \text{N}\cdot\text{m}^2/\text{kg}^2)$$

위 식에서 비례 상수 G는 모든 물체에 적용되는 공통적인 상수로 만유인력 상수(또는 중력 상수)라고 한다.

(3) 만유인력 상수의 측정

만유인력 상수 G는 천문 관측만으로 구할 수 없다. 천체의 질량과 천체 사이의 거리를 정확하게 알 수 없기 때문이다. 따라서 질량과 물체 상호 간의 거리를 정확히 알고 있는 두 물체 사이에서 만유인력 상수를 구할 수 있다. 뉴턴은 지구의 평균 밀도와 반지름을 통해 지구 질량을 추정한 후 중력 가속도를 이용하여 만유인력 상수를 근삿값으로 계산하였다. 100년 후 캐번디시는 비틀림 저울 실험을 통해 더 정확한 만유인력 상수 G를 구할 수 있었다. 캐번디시의 실험은 다음과 같다.

캐번디시의 실험 방법
캐번디시는 공기 흐름의 영향을 피하기 위해 실험실 밖에서 두 손잡이를 이용하여 실험실 안에 있는 납 공 사이의 거리를 조절하였다.

① 1.8 m 길이의 막대를 금속 줄에 매달고, 막대 양 끝에는 각각 지름이 51 mm, 질량이 0.73 kg인 납덩어리를 달아 놓는다.

② 막대를 매단 금속 줄에는 거울을 달고, 막대가 회전하는 정도를 측정할 수 있게 거울에 빛을 쏘아 반사되는 빛의 변위를 측정할 수 있게 한다.

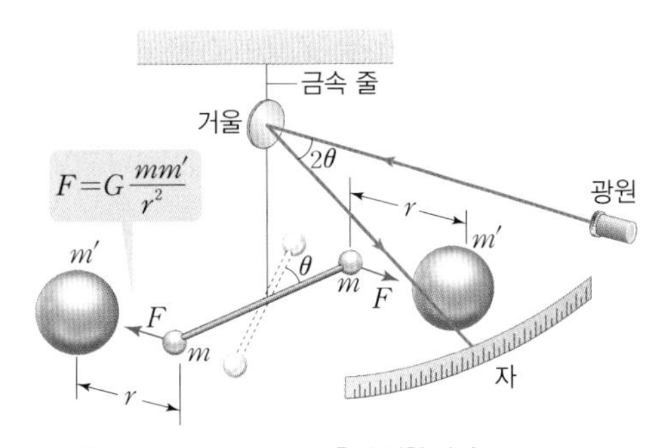

▲ 캐번디시의 만유인력 상수 측정 실험 장치

③ 막대에 달린 납덩어리에 지름이 300 mm, 질량이 158 kg인 큰 납덩어리를 230 mm 정도로 접근시키면 막대가 회전하게 되고, 이때 미리 측정해 놓은 금속 줄의 비틀림 상수를 이용하여 작은 납덩어리와 큰 납덩어리 사이의 인력을 측정한다. 당시 캐번디시가 측정한 만유인력 상수는 $6.76\times10^{-11}\ \text{N}\cdot\text{m}^2/\text{kg}^2$으로, 현재 알려진 만유인력 상수 값과 1.3 %의 오차를 보였다.

예제

캐번디시의 만유인력 상수 측정 실험에서 서로 230 mm 떨어져 있는 질량 158 kg인 큰 납덩어리와 질량 0.73 kg인 작은 납덩어리 사이에 작용하는 만유인력의 크기를 만유인력 상수를 이용해서 구하시오. (단, 만유인력 상수 $G=6.67\times10^{-11}\ \text{N}\cdot\text{m}^2/\text{kg}^2$이다.)

해설 $F=G\frac{Mm}{r^2}$에서 $M=158$ kg, $m=0.73$ kg, $r=0.23$ m를 대입한다.

$$F=6.67\times10^{-11}\ \text{N}\cdot\text{m}^2/\text{kg}^2\times\frac{158\ \text{kg}\times0.73\ \text{kg}}{(0.23\ \text{m})^2}\fallingdotseq1.45\times10^{-7}\ \text{N}$$

정답 약 1.45×10^{-7} N

2. 만유인력과 중력

지표면 근처에서 물체가 받는 중력은 지구가 물체를 끌어당기는 만유인력으로 계산할 수 있다. 앞에서 태양과 행성은 충분히 멀리 떨어져 있으므로 둘을 입자로 다룰 수 있지만, 이 경우는 그렇지 않다. 물체는 지구의 각 부분으로부터 만유인력을 받으며, 이 힘을 모두 합성한 힘이 물체가 받는 중력이 된다. 그러나 지구를 밀도가 균일한 구라고 가정하면, 물체가 받는 중력은 마치 모든 지구의 질량이 구의 중심에 모여 있을 때와 같이 계산할 수 있다. 따라서 지구가 질량 M, 반지름 R인 밀도가 균일한 구라고 가정할 때, 지표면에서 높이 h에 있는 질량이 m인 물체가 받는 중력의 크기는

$$F=G\frac{Mm}{r^2}=G\frac{Mm}{(R+h)^2}$$

이고, 물체가 지표면 근처에 있으면 h가 R보다 매우 작으므로 중력의 크기는 다음과 같다.

$$F=G\frac{Mm}{(R+h)^2}\approx G\frac{Mm}{R^2}$$

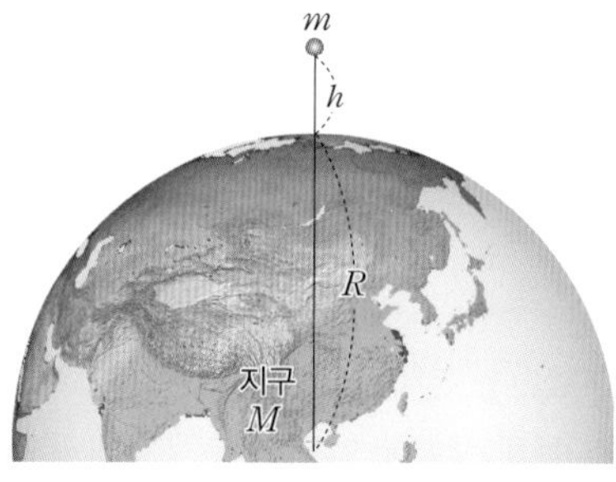

▲ 지표면 근처의 물체가 받는 중력

(1) **중력 가속도:** 물체가 지표면 근처에서 중력만을 받으며 운동할 때의 가속도를 중력 가속도라고 한다. 가속도 법칙에 따라 힘은 질량과 가속도의 곱으로 나타낼 수 있으므로, 중력 가속도 g는 다음과 같다.

$$F=mg \Rightarrow g=\frac{F}{m}=G\frac{M}{R^2}$$

위 식에서 만유인력 상수, 지구 질량, 지구 반지름을 넣어서 계산하면, 지표면에서의 중력 가속도는 약 $9.8\ \mathrm{m/s^2}$이다.

(2) **위도에 따른 중력 가속도의 변화**

① **원심력과 중력 가속도:** 자전하는 지구의 지표면에 정지하고 있는 물체에는 구심력이 작용하는데, 이를 지표면을 기준으로 보면 물체에 원심력이 작용하게 된다. 따라서 물체가 받는 중력은 만유인력과 원심력의 합력이 된다. 지구가 자전할 때의 각속도를 ω, 물체의 위도를 ϕ라고 하면, 물체가 받는 원심력의 크기는 다음과 같다.

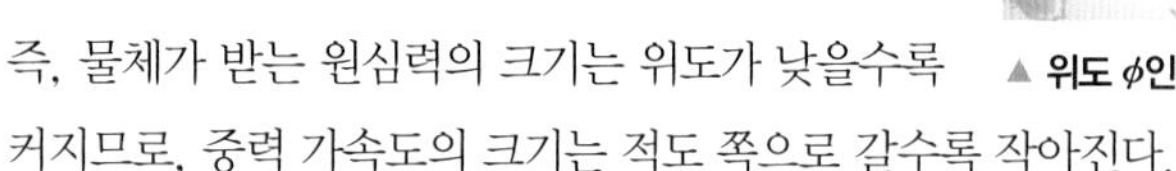

$$F=mr\omega^2=mR\omega^2\cos\phi$$

즉, 물체가 받는 원심력의 크기는 위도가 낮을수록 커지므로, 중력 가속도의 크기는 적도 쪽으로 갈수록 작아진다.

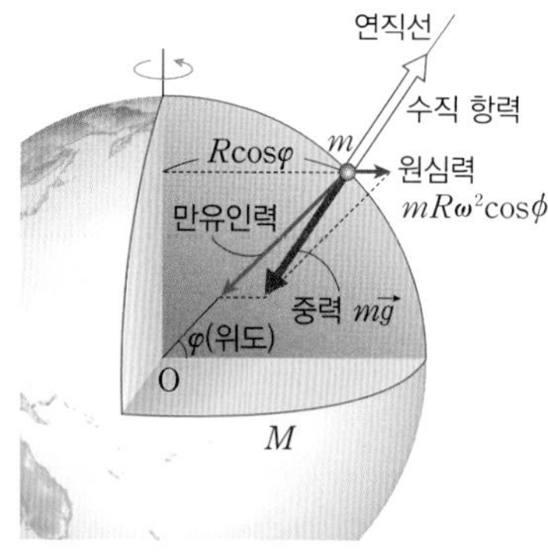

▲ 위도 ϕ인 지점의 중력

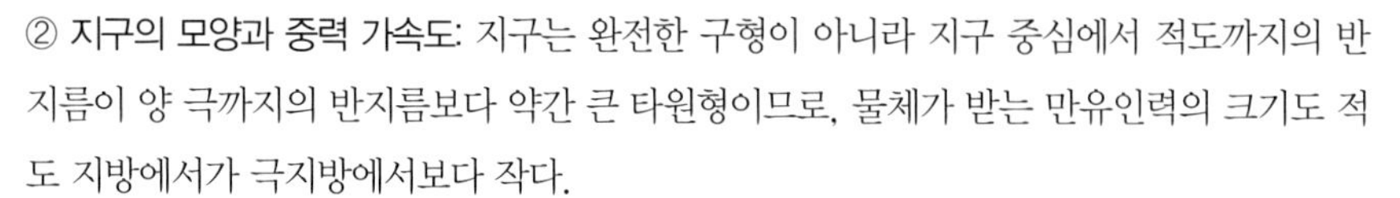

② **지구의 모양과 중력 가속도:** 지구는 완전한 구형이 아니라 지구 중심에서 적도까지의 반지름이 양 극까지의 반지름보다 약간 큰 타원형이므로, 물체가 받는 만유인력의 크기도 적도 지방에서가 극지방에서보다 작다.

③ 위도가 낮을수록 중력 가속도는 작아지지만, 이 차이는 대략 $0.034\ \mathrm{m/s^2}$으로 미세하기 때문에 일상생활에서는 그 차이를 느끼지 못하며, 보통 지표면에서의 중력 가속도는 모두 약 $9.8\ \mathrm{m/s^2}$을 사용한다.

적도 지방의 중력 가속도

적도 지방에서는 원심력이 만유인력의 반대 방향으로 작용하므로, 물체에 작용하는 중력의 크기는

중력 = 만유인력 − 원심력

이 된다. 따라서 적도 반경을 R라고 하면, 중력 가속도 g는 다음과 같다.

$$mg=\frac{GMm}{R^2}-mR\omega^2$$

$$g=\frac{GM}{R^2}-R\omega^2$$

이때 원심력에 의한 중력 가속도 변화량은 다음과 같다.

$$R\omega^2=R\left(\frac{2\pi}{T}\right)^2$$
$$=6.37\times10^6\ \mathrm{m}\times\left(\frac{2\pi}{24\times60\times60\ \mathrm{s}}\right)^2$$
$$=0.034\ \mathrm{m/s^2}$$

지구 밀도와 중력

실제 지구는 내부 물질 분포가 균일하지 않기 때문에 중력 가속도의 크기는 장소에 따라 미세하게 달라진다. 밀도가 균일하다고 가정하여 구한 계산값과 실제 측정값을 비교하면 지하의 질량 분포를 추정할 수 있어 광물 탐사에 이 방법이 이용되기도 한다.

3. 만유인력 법칙으로부터 케플러 제3법칙 유도

오른쪽 그림과 같이 질량 M인 태양 주위를 반지름 r인 원 궤도를 따라 질량 m인 행성이 돌 때, 행성은 태양과 행성 사이의 만유인력을 구심력으로 하여 등속 원운동을 하므로 행성의 속력 v는 다음과 같다.

$$F=G\frac{Mm}{r^2}=\frac{mv^2}{r} \Rightarrow v=\sqrt{\frac{GM}{r}}$$

행성의 공전 주기 $T=\frac{2\pi r}{v}$이므로, 행성의 속력을 대입하면

$$T=\frac{2\pi r}{v}=2\pi r\sqrt{\frac{r}{GM}}$$

가 되고, 위 식을 정리하면 다음과 같다.

$$T^2=\frac{4\pi^2}{GM}r^3 \Rightarrow T^2=kr^3$$

이 식의 r를 타원의 긴반지름 a로 바꾸면 타원 궤도에서도 성립하는 케플러 제3법칙이 된다. 위 식에서 $\frac{4\pi^2}{GM}=k$는 행성의 질량과는 무관한 상수이므로, 위 식은 어느 행성에나 적용된다.

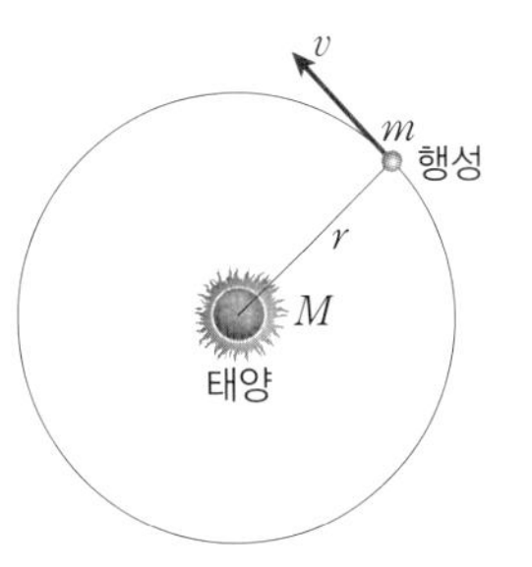

▲ 행성의 운동

시야 확장 ⊕ 지구 중심을 지나는 터널에서의 단진동

❶ 속이 빈 구각 내부에서의 중력

지구 내부를 도려내어 속이 빈 구각이라고 가정하면, 구각 내부에 있는 질량 m인 물체가 받는 힘은 구각의 각 부분으로부터 받는 만유인력의 총합이 된다. 그림과 같이 같은 꼭지각의 구각 면적 S_1, S_2로부터 물체가 받는 만유인력 $\vec{F_1}$, $\vec{F_2}$의 크기는 균일하다고 가정한 지구의 밀도를 ρ, 구각의 두께를 h라고 하면 다음과 같다.

$$F_1=\frac{G(S_1h\rho)m}{r_1^2},\ F_2=\frac{G(S_2h\rho)m}{r_2^2}$$

또한 입체각이 같으므로, $\frac{S_1}{r_1^2}=\frac{S_2}{r_2^2}$가 되어, $F_1=F_2$가 된다. 즉, 구각 내부에 존재하는 물체는 임의의 방향으로 양쪽에서 받는 만유인력이 평형을 이루므로, 전체 구각에 의한 만유인력의 총합은 0이 된다.

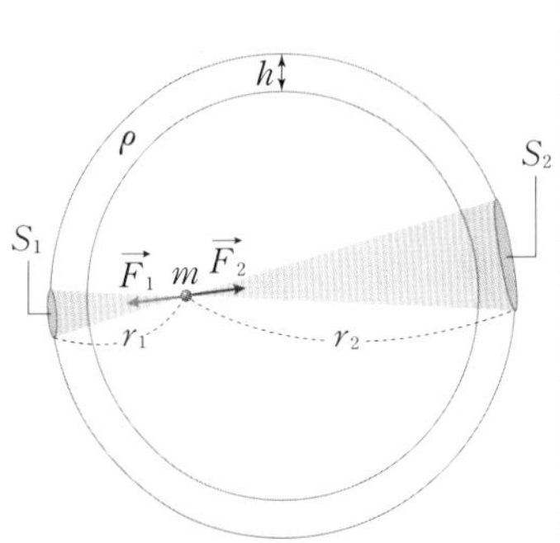

❷ 지구 중심을 지나는 터널에서의 단진동

지구 내부에 지구 중심을 지나는 터널을 뚫고 중심에서 거리 r인 위치에 질량 m인 물체가 있을 때, 이 물체가 반지름 r인 외부의 구각으로부터 받는 만유인력의 합은 0이 된다. 즉, 물체는 오직 반지름 r인 구의 질량에 의한 만유인력만을 받으므로 물체에 작용하는 만유인력의 크기 F는 다음과 같다.

$$F=G\frac{\left(\frac{4}{3}\pi r^3\rho\right)m}{r^2}=\left(\frac{4}{3}\pi G\rho m\right)r=\frac{mg}{R}r=kr$$

물체가 받는 만유인력의 방향은 지구 중심을 향하므로, 물체는 힘의 크기가 중심에서의 변위 r에 비례하고 힘의 방향이 변위와 반대 방향인 복원력을 받는다. 따라서 물체는 터널 속에서 단진동을 한다.

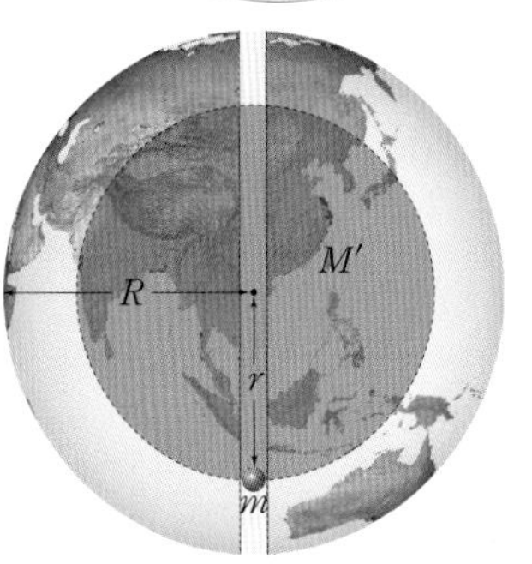

$M'=\frac{4}{3}\pi r^3\rho$, M(지구 질량)$=\frac{4}{3}\pi R^3\rho$

❸ 단진동의 주기

물체가 터널 속에서 단진동 하는 주기는 다음과 같다.

$$T=2\pi\sqrt{\frac{m}{k}}=2\pi\sqrt{\frac{Rm}{mg}}=2\pi\sqrt{\frac{R}{g}}\fallingdotseq 84.4\text{분}$$

- 터널의 한쪽 끝에서 다른 쪽 끝에 도달하는 시간은 $\frac{T}{2}$로, 약 42.2분이 걸린다.
- 이 단진동에 대응되는 등속 원운동(지표면을 스치듯이 도는 인공위성의 운동)의 주기는 단진동의 주기 84.4분과 같다.

3 인공위성의 운동

인공위성을 실은 로켓을 적당한 높이까지 쏘아올린 다음, 위성이 적당한 크기의 수평 속력으로 운동하게 하면 인공위성이 된다. 인공위성이 지상으로 떨어지지 않고 지구 둘레를 돌 수 있는 것은 케플러에서 뉴턴까지 이어온 중력에 대한 이해가 있기에 가능한 일이었다.

1. 인공위성의 원리

공기 저항을 무시할 때 높은 곳에서 수평 방향으로 물체를 던지면 물체는 지구의 중력에 의해 얼마 못가서 지면으로 떨어진다. 물체를 더 빠르게 던지면 물체는 더 멀리까지 날아가고, 어떤 속력에 이르면 물체는 지면으로 떨어지지 않고 지구 주위를 계속해서 돌 수 있게 된다. 달이나 인공위성이 지구 주위를 도는 것도 이와 같은 원리로 생각할 수 있다.

오른쪽 그림은 A에서 수평 방향으로 처음 속력을 달리하여 던진 물체의 운동 경로이다. 궤도 ❶, ❷는 지구 중심에 지구의 질량이 모여 있다고 생각했을 때 물체의 완전한 운동 경로이다. 궤도 ❶~❺는 지구 중심을 초점으로 한 타원 궤도이고, 이 중 궤도 ❹는 지구 중심을 중심으로 한 원 궤도이다. 물체의 속력이 더 빨라지면 궤도 ❻, ❼과 같이 지구의 중력에 속박되지 않고 지구에서 점점 멀어지는 열린 궤도를 그리게 된다.

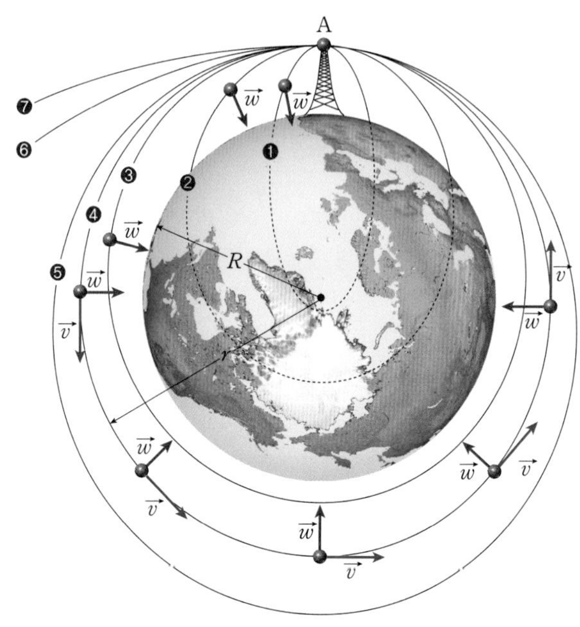

▲ 수평 방향으로 던진 여러 물체의 운동 경로

2. 지구 주위를 등속 원운동 하는 인공위성의 운동

심화 102쪽

인공위성은 지구와 인공위성 사이의 만유인력을 구심력으로 한 등속 원운동을 한다. 그림과 같이 질량 M인 지구 주위를 질량 m인 인공위성이 반지름 r인 원 궤도를 따라 일정한 속력 v로 회전하는 경우를 생각해 보자. 인공위성의 구심력은 지구와 인공위성 사이의 만유인력이므로, 인공위성의 속력 v는 다음과 같다.

$$F=\frac{mv^2}{r}=G\frac{mM}{r^2} \Rightarrow v=\sqrt{\frac{GM}{r}}$$

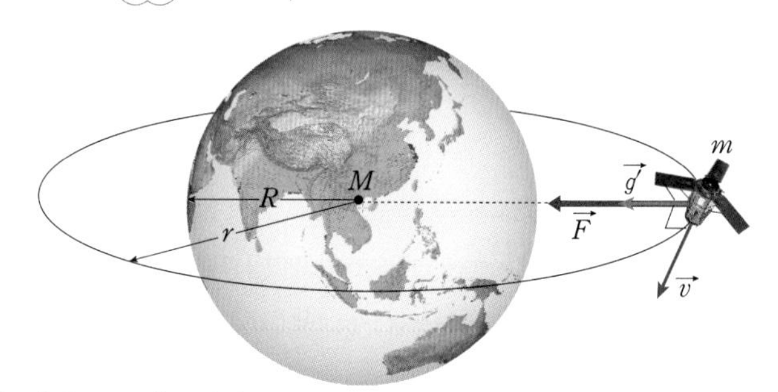

▲ 인공위성의 등속 원운동

즉, 인공위성의 속력은 궤도 반지름 r가 커질수록 느려지는 것을 알 수 있다. 또, 인공위성의 공전 주기 T도 다음과 같이 케플러 제3법칙을 만족한다.

$$T=\frac{2\pi r}{v}=2\pi r\sqrt{\frac{r}{GM}} \Rightarrow T^2=\frac{4\pi^2}{GM}r^3$$

(1) **제1우주 속도(v_1):** r에 지구 반지름(6370 km)을 대입하면 물체가 지구 표면을 스치듯이 원운동 하는 데 필요한 속력이 나오는데, 이를 제1우주 속도라고 한다.

$$v_1=\sqrt{\frac{GM}{R}}=\sqrt{gR}=\sqrt{(9.8\,\mathrm{m/s^2})\times(6.37\times10^6\,\mathrm{m})}\fallingdotseq 7.9\,\mathrm{km/s}$$

(2) **정지 위성과 이동 위성:** 인공위성은 공전 주기가 지구의 자전 주기와 같아 지구에서 볼 때 항상 같은 위치에 있는 정지 위성과, 공전 주기가 지구의 자전 주기와 달라 지구에서 볼 때 계속 이동하는 이동 위성으로 나뉜다. 정지 위성의 공전 주기는 지구의 자전 주기와 같은 1일이 되어야 하므로, 정지 위성의 각속도는 다음과 같다.

정지 위성

정지 위성은 같은 시간 동안 지표면의 회전각과 정지 위성의 회전각이 같으므로 항상 같은 곳에 있는 것으로 보인다.

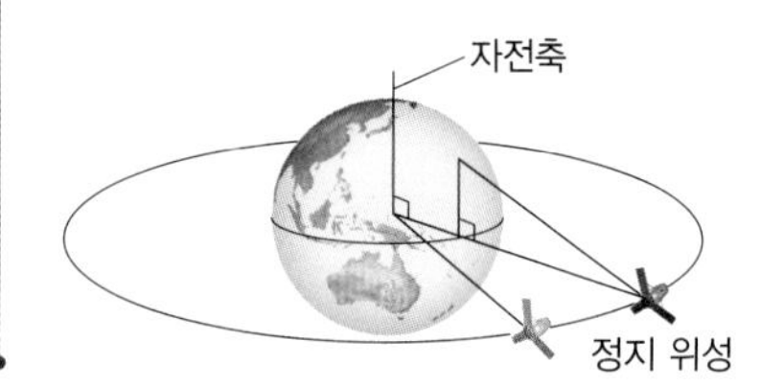

$$\omega=\frac{2\pi}{T}=\frac{2\pi\ \text{rad}}{(24\times60\times60)\ \text{s}}\fallingdotseq7.27\times10^{-5}\ \text{rad/s}$$

인공위성의 구심력 $mr\omega^2=G\frac{Mm}{r^2}$이므로, 위의 각속도 값을 대입하면 정지 위성의 궤도 반지름 r는 다음과 같다.

$$r=\left[\frac{GM}{\omega^2}\right]^{\frac{1}{3}}=\left[\frac{(6.67\times10^{-11}\ \text{N}\cdot\text{m}^2/\text{kg}^2)\times(5.97\times10^{24}\ \text{kg})}{(7.27\times10^{-5}\ \text{rad/s})^2}\right]^{\frac{1}{3}}\fallingdotseq4.22\times10^7\ \text{m}$$

지구 반지름이 약 6370 km이므로, 이는 지구 표면으로부터 약 36000 km 떨어진 거리이다. 이 거리 이외에는 모두 공전 주기가 지구의 자전 주기와 달라 이동 위성이 된다.

예제

그림과 같이 질량 200 kg인 인공위성이 지상에서 800 km의 높이에서 지구 주위를 등속 원운동 하고 있다.(단, 지구 반지름은 6400 km, 지표면에서 중력 가속도는 9.8 m/s²이다.)

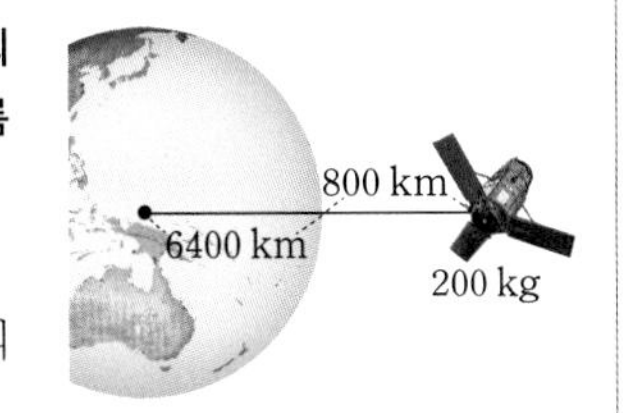

(1) 인공위성의 속력과 주기는 각각 얼마인지 구하시오.

(2) 인공위성의 고도가 2배가 되면 주기는 현재의 몇 배가 되는지 구하시오.

해설 (1) $\frac{mv^2}{R+h}=\frac{GMm}{(R+h)^2}$에서

인공위성의 속력 $v=\left(\frac{GM}{R+h}\right)^{\frac{1}{2}}=\left(\frac{gR^2}{R+h}\right)^{\frac{1}{2}}=\left(\frac{(9.8\ \text{m/s}^2)\times(6.4\times10^6\ \text{m})^2}{(6.4+0.8)\times10^6\ \text{m}}\right)^{\frac{1}{2}}\fallingdotseq7.47\times10^3\ \text{m/s}$이고,

주기 $T=\frac{2\pi(R+h)}{v}\fallingdotseq\frac{2\pi\times(6.4+0.8)\times10^6\ \text{m}}{7.47\times10^3\ \text{m/s}}\fallingdotseq6.06\times10^3\ \text{s}$이다.

(2) 주기 $T'=\frac{2\pi(R+h)}{v}=\frac{2\pi(R+h)^{\frac{3}{2}}}{\sqrt{gR^2}}$이고, 고도 h가 2배일 때의 주기 $T'=\frac{2\pi(R+2h)^{\frac{3}{2}}}{\sqrt{gR^2}}$이다.

$\frac{T'}{T}=\left(\frac{R+2h}{R+h}\right)^{\frac{3}{2}}=\left(\frac{6400+1600}{6400+800}\right)^{\frac{3}{2}}\fallingdotseq1.17$

정답 (1) 속력: 약 7.47×10^3 m/s, 주기: 약 6.06×10^3 s (2) 약 1.17배

시야 확장 + 탈출 속도

지구 표면에서 쏘아 올린 물체가 특정 속력 이상이 되면 물체는 지구로부터 무한히 멀어질 수 있는데, 이때의 속력을 탈출 속도라고 한다.

그림과 같이 질량 M인 지구의 중심에서 거리 r만큼 떨어진 지점에 질량 m인 물체가 있을 때, 이 물체의 만유인력에 의한 퍼텐셜 에너지는 무한히 먼 지점을 기준점으로 하면 $E_p=-\frac{GMm}{r}$ (단, $r\geq R$)이다.

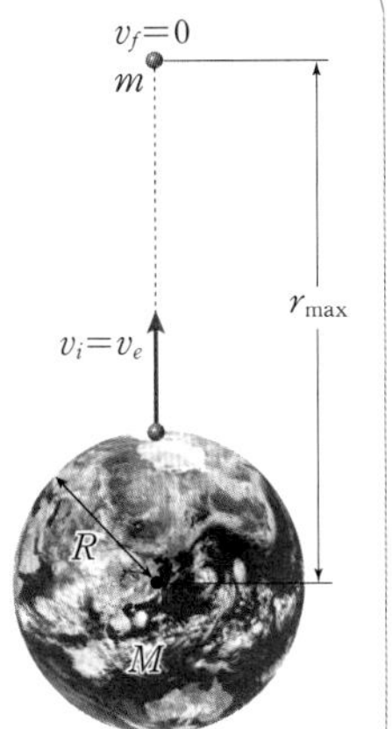

따라서 $r=R$인 지구 표면에서 물체를 v의 속력으로 쏘아 올려 최고점 r_{max}에서 속력이 0이 되었다면, 역학적 에너지는 다음과 같다.

$$E=E_k+E_p=\frac{1}{2}mv^2-\frac{GMm}{R}=-\frac{GMm}{r_{max}}$$

물체가 지구에서 무한히 멀어지기 위해서는 $r_{max}\rightarrow\infty$가 되어야 하므로, 지구 표면에서 물체를 쏘아 올리는 탈출 속도 v_e는 다음과 같다. 이를 제2우주 속도라고 한다.

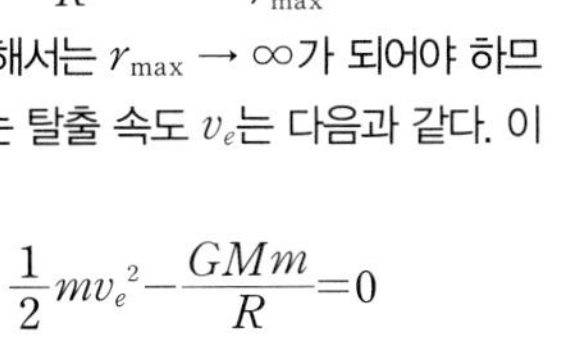

$$\frac{1}{2}mv_e^2-\frac{GMm}{R}=0$$

$$v_e=\sqrt{\frac{2GM}{R}}=\sqrt{\frac{2\times(6.67\times10^{-11}\ \text{N}\cdot\text{m}^2/\text{kg}^2)\times(5.97\times10^{24}\ \text{kg})}{6.37\times10^6\ \text{m}}}\fallingdotseq11.2\ \text{km/s}$$

만유인력에 의한 퍼텐셜 에너지

지구의 질량을 M, 물체의 질량을 m이라 할 때, 둘 사이의 만유인력의 크기는

$$F=G\frac{Mm}{r^2}$$

이다. 무한히 먼 지점을 퍼텐셜 에너지의 기준점으로 하면 물체를 무한히 먼 지점에서 r인 지점까지 이동시킬 때 만유인력에 대해 하는 일은 만유인력에 의한 퍼텐셜 에너지와 같고, 다음과 같이 나타낼 수 있다.

$$E_p=GMm\int_\infty^r\frac{dr}{r^2}=GMm\left[-\frac{1}{r}\right]_\infty^r$$
$$=-G\frac{Mm}{r}$$

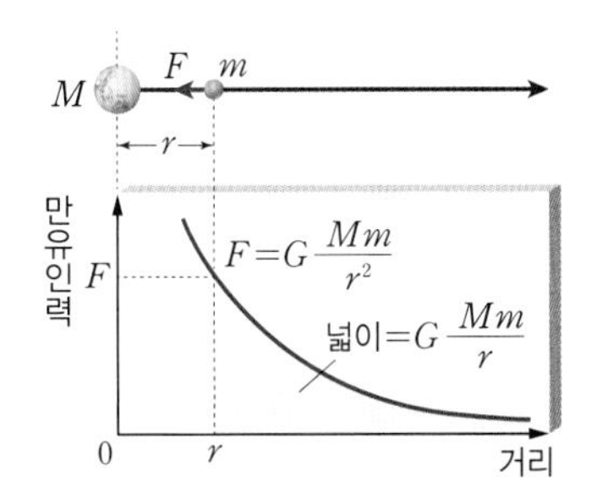

암흑 물질의 발견

90년대 중반까지만 해도 세상만물이 원자로 이루어져 있다고 생각되었지만, 90년대 말부터는 우주 공간의 5 % 만이 원자로 이루어져 있고 나머지는 암흑 물질과 암흑 에너지로 채워져 있다고 알려져 있다. 원자로 구성되지 않아 빛과 상호 작용하지 않는 암흑 물질이란 무엇인지 알아보자.

태양 주위를 도는 행성은 태양과 행성 사이의 만유인력을 구심력으로 하므로, 행성이 등속 원운동을 한다고 가정할 때 행성의 공전 속력은 다음과 같다.

$$v=\sqrt{\frac{GM}{r}}$$

즉, 태양 주위를 도는 행성의 속력은 태양에서 멀어질수록 점점 감소한다. 위 식에서 M에 태양의 질량을 대입하여 태양으로부터의 거리 r에 따른 행성의 속력을 예측하면 그림 (가)와 같고, 이것은 그래프에 점으로 표시한 실제 행성의 속력 데이터와 거의 일치한다.

이 개념을 더 확장하면 은하에서도 이와 비슷하게 생각할 수 있다. 은하를 이루는 별들은 정지해 있는 것이 아니라 은하 중심을 중심으로 돌고 있다. 관측된 은하계 질량의 많은 부분이 은하의 중심 근처에 있으므로, 이 별들의 속력은 은하 중심에서 멀어질수록 느려져야 하지만, 실제 관측 결과는 이와 다르게 나타났다. 그림 (나)는 은하 중심으로부터의 거리에 따른 별들의 속력을 나타낸 것으로, 빨간색의 그래프 선은 은하가 관측된 질량만을 포함할 때 예상되는 속력이다. 점으로 표시된 값은 실제 관측된 속력으로 이론값과 달리 은하의 중심에 가까이 있는 별과 먼 곳에 있는 별이 거의 같은 속력으로 회전하는 것을 알 수 있다. 이것은 은하가 포함하는 물질이 우리가 실제로 관측할 수 있는 것보다 훨씬 더 많은 것을 의미한다. 이러한 물질들은 빛을 내지 않거나 관측하기 어려운 약한 빛을 내기 때문에 암흑 물질이라고 부른다.

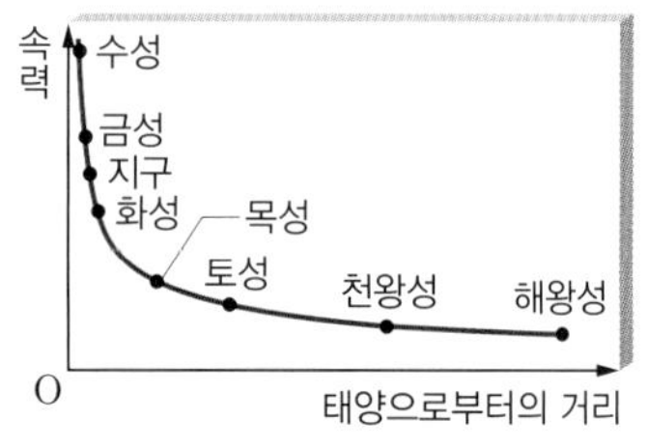

(가) 태양계 행성들의 태양으로부터의 거리에 따른 공전 속력

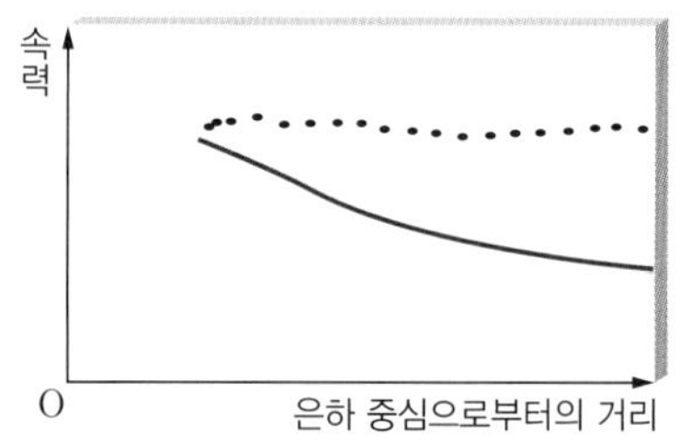

(나) 은하 중심으로부터의 거리에 따른 별들의 공전 속력

1933년에 스위스의 천문학자 츠비키(Fritz Zwicky, 1898~1974)는 은하단을 이루는 은하의 운동을 관측하다가 이러한 암흑 물질의 존재를 처음으로 알게 되었다. 은하단을 이루는 은하들은 공통의 질량 중심 주위를 회전하는데, 은하들의 공전 속력이 평균적으로 너무 커서 그 은하단 내 발광 물질의 질량만으로는 은하들의 공전 속력을 설명할 수 없었다. 이로부터 츠비키는 은하단 내에 관측된 천체의 질량보다 400배나 많은 관측되지 않는 질량이 있어야 한다는 결론을 얻고, 이를 암흑 물질이라고 하였다. 츠비키의 결론은 현재 알려진 것보다 수십 배나 크지만, 이후 계속된 여러 천체들의 관측에서도 유사한 결론들이 도출되어 빛을 내지 않는 암흑 물질이 존재할 것이라고 예상할 수 있었다.

암흑 물질의 증거

2004년에 서로의 중력에 의해 이끌리던 두 은하단이 충돌하는 과정이 관찰되었으며, 아래 그림은 부딪히면서 스쳐 지나가는 두 은하단 안의 물질 분포를 나타낸 것이다. 안쪽에 붉은색으로 표시된 부분은 빛을 내는 항성, 가스 등 보이는 물질들을 구성하는 원자들이 방출하는 엑스선을 관측해서 얻어낸 것이고, 바깥쪽의 파란색 부분은 암흑 물질의 분포를 중력 렌즈 효과를 이용해서 추정한 것이다. 충돌하기 전 각 은하에 섞여 있던 이 두 가지 종류의 물질이 충돌 후에 서로 분리되었으며, 파란색 부분에 있는 물질은 빛을 내지 않는 원자가 아닌 새로운 입자로 구성되어 있다고 추정된다.

▲ 총알 은하단

02 행성의 운동

① 케플러 법칙

1. **케플러 제1법칙(타원 궤도 법칙)** 행성은 태양을 한 (❶)으로 하는 타원 궤도를 그리면서 공전한다.
2. **케플러 제2법칙(면적 속도 일정 법칙)** 행성과 태양을 연결하는 선분이 같은 시간 동안 쓸고 지나가는 (❷)은 항상 같다.
3. **케플러 제3법칙(조화 법칙)** 행성의 공전 주기(T)의 제곱은 타원 궤도 (❸)(a)의 세제곱에 비례한다. ➡ $T^2 \propto a^3$

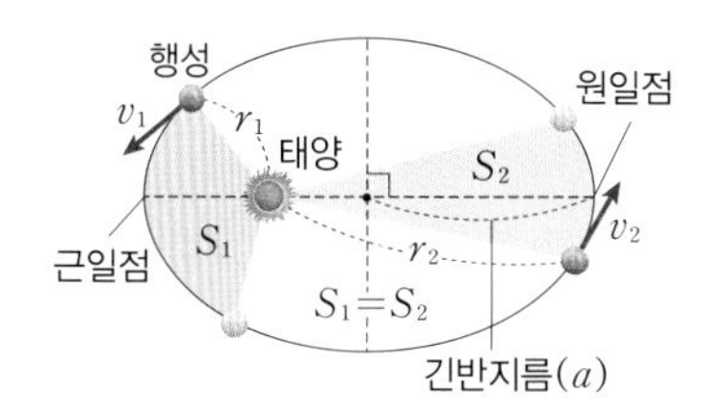

② 만유인력 법칙

1. **만유인력 법칙** 질량을 가진 두 물체 사이에는 물체를 잇는 선분 방향으로 인력이 작용하며, 이 힘의 크기는 두 물체의 질량의 곱에 (❹)하고 두 물체 사이의 거리의 제곱에 (❺)한다.

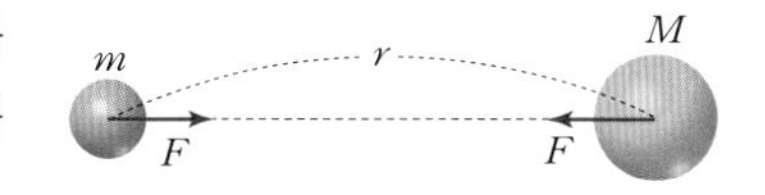

$$F=G\frac{Mm}{r^2} \text{ (만유인력 상수 } G=6.67\times10^{-11}\ \mathrm{N\cdot m^2/kg^2})$$

2. **만유인력과 중력**
- (❻): 지구가 물체를 끌어당기는 힘
- (❼)(g): 물체가 지표면 근처에서 중력만을 받으며 운동할 때의 가속도

$$g=\frac{F}{m}=G\frac{M}{R^2}\fallingdotseq 9.8\ \mathrm{m/s^2}$$

3. **케플러 제3법칙의 유도** 행성은 행성과 태양 사이의 (❽)을 구심력으로 하여 등속 원운동을 하므로 행성의 공전 속력은 $G\frac{Mm}{r^2}=\frac{mv^2}{r}$에서 $v=$(❾)이다. 행성의 공전 주기 $T=\frac{2\pi r}{v}=2\pi r\sqrt{\frac{r}{GM}}$이므로, $T^2=\frac{4\pi^2}{GM}r^3$에서 $T^2=kr^3$이 성립한다.

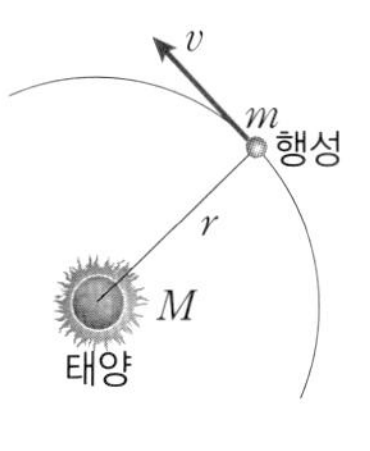

③ 인공위성의 운동

1. **인공위성의 속력** 질량 M인 지구 주위를 질량 m인 인공위성이 지구와 인공위성 사이의 만유인력을 구심력으로 하여 반지름 r인 원 궤도를 따라 등속 원운동 할 때 속력 v는 다음과 같다.

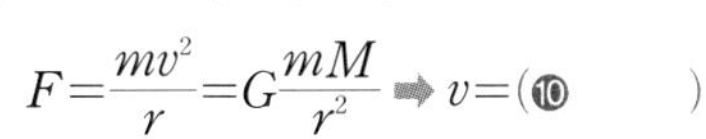

$$F=\frac{mv^2}{r}=G\frac{mM}{r^2} \Rightarrow v=(⑩\quad)$$

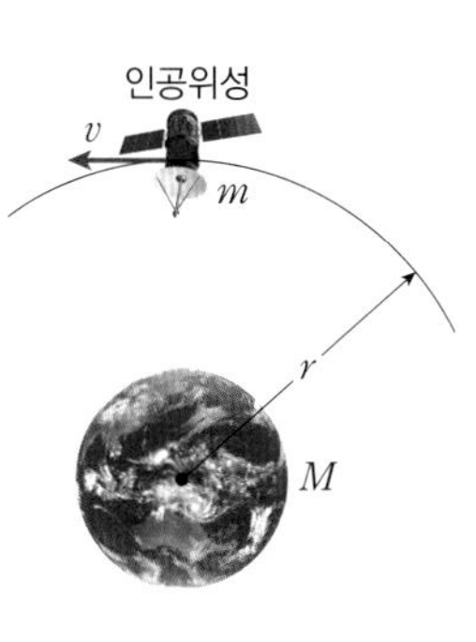

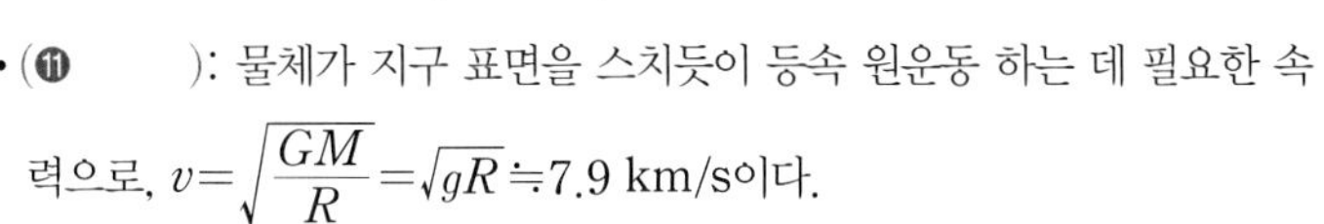

- (⓫): 물체가 지구 표면을 스치듯이 등속 원운동 하는 데 필요한 속력으로, $v=\sqrt{\frac{GM}{R}}=\sqrt{gR}\fallingdotseq 7.9\ \mathrm{km/s}$이다.

2. **인공위성의 공전 주기** $T=\frac{2\pi r}{v}=2\pi r\sqrt{\frac{r}{GM}}$

3. **정지 위성** 공전 주기가 지구의 자전 주기와 같은 (⓬)인 인공위성으로, 정지 위성의 고도는 지구 표면으로부터 약 36000 km 떨어져 있다.

01 다음은 행성 궤도에 대한 설명이다. (　　) 안에 들어갈 알맞은 말을 쓰시오.

> 행성 궤도에서 태양으로부터의 거리가 가장 가까운 점을 (㉠), 가장 먼 점을 (㉡)(이)라고 한다. 행성이 근일점에서 원일점으로 이동하는 동안 만유인력의 방향은 행성의 운동을 방해하는 방향으로 작용하므로 행성의 속력은 점점 (㉢)지게 된다.

02 그림은 태양 주위의 타원 궤도를 회전하는 행성이 a에서 b, c에서 d까지 이동하는 데 걸린 시간이 각각 t_1, t_2인 것을 나타낸 것이다. t_1, t_2 동안 행성과 태양을 이은 직선이 쓸고 간 넓이는 각각 S_1, S_2이며, $S_1=S_2$이다.

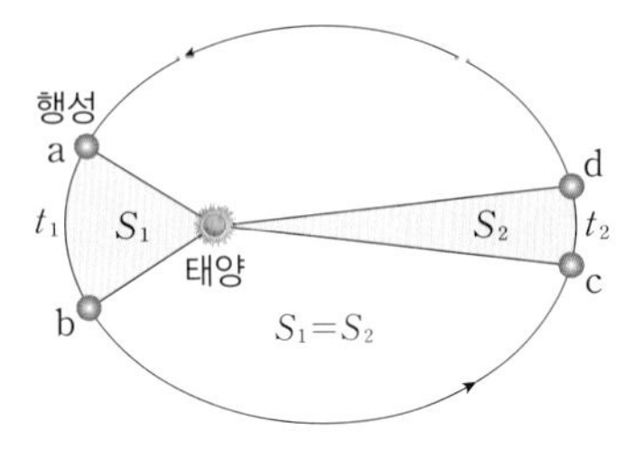

행성의 운동에 대한 설명으로 옳은 것만을 보기에서 있는 대로 고르시오.

보기
ㄱ. $t_1=t_2$이다.
ㄴ. 공전 속력은 a에서가 c에서보다 빠르다.
ㄷ. 태양이 작용하는 만유인력의 크기는 b에서가 d에서보다 크다.

03 표는 지구를 중심으로 등속 원운동을 하는 인공위성 A와 B의 공전 궤도 반지름과 질량을 나타낸 것이다.

인공위성	궤도 반지름	질량
A	r	$2m$
B	$4r$	m

A, B의 공전 주기를 각각 T_A, T_B라 할 때, $T_A : T_B$를 구하시오.

04 그림과 같이 어떤 혜성이 태양을 하나의 초점으로 하는 타원 궤도를 따라 공전하고 있다. 혜성은 태양에서 근일점까지의 거리가 0.2 AU이고, 공전 주기는 8년이다.

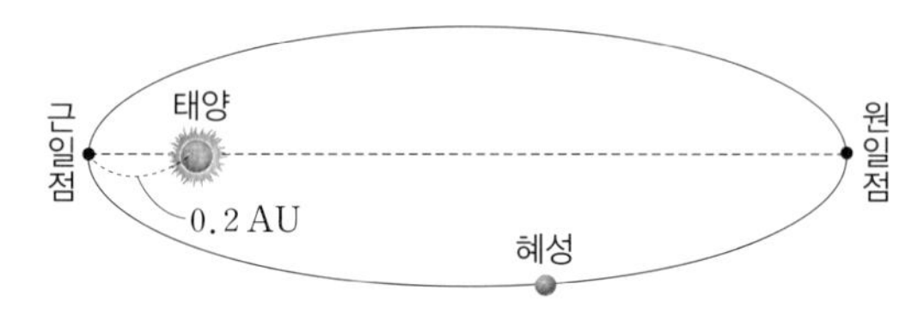

지구의 공전 궤도의 긴반지름이 1 AU일 때, 혜성 궤도의 원일점에서 태양까지의 거리는 몇 AU인지 구하시오.

05 그림은 어떤 항성 주위를 행성 A, B가 각각 근일점과 원일점이 모두 x축상에 있는 타원 궤도를 따라 공전하는 모습을 나타낸 것이다. (단, A, B에는 항성에 의한 만유인력만 작용한다.)

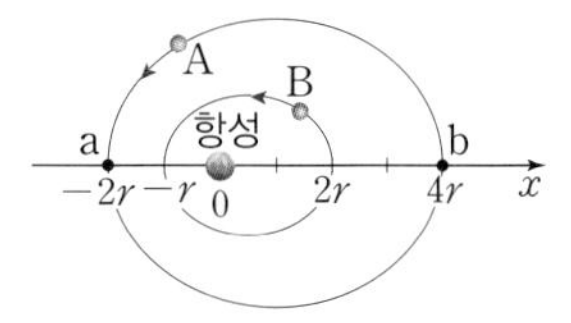

(1) A의 속력은 a에서가 b에서의 몇 배인지 구하시오.

(2) A의 주기는 B의 몇 배인지 구하시오.

06 그림은 두 위성 A, B가 행성을 한 초점으로 하는 동일한 타원 궤도를 따라 공전하는 어느 순간의 모습을 나타낸 것이다. 표는 A가 점 a, b, c, d, a를 차례로 지날 때의 시각이다. d는 행성으로부터 가장 먼 공전 궤도상의 점이다.

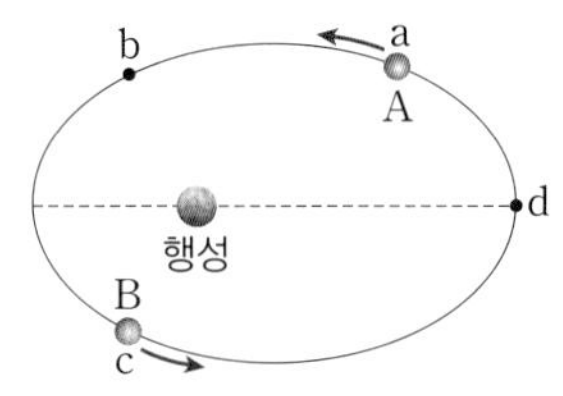

A의 위치	시각
a	0
b	t
c	$2t$
d	$4t$
a	$5t$

이에 대한 설명으로 옳은 것만을 보기에서 있는 대로 고르시오. (단, A, B에는 행성에 의한 만유인력만 작용한다.)

보기
ㄱ. B의 공전 주기는 $5t$이다.
ㄴ. A가 c를 지날 때, B는 a를 지난다.
ㄷ. B가 d를 지날 때, A와 B의 속력은 같다.

07 그림은 물체 A, B가 만유인력에 의해 서로를 향해 운동하고 있는 순간을 나타낸 것이다. A, B의 질량은 각각 $2m$, m이고, A가 B에 작용하는 만유인력의 크기는 F이다. 이에 대한 설명으로 옳은 것만을 보기에서 있는 대로 고르시오.

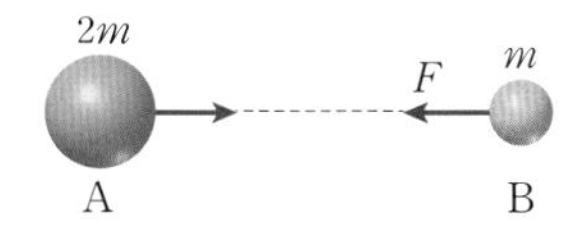

보기

ㄱ. B가 A에 작용하는 만유인력의 크기는 F이다.

ㄴ. A와 B는 모두 등가속도 운동을 한다.

ㄷ. 가속도의 크기는 A가 B의 2배이다.

08 그림은 질량이 같은 인공위성 A, B가 지구를 중심으로 등속 원운동 하는 것을 나타낸 것이다. A, B의 궤도 반지름은 각각 r, $2r$이다.

이에 대한 설명으로 옳은 것만을 보기에서 있는 대로 고르시오. (단, A, B에는 지구에 의한 만유인력만 작용한다.)

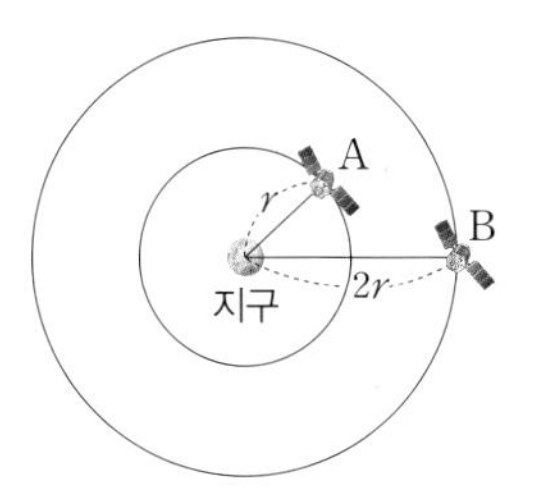

보기

ㄱ. 속력은 A가 B의 2배이다.

ㄴ. 주기는 B가 A의 $2\sqrt{2}$배이다.

ㄷ. 지구와 인공위성 사이에 작용하는 만유인력의 크기는 A가 B의 4배이다.

09 그림은 위성 A, B가 동일한 행성 주위를 각각 원 궤도, 타원 궤도를 따라 운동할 때, A, B와 행성 사이의 거리를 시간에 따라 나타낸 것이다. (단, A, B에는 행성에 의한 만유인력만 작용한다.)

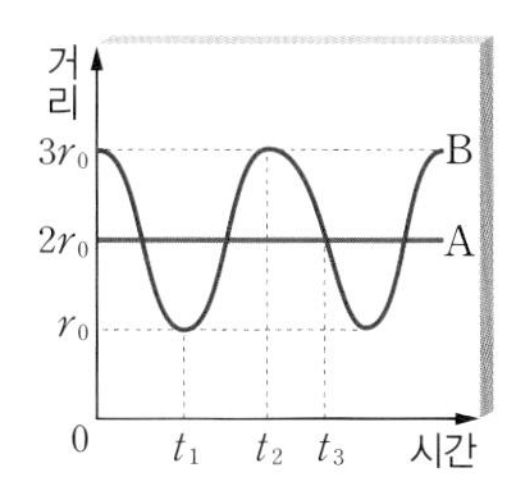

(1) A의 주기를 구하시오.

(2) B의 가속도 크기는 t_1일 때가 t_2일 때의 몇 배인지 구하시오.

10 그림 (가), (나)와 같이 반지름이 각각 R, $1.5R$인 행성 A, B에서 인공위성이 각각 일정한 속력으로 표면을 스치듯이 등속 원운동을 하고 있다. 두 인공위성의 공전 주기는 같다.

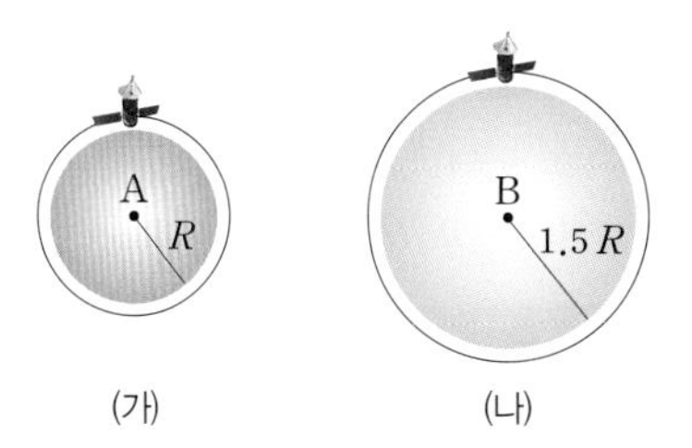

행성의 질량은 A가 B의 몇 배인지 구하시오. (단, 두 행성은 밀도가 균일한 구형이고, 모든 마찰은 무시한다.)

11 그림 (가), (나)는 밀도가 균일한 구형의 행성 A, B의 표면으로부터 거리 r만큼 떨어진 궤도에서 인공위성이 각각 등속 원운동을 하는 것을 나타낸 것이다. A, B의 반지름은 각각 r, r_B이고, 질량은 B가 A의 1.5배이다.

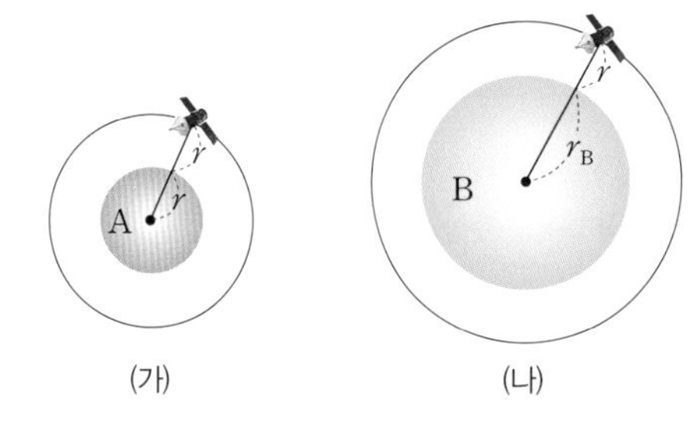

두 인공위성의 속력이 같을 때, r_B의 크기를 r로 나타내시오.

12 그림은 위성 A, B가 동일한 행성을 한 초점으로 하는 각각의 타원 궤도를 따라 각각 한 주기 동안 운동할 때, A와 B의 속력을 행성 중심에서 위성 중심까지의 거리에 따라 나타낸 것이다. (단, A, B에는 행성에 의한 만유인력만 작용한다.)

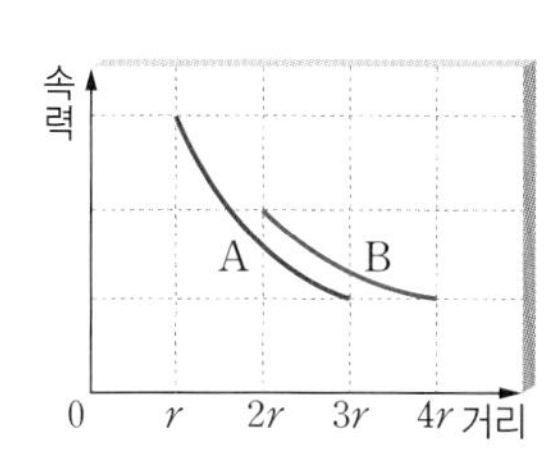

(1) 공전 주기는 B가 A의 몇 배인지 구하시오.

(2) A의 가속도 크기는 행성으로부터의 거리가 r일 때가 $3r$일 때의 몇 배인지 구하시오.

01

> 케플러 법칙

그림은 태양 주위를 T의 주기로 공전하는 행성의 타원 궤도를 나타낸 것이다. O에서 c까지의 거리는 r이고, 태양에서 b까지의 거리는 x이다. 행성이 a에서 b까지 운동하는 데 걸린 시간은 $\frac{T}{6}$이고, S_1과 S_2는 각각의 색칠된 부분의 면적이다.

이에 대한 설명으로 옳은 것만을 보기에서 있는 대로 고른 것은? (단, O는 타원의 중심이다.)

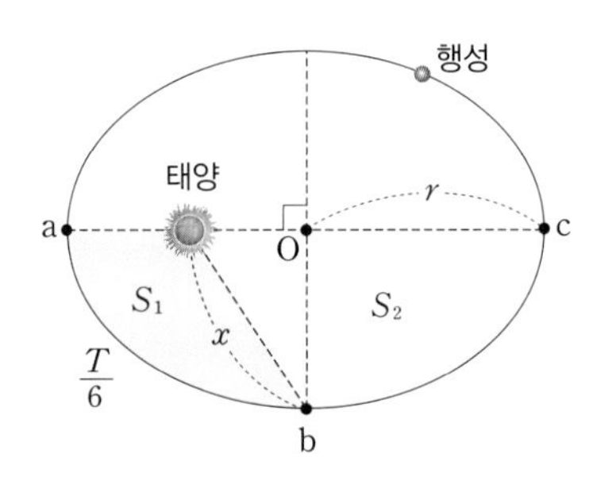

보기

ㄱ. 행성의 속력은 a에서가 c에서보다 빠르다.

ㄴ. S_2는 S_1의 3배이다.

ㄷ. $x=r$이다.

① ㄱ ② ㄴ ③ ㄱ, ㄷ ④ ㄴ, ㄷ ⑤ ㄱ, ㄴ, ㄷ

- 타원은 두 초점으로부터의 거리의 합이 일정한 곡선이고, 행성과 태양을 이은 직선이 같은 시간 동안 쓸고 지나가는 면적은 항상 일정하다.

02

> 케플러 법칙과 만유인력 법칙

그림 (가)는 위성 A가 행성의 주위를 반지름 R인 원 궤도를 따라 운동하는 것을, (나)는 위성 B가 동일한 행성의 주위를 짧은반지름 $\frac{2}{3}R$, 긴반지름 R인 타원 궤도를 따라 운동하는 것을 나타낸 것이다.

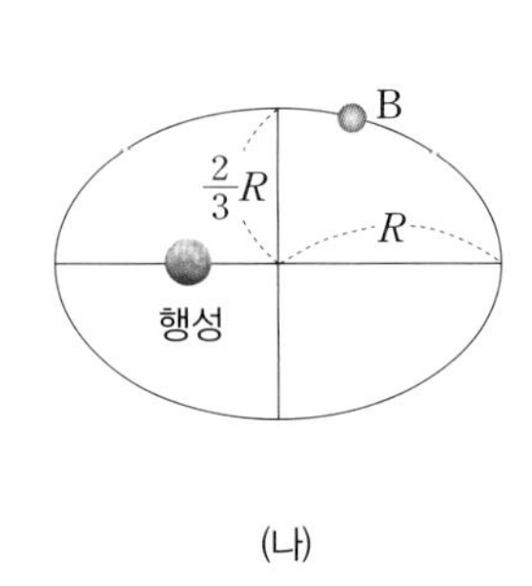

(가) (나)

이에 대한 설명으로 옳은 것만을 보기에서 있는 대로 고른 것은? (단, A, B에는 행성에 의한 만유인력만 작용한다.)

보기

ㄱ. A와 B의 공전 주기는 같다.

ㄴ. 한 번 공전하는 동안 A와 B의 평균 속력은 같다.

ㄷ. B에 작용하는 알짜힘의 크기는 일정하다.

① ㄱ ② ㄴ ③ ㄷ ④ ㄱ, ㄷ ⑤ ㄴ, ㄷ

- 같은 행성 주위를 공전하는 위성의 공전 주기의 제곱은 공전 궤도의 긴반지름의 세제곱에 비례한다.

03

> 인공위성의 운동

그림은 두 인공위성 A, B가 각각 지구를 중심으로 등속 원운동을 하는 것을 나타낸 것이다. 지구 중심에서 A, B까지의 거리는 각각 r, $2r$이고, A와 B의 질량은 각각 m, $2m$이다.

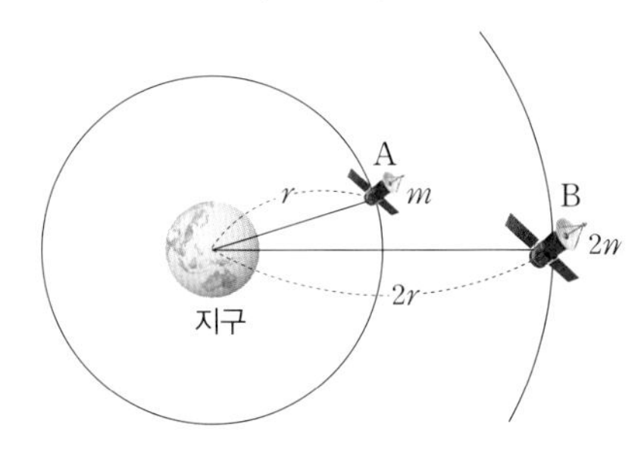

A, B의 물리량 중 크기가 같은 것만을 보기에서 있는 대로 고른 것은? (단, A, B에는 지구에 의한 만유인력만 작용한다.)

보기

ㄱ. 각속도　　ㄴ. 구심력　　ㄷ. 운동 에너지

① ㄴ　② ㄷ　③ ㄱ, ㄴ　④ ㄱ, ㄷ　⑤ ㄴ, ㄷ

- 등속 원운동의 주기가 T일 때 각속도 $\omega=\frac{2\pi}{T}$이고, 인공위성에 작용하는 만유인력이 구심력이므로 $\frac{mv^2}{r}=G\frac{Mm}{r^2}$이다.

04

> 케플러 법칙과 만유인력 법칙

그림은 행성 P, Q가 각각 태양을 한 초점으로 하는 타원 궤도를 따라 공전하는 것을 나타낸 것이다. 점 a, c는 각각 P 궤도의 근일점과 원일점, 점 b는 Q 궤도의 원일점이고, a, 태양, b, c 사이의 거리는 각각 d이다. P의 공전 주기는 Q의 $2\sqrt{2}$배이다.

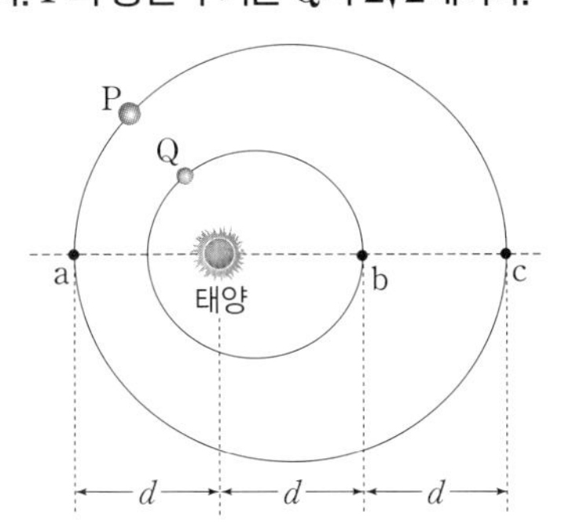

이에 대한 설명으로 옳은 것만을 보기에서 있는 대로 고른 것은? (단, P, Q에는 태양에 의한 만유인력만 작용한다.)

보기

ㄱ. P의 속력은 a에서가 c에서의 2배이다.

ㄴ. a에서 P의 가속도의 크기와 b에서 Q의 가속도의 크기는 서로 같다.

ㄷ. 태양에서 Q의 근일점까지의 거리는 $\frac{d}{2}$이다.

① ㄱ　② ㄷ　③ ㄱ, ㄴ　④ ㄴ, ㄷ　⑤ ㄱ, ㄴ, ㄷ

- 행성의 면적 속도는 일정하고, 공전 주기의 제곱은 긴반지름의 세제곱에 비례한다.

05

> 케플러 법칙과 만유인력 법칙

그림은 행성 주위를 공전하는 위성의 타원 궤도를 xy 평면에 나타낸 것이다. 타원 궤도에서 점 a는 행성에서 가장 가까운 지점, 점 c는 행성에서 가장 먼 지점이고, 점 b는 짧은 축과 타원 궤도가 만나는 지점이다.
위성의 운동에 대한 설명으로 옳은 것만을 보기에서 있는 대로 고른 것은?

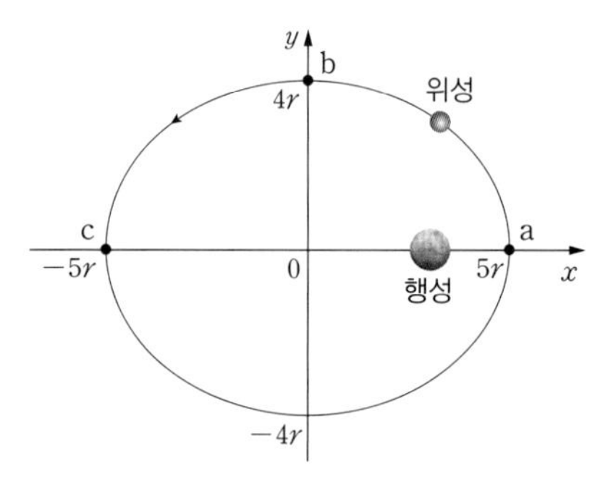

보기
ㄱ. b에서 행성까지의 거리는 $5r$이다.
ㄴ. 속력은 a에서가 c에서의 4배이다.
ㄷ. 만유인력의 크기는 b에서가 c에서의 $\frac{8}{5}$배이다.

① ㄱ　② ㄷ　③ ㄱ, ㄴ　④ ㄴ, ㄷ　⑤ ㄱ, ㄴ, ㄷ

• 타원에서 긴반지름 a, 짧은반지름 b, 초점 거리 f일 때, $a^2=b^2+f^2$이다.

고난도

06

> 케플러 법칙과 만유인력 법칙

그림은 행성을 한 초점으로 타원 운동을 하는 위성 P와 동일한 행성을 중심으로 등속 원운동을 하는 위성 Q를 나타낸 것이다. 점 a는 두 궤도가 만나는 지점이고, 점 b와 행성은 x축상에 있다. Q가 a에서 b까지 운동하는 데 걸리는 시간은 T이다.

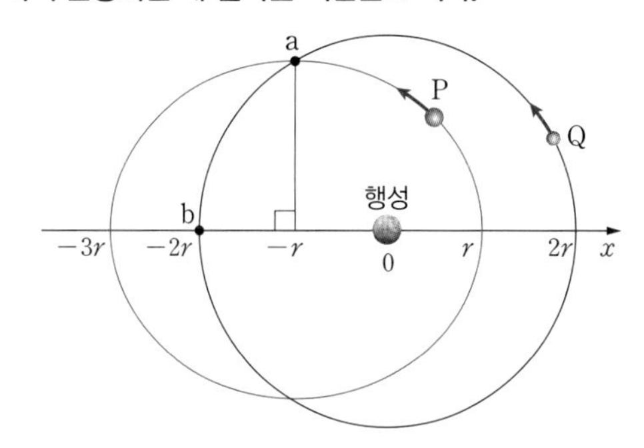

P의 운동에 대한 설명으로 옳은 것만을 보기에서 있는 대로 고른 것은? (단, P, Q에는 행성에 의한 만유인력만 작용한다.)

보기
ㄱ. 속력의 최댓값은 최솟값의 9배이다.
ㄴ. a에서의 가속도 크기는 가속도 최솟값의 $\frac{9}{4}$배이다.
ㄷ. 공전 주기는 $6T$이다.

① ㄴ　② ㄷ　③ ㄱ, ㄴ　④ ㄱ, ㄷ　⑤ ㄴ, ㄷ

• 두 위성의 속력과 가속도의 크기는 행성에서의 거리에 따라 달라진다.

07

> 케플러 법칙과 만유인력 법칙

그림은 질량이 각각 m, $2m$인 두 위성 P, Q가 동일한 행성을 한 초점으로 하는 각각의 타원 궤도를 따라 한 주기 동안 운동할 때, P, Q의 가속도의 크기를 행성 중심에서 P, Q 중심까지의 거리 r에 따라 나타낸 것이다.

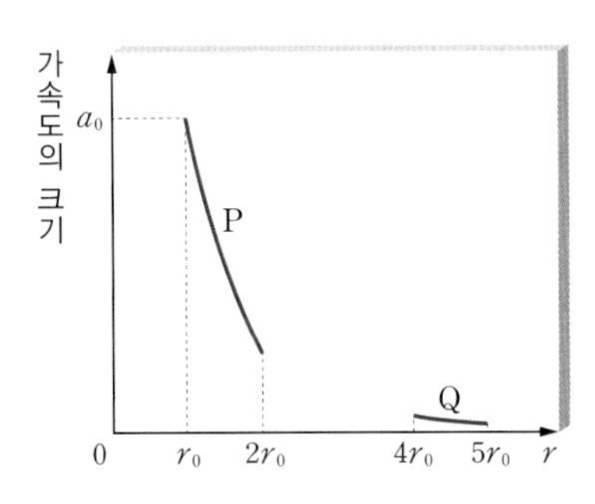

이에 대한 설명으로 옳은 것만을 보기에서 있는 대로 고른 것은? (단, P, Q에는 행성에 의한 만유인력만 작용한다.)

보기

ㄱ. P의 운동 에너지는 $r=r_0$일 때가 $r=2r_0$일 때의 2배이다.

ㄴ. 공전 주기는 Q가 P의 $3\sqrt{3}$배이다.

ㄷ. $r=5r_0$일 때 Q에 작용하는 만유인력의 크기는 $\frac{1}{25}ma_0$이다

① ㄱ ② ㄴ ③ ㄷ ④ ㄱ, ㄴ ⑤ ㄴ, ㄷ

• 위성에 작용하는 알짜힘은 만유인력이고, 만유인력의 크기는 위성의 질량과 가속도 크기의 곱이다.

고난도 08

> 케플러 법칙과 만유인력 법칙

그림은 질량이 각각 m_1, m_2인 위성 A, B가 동일한 행성을 한 초점으로 하는 각각의 타원 궤도를 따라 한 주기 동안 운동할 때, 행성이 A, B에 각각 작용하는 만유인력의 크기를 행성 중심에서 A, B 중심까지의 거리에 따라 나타낸 것이다.

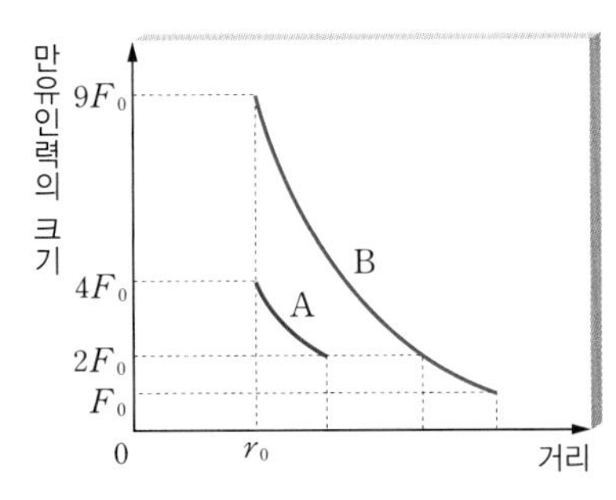

이에 대한 설명으로 옳은 것만을 보기에서 있는 대로 고른 것은? (단, A, B에는 행성에 의한 만유인력만 작용한다.)

보기

ㄱ. $m_1 : m_2 = 4 : 9$이다.

ㄴ. 만유인력이 $2F_0$일 때 행성에서 B까지의 거리는 $\frac{3\sqrt{2}}{2}r_0$이다.

ㄷ. 공전 주기는 B가 A의 $\frac{8}{\sqrt{7+5\sqrt{2}}}$배이다.

① ㄱ ② ㄷ ③ ㄱ, ㄴ ④ ㄴ, ㄷ ⑤ ㄱ, ㄴ, ㄷ

• 만유인력은 두 물체의 질량의 곱에 비례하고, 두 물체 사이 거리의 제곱에 반비례한다.

03 일반 상대성 이론

학습 Point 등가 원리 〉 중력에 의한 시공간의 휘어짐 〉 중력 렌즈, 시간 지연 〉 블랙홀, 중력파

1 등가 원리

기존에 우리가 알고 있는 중력은 단순히 힘의 한 종류였다. 그러나 일반 상대성 이론에서는 중력을 일으키는 원인인 질량이 시간과 공간을 왜곡한다고 설명하고 있다. 이것은 중력과 관성력을 구별할 수 없다는 등가 원리에서 시작된다.

1. 가속 좌표계

물체의 운동을 기술하려면 물체의 위치와 시간을 측정해야 한다. 이를 위해 관찰자는 기준틀에 좌표계를 설정하고, 물체의 위치를 기준점에서 떨어진 거리와 방향으로 나타낸다. 좌표계는 관찰자가 물체의 위치를 측정하는 기준이므로, 관찰자의 운동 상태에 따라 달라진다.

(1) **뉴턴 제1법칙과 관성 좌표계(관성계):** 물체의 운동은 여러 기준틀에서 관측할 수 있다. 이 중 뉴턴 운동 제1법칙(관성 법칙)을 만족하는 특별한 좌표계를 정의할 수 있는데, 이것을 관성 좌표계 또는 관성계라고 한다. 한 관성 좌표계에 대해 정지해 있거나 등속도로 운동하는 관찰자를 기준으로 한 좌표계는 모두 관성 좌표계가 되며, 모든 관성 좌표계에서 뉴턴 운동 법칙은 동일하게 적용된다.

(2) **가속 좌표계:** 속도가 변하는 버스나 원운동 하는 놀이 기구에 탄 관찰자처럼, 한 관성 좌표계에 대해 가속도 운동을 하는 관찰자를 기준으로 한 좌표계를 가속 좌표계라고 한다. 지면에 정지해 있는 물체를 가속도 운동을 하는 관찰자가 보면 물체가 자신과 반대 방향으로 가속되는 것으로 보인다. 이처럼 가속 좌표계에서는 물체에 아무런 힘이 작용하지 않아도 물체가 가속도를 가지는 것으로 관측되므로, 뉴턴 운동 제1법칙이 성립하지 않는다.

• 관성 좌표계와 가속 좌표계에서 물체의 운동 비교

관찰자	일정한 속도 $\vec{v}$로 운동하는 버스에 탄 승객 (관성 좌표계)	가속도 $\vec{a}$로 가속되는 버스에 탄 승객 (가속 좌표계)
승객이 본 나무의 운동	일정한 속도 $-\vec{v}$로 등속도 운동을 한다.	반대 방향으로 가속도 $-\vec{a}$로 가속된다.
관성 법칙의 성립 여부	나무에 수평 방향으로 힘이 작용하지 않을 때, 나무의 수평 방향의 운동 상태가 변하지 않았다. ➡ 관성 법칙이 성립한다.	나무에 수평 방향으로 힘이 작용하지 않아도, 나무가 수평 방향으로 가속되어 운동 상태가 변하였다. ➡ 관성 법칙이 성립하지 않는다.

기준틀
교실이나 방, 차 안이나 지표면, 엘리베이터 안과 같이 물체의 위치를 관찰하거나 측정하는 특정한 장소를 기준틀이라고 한다.

위치 표현

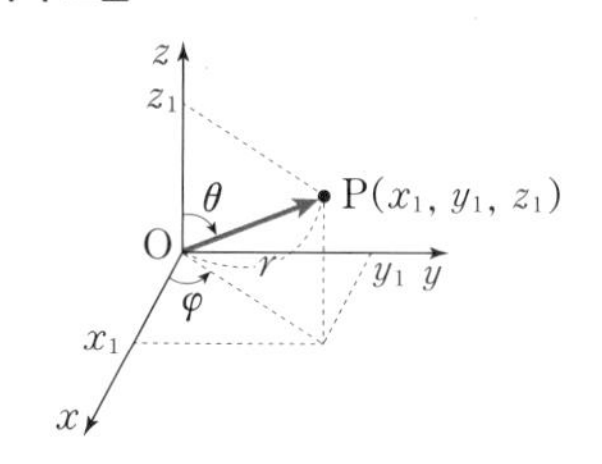

기준점을 O로 할 때, P점의 위치는 화살표나 좌표 (x_1, y_1, z_1), (r, θ, ϕ) 등으로 나타낼 수 있다.

관성 좌표계에서 관성 법칙의 성립
관성 좌표계에서 물체에 아무런 힘이 작용하지 않으면 물체는 정지해 있거나 등속도 운동을 한다.

2. 관성력

가속 좌표계에서는 관성 법칙이 성립하지 않으므로, 물체에 작용하는 실제 힘만으로는 뉴턴 운동 법칙이 성립하지 않는다. 가속 좌표계에서 뉴턴 운동 법칙을 적용하기 위해서는 가상의 힘인 관성력을 도입해야 한다.

예를 들어 직선을 따라 일정한 가속도 $\vec{a}$로 운동하는 버스에 있는 질량 m인 손잡이는 $\vec{a}$의 반대 방향으로 기울어진다. 이것을 (가)와 같이 지면의 철수는 중력과 장력의 합력에 의해 손잡이가 가속되는 것으로 관측한다. 그러나 (나)와 같이 버스 안의 영수에게는 손잡이가 기울어져서 정지해 있는 것으로 보이므로, 뉴턴 운동 제2법칙을 적용하기 위해서는 다음과 같이 버스의 가속도 $\vec{a}$의 반대 방향으로 작용하는 가상의 힘인 관성력 $\vec{F}$를 도입하여야 한다.

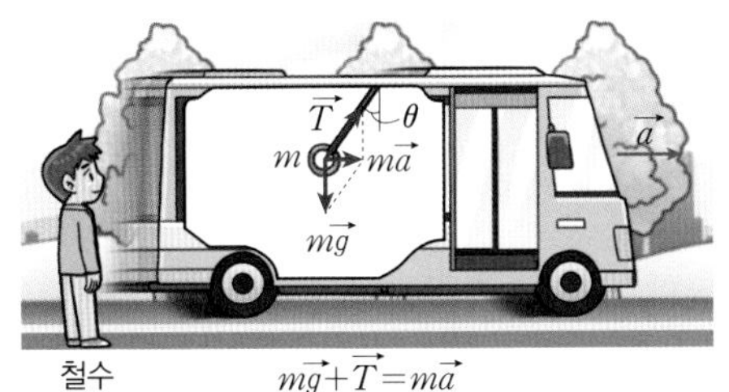

$m\vec{g}+\vec{T}=m\vec{a}$

$m\vec{g}+\vec{T}+\vec{F}=0$

(가) 지면에 서 있는 철수가 볼 때(관성 좌표계) 중력 $m\vec{g}$와 장력 $\vec{T}$의 합력에 의해 손잡이가 $\vec{a}$로 가속되는 것으로 관측한다.

(나) 가속되는 버스 안의 영수가 볼 때(가속 좌표계) 관성력 $\vec{F}$를 도입하여 $m\vec{g}$, $\vec{T}$, $\vec{F}$가 평형을 이루어 손잡이가 정지해 있는 것으로 관측한다.

▲ 관성 좌표계와 가속 좌표계에서 본 손잡이의 운동

(1) **관성력:** 가속 좌표계에 있는 관찰자가 느끼는 가상의 힘이다. 힘은 두 물체 사이의 상호 작용인데, 관성력은 힘의 근원이 되는 다른 물체가 존재하지 않아 실제 힘이 아니므로, 관성력에 대한 반작용은 존재하지 않는다. 가속도 $\vec{a}$로 운동하는 가속 좌표계에서 질량 m인 물체를 관측하면 $\vec{a}$의 반대 방향으로 다음과 같은 관성력 $\vec{F}$가 작용하는 것으로 보인다.

$$\vec{F}=-m\vec{a}$$

① 관성력의 크기: 관성력의 크기 $F=ma$로, 좌표계의 가속도 크기 a에 비례한다.

② 관성력의 방향: 좌표계의 가속도 방향과 반대 방향이다.

(2) **원운동에서의 관성력:** 커브 길을 도는 자동차 안의 사람은 커브 바깥쪽으로 힘을 느낀다. 이처럼 원운동 하는 가속 좌표계에서도 관성력이 나타나는데, 이를 원심력이라고 한다. 예를 들어 용수철에 매달린 질량 m인 물체가 수평면에서 회전 원판과 함께 반지름 r인 등속 원운동을 할 때 지면의 영희와 원판 위의 철수는 각각 다음과 같이 관찰한다.

① 지면에 서 있는 영희(관성 좌표계): 용수철에 의한 탄성력이 구심력이 되어 물체가 구심 가속도 $a=\frac{v^2}{r}$으로 등속 원운동을 한다.

$$F=ma=\frac{mv^2}{r}=mr\omega^2=kx \ (k\text{: 용수철 상수, } x\text{: 용수철이 늘어난 길이})$$

② 회전하는 원판 위의 철수(가속 좌표계): 용수철이 늘어난 상태로 물체가 정지해 있으므로, 탄성력과 관성력이 평형을 이룬다고 생각해야 한다. 이 관성력은 원운동의 중심에서 멀어지는 방향을 향하므로 이를 원심력이라고 하며, 그 크기는 구심력과 같다.

회전 원판에서의 운동

지면에 서 있는 영희가 볼 때 물체는 등속 원운동을 한다.

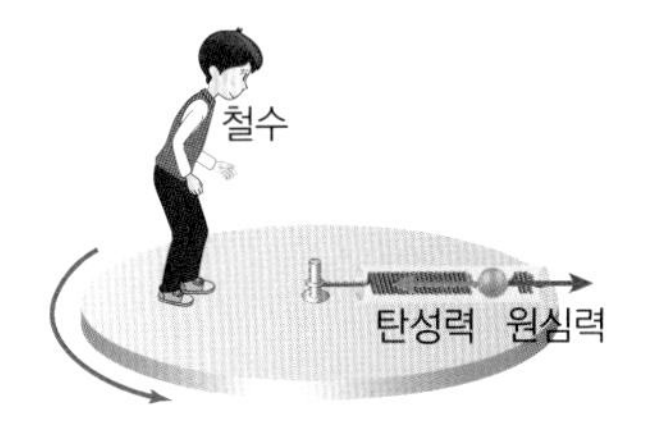

회전하는 원판 위의 철수가 볼 때 물체는 정지해 있다.

3. 등가 원리

(1) **질량:** 질량은 전혀 다른 두 가지 개념으로 정의할 수 있다. 하나는 중력(만유인력)에 의해 정의되는 중력 질량이고, 다른 하나는 알짜힘과 가속도로 정의되는 관성 질량이다.

구분	중력 질량	관성 질량
정의	뉴턴이 말한, 질량을 가진 두 물체 사이에 만유인력이라는 힘이 작용할 때, 만유인력의 크기에 비례하는 질량 값을 중력 질량이라고 한다.	물체에 힘을 작용하면 가속도 운동을 한다. 이 때 힘의 크기를 물체의 가속도 크기로 나눈 값을 관성 질량이라고 한다.
측정	지표면에서 물체를 용수철에 매달아 F를 측정하여 계산할 수 있다. ➡ $F=G\frac{Mm}{r^2}=mg$	힘 F를 작용할 때 물체의 가속도 a를 측정하여 계산할 수 있다. ➡ $F=ma$

(2) **아인슈타인의 사고 실험:** 아인슈타인은 질량이 이러한 이중적인 모습을 가지는 것은 중력과 관성력이 기본적으로 서로 관련이 있기 때문이라고 생각하고, 다음과 같은 사고 실험을 제안하였다.

중력이 작용하는 공간인 지구에 정지해 있는 우주선과 중력이 작용하지 않는 공간에서 $-\vec{g}$로 가속되는 우주선 안에서 공을 가만히 놓았을 때, 두 우주선 안의 관찰자에게는 공의 운동이 각각 다음과 같이 관찰된다.

지구에 정지해 있는 우주선 안	중력이 작용하지 않는 공간에서 $-\vec{g}$의 가속도로 가속되는 우주선 안
공이 아래로 $\vec{g}$의 가속도로 떨어진다. / 정지	가속 운동 / 공이 아래로 $\vec{g}$의 가속도로 떨어진다.
중력에 의해 공이 아래로 $\vec{g}$의 가속도로 떨어진다.	관성력에 의해 공이 아래로 $\vec{g}$의 가속도로 떨어지는 것으로 보인다.

➡ 결론: 우주선 안의 관찰자가 바깥을 볼 수 없다면 공이 중력에 의해 낙하하는지 우주선이 가속되고 있어 낙하하는지 구별할 수 없다. 중력과 관성력은 본질적으로 서로 구별되지 않으며, 이것은 중력 질량과 관성 질량이 같다는 것을 의미한다.

(3) **등가 원리:** 가속 좌표계에서 나타나는 관성력은 근본적으로 중력과 구별할 수 없는데, 이것을 등가 원리라고 한다.

4. 일반 상대성 이론의 두 가지 가설

1916년에 아인슈타인은 모든 가속계로 확장된 상대성 원리와 등가 원리, 이 두 가지 가설을 기본으로 하는 일반 상대성 이론을 완성하였다.

- **상대성 원리:** 관성 좌표계와 가속 좌표계를 포함한 모든 좌표계에서 물리 법칙은 동일하게 성립한다.
- **등가 원리:** 가속 좌표계에서 나타나는 관성력은 근본적으로 중력과 구별할 수 없다.

우주선 밖에서 본 공의 운동
가속 운동을 하는 우주선에서 공을 가만히 놓으면, 공은 그 순간의 속도로 등속도 운동을 한다. 그런데 우주선이 가속되고 있으므로 우주선 안에 있는 사람이 볼 때는 공이 아래쪽으로 가속되고 있는 것으로 보인다.

특수 상대성 이론과 일반 상대성 이론
아인슈타인이 1905년에 발표한 특수 상대성 이론이 관성 좌표계에서 일어나는 현상에 대한 이론이라면, 1916년에 발표한 일반 상대성 이론은 가속 좌표계를 포함한 모든 좌표계에서 일어나는 현상에 대한 이론이다.

2 중력 렌즈와 시간 지연

집중 분석 121쪽

일반 상대성 이론에 의하면 질량에 의하여 시공간이 휘어진다. 공간의 휘어짐은 중력 렌즈 효과로 알 수 있으며, 시간의 휘어짐은 시간 지연 효과로 알 수 있다. 질량에 의한 시공간의 휘어짐에 대하여 살펴보자.

1. 빛의 휘어짐

아인슈타인은 등가 원리를 역학뿐만 아니라 모든 현상에 대해 확장하여 재미있는 결과를 얻었다. 즉, 빛이 중력장을 지날 때 직진하지 않고 그 경로가 휘어지는 현상을 예측하였는데, 이것을 다음과 같이 설명하였다.

중력장
지구 주변과 같이 중력이 작용하는 공간 또는 영역을 중력장이라고 한다. 일반적으로 지구에 한하지 않고 만유인력이 작용하는 공간을 모두 포함한다.

(1) 중력이 작용하지 않는 공간의 관성 좌표계에서 빛의 진행 경로

중력이 작용하지 않는 공간에서 우주선이 가속하지 않을 때 우주선의 왼쪽에서 오른쪽으로 빛을 쏘는 경우를 생각해 보자. 마치 무중력 상태에서 공을 던진 것처럼 우주선을 가로질러 진행하는 빛은 우주선 안의 관찰자에게 직진하는 것으로 관측된다.

중력이 작용하지 않는 공간의 관성 좌표계에서 빛의 진행 경로 ▶

(2) 중력이 작용하지 않는 공간의 가속 좌표계에서 빛의 진행 경로

중력이 작용하지 않는 공간에서 우주선이 $-\vec{g}$의 가속도로 등가속도 직선 운동을 할 때 우주선이 단위 시간 동안 이동한 거리는 시간에 따라 점점 증가한다. 따라서 우주선의 왼쪽 구멍에서 수평 방향으로 비춘 빛은 우주선 외부의 철수가 관찰할 때는 직진하여 오른쪽 구멍에 도달하지만, 우주선 내부의 영수가 관찰하면 빛이 포물선 경로로 휘어져 진행하는 것으로 보인다.

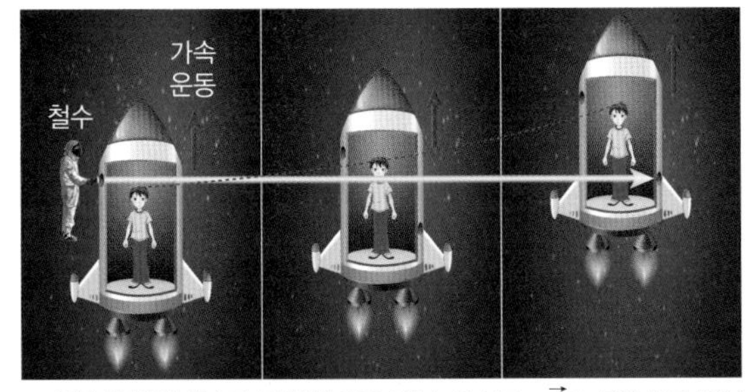

▲ **우주선 밖의 철수가 관찰한 빛의 경로** 가속도 $-\vec{g}$로 등가속도 직선 운동을 하는 우주선의 왼쪽 구멍으로 들어온 빛은 수평 방향으로 직진하여 오른쪽 구멍을 통과한다.

▲ **우주선 안의 영수가 관찰한 빛의 경로** 왼쪽 구멍으로 들어온 빛은 포물선을 그리며 휘어져 오른쪽 구멍을 통과한다.

(3) 중력장 내의 관성 좌표계에서 빛의 진행 경로

가속 좌표계에서는 좌표계의 가속도 운동 때문에 빛의 진행 경로가 휘어져 보인다. 등가 원리에 의해 가속 좌표계에서 나타나는 현상과 중력장에서 나타나는 현상을 구별할 수 없으므로, 중력이 작용하는 곳에서도 빛의 경로가 휘어질 것을 예상할 수 있다.

지표면에 서 있는 우주선을 지나는 빛의 경로 ▶
우주선의 안과 밖에서 모두 빛의 경로가 휘어져 보인다.

2. 질량에 의한 시공간의 휘어짐

탐구 120쪽

뉴턴의 만유인력 법칙에 의하면 중력은 질량이 있는 물체 사이에서 상호 작용하는 힘이다. 그러나 빛은 질량이 0이므로, 만유인력 법칙으로는 중력이 작용하는 공간에서 빛이 휘어지는 현상을 설명할 수 없다. 아인슈타인은 빛이 휘어지는 현상을 새로운 시각으로 해석하였다. 즉, 중력은 힘이 아니라, 단지 어떤 질량이 존재하면 주변의 시공간이 휘어지고, 빛도 휘어진 시공간을 따라 직진하기 때문에 그 경로가 휘어져 보인다고 설명하였다.

(1) 질량에 의해 휘어진 시공간에 대한 이해

그림 (가)와 같이 두 물체를 가만히 놓으면 중력이 지구 중심 방향으로 작용하기 때문에 낙하하는 동안 조금씩 가까워진다. 아인슈타인은 이것을 지구의 질량에 의해 휘어진 공간을 따라 물체가 이동하기 때문이라고 설명하였다. 3차원 공간에서는 휘어진 시공간을 그림으로 나타내기 어려우므로, 그림 (나)와 같이 2차원 평면으로 시공간의 휘어짐을 비유하여 설명할 수 있다. 예를 들어 얇고 평평한 고무막 위에 무거운 쇠공을 올려 두면, 쇠공이 아래로 처지며 쇠공 주위의 막이 굽어진다. 아인슈타인은 이러한 현상이 물체의 질량에 의해 발생한다고 해석하고, 질량이 클수록 시공간의 휘어짐도 커진다고 하였다.

뉴턴의 중력과 아인슈타인의 중력
뉴턴의 중력은 질량에 의해 나타나는 힘을 뜻한다. 반면 아인슈타인의 중력은 질량에 의해 나타난 휘어진 시공간 자체를 의미하며, 중력에 의한 현상도 휘어진 시공간에 의한 효과이다.

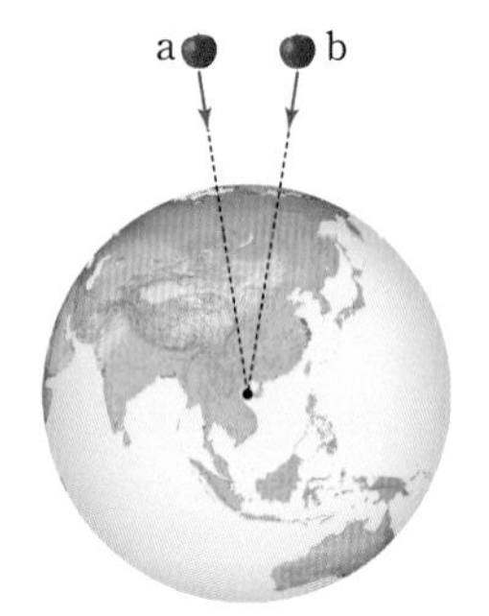

(가) 자유 낙하 하는 두 물체 중력의 영향으로 휘어진 공간을 따라 서로 가까워진다.

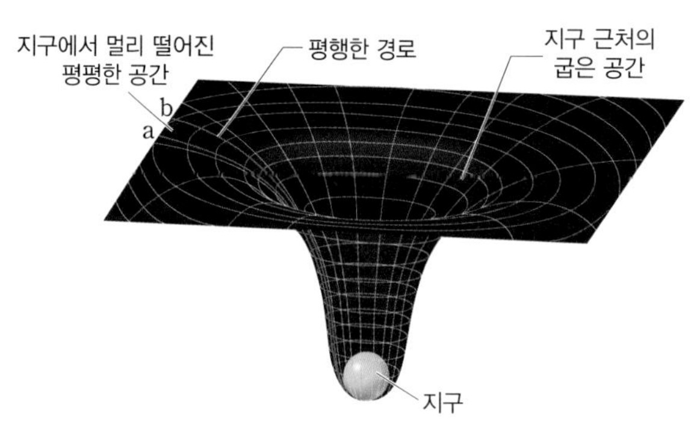

(나) 질량에 따른 시공간의 휘어짐 멀리 떨어진 평평한 시공간에서 평행하던 두 경로 a, b가 지구에 가까워지면 지구의 질량 때문에 시공간이 휘어지므로 a, b가 한 점에서 만나게 된다.

① **물체의 낙하:** 막 위에 작은 구슬을 올려 두면 구슬이 휘어진 막을 따라 굴러가서 쇠공에 붙는 것처럼, 사과가 지구로 떨어지는 것도 사과가 휘어진 공간을 따라 움직이기 때문이다.

② **태양 근처를 지나는 빛의 휘어짐:** 구슬이 빠른 속력으로 쇠공이 놓인 막 위를 굴러갈 때, 오른쪽 그림과 같이 여러 경로로 움직일 수 있다. 구슬의 속력에 따라 ㉠처럼 쇠공 주위를 원운동하거나, ㉡처럼 타원 궤도를 따라 쇠공 주위를 돌 수 있다. 구슬의 속력이 매우 빠르면 ㉢과 같이 쇠공 옆을 지나치며 그 경로가 휘어질 수도 있을 것이다.

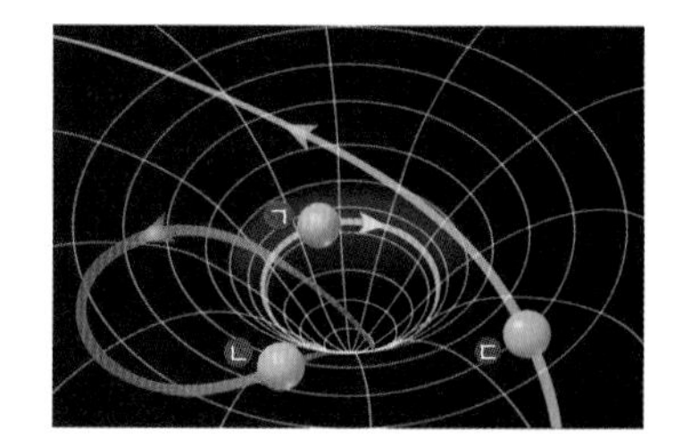

▲ **휘어진 막 위를 운동하는 구슬의 경로**

태양 주위를 도는 지구의 운동은 ㉠에 해당하고, 혜성의 운동은 ㉡, 속력이 매우 빠른 빛의 운동은 ㉢에 해당한다.

속력이 매우 큰 빛이 질량이 큰 천체 주위를 지날 때 ㉢처럼 그 경로가 휘어진다. 지구 근처에서는 시공간이 휘어진 정도가 작아 빛이 휘어지는 것을 관측하기 어렵지만, 빛이 태양과 같이 질량이 큰 천체를 지날 때에는 휘어진 정도를 측정할 수 있다. 그림과 같이 A에서 온 별빛이 태양 근처를 지날 때 휘어진 공간을 따라 이동하므로, A에 있는 별을 지구에서 관찰하면 B에 있는 것처럼 보인다.

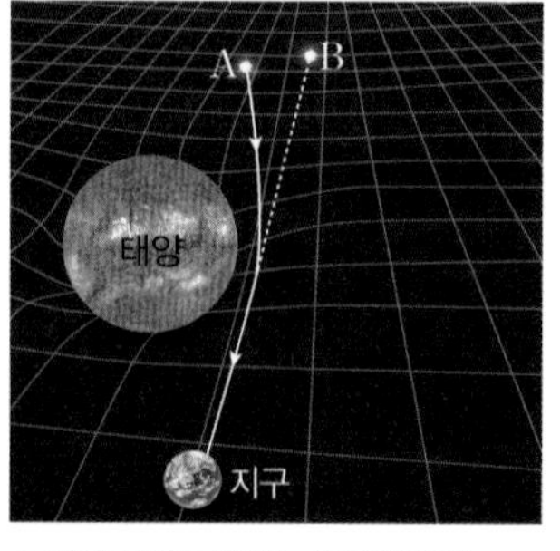

▲ **태양 근처를 지나는 빛의 휘어짐**

(2) 관측된 빛의 휘어짐

① 에딩턴의 태양 주위 별빛의 휘어짐 관측: 태양에 의한 별빛의 휘어짐을 관측하려면 태양이 없는 밤하늘의 별의 위치를 촬영하고, 태양이 이 별 근처에서 보일 때 다시 별의 위치를 촬영한 후, 두 사진을 비교해야 한다. 그러나 태양 뒤에서 오는 별빛은 태양 빛이 너무 강해 보통 때는 관측하기가 어렵다. 에딩턴은 1919년 5월 29일의 개기 일식 때 태양 근처의 별들을 촬영하고, 태양이 없는 밤에 관측한 별빛과 비교하여 태양 근처를 지나는 별빛이 실제로 휘어진다는 것을 증명하는 데 성공하였다.

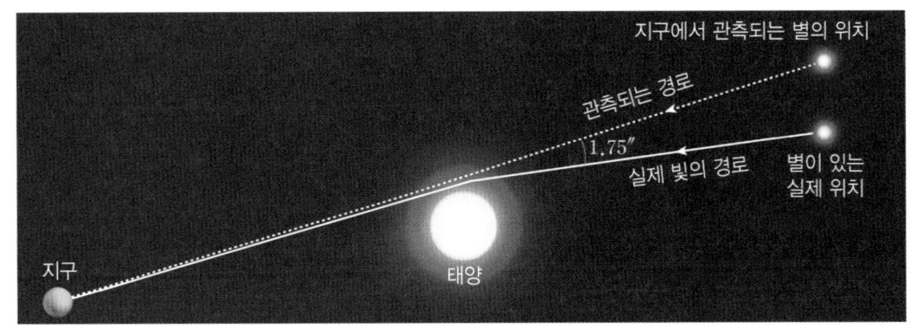

▲ 태양 근처를 지나는 빛의 휘어짐

에딩턴의 관측 결과

그림에서 화살표의 길이는 태양에 의해 별이 보이는 위치가 바깥쪽으로 이동한 정도를 나타낸다. 태양의 가까운 위치에 보이는 별일수록 별의 위치 변화가 크므로, 태양에 가까울수록 시공간이 크게 휘어져 있다는 것을 알 수 있다.

② 중력 렌즈 효과: 빛이 휘어지는 것은 중력 렌즈 효과로도 관측할 수 있다. 그림 (가)와 같이 먼 곳에 있는 밝은 광원으로부터 빛이 지구에 도달할 때 중간에 질량이 거대한 천체가 있으면, 이 천체에 의해 빛이 휘어져 마치 렌즈에 의해 빛이 휘어지는 것처럼 보이는 현상이 나타나는데, 이렇게 빛이 중력에 의해 휘어지는 현상을 중력 렌즈 효과라고 하며, 일반 상대성 이론의 증거 중 하나이다.

중력 렌즈 효과에 의한 상의 모양이나 수는 광원과 중력 렌즈 역할을 하는 거대 질량의 천체, 관측자의 위치에 따라 다르지만, 이들이 일직선에 있는 경우에 그림 (나)와 같이 완전한 원 모양의 상이 생길 수 있으며, 이러한 원 모양의 상을 '아인슈타인의 원'이라고 한다.

일반적으로 중력 렌즈의 질량 분포가 복잡하고 시공간의 왜곡이 구형이 아니므로, 광원은 보통 중력 렌즈 주위에 드문드문 흩뿌려진 길쭉한 원호의 모양을 하며, 여러 개의 상으로 나타나기도 한다. 그림 (다)는 '아인슈타인 십자가'라는 현상을 나타내는 사진으로, 은하단 주변 4개의 밝게 빛나는 천체는 은하단 뒤쪽에 있는 하나의 퀘이사에서 나온 빛이 4개의 상으로 나타난 것이다. 이것은 은하단이 중력 렌즈 역할을 하여 퀘이사에서 나온 빛이 은하단을 지나는 동안 휘어지기 때문에 나타난 결과이다.

퀘이사(Quasar)

일반적인 은하의 수천 배 이상의 에너지를 방출하는 은하이다.

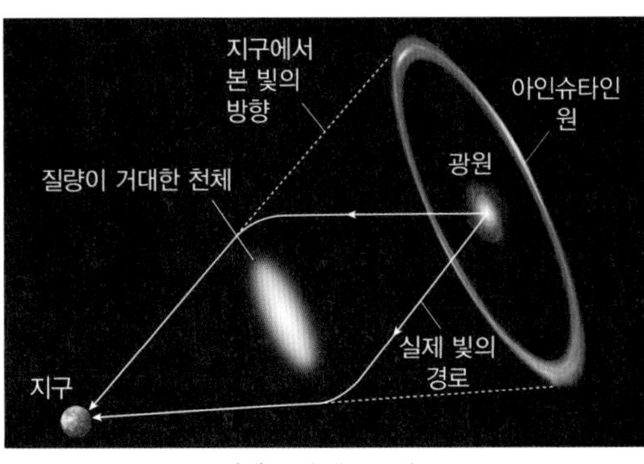

(가) 중력 렌즈 효과

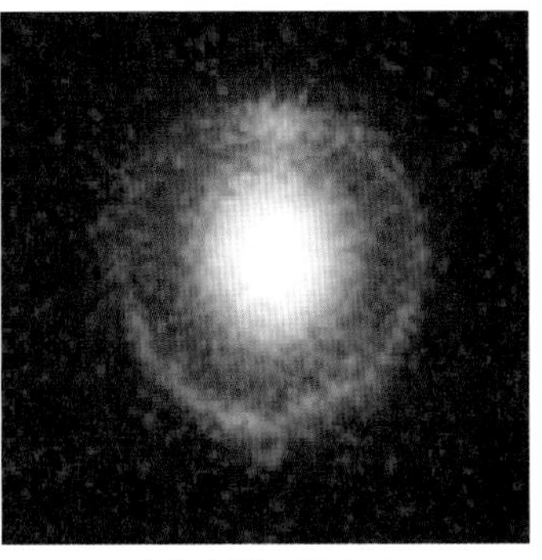

(나) 아인슈타인의 원

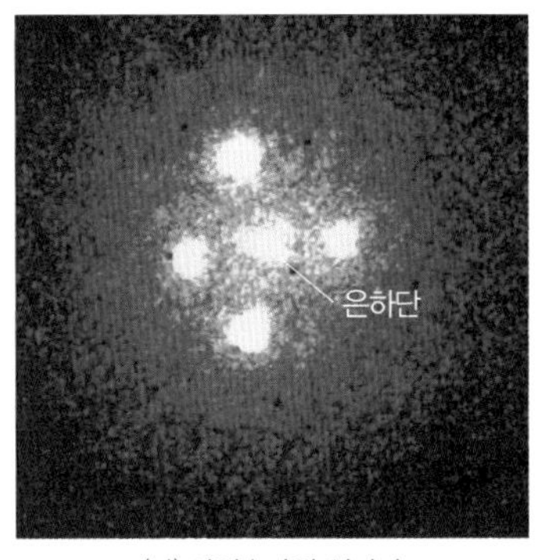

(다) 아인슈타인 십자가

▲ 중력 렌즈 효과

3. 중력에 의한 시간 지연

일반 상대성 이론에 의하면 중력의 영향에 의해 공간의 왜곡뿐만 아니라 시간의 왜곡 현상도 나타난다.

(1) 중력에 의한 시간 지연 이해

오른쪽 그림과 같이 회전하는 원판 위의 중심과 가장자리에 시계 A, B가 각각 있다고 가정하자. 이때 원판 밖에 정지해 있는 관찰자와 원판의 중심에 있는 관찰자는 각각 다음과 같이 관찰한다.

▲ 회전 원판 위의 두 시계 A, B

① **원판 밖에 정지해 있는 관찰자:** 자신과 시계 A는 상대 운동이 없으므로 A는 정지해 있고, B는 운동을 한다고 관찰한다. 특수 상대성 이론에 따라 원판 밖에 정지해 있는 관찰자는 B가 A보다 시간이 천천히 흐른다고 관찰한다.

② **원판 중심에 있는 관찰자:** 관찰자가 보았을 때 A와 B 사이의 거리는 일정하여 B가 정지해 있다고 관찰한다. 그러나 원판 중심의 관찰자는 원판 밖에 정지해 있는 관찰자와 동일한 좌표계에 있으므로 B의 시간이 천천히 흐른다고 관찰하여야 한다. 이것은 B는 회전에 의한 원심력이 작용하여 시간 지연이 일어난다고 설명할 수 있다.

③ **결론:** 원심력은 관성력이고 등가 원리에 의하여 관성력과 중력을 구별할 수 없으므로, 중력에 의해서도 시간 지연이 발생한다. 이때 중력이 클수록 시간이 천천히 흐른다.

(2) 중력 적색 이동: 움직이지 않는 중력이 강한 별에서 오는 빛을 관측해 보면 별의 에너지를 통해 계산된 별빛의 진동수보다 실제 관측되는 진동수가 더 작게 관측되어 별빛의 스펙트럼은 빨간색 쪽으로 가까워지게 된다. 이를 중력 적색 이동이라고 하는데, 일반 상대성 이론에 의해서만 설명될 수 있는 현상이다.

도플러 효과에 의한 적색 이동
중력 적색 이동은 도플러 효과에 의한 적색 이동과는 다른 현상이다. 도플러 효과에 의한 적색 이동은 광원이 관측자로부터 멀어질 때 빛의 진동수가 작아져서 스펙트럼의 에너지 분포가 전체적으로 긴 파장, 즉 빨간색 쪽으로 쏠리는 현상이다.

① 동일한 시계를 별 표면과 지구에 두고, 별 표면의 시계에서 1초마다 신호를 발생한다고 가정하자. 이때 별 표면의 시계는 중력에 의한 시간 지연으로 신호 사이의 간격이 지구에서의 1초보다 클 것이다. 따라서 별빛의 진동수가 감소하는 중력 적색 이동이 나타난다.

② 오른쪽 그림은 2018년도에 유럽남방천문대의 초거대망원경을 이용하여 확인된 현상으로, 우리 은하의 중심에 있는 블랙홀 '궁수자리 A*'를 항성 S2가 지나가는 경로의 상상도를 나타낸 것이다. 푸른색 별이 블랙홀에 가까워지면서 강력한 중력에 의하여 붉은색으로 변하고 블랙홀에서 멀어지면서 다시 푸른색으로 변하여 일반 상대성 이론의 중력 적색 이동이 옳음을 보여 준다.

▲ 블랙홀 궁수자리 'A*'를 지나는 항성 S2 상상도

(3) GPS 위성과 지상 시간의 오차 수정: 동일한 시계를 GPS 위성과 지구에 두었을 때 일반 상대성 이론에 의해 중력이 큰 지구의 시계가 GPS 위성의 시계보다 천천히 간다. 따라서 GPS 위성에서 시각에 대한 정보를 지상으로 보낼 때 이러한 중력 차이를 고려하여 오차를 수정한 값을 보낸다.

3 블랙홀과 중력파

아인슈타인의 일반 상대성 이론은 빛조차 빠져나올 수 없는 블랙홀의 존재를 예측하였다. 블랙홀(black hole)은 '검은 구멍'이란 뜻으로, 극단적으로 큰 질량이 밀집되면 마치 시공간 자체에 구멍이 난 것처럼 시공간의 왜곡이 심해지는데, 이 때문에 블랙홀이라는 이름이 붙었다.

1. 블랙홀

1783년, 영국의 천문학자 미첼은 블랙홀에 대해 처음 언급하였다. 그는 어떤 천체의 밀도가 너무 커서 탈출 속도가 빛의 속력보다도 빠르게 되면 빛조차도 빠져 나오지 못하는 천체가 있을 것이라고 생각하였고, 이후 프랑스의 천문학자 라플라스도 비슷한 제안을 하였다.

(1) 탈출 속도와 블랙홀

지표면에서 연직 위로 공을 던지면 공은 천체의 중력으로 인해 땅으로 떨어진다. 점차 공을 빠르게 던질수록 공은 더 높이 올라간 후 떨어지며, 어느 속력에 도달하면 공은 천체의 중력을 벗어나 무한히 멀어질 수 있다. 이처럼 물체가 천체의 중력으로부터 벗어나 무한히 멀어지기 위해 필요한 최소한의 속력을 그 천체의 탈출 속도라고 한다. 질량이 M이고 반지름이 R인 천체의 탈출 속도 v_e는 다음과 같다.

$$v_e=\sqrt{\frac{2GM}{R}}\ (G\text{: 만유인력 상수})$$

지구 표면에서 탈출 속도는 11.2 km/s이다. 만약 지구의 질량은 같고 반지름만 $\frac{1}{10000}$배로 줄어들면 탈출 속도는 100배인 1120 km/s가 된다. 지구의 반지름이 점점 줄어들어 9 mm가 되면, 지구의 탈출 속도는 300000 km/s가 넘게 되어 빛조차 빠져나갈 수 없게 되는데, 이러한 천체가 블랙홀이 된다.

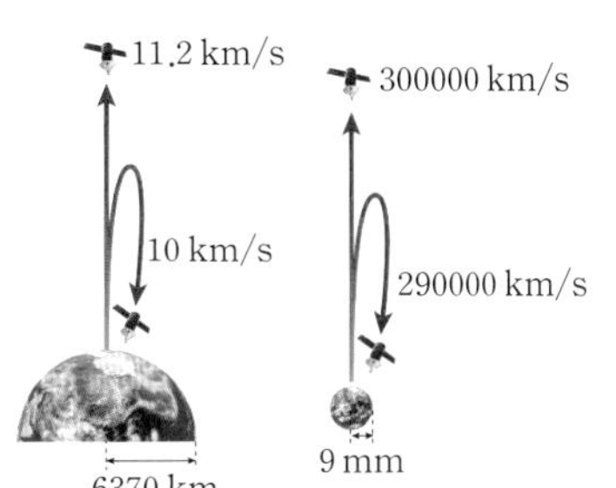

태양계 천체들의 탈출 속도

천체	탈출 속도(km/s)
태양	617.5
수성	4.3
금성	10.4
지구	11.2
달	2.4
화성	5.0
목성	59.5
토성	35.5
천왕성	21.3
해왕성	23.5

(2) 블랙홀의 크기

① 사건 지평면(사건 지평선): 탈출 속도는 천체의 질량과 반지름에 의해서만 결정되는데, 탈출 속도의 식에서 v_e에 빛의 속력 c를 대입하면, 빛의 속력으로도 탈출이 불가능한 경계의 반지름 R를 알 수 있다.

$$c=\sqrt{\frac{2GM}{R}} \Rightarrow R=\frac{2GM}{c^2}$$

블랙홀의 중심에서 반지름 R가 위와 같은 경계를 사건 지평면이라고 한다. 사건 지평면의 외부에서는 물질이나 빛이 자유롭게 경계 안으로 들어갈 수 있다. 그러나 사건 지평면 안에서는 빛조차도 빠져나올 수 없어서 이 경계 안에서 일어나는 사건은 관측할 수 없기 때문에 이러한 이름이 붙었다. 외부에서 사건 지평면 근처로 갈수록 중력이 점점 세지므로 시간은 천천히 가며, 사건 지평면에서는 시공간이 휘는 정도가 무한대가 되어, 즉 중력이 무한대가 되므로 시간이 멈춘 것처럼 보이게 된다.

② 블랙홀의 크기: 블랙홀에서 밀도나 중력이 무한한 특이점으로부터 사건 지평면까지의 거리가 블랙홀의 크기이다. 블랙홀의 크기는 일반 상대성 이론으로 블랙홀의 존재를 처음으로 유도한 천체 물리학자 슈바르츠실트의 이름을 따서 슈바르츠실트 반지름이라 부른다.

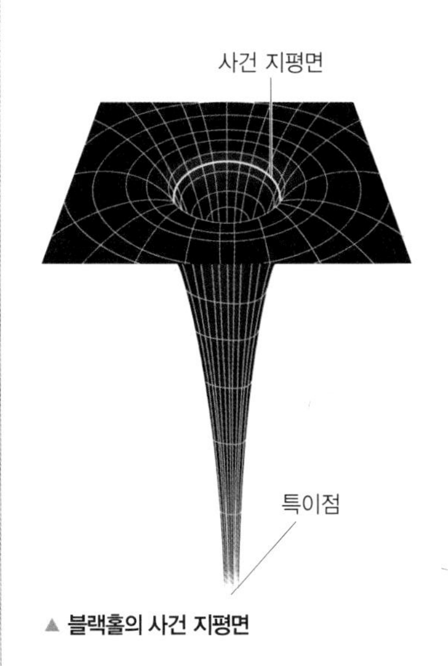

▲ 블랙홀의 사건 지평면

(3) **블랙홀이 형성되는 과정:** 일반적인 항성에서는 핵융합으로 인해 발산하려는 압력과 별의 질량으로 인해 수축하려는 중력이 균형을 이루어 일정한 크기를 유지한다. 젊은 별은 핵에서 수소를 연료로 하는 핵융합이 일어나고, 별이 늙을수록 이 과정에서 헬륨, 탄소, 산소를 생산하고 마지막으로 철로 이루어진 핵이 만들어진다. 이런 상황이 되면 핵융합의 압력과 중력 사이의 균형은 깨지고, 별은 중력 붕괴를 거쳐 수축한다. 이 수축 과정에서 별의 표면에서도 핵융합 반응이 일어나는데, 이를 초신성이라 부른다. 초신성의 폭발 이후에 남은 잔해의 질량이 여전히 중력 붕괴를 피할 수 없을 정도로 크면, 별의 핵은 계속 압축한다. 그 결과 중성자별이 생기고, 중성자별마저 자체의 질량에 의한 중력을 견디지 못하면 더욱 압축하여 밀도나 중력의 크기가 무한한 한 점으로 수축한다. 이를 특이점이라고 한다. 별의 진화 과정에서 별이 붕괴할 때 태양 질량과 비슷한 별들은 백색 왜성, 태양 질량의 1.4 ~3배인 별들은 중성자별, 태양 질량의 3배 이상인 별들은 블랙홀로 변한다.

호킹의 블랙홀 복사와 증발
1970년대부터 블랙홀이 에너지를 방출한다는 사실을 연구하기 시작하였다. 이는 블랙홀에 양자론을 도입하면 쉽게 이해할 수 있는데, 블랙홀이 마치 에너지를 가진 물체가 복사열을 방출하는 것과 같이 열을 내보낸다고 설명한다. 즉, 블랙홀 자체가 (+)의 에너지를 가지므로 블랙홀 복사 현상이 있을 것이라는 이론이다. 이는 블랙홀이 계속적으로 에너지를 방출하게 되고 결국 증발해 버릴 수 있다는 것이다. 그러나 현재로서 이 이론은 검증된 것은 아니고, 양자론적으로 이해되고 있을 뿐이다.

2. 블랙홀의 발견

블랙홀은 빛조차도 빠져나올 수 없는 천체이므로 어떤 신호도 밖으로 나오지 않는다. 따라서 블랙홀은 직접 관측할 수 없으며, 간접적으로 관측해야 한다. 블랙홀 가까이에 있는 별의 구성 물질들이 블랙홀의 중력에 의해 빨려 들어갈 때 별의 기체 온도는 매우 높은 온도로 가열되어 X선을 방출하는데, 이를 이용하여 블랙홀의 존재를 간접적으로 관측할 수 있다. 이런 방법으로 처음 관측된 블랙홀이 백조자리에서 확인되었다. 우리 은하 내에서도 이러한 방법으로 확인된 블랙홀이 여러 개 있다.

오른쪽 그림은 2019년에 사건지평면망원경(EHT; Event Horizon Telescope) 연구진이 전 세계 6개 지역에 위치한 전파 망원경을 통해 인류 최초로 촬영에 성공하여 공개된 블랙홀의 모습이다. 중심의 검은 부분이 블랙홀과 블랙홀의 그림자이고, 주변에 블랙홀의 중력에 의해 휘어진 빛이 고리 모양으로 보인다. 이 블랙홀의 지름은 160억 km이며, 질량은 태양의 65억 배 정도로 추정된다.

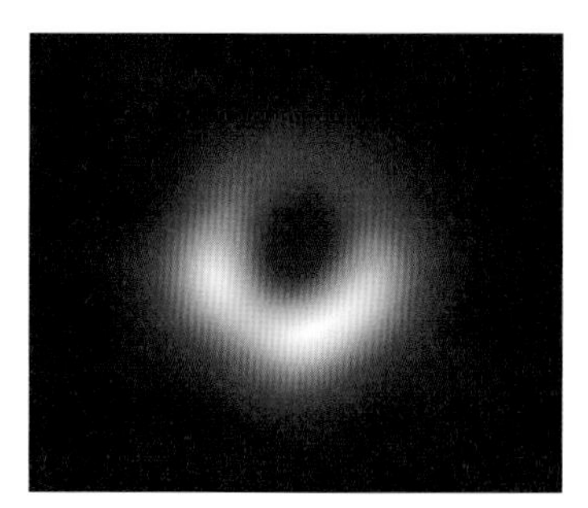

▲ **인류 최초로 촬영된 블랙홀** 처녀자리 은하단 'M87'중심부의 블랙홀 모습이다.

시야 확장 ⊕ 블랙홀의 종류

블랙홀의 사건 지평면 내부에는 특이점 이외에 존재하는 것이 없으므로 블랙홀을 구별할 수 있는 물리량은 질량, 전하량, 각운동량뿐이다. 존재하는 물리량에 따라 블랙홀을 다음과 같이 구별할 수 있다.

1. 슈바르츠실트 블랙홀(질량): 특이점은 단순한 점 모양이며, 사건 지평면은 하나이다.
2. 라이스너·노르드슈트룀 블랙홀(질량, 전하): 사건 지평면이 2개 존재하며, 중력에 의한 지평면인 외부 지평면과 전자기력에 의한 지평면인 내부 지평면이 존재한다.
3. 커 블랙홀(질량, 각운동량): 회전으로 인해 사건 지평면 바깥에도 탈출 속도가 빛의 속력 이상의 지대인 '작용권'이 존재하며, 특이점은 고리 모양이고, 자연에 실제로 존재할 가능성이 가장 높다.
4. 커·뉴먼 블랙홀(질량, 각운동량, 전하량): 사건 지평면 2개와 작용권이 존재한다.

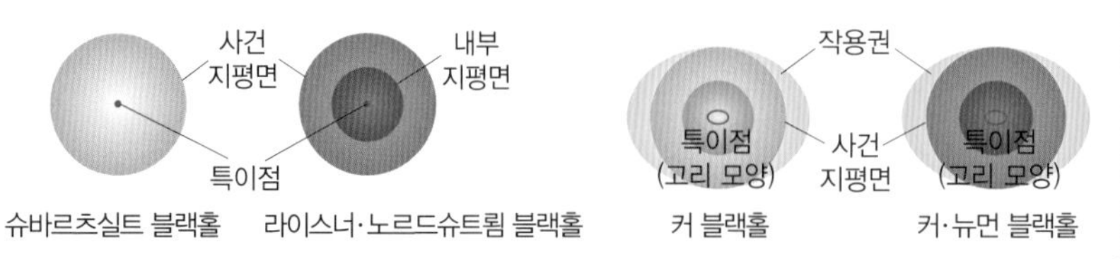

질량에 따른 블랙홀의 종류
블랙홀은 질량에 따라 다음과 같이 구별하기도 한다.

- 마이크로 블랙홀: 사건 지평면의 크기가 기본 입자 수준으로 작다. 호킹 복사에 의해 순식간에 증발하며, 수명이 매우 짧다.
- 원시 블랙홀(미니 블랙홀): 대폭발 직후 우주의 밀도가 높을 때 균일하지 않은 곳에서 중력으로 형성된 것으로, 질량이 10^{13} g 이하이다.
- 항성 블랙홀: 태양보다 질량이 큰 별이 진화 과정에서 붕괴하여 형성된 것으로, 태양 질량의 수십 배 정도이다.
- 초대질량 블랙홀: 은하나 은하의 무리가 붕괴하여 생긴 것으로, 태양 질량의 10^{10}배 정도이다.

3. 중력파

심화 122쪽

일반 상대성 이론에 따르면 질량에 의해 시공간은 왜곡된다. 전하를 띤 물체가 진동할 때 생기는 전자기파처럼, 거대한 별이 폭발하거나 블랙홀끼리 충돌하는 등 급격한 질량 변화가 있을 때 시공간의 일그러짐이 파동처럼 주변으로 퍼져 나가는 것을 중력파라고 한다.

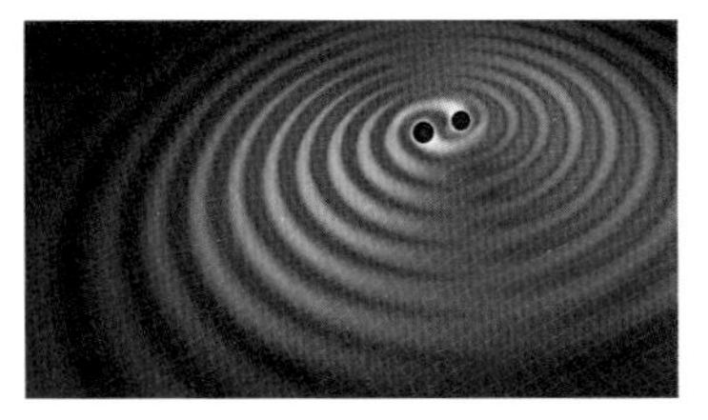
▲ 두 블랙홀의 충돌에 의한 중력파 상상도

(1) 중력파의 특성

① **진폭과 속력:** 중력파는 횡파로, 진폭은 10^{-11} m보다 작으며, 속력은 빛의 속력 c와 같다.

② **전자기파와의 차이점:** 전자기파는 전기장의 요동에 의해 발생하여 전하의 진동으로 확인할 수 있는 반면, 중력파는 중력장의 요동에 의해 발생하여 물질의 진동으로 확인할 수 있다.

③ **투과성:** 중력파의 투과성은 매우 높아 중력파의 대부분이 지구를 통과해 버린다. 즉, 중력파는 물질과 상호 작용 정도가 매우 약하므로, 중력파를 감지하는 것은 쉬운 일이 아니다.

(2) 중력파의 가치

중력파는 가시광선에 의존한 관측 방법을 벗어나 더욱 많은 정보를 얻을 수 있는 자료이다. 이는 중력파가 물질과 상호 작용 하는 정도가 약하기 때문인데, 천체 깊은 곳에서 중력파가 발생하더라도 중력파가 훼손되지 않고 밖으로 빠져 나올 수 있으므로, 천체 내부의 상황을 정확하게 확인할 수 있는 자료가 된다.

(3) 중력파의 측정

중력파 검출 장치는 마이컬슨·몰리 실험 장치와 같이 빛의 간섭 현상을 이용하여 제작한다. 라이고(LIGO)는 레이저의 간섭을 이용하여 중력파를 검출하는 장치로, 각 관의 길이가 4 km인 L자 모양의 관의 꺾인 중간 부분에서 레이저를 발사하면 레이저가 각 관에서 4 km를 수백 번 왕복하여 제자리로 돌아와 간섭을 일으킨다. 원자핵의 지름 정도의 진동도 측정이 가능하다. 2015년 9월, 3000 km 떨어진 미국의 핸포드와 리빙스턴에 있는 라이고(LIGO) 관측소에서 인류 최초로 중력파 측정에 성공하였다.

시야 확장 ⊕ 수성의 세차 운동

태양 주위를 도는 행성은 케플러 법칙이나 뉴턴의 중력 이론에 의해 타원 궤도로 운동한다는 것이 밝혀졌다. 이러한 타원 궤도의 근일점 이동(세차 운동)이 뉴턴 역학에 의해 계산한 값과 실제 관측한 값에 커다란 차이를 보였는데, 이를 일반 상대성 이론으로 설명할 수 있다.

❶ 세차 운동

태양계의 행성들은 태양을 초점으로 하는 타원 운동을 한다. 이때 궤도에서 태양과 가장 가까운 지점을 근일점이라고 한다. 정밀한 관측에 의하면 그림과 같이 행성의 궤도가 타원에서 조금씩 달라져서 꽃잎과 같아지는데, 이렇게 궤도의 회전축이 약간씩 달라져 근일점의 위치가 변하는 것을 세차 운동이라고 한다.

❷ 수성의 세차 운동

수성은 태양에 가장 가까이 있기 때문에 태양의 영향을 가장 크게 받는다. 따라서 다른 행성들보다 세차 운동이 커서 관측하기가 쉽다. 실제로 수성의 세차 운동은 일반 상대성 이론이 나오기 전부터 알려져 있었으나 뉴턴의 중력 이론으로는 완벽하게 설명할 수 없었다. 뉴턴 역학에 의하면 수성의 궤도는 100년 동안 574″만큼 세차 운동을 한다. 그러나 이는 실제 관측 값과 43″만큼의 차이가 난다. 일반 상대성 이론에 의한 시공간의 왜곡 현상을 계산에 도입하면 43″의 차이가 나는 까닭을 명확하게 설명할 수 있다. 이것은 일반 상대성 이론에 의해 더 정확하게 자연 현상을 계산할 수 있다는 의미이다.

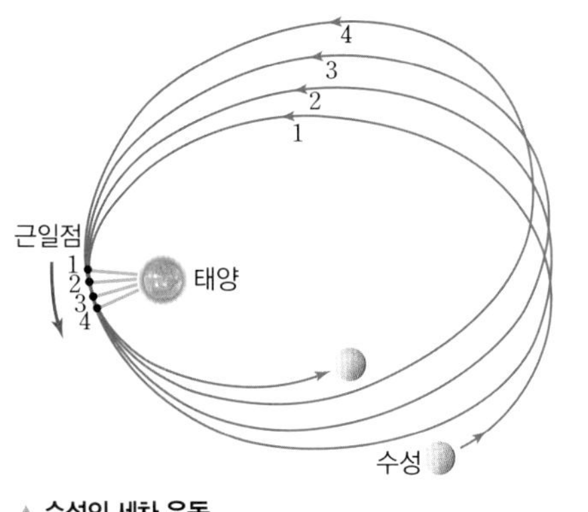

▲ 수성의 세차 운동

과정이 살아 있는 탐구

중력 렌즈 효과 가상 실험

렌즈를 이용한 실험으로 중력 렌즈 효과의 원리를 설명할 수 있다.

과정

1 페트병의 밑바닥으로 렌즈를 만들고 스탠드에 고정한다.

2 촛불 앞에 과정 1의 페트병 렌즈를 세우고 렌즈를 통해 촛불을 관찰한다.

3 보는 방향을 달리하면서 페트병 렌즈를 통해 촛불을 관찰한다.

4 관찰한 촛불의 모양 중 가장 인상 깊은 모양을 그림으로 나타낸다.

5 인터넷을 검색하여 실제 중력 렌즈 현상의 관측 모습을 조사하고, 페트병 렌즈를 통해 관찰한 촛불의 모습과 비교해 보자.

결과

1 실험에서 관찰자와 촛불 사이에 놓은 페트병 렌즈는 촛불에서 나온 빛의 경로를 휘어지게 하여 원래 촛불의 모습과는 다른 이미지가 나타난다.

2 페트병 렌즈를 통해 관찰한 촛불의 모습과 실제 중력 렌즈 현상의 모습을 비교하면 다음과 같다.

- 유사점: 빛이 관찰자에게 도달하는 과정에서 휘어져서 도달하여 원래와 다른 모습을 나타낸다.
- 차이점: 빛을 휘어지게 한 원인이 다르다. 실험은 촛불의 빛이 페트병 렌즈를 통과하는 과정에서 매질의 차이에 의한 빛의 굴절로 나타난 결과이고, 중력 렌즈 현상은 질량 주위의 휘어진 시공간에 의해 빛이 휘어진 결과이다.

정리

- 중력은 볼록 렌즈처럼 빛의 경로를 휘어지게 하여 아인슈타인 십자가처럼 하나의 은하단이 여러 개로 보이는 현상을 만든다.

준비물

스마트 기기(인터넷 가능 기기), 참고 도서, 페트병 밑바닥으로 만든 렌즈, 스탠드, 클램프, 양초, 점화기

유의점

- 페트병 밑바닥의 잘라진 부분에 손을 베이지 않도록 한다.
- 촛불이 흔들리지 않게 하고, 손을 데지 않게 주의한다.

탐구 확인 문제

> 정답과 해설 201쪽

01 위 실험에 대한 설명으로 옳은 것만을 보기에서 있는 대로 고르시오.

보기

ㄱ. 질량이 존재하면 그 주변의 시공간이 휘어진다.

ㄴ. 빛이 휘어진 시공간을 따라 진행하는 것이 중력 렌즈 효과의 원인이다.

ㄷ. 중력 렌즈 효과에 의하여 하나의 별이 여러 개로 보일 수 있다.

ㄹ. 중력 렌즈 효과는 특수 상대성 이론의 결과이다.

02 오른쪽 그림은 '아인슈타인 십자가'로 불리는 사진으로, 하나의 퀘이사에서 나온 빛이 천체 A 주위에 4개의 상으로 보인다. 천체 A에 대한 설명으로 옳은 것은 ○, 옳지 않은 것은 ×로 표시하시오.

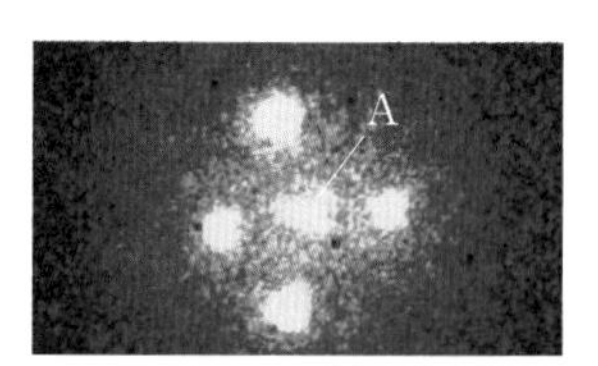

(1) A는 오목 렌즈와 같은 효과를 낸다. (　　)

(2) A의 질량이 클수록 A 주위를 지나는 빛은 더 크게 휘어진다. (　　)

실전에 대비하는

일반 상대성 이론

일반 상대성 이론에서 등가 원리로 설명할 수 있는 현상이나 질량에 의한 시공간의 휘어짐으로 설명할 수 있는 현상을 중심으로 일반 상대성 이론의 기본 개념을 이해하고 있는지를 확인하는 문항들이 출제될 수 있다. 또한 최근에 관측에 성공한 블랙홀, 중력파 등에 대한 기초적인 내용도 출제될 가능성이 높다.

❶ 등가 원리

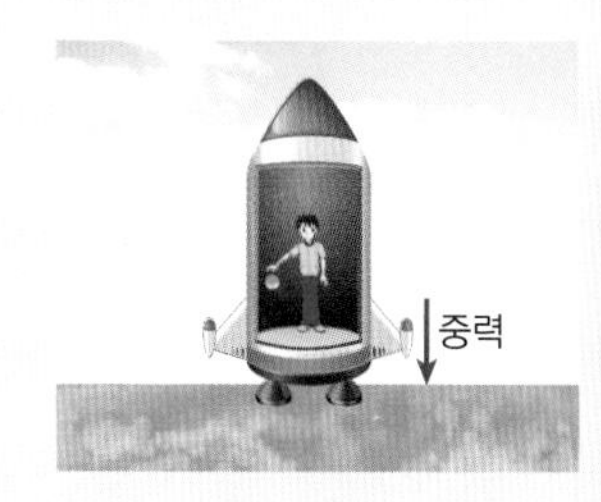

(1) 중력이 작용하는 지표면에 정지해 있는 우주선 안에서 가만히 놓은 물체: 중력에 의해 가속도 $\vec{g}$로 낙하 운동을 한다.

(2) 중력이 작용하지 않는 곳에서 $-\vec{g}$의 가속도로 운동하는 우주선 안에서 가만히 놓은 물체: 관성력에 의해 가속도 $\vec{g}$로 낙하 운동을 한다.

(3) 등가 원리: 우주선 안에서 밖을 볼 수 없다면 물체의 낙하 운동이 중력에 의한 것인지 관성력에 의한 것인지 구별할 수 없다.

- 중력에 의한 효과와 관성력에 의한 효과는 근본적으로 동일하므로 중력과 관성력을 구별할 수 없다.
- 중력 질량과 관성 질량은 서로 같다.

❷ 일반 상대성 이론의 증거

(1) 질량과 시공간
- 질량이 존재하면 그 주위의 시공간이 휘어진다.
- 질량이 클수록 시공간의 휘어짐도 커진다.

(2) 휘어진 시공간에서 물체와 빛의 운동: 에딩턴의 태양 주위 별빛의 휘어짐 관측, 아인슈타인 십자가(중력 렌즈 효과), 수성의 세차 운동

(3) 중력에 의한 시간 지연: 중력이 강한 곳일수록 시간의 흐름이 더 느려진다. → 중력 적색 이동

(4) 시공간의 강력한 휘어짐: 블랙홀, 중력파

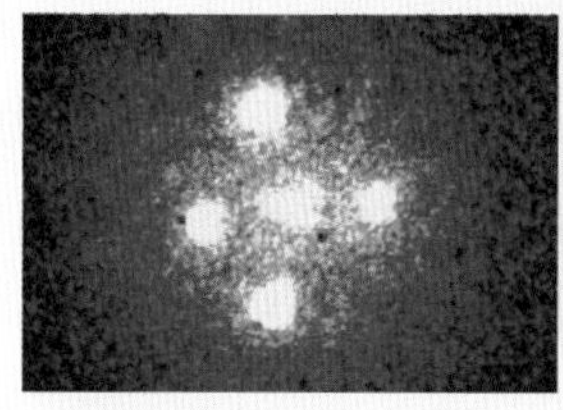
▲ 아인슈타인 십자가

▲ 중력 적색 이동

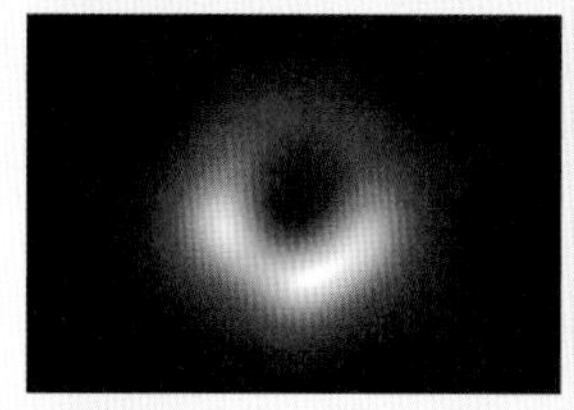
▲ 블랙홀

▲ 중력파

시공간의 휘어짐에 의한 빛의 휘어짐(아인슈타인 십자가), 수성의 세차 운동, 중력에 의한 시간 지연, 블랙홀, 중력파 등

정답과 해설 201쪽

그림은 과학관에서 일반 상대성 이론을 시각화한 모형을 보고, A, B, C가 대화하는 모습을 나타낸 것이다.

옳게 설명한 사람만을 있는 대로 고른 것은?

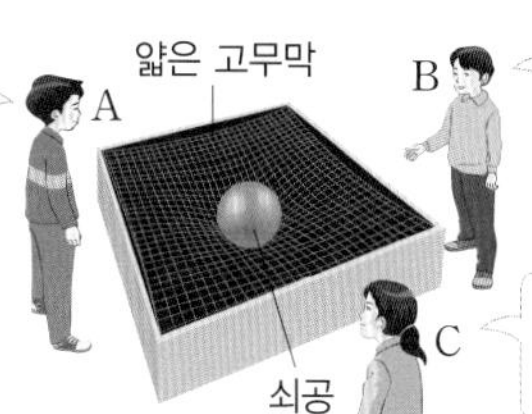

① A ② B ③ C
④ B, C ⑤ A, B, C

차이를 만드는

중력파 측정

2016년 2월, 미국 워싱턴에서 인류 최초로 중력파 검출에 성공하였다는 소식이 발표되었다. 아인슈타인이 1916년에 중력파의 존재를 예측한 지 꼭 100년 만에 중력파가 확인된 순간이었다. 어떻게 중력파를 측정하였는지 그 원리에 대해서 알아보자.

❶ 중력파 측정 원리

중력파는 물질과 상호 작용 하는 정도가 매우 약해서 측정하기 힘들다. 현재 사용되는 중력파 검출기는 마이컬슨·몰리 실험 장치와 같이 빛의 간섭 현상을 이용하여 제작한다. 기본적인 구조는 레이저 빛을 빔 분할기로 서로 직각인 두 방향으로 진행시키고, 끝에 있는 거울에서 반사한 두 빛을 합성하여 만든 간섭무늬를 분석할 수 있게 되어 있다. 그림은 중력파 검출 장치인 어드밴스드 라이고(aLIGO, advanced Laser Interferometer Gravitational-Wave Observatory)의 전경과 구조를 간략히 나타낸 것이다.

▲ 중력파 검출 장치 aLIGO

거울

각각의 빛은 4 km
거리를 수백 번 왕복한다.

거울

레이저

합쳐진 빛의
간섭무늬

▲ aLIGO의 구조

광원에서 방출된 레이저 빛을 서로 수직인 두 방향으로 분리시켜 보낸 후 반사된 빛이 합성되면 경로 차이에 의하여 간섭무늬가 발생한다. 만약 간섭계에 중력파가 도달하여 시공간이 뒤틀리면 간섭무늬가 변하는데, 이를 분석하여 중력파를 파악하는 것이다. 이때 여러 대의 검출기로 동시에 측정하면 중력파가 아닌 지진과 같은 원인에 의해 발생한 신호를 걸러낼 수 있고, 중력파가 발생한 방향도 추정할 수 있다.

❷ 중력파 실제 측정 자료

그림은 2015년 9월, 라이고(LIGO) 관측소에서 인류 최초로 측정에 성공한 중력파 자료를 나타낸 것으로, 지구로부터 13억 광년 떨어진 우주에서 2개의 블랙홀이 충돌하는 동안 발생한 중력파를 측정하는 데 성공한 것이다. 이 두 블랙홀이 충돌하면서 태양 질량의 약 3배 정도에 달하는 질량이 에너지로 변하고, 시공간의 뒤틀림이 발생한 것으로 추정된다. 3000 km 떨어진 리빙스턴과 핸포드에서 7 ms 간격으로 동일한 중력파를 검출함으로써 이 신호가 중력파임을 확신하였다.

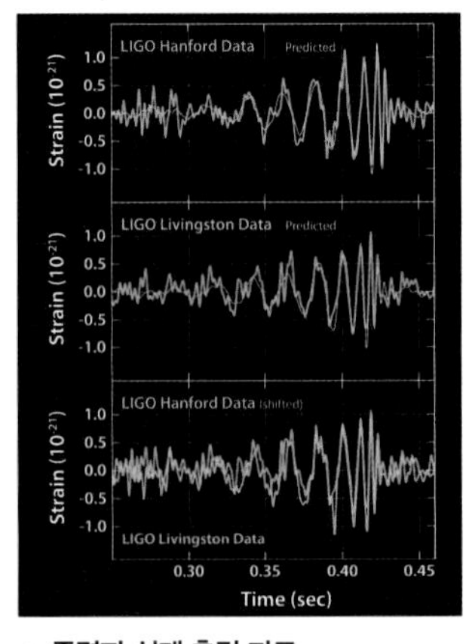

▲ 중력파 실제 측정 자료

블랙홀 충돌

LIGO에서 제공한 블랙홀 2개의 충돌로 발생한 시공간 뒤틀림 상상도

정답과 해설 201쪽

03 일반 상대성 이론

1 등가 원리

1. (❶) **좌표계** 관성 좌표계에 대해 가속도 운동을 하는 관찰자를 기준으로 정한 좌표계로, 실제 힘만으로는 뉴턴 운동 법칙이 성립하지 않는다.

2. (❷) 가속 좌표계에 있는 관찰자가 느끼는 가상의 힘이다.
- 관성력의 크기: 가속도의 크기가 a인 좌표계에 있는 질량이 m인 물체에 작용하는 관성력의 크기 $F=$(❸)이다.
- 관성력의 방향: 좌표계의 가속도 방향과 (❹).

3. **일반 상대성 이론의 두 가지 가설**
- 상대성 원리: 관성 좌표계와 가속 좌표계를 포함한 모든 좌표계에서 물리 법칙은 동일하게 성립한다.
- (❺): 가속 좌표계에서 나타나는 관성력은 근본적으로 중력과 구별할 수 없다.
  ➡ 관성 질량과 (❻) 질량은 같다.

2 중력 렌즈와 시간 지연

1. **질량에 의한 시공간의 휘어짐**
- 빛의 휘어짐: 가속하는 우주선 안에서 관찰할 때 빛의 경로가 휘어진다. 등가 원리에 의해 (❼)이 작용할 때도 빛이 휘어진다.
- (❽)이 존재하면 주변의 시공간이 휘어지고, 물체와 빛은 휘어진 시공간을 따라 운동한다.

▲ 등가 원리

▲ 빛의 휘어짐

2. **관측된 빛의 휘어짐**
- 별빛은 태양 근처를 지날 때 휘어진 시공간을 따라 진행하므로, 태양 근처에 보이는 별의 위치가 원래 위치와 다르게 보인다.
- (❾) 효과: 볼록 렌즈를 지날 때 빛이 굴절하는 것처럼 빛이 (❿)이 매우 큰 천체 주위를 지날 때 진행 경로가 휘어지는 현상

3. **중력에 의한 시간 지연**
- 중력에 의해 시간 지연이 발생하며, 중력이 클수록 시간이 (⓫) 흐른다.
- 중력 적색 이동: 움직이지 않는 중력이 강한 별에서 오는 별빛의 진동수가 실제 진동수보다 더 (⓬) 관측되어 별빛의 스펙트럼이 (⓭) 쪽으로 이동하는 현상이다.
- GPS 위성에서 지상으로 시간 정보를 보낼 때 중력 차이에 의한 시간 지연을 보정한 값을 보낸다.

3 블랙홀과 중력파

1. **블랙홀** 밀도와 중력의 크기가 너무 커서 빛조차도 빠져나오지 못하는 천체이다.
- (⓮): 탈출 속도가 빛의 속력과 같은 경계면으로, 시공간이 극단적으로 휘어 중력이 무한대가 되므로 시간이 멈춘 것처럼 보인다. 블랙홀의 중심에서 이 경계면까지의 거리가 블랙홀의 크기이다. $\left(c=\sqrt{\dfrac{2GM}{R}} \Rightarrow R=\dfrac{2GM}{c^2}\right)$

2. (⓯) 거대한 별이 폭발하거나 블랙홀끼리 충돌하는 등 급격한 질량 변화에 의해 발생한 시공간의 일그러짐이 파동처럼 주변으로 퍼져 나가는 현상이다.

01 다음은 어떤 좌표계에 대한 설명이다.

> (가) 고전 역학에서 뉴턴 운동 제1법칙이 성립하는 좌표계이다.
> (나) (가)의 좌표계에 대해 정지 또는 등속도 운동을 하는 관찰자를 기준으로 정한 좌표계이다.
> (다) 뉴턴 운동 제2법칙과 같은 물리 법칙이 동일하게 표현된다.

(1) 이 좌표계를 무엇이라고 하는지 쓰시오.

(2) 이 좌표계에서 힘이 작용하지 않는 물체는 어떤 운동을 하는지 쓰시오.

02 관성력에 대한 설명으로 옳은 것만을 보기에서 있는 대로 고르시오.

보기
ㄱ. 작용·반작용 법칙을 만족한다.
ㄴ. 중력이 있는 곳에서는 나타나지 않는다.
ㄷ. 가속도 운동을 하는 좌표계에서 나타난다.
ㄹ. 등속 원운동을 하는 좌표계에서 나타나는 원심력은 관성력이다.

03 그림 (가)~(다)는 철수가 고층 건물의 승강기를 타고 연직 위로 올라가고 있는 것을 나타낸 것이다. 승강기의 속력은 (가)에서 빨라지고 있고, (나)에서 느려지고 있으며, (다)에서 일정하다.

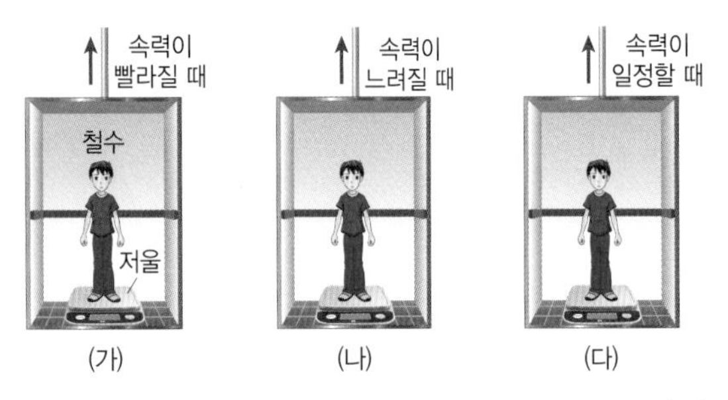

철수가 승강기 바닥에 놓인 저울 위에 서 있을 때, (가), (나), (다)에서 저울에 측정되는 값의 크기를 비교하시오.

04 그림은 민영이가 탄 우주선이 중력이 작용하지 않는 곳에서 $-\vec{g}$의 가속도로 위 방향으로 운동하는 모습이다. 이에 대한 설명으로 옳은 것만을 보기에서 있는 대로 고르시오. (단, 지구 표면의 중력 가속도가 $\vec{g}$이다.)

보기
ㄱ. 시간이 지구 표면에서보다 느리게 간다.
ㄴ. 지구 표면에서보다 더 적은 힘으로 상자를 들 수 있다.
ㄷ. 밖이 보이지 않는다면 민영이는 우주선이 가속되고 있는지 지구 표면에 정지해 있는지 구별할 수 없다.

05 다음은 측정하는 방법에 따라 구별되는 질량의 정의 두 가지를 설명한 내용이다.

> • 질량을 가진 두 물체 사이에는 만유인력이라는 힘이 작용한다. 이때 만유인력의 크기에 비례하는 질량 값을 (㉠) 질량이라고 한다.
> • 물체에 힘을 작용하면 가속도 운동을 한다. 이때 힘의 크기를 물체의 가속도 크기로 나눈 값을 (㉡) 질량이라고 한다.

(1) ㉠, ㉡에 해당하는 알맞은 말을 쓰시오.

(2) ㉠, ㉡을 구별할 수 없다는 일반 상대성 이론의 기본 원리를 무엇이라고 하는지 쓰시오.

06 우주선 안에서 관측할 때 빛의 경로가 휘어지는 우주선의 운동 상태로 옳은 것만을 보기에서 있는 대로 고르시오.

보기
ㄱ. 중력이 작용하는 공간에서 우주선이 등속도 운동 할 때
ㄴ. 중력이 작용하지 않는 공간에서 우주선이 등속도 운동 할 때
ㄷ. 중력이 작용하지 않는 공간에서 우주선이 등가속도 운동 할 때

07 그림은 에딩턴이 태양이 없는 밤하늘을 촬영한 별의 위치와 태양이 별 근처에서 보일 때 촬영한 별의 위치를 비교하여 화살표로 나타낸 것이다.

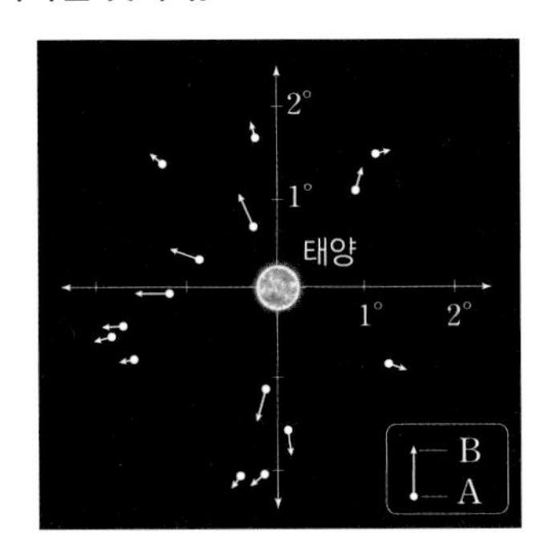

화살표의 시작점 A와 끝점 B 중에서 실제 별의 위치를 고르고, 그림과 같이 두 위치가 차이가 나는 까닭을 쓰시오.

08 그림은 '아인슈타인 십자가'라고 불리는 사진으로, 1985년에 허블 망원경으로 관측한 퀘이사 사진이다. 이에 대한 설명으로 옳은 것만을 보기에서 있는 대로 고르시오.

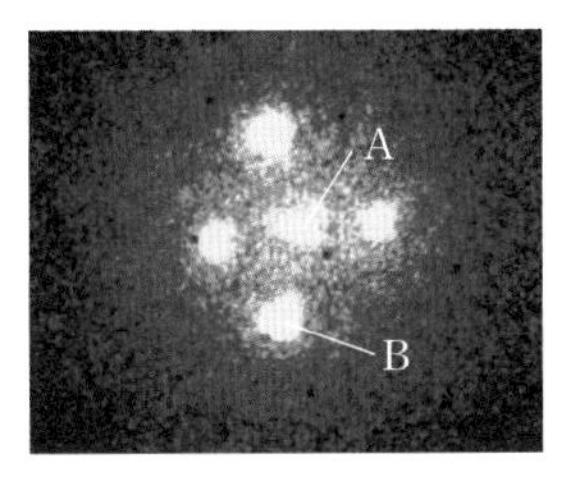

보기

ㄱ. 중력 렌즈 현상이다.
ㄴ. 실제로 존재하는 5개의 천체를 관측한 사진이다.
ㄷ. 천체 A가 천체 B보다 더 먼 곳에 있다.

09 다음은 수성의 세차 운동에 대한 설명이다. ㉠, ㉡에 들어갈 알맞은 말을 쓰시오.

고전 역학 이론에 의하면 수성의 궤도는 아주 조금씩 옮겨 가서 수성의 공전 궤도의 (㉠)이 100년 동안 574″만큼 이동한다. 이 값은 실제 관측 값과 43″ 정도의 차이를 보인다. 그러나 아인슈타인의 일반 상대성 이론에 따라 태양 주위의 (㉡)의 굽어짐을 고려하여 수성의 세차 운동을 계산한 결과는 실제 관측값과 거의 일치한다.

10 그림은 질량이 너무 커서 빛조차도 빠져나오지 못하는 블랙홀을 표현한 상상도이다.

(1) 블랙홀 가까이 있는 별의 구성 물질들이 블랙홀로 빨려 들어갈 때 별의 기체는 높은 온도로 가열된다. 이 기체에서 방출되는 전자기파의 종류를 쓰시오.

(2) 블랙홀 근처로 갈수록 시간이 천천히 가며 블랙홀의 어떤 경계에 도달하면 시간이 멈춘 것처럼 보인다. 이 경계를 무엇이라고 하는지 쓰시오.

(3) 블랙홀의 질량을 M이라고 할 때, 위 (2)번의 경계의 반지름을 구하시오.

11 그림은 2개의 블랙홀이 충돌할 때 발생한 시공간의 왜곡이 주위로 퍼져 나가는 것을 컴퓨터 모의 실험으로 나타낸 것이다.

(1) 위와 같은 시공간의 왜곡이 주위로 퍼져 나가는 현상을 무엇이라고 하는지 쓰시오.

(2) 위 그림의 현상과 전자기파의 공통점으로 옳은 것만을 보기에서 있는 대로 고르시오.

보기

ㄱ. 횡파이다.
ㄴ. 전파 속력이 빛의 속력과 같다.
ㄷ. 전하의 진동으로 확인할 수 있다.
ㄹ. 물질과 상호 작용 하는 정도가 매우 작아 투과성이 매우 높으므로 대부분 지구를 그냥 통과한다.

> 정답과 해설 203쪽

01

> 관성력

그림 (가)는 정지해 있는 버스 천장에 질량이 m, $2m$인 물체 A, B가 매달려 있는 것을, (나)는 이 버스가 오른쪽으로 운동하는 동안 버스의 속도를 시간에 따라 나타낸 것이다.

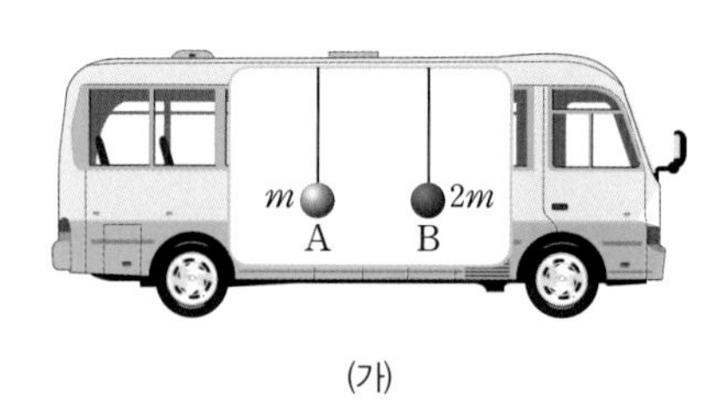

(가)

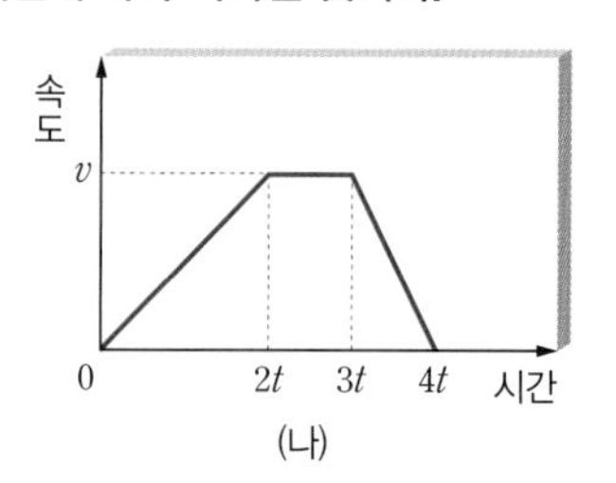

(나)

버스 안에서 관찰한 A, B의 운동에 대한 설명으로 옳은 것만을 보기에서 있는 대로 고른 것은?

보기

ㄱ. 시간 t일 때 A에 작용하는 관성력의 방향은 오른쪽이다.
ㄴ. 시간 t일 때 A, B를 매단 줄이 기울어진 각도는 동일하다.
ㄷ. 시간 t일 때 B에 작용하는 관성력의 크기와 시간 $3.5t$일 때 A에 작용하는 관성력의 크기는 같다.

① ㄱ ② ㄴ ③ ㄱ, ㄷ ④ ㄴ, ㄷ ⑤ ㄱ, ㄴ, ㄷ

• 관성력의 방향은 좌표계의 가속도 방향의 반대이고, 크기는 질량과 좌표계의 가속도를 곱한 값이다.

02

> 등가 원리

그림은 바깥이 보이지 않는 우주선의 내부에 있는 철수가 들고 있던 물체를 가만히 놓았을 때 물체가 P로부터 O 쪽으로 낙하하는 것을 나타낸 것이다.

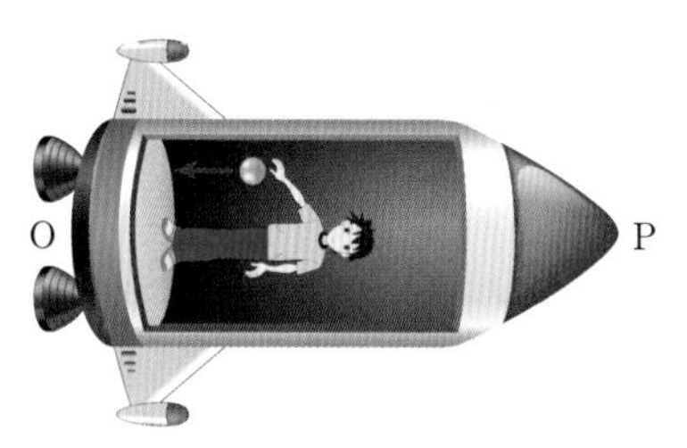

물체의 운동을 관찰한 후 철수가 내릴 수 있는 결론으로 가능한 것만을 보기에서 있는 대로 고른 것은?

보기

ㄱ. 우주선이 O 방향에 있는 행성의 지표면에 정지해 있다.
ㄴ. 우주선이 O 방향으로 자유 낙하 하고 있다.
ㄷ. 중력이 작용하지 않는 곳에서 우주선이 P 방향으로 속력이 일정하게 증가하고 있다.

① ㄴ ② ㄷ ③ ㄱ, ㄴ ④ ㄱ, ㄷ ⑤ ㄴ, ㄷ

• 등가 원리에 의해 관성력과 중력은 근본적으로 구별할 수 없다.

03

> 등가 원리와 빛의 휘어짐

그림 (가)는 중력이 작용하지 않는 공간에 있는 우주선 안에서 레이저 빛을 O점에서 O′점을 향해 비추었더니 빛의 경로가 휘어져 P점에 도달하는 모습이다. 그림 (나)는 중력 가속도의 크기가 a인 행성 표면에 착륙해 있는 우주선 안에서 (가)와 동일하게 레이저 빛을 비추었을 때 빛의 경로가 휘어져 P에 도달하는 모습을 나타낸 것이다.

• 중력이 작용할 때 등가 원리에 의해 빛의 경로가 휘어진다.

(가)

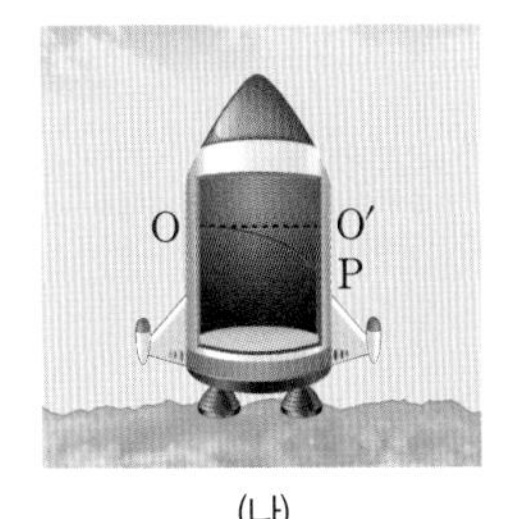

(나)

이에 대한 설명으로 옳은 것만을 보기에서 있는 대로 고른 것은?

보기

ㄱ. (가)에서 우주선의 가속도 크기는 a이다.
ㄴ. (가)에서 우주선 밖의 관성 좌표계에서 관찰해도 빛의 경로가 휘어져 보인다.
ㄷ. (나)에서 빛의 경로가 휘어지는 것은 빛이 질량을 가지고 있기 때문이다.

① ㄱ ② ㄴ ③ ㄱ, ㄷ ④ ㄴ, ㄷ ⑤ ㄱ, ㄴ, ㄷ

04

> 등가 원리와 시간 지연

그림은 회전하는 원판의 중심과 가장자리에 올려놓은 시계 A, B를 나타낸 것이다. 원판 밖에 정지해 있는 영희가 보았을 때 회전을 시작할 때 A, B의 시간은 같았으나 일정 시간이 지난 후 A는 6시 51분이고, B는 A와 1분의 차이가 있었다.

• 원심력이 작용하면 중력이 작용한 것과 같이 시간 지연이 일어난다.

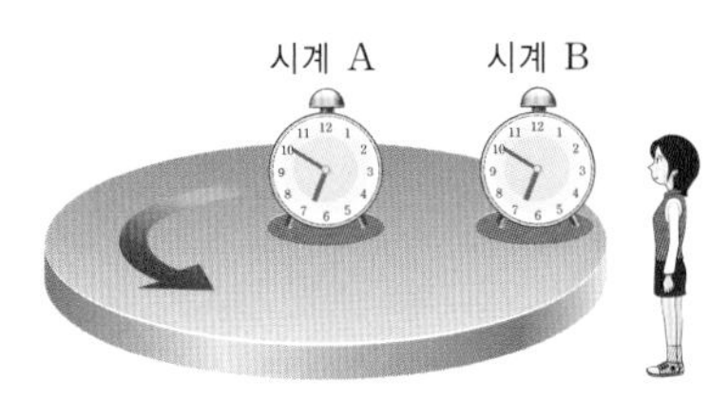

이에 대한 설명으로 옳은 것만을 보기에서 있는 대로 고른 것은?

보기

ㄱ. 영희가 보았을 때 B의 속력이 A의 속력보다 빠르다.
ㄴ. 원판의 중심에서 보면 A가 6시 51분일 때 B는 6시 50분이다.
ㄷ. 관성력에 의해서도 시간 지연이 일어난다.

① ㄴ ② ㄷ ③ ㄱ, ㄴ ④ ㄱ, ㄷ ⑤ ㄱ, ㄴ, ㄷ

05

> 중력 렌즈 효과

그림은 중력 렌즈 효과를 알아보는 가상 실험을 나타낸 것으로, 전구와 관찰자 사이에 유리잔 받침대로 만든 렌즈를 일직선상에 놓고 관측하는 모습이다.

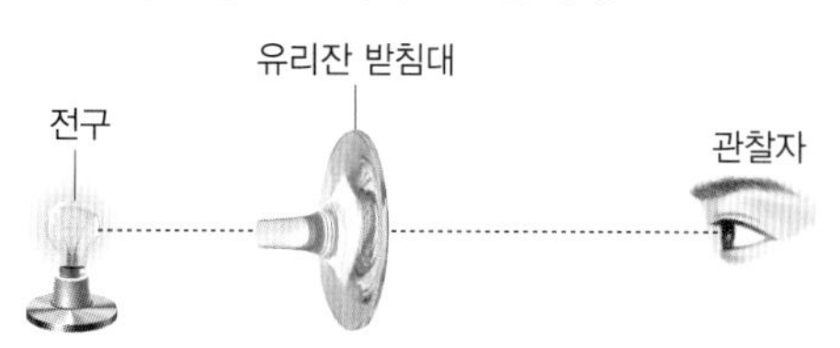

위 실험에 대한 설명으로 옳은 것만을 보기에서 있는 대로 고른 것은?

보기

ㄱ. 관찰자는 원래의 전구와 동일한 모습의 상을 본다.

ㄴ. 실제 중력 렌즈 효과에서 유리잔 받침대의 역할을 하는 것은 은하단과 같은 거대한 질량의 천체이다.

ㄷ. 실제 중력 렌즈 효과도 빛의 굴절에 의해 나타나는 현상이다.

① ㄱ ② ㄴ ③ ㄱ, ㄷ ④ ㄴ, ㄷ ⑤ ㄱ, ㄴ, ㄷ

• 중력 렌즈 효과는 질량이 매우 큰 천체에 의해 휘어진 시공간을 따라 빛이 진행하여 나타나는 현상이다.

06

> 블랙홀

그림은 블랙홀에 의해 휘어진 시공간을 2차원 평면으로 비유하여 나타낸 것이다.
이에 대한 설명으로 옳은 것만을 보기에서 있는 대로 고른 것은?

A B
사건의 지평면
특이점

보기

ㄱ. A에서의 시간이 B에서의 시간보다 느리게 간다.

ㄴ. 사건 지평면에서는 시간이 멈추는 것처럼 보인다.

ㄷ. 사건 지평면을 지나 블랙홀로 빨려 들어가는 물질에서 방출되는 X선을 관측할 수 있다.

① ㄱ ② ㄴ ③ ㄷ ④ ㄴ, ㄷ ⑤ ㄱ, ㄴ, ㄷ

• 블랙홀의 어떤 경계에서는 시공간의 휘어짐이 무한대가 되는데 이 경계를 사건 지평면이라 한다.

고난도

07

> 펄사와 중력파

그림은 질량이 큰 별 2개가 공통의 질량 중심 주위로 빠르게 공전하는 쌍성의 모습을 나타낸 상상도이다. 정밀한 관측에 의하면 쌍성을 이루는 두 별의 공전 주기가 변한다고 한다.

이에 대한 설명으로 옳은 것만을 보기에서 있는 대로 고른 것은?

보기

ㄱ. 두 별의 공전 주기가 변하는 것은 두 별이 중력파를 방출하는 것으로 해석할 수 있다.
ㄴ. 두 별 사이의 거리는 점점 감소한다.
ㄷ. 두 별의 공전 주기는 점점 증가한다.

① ㄱ ② ㄷ ③ ㄱ, ㄴ ④ ㄴ, ㄷ ⑤ ㄱ, ㄴ, ㄷ

• 빠르게 회전하는 천체는 중력파를 방출하고 에너지를 잃는다.

08

> 중력파

그림은 중력파를 측정하는 장치인 라이고(LIGO)의 원리를 나타낸 것이다. 이 장치로 2015년 측정된 중력파는 13억 광년 떨어진 태양의 36배, 29배의 질량을 가진 두 블랙홀이 충돌하여 태양의 62배의 질량을 가진 하나의 천체가 되는 과정에서 발생한 것이었다.

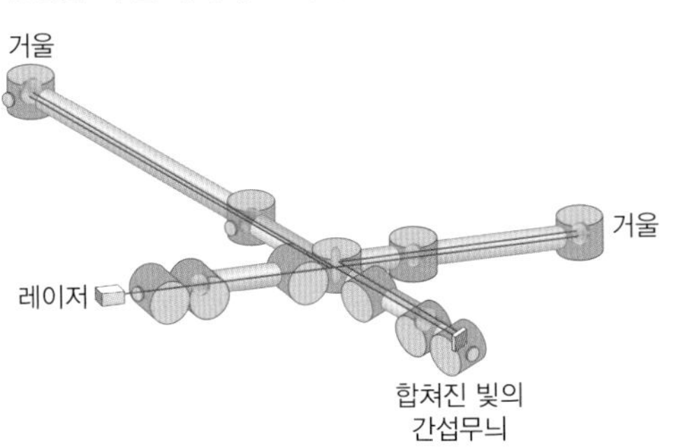

중력파에 대한 설명으로 옳은 것만을 보기에서 있는 대로 고른 것은?

보기

ㄱ. 중력파에 의해 빛의 파장이 변하여 간섭무늬를 변화시킨다.
ㄴ. 질량이 에너지로 전환된 것이다.
ㄷ. 특수 상대성 이론으로 예측된 현상이다.

① ㄱ ② ㄴ ③ ㄱ, ㄷ ④ ㄴ, ㄷ ⑤ ㄱ, ㄴ, ㄷ

• 중력파는 시공간의 변화가 퍼져나가는 것으로, 질량이 에너지 형태로 변환된 것이며, 일반 상대성 이론에서 예측한 현상이다.

3 열과 에너지

단원 Preview

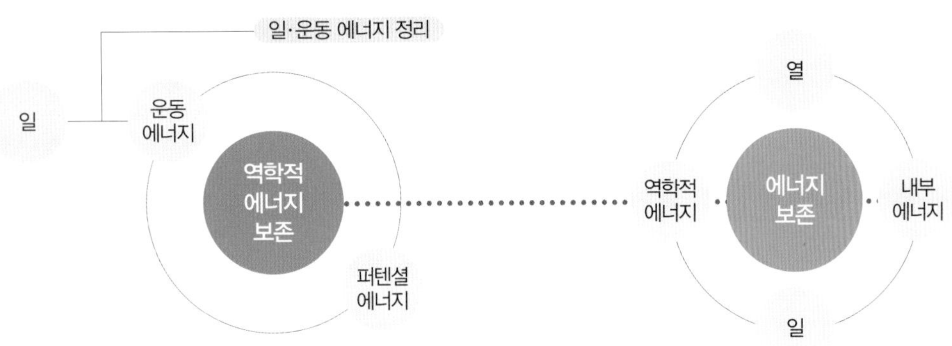

일·운동 에너지 관계와 역학적 에너지 보존

열과 일의 전환

01 일·운동 에너지 관계와 역학적 에너지 보존

학습 Point 일 > 일·운동 에너지 정리 > 포물선 운동에서 역학적 에너지 보존 > 단진자 운동에서 역학적 에너지 보존

1 일과 운동 에너지

일상생활에서 일은 여러 가지 의미로 쓰이지만, 물리학에서 일은 어떤 계로 전달되는 에너지를 말한다. 즉, 어떤 계에 일을 하면, 그 계의 에너지가 변할 수 있다.

1. 일

물체에 힘을 작용하여 물체가 힘의 방향으로 이동할 때 힘이 물체에 일을 하였다고 한다. 물체에 큰 힘을 작용하거나 이동 거리가 길수록 힘이 물체에 한 일도 증가한다. 그런데 일은 힘의 크기뿐만 아니라 방향에 의해서도 달라진다. 그림과 같이 수평면을 따라 움직이는 물체에 같은 크기의 힘을 작용하더라도, 운동 방향에 더 가까운 방향으로 힘을 작용하는 (가)가 (나)보다 물체의 속력을 더 빠르게 증가시킬 수 있다. 반면, (다)와 같이 운동 방향에 수직으로 힘을 작용하면 아무리 세게 밀어도 물체가 움직이지 않는다.

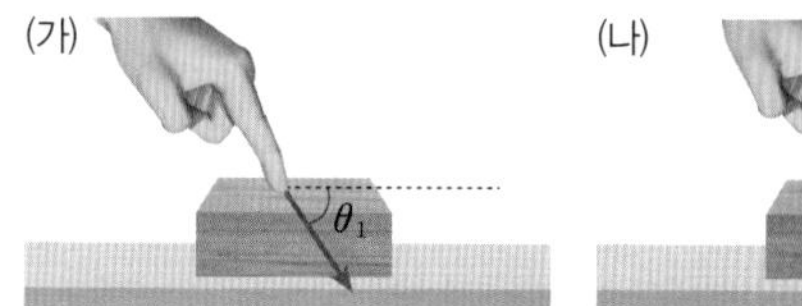

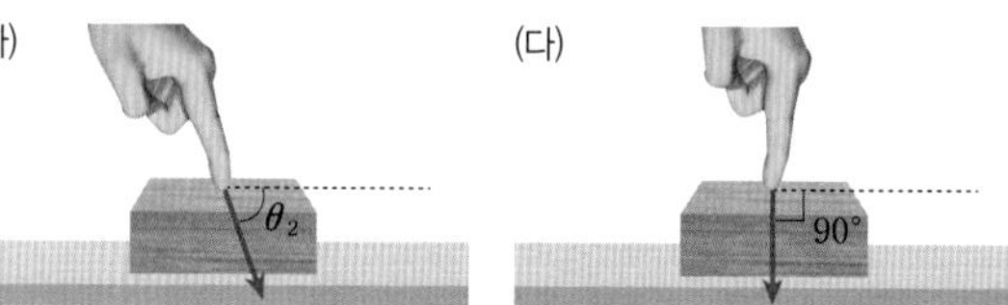

▲ 힘의 방향에 따른 물체의 운동 변화

(1) 크기가 일정한 힘이 한 일

힘의 방향과 물체의 이동 방향이 나란하지 않은 경우, 물체에 크기가 일정한 힘 $\vec{F}$를 작용하여 힘의 방향과 각 θ인 방향으로 물체가 변위 $\vec{s}$만큼 이동했을 때 물체에 작용한 힘이 물체에 한 일 W는 다음과 같이 정의한다.

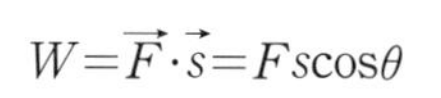

$$W=\vec{F}\cdot\vec{s}=Fs\cos\theta$$

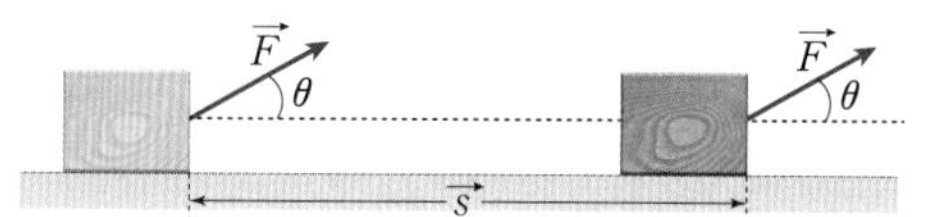

즉, 힘이 물체에 한 일을 계산할 때는 힘의 변위 방향 성분 $F\cos\theta$만을 사용하며, 변위 방향에 수직인 힘의 성분 $F\sin\theta$는 물체에 한 일이 0이다. 그리고 2개의 벡터량 $\vec{F}$와 $\vec{s}$로 일을 정의하지만, 일은 스칼라량이다.

① 일의 단위: 에너지의 단위와 같은 단위인 N·m, J을 사용한다.

② 힘이 한 일이 0인 경우: 바위를 밀 때처럼 힘을 작용해도 물체가 이동하지 않는 경우 ($s=0$), 우리는 힘이 들고 에너지를 소모하지만 실제로 힘이 한 일은 0이다. 책을 들고 수평 방향의 일정한 속도로 이동할 때도 힘의 방향으로 이동한 거리가 0이므로 한 일은 0이 된다.

힘이 물체에 한 일의 해석

힘이 한 일 $W=Fs\cos\theta$는 다음 (가), (나)와 같이 두 가지 방법으로 해석할 수 있다.

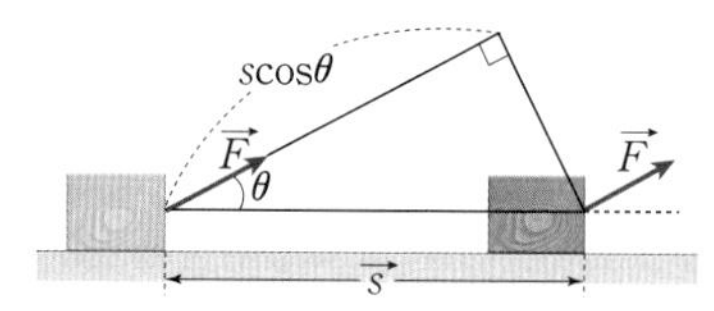

(가) 힘이 작용한 방향으로 $s\cos\theta$의 거리를 이동한다.

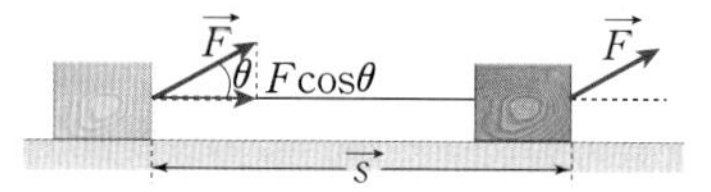

(나) 물체의 이동 방향으로 $F\cos\theta$의 힘이 작용한다.

바위를 미는 일

바위를 밀어도 바위가 계속 정지해 있다면, 바위로 전달되는 에너지는 없다. 따라서 미는 힘이 바위에 한 일은 0이다.

(2) **일의 부호:** 일은 스칼라량이지만, 힘의 방향과 변위의 방향이 이루는 각 θ에 따라 다음과 같이 (+) 또는 (−) 값을 가질 수 있다. 일은 에너지의 전달을 의미하므로, 물체에 한 일이 (+)인 것은 에너지가 물체로 전달되는 것을 의미하며, 물체에 한 일이 (−)인 것은 에너지가 물체에서 빠져나가는 것을 의미한다.

힘의 방향	$0 \le \theta < 90^\circ$	$\theta = 90^\circ$	$90^\circ < \theta \le 180^\circ$
예	힘이 작용한 방향으로 물체가 이동할 때 이동 방향 / 힘	힘이 작용한 방향과 물체의 이동 방향이 수직일 때 힘 / 이동 방향	힘이 작용한 반대 방향으로 물체가 이동할 때 이동 방향 / 힘
일의 부호	$W > 0$	$W = 0$	$W < 0$

변위의 원인
어떤 힘이 물체에 한 일을 계산할 때 물체가 그 힘에 의해서만 움직이는 것이 아닐 때가 많다. 예를 들어 물체를 연직 위로 들어올리는 일을 할 때 중력이 물체를 들어올리는 원인이 아니더라도 중력은 물체에 (−)의 일을 한다.

(3) 힘의 크기가 위치에 따라 변할 때 힘이 물체에 한 일

물체가 크기가 일정한 힘 $\vec{F}$를 받으며 x축을 따라 x_1에서 x_2까지 이동할 때, 힘이 물체에 한 일 W는 힘의 x 성분 F_x와 이동 거리 (x_2-x_1)의 곱으로, $W=F_x(x_2-x_1)$이 된다. 이 경우 힘과 이동 거리의 관계 그래프에서 그래프 아래 직사각형의 넓이가 힘이 물체에 한 일이 된다.

힘의 크기가 일정할 때 힘이 물체에 한 일

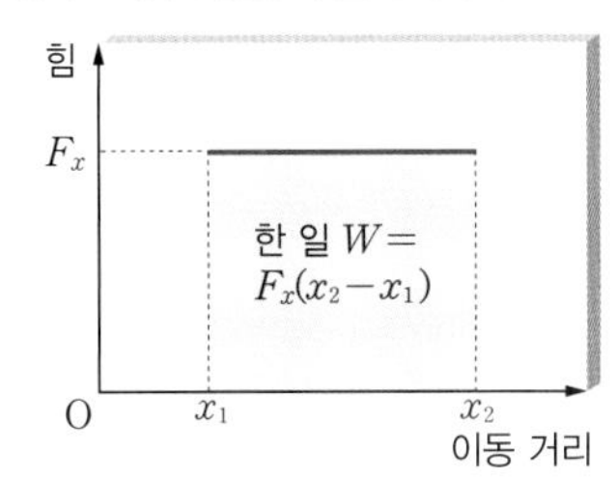

그런데 물체에 작용하는 힘의 크기가 그림 (가)와 같이 위치에 따라 변하는 경우, 전체 이동 거리를 짧은 구간 Δx로 나누면, 짧은 구간 내에서는 힘의 x 성분 F_x가 거의 일정하다고 할 수 있으므로 한 일은

$$\Delta W \approx F_x \Delta x$$

가 되며, 이 값은 (가)에서 색칠한 작은 직사각형의 넓이이다. 이렇게 각 구간마다 힘이 한 일인 작은 직사각형의 넓이를 모두 더하면 힘이 물체에 한 일을 근사적으로 구할 수 있다.

$$W \approx \sum_{x_1}^{x_2} F_x \Delta x$$

만약 구간의 수를 무한히 많게 하여 Δx를 0에 접근시키면, 위 식은 다음과 같이 힘과 이동 거리의 관계 그래프 아랫부분의 넓이와 같은 값이 된다.

$$W = \int_{x_1}^{x_2} F_x dx$$

즉, 힘의 크기가 물체의 위치에 따라 변하는 경우도 힘이 물체에 한 일은 그림 (나)와 같이 힘과 이동 거리의 관계 그래프의 아랫부분의 넓이이다.

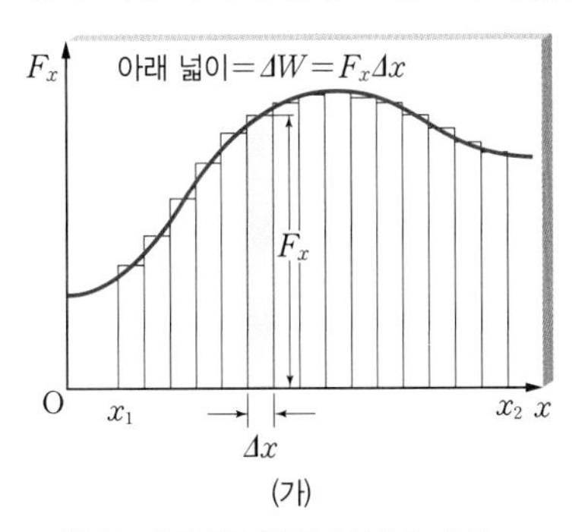

(가)

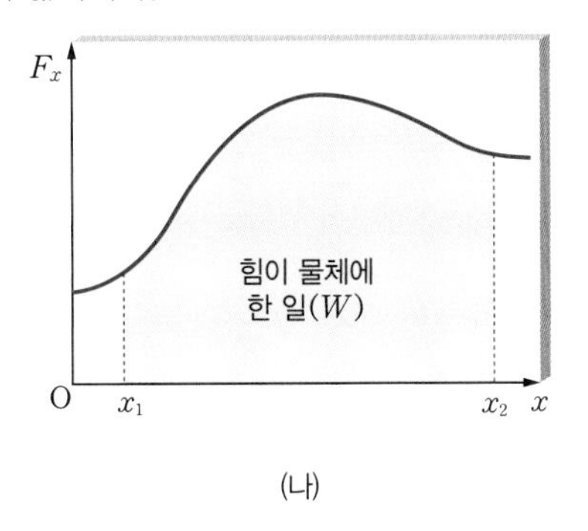

(나)

▲ **힘의 크기가 변할 때 힘이 물체에 한 일**

2. 일·운동 에너지 정리

(1) 평면상에서 등가속도 운동과 일

그림과 같이 xy 평면상에서 처음 속도가 $\vec{v_0}$인 물체가 처음 운동 방향에 비스듬하게 θ의 각을 이루는 방향의 일정한 가속도 $\vec{a}$로 운동하고 있는 경우를 생각해 보자.

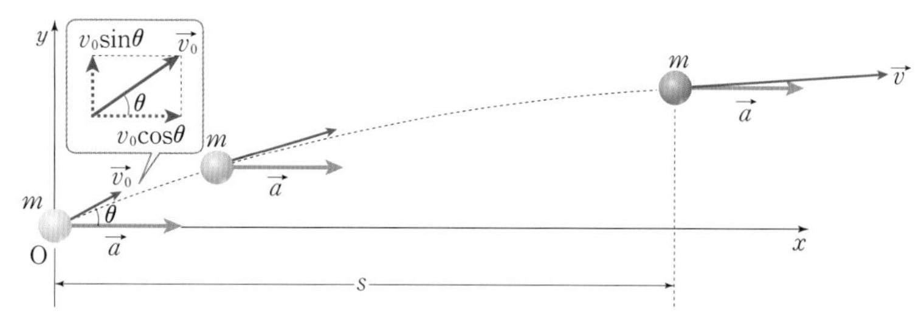

▲ xy 평면상에서 등가속도 운동을 하는 물체

가속도 방향을 x축으로 하고 x 방향으로 거리 s만큼 이동한 순간의 속도를 $\vec{v}$라고 할 때, $\vec{v}$의 x 방향의 성분 v_x는 등가속도 직선 운동의 식에서 다음과 같다.

$$2as=v_x^2-(v_0\cos\theta)^2 \Rightarrow v_x^2=(v_0\cos\theta)^2+2as$$

y 방향으로는 가속도가 0이므로, $\vec{v}$의 y 성분 v_y는 물체의 이동 거리에 관계없이 항상 처음 속도의 y 성분으로 일정하다.

$$v_y=v_0\sin\theta$$

따라서 물체가 x 방향으로 거리 s만큼 이동하였을 때 물체의 속력 v는 다음의 관계를 만족한다.

$$v^2=v_x^2+v_y^2=(v_0\cos\theta)^2+2as+(v_0\sin\theta)^2=v_0^2+2as$$

물체의 질량을 m이라고 하면 물체에 작용하는 알짜힘 $F=ma$이고, 위 식으로부터 다음의 관계가 성립한다.

$$\frac{1}{2}mv^2=\frac{1}{2}mv_0^2+mas=\frac{1}{2}mv_0^2+F\cdot s$$

$$F\cdot s=\frac{1}{2}mv^2-\frac{1}{2}mv_0^2$$

(2) 일·운동 에너지 정리

위 식에서 $F\cdot s$는 물체가 등가속도 운동을 할 때 알짜힘과 알짜힘의 방향으로 이동한 거리를 곱한 값으로, 알짜힘이 물체에 한 일 W와 같다. 또, $\frac{1}{2}mv^2-\frac{1}{2}mv_0^2$은 운동 에너지의 변화량을 의미하므로, 위 식은 다음과 같이 나타낼 수 있다.

$$W=\Delta E_{\mathrm{k}}$$

즉, 외부에서 작용한 알짜힘이 물체에 한 일은 물체의 운동 에너지 변화량과 같은데, 이것을 일·운동 에너지 정리 또는 일·에너지 정리라고 한다.

① 알짜힘이 물체에 한 일이 $W>0$일 때: 물체의 운동 에너지가 그만큼 증가하므로, 물체의 속력이 증가한다.

② 알짜힘이 물체에 한 일이 $W<0$일 때: 물체의 운동 에너지가 그만큼 감소하므로, 물체의 속력이 감소한다.

등속 원운동과 일

어떤 물체가 등속 원운동을 하는 경우, 구심력은 항상 원의 중심을 향하므로 물체의 운동 방향에 수직이다. 따라서 구심력이 물체에 하는 일은 0이므로, 일·운동 에너지 정리에 의해 물체의 속력은 변하지 않는다.

2 보존력과 비보존력

자연계에 존재하는 힘은 역학적 에너지가 보존되는 보존력과 역학적 에너지가 보존되지 않는 비보존력으로 구분할 수 있다.

1. 물체의 이동 경로와 중력이 물체에 한 일

일정한 중력 $\vec{F}$가 작용하는 공간에서 물체가 오른쪽 그림과 같은 경로를 따라 P 지점에서 Q 지점까지 움직이는 경우를 생각해 보자. 물체가 중력에 수직인 수평 방향으로 이동하는 동안 중력이 한 일은 0이다. 물체가 연직 방향으로 이동하는 동안 중력이 한 일은 아래로 움직일 때 (+), 위로 움직일 때 (−)가 되므로, P에서 Q까지 이동하는 동안 중력이 한 일 W는 결국 중력의 크기 F와 P와 Q 사이의 높이 차 s의 곱이 된다. ➡ $W=Fs$

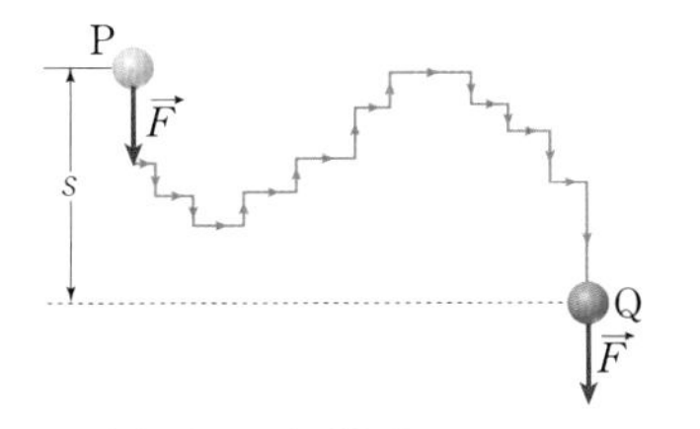

▲ 직각 경로로 이동할 때

오른쪽 그림과 같이 물체가 두 지점 P, Q 사이를 세 경로 a, b, c를 따라 각각 이동할 때, 위와 같은 직각 경로가 미세하게 짧은 구간마다 반복되어 이루어진 경로라고 생각할 수 있다. 따라서 물체가 P에서 Q까지 이동하는 동안 중력이 물체에 한 일 W는 그 이동 경로에 관계없이 중력의 크기 F와 중력의 방향으로 이동한 거리 s의 곱으로 같다. ➡ $W=Fs$

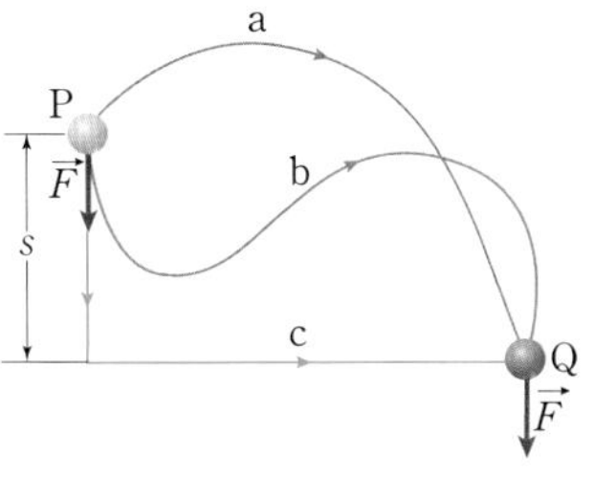

▲ 여러 가지 경로를 따라 이동할 때

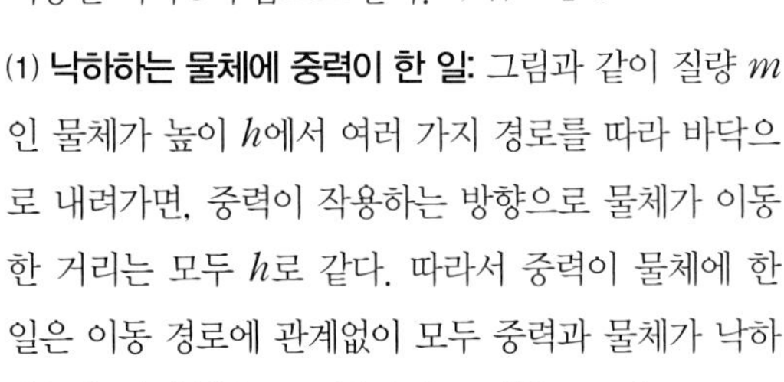
(1) **낙하하는 물체에 중력이 한 일:** 그림과 같이 질량 m인 물체가 높이 h에서 여러 가지 경로를 따라 바닥으로 내려가면, 중력이 작용하는 방향으로 물체가 이동한 거리는 모두 h로 같다. 따라서 중력이 물체에 한 일은 이동 경로에 관계없이 모두 중력과 물체가 낙하하는 높이의 곱으로 모두 같다. ➡ $W=mgh$

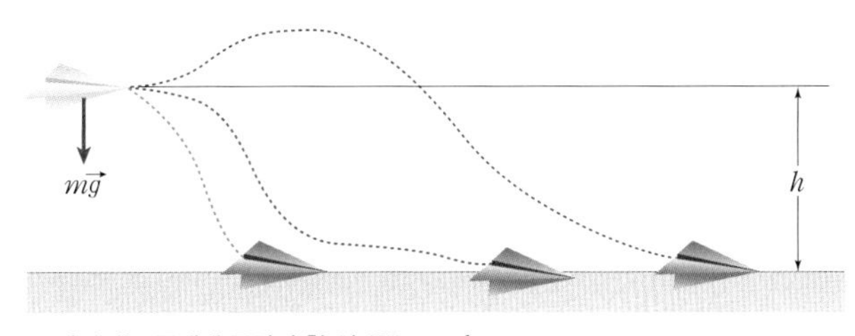

▲ 낙하하는 물체에 중력이 한 일 $W=mgh$

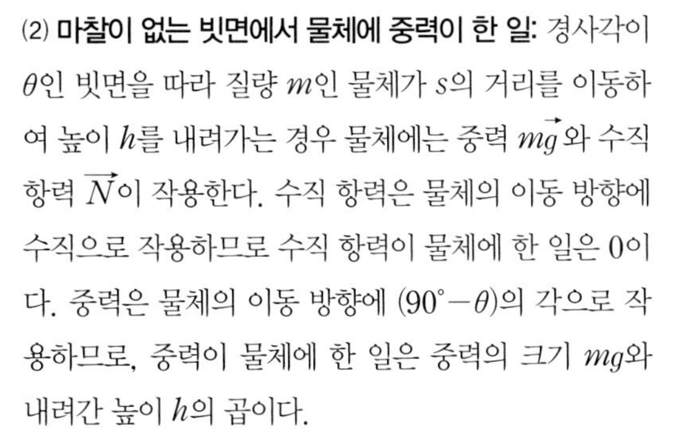
(2) **마찰이 없는 빗면에서 물체에 중력이 한 일:** 경사각이 θ인 빗면을 따라 질량 m인 물체가 s의 거리를 이동하여 높이 h를 내려가는 경우 물체에는 중력 $m\vec{g}$와 수직 항력 $\vec{N}$이 작용한다. 수직 항력은 물체의 이동 방향에 수직으로 작용하므로 수직 항력이 물체에 한 일은 0이다. 중력은 물체의 이동 방향에 $(90°-\theta)$의 각으로 작용하므로, 중력이 물체에 한 일은 중력의 크기 mg와 내려간 높이 h의 곱이다.

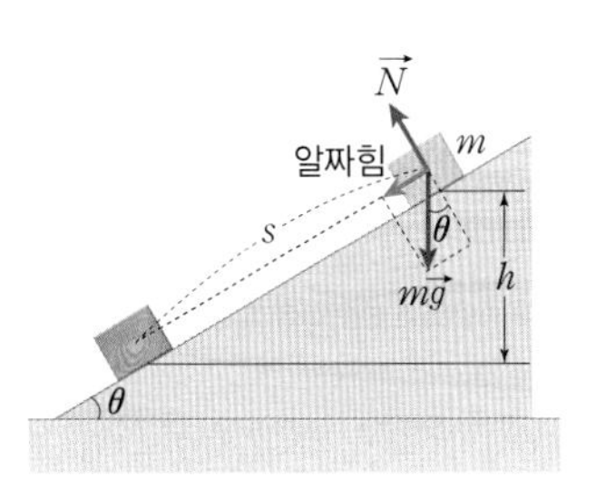

▲ 빗면에서 물체에 중력이 한 일 $W=mgh$

• 수직 항력이 한 일: $W_N=Ns\cos90°=0$

• 중력이 한 일: $W_{mg}=mgs\cos(90°-\theta)=mgs\sin\theta=mgh$

즉, 빗면을 내려가는 물체에 중력이 한 일은 빗면의 기울기에 관계없이 물체에 작용하는 중력의 크기와 물체가 내려간 높이의 곱으로 같다. ➡ $W=mgh$

수직 항력이 물체에 한 일
수직 항력은 물체가 접촉면으로부터 받는 힘으로, 항상 접촉면에 수직인 방향으로 작용한다. 물체의 운동은 접촉면에 나란한 방향으로 일어나므로, 수직 항력은 물체의 이동 방향과 항상 수직이 되어 수직 항력이 물체에 한 일은 항상 0이 된다.

2. 보존력과 비보존력

중력이 물체에 한 일은 물체의 이동 경로와 관계없이 물체의 높이 변화에 따라서만 달라진다. 반면, 마찰력이 물체에 한 일은 물체의 이동 경로에 따라 다르다. 이처럼 힘이 한 일이 물체의 이동 경로에 의존하는지에 따라 힘을 보존력 또는 비보존력으로 구분할 수 있다.

(1) 보존력

중력, 탄성력, 만유인력, 전기력 등의 힘은 물체가 두 지점 사이를 이동할 때 힘이 한 일이 이동 경로에 관계없이 같다. 이러한 힘을 보존력이라고 하며, 다음과 같은 성질이 있다.

- 보존력이 물체에 한 일은 물체의 처음 위치와 나중 위치에만 관계되며, 물체의 이동 경로와는 무관하다.
- 물체가 닫힌 경로(폐경로)를 따라 처음 위치로 되돌아올 때까지 보존력이 한 일은 0이다.

① **퍼텐셜 에너지:** 보존력은 위치 r의 함수 $F(r)$로 표시되므로, 물체가 기준점까지 운동하는 동안 보존력이 한 일은 위치 차이에 따라 정해지는 위치의 함수 $U(r)$로 표시하며, 이를 퍼텐셜 에너지라고 한다. 퍼텐셜 에너지는 보존력장(중력장, 전기장 등)에서 생각되는 개념으로, 상호 작용을 하는 어느 한쪽의 물체나 보존력장에 잠재적으로 저장되어 있다고 말한다. 따라서 보존력이 일을 할 때는 보존력장에 저장되어 있던 에너지가 일로 변하게 된다.

② **보존력과 퍼텐셜 에너지의 관계:** 보존력이 한 일만큼 퍼텐셜 에너지가 감소하며, 보존력이 한 일 W는 물체의 처음 퍼텐셜 에너지(U_1)에서 나중 퍼텐셜 에너지(U_2)를 뺀 값과 같다.

$$W=U_1-U_2=-(U_2-U_1)=-\Delta U$$

따라서 물체가 x축을 따라 움직이는 경우 보존력 F가 물체에 한 일 $W=\int_{x_1}^{x_2}F_x\,dx$이므로, 퍼텐셜 에너지의 변화량은 다음과 같이 나타낼 수 있다.

$$\Delta U=-\int_{x_1}^{x_2}F_x\,dx$$

위 식에서 x_1을 퍼텐셜 에너지의 기준점($U_1=0$)으로 잡으면, x의 위치에서 퍼텐셜 에너지는 다음과 같다.

$$U(x)=-\int_0^x F_x\,dx$$

만약 물체가 dx만큼 움직인 경우 퍼텐셜 에너지의 변화 $dU=-F_x\,dx$가 되므로, 보존력은 퍼텐셜 에너지와 다음과 같은 관계가 있다.

$$F_x=-\frac{dU}{dx}$$

(2) 비보존력

오른쪽 그림과 같이 마찰이 있는 수평면에서 A 지점에서 B 지점까지 물체를 이동시킬 때 마찰력이 물체에 한 일은 경로 1과 경로 2가 다르다. 이처럼 물체가 두 지점 사이를 이동할 때 힘이 물체에 한 일이 이동 경로에 따라 다른 경우, 그 힘을 비보존력이라고 한다.

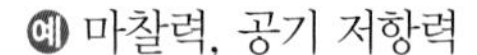
예 마찰력, 공기 저항력

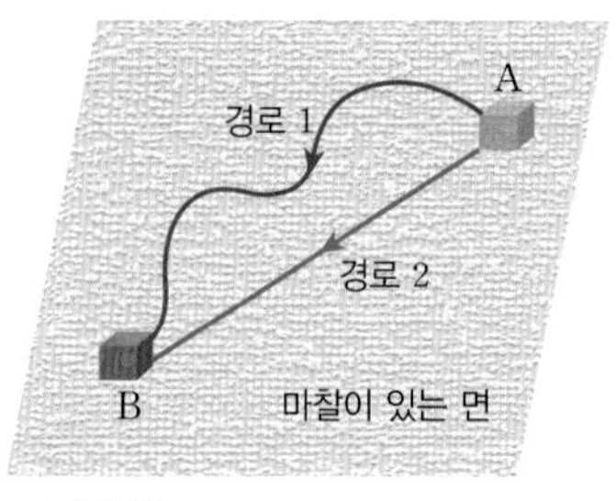

▲ 비보존력

보존력($F=mg$)이 한 일

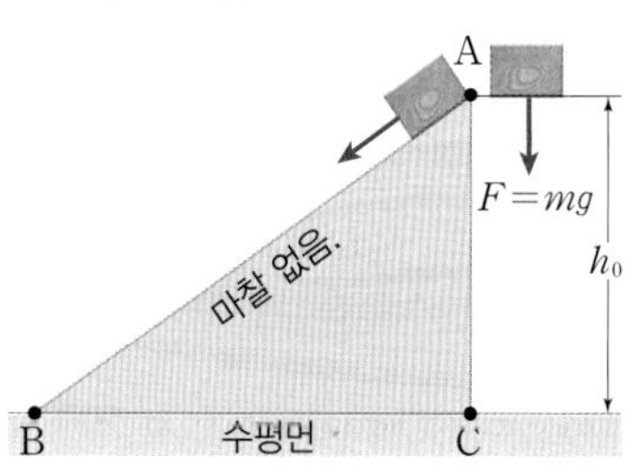

경로 AB와 AC를 따라 물체가 같은 수평면에 각각 도달할 때, 보존력인 중력이 한 일은 연직 높이에만 관계되므로, 서로 같다.

$$W=mgh_0-0=mgh_0=U_0$$

미분과 적분의 의미

- $F(r)=\frac{dU}{dr}$는 U의 함수를 r에 대하여 미분한다는 뜻이고, $U-r$ 그래프에서 접선의 기울기를 의미한다.
- $U(r)=\int_{r_0}^{r}[F(r)]dr$는 함수 $F(r)$를 r_0에서 r의 위치까지 적분한다는 뜻이고, $F-r$ 그래프에서 그래프 아래의 넓이를 의미한다.

퍼텐셜 에너지와 보존력의 관계식 적용 예

- 중력: 지면에서 높이 y인 지점의 중력 퍼텐셜 에너지 $U=mgy$이므로, 중력은 다음과 같다.
  $$F=-\frac{dU}{dy}=-\frac{d(mgy)}{dy}=-mg$$
- 탄성력: 용수철의 늘어난 길이가 x일 때 용수철 상수 k인 용수철의 탄성 퍼텐셜 에너지 $U=\frac{1}{2}kx^2$이므로, 탄성력은 다음과 같다.
  $$F=-\frac{dU}{dx}=-\frac{d}{dx}\left(\frac{1}{2}kx^2\right)=-kx$$

3. 역학적 에너지 보존과 비보존

(1) 역학적 에너지 보존 법칙

마찰이나 공기 저항이 작용하지 않고 보존력만을 받으며 물체가 운동할 때 보존력이 물체에 하는 일 W만큼 물체의 운동 에너지가 변하므로, $W=\Delta E_k$이다. 또, 보존력이 한 일만큼 퍼텐셜 에너지가 감소하므로, $W=-\Delta E_p$가 된다. 이 두 식을 결합하면 다음과 같다.

$$\Delta E_k=-\Delta E_p \Rightarrow \Delta E_k+\Delta E_p=\Delta E=0$$

즉, 고립계에서 보존력만 작용할 때 운동 에너지와 퍼텐셜 에너지는 변할 수 있지만, 그 합인 역학적 에너지 E는 일정하다. 이를 역학적 에너지 보존 법칙이라고 한다.

$$E_{k1}+E_{p1}=E_{k2}+E_{p2}=E=\text{일정}$$

(2) 역학적 에너지의 비보존

물체가 보존력 $\vec{F_c}$ 외에도 비보존력 $\vec{F_n}$을 함께 받으며 운동하는 경우, 알짜힘 $\vec{F}=\vec{F_c}+\vec{F_n}$이 물체에 한 일 W는 보존력이 한 일 W_c와 비보존력이 한 일 W_n의 합이다. 그런데 보존력이 물체에 한 일만큼 퍼텐셜 에너지가 감소하므로, $W_c=-\Delta E_p$가 된다. 따라서 비보존력이 한 일 W_n은 일·운동 에너지 정리를 이용하면 다음과 같다.

$$W=W_c+W_n=\Delta E_k \Rightarrow W_n=\Delta E_k+\Delta E_p=\Delta E$$

위 식에서 비보존력이 물체에 한 일은 역학적 에너지의 변화량과 같다. 즉, 비보존력인 마찰이나 공기 저항을 받으며 운동하는 물체의 역학적 에너지는 보존되지 않으며, 비보존력이 한 일만큼 역학적 에너지가 열에너지 등으로 전환된다. 그러나 역학적 에너지와 전환된 열에너지 등을 포함한 전체 에너지는 보존된다.

역학적 에너지 보존 여부 확인하기
역학적 에너지가 보존되는 것은 에너지나 물질의 출입이 없는 고립계에서 중력이나 탄성력, 전기력과 같은 보존력만이 물체에 일을 하는 경우이다. 반면, 물체를 손으로 들어올리는 것처럼 힘이 물체에 일을 하여 에너지를 전달하는 경우 역학적 에너지는 보존되지 않는다.

충돌과 역학적 에너지 보존
일상생활에서 두 물체가 충돌할 때는 대부분 운동 에너지의 일부가 열에너지 등으로 전환되어 역학적 에너지가 보존되지 않는다. 그러나 두 쇠공이 충돌할 때는 에너지 손실이 거의 없게 되며, 에너지 손실이 없는 이상적인 경우 역학적 에너지는 보존되는데, 이러한 충돌을 완전 탄성 충돌이라고 한다. 다음 단원에 나올 기체 분자 사이의 충돌을 이러한 완전 탄성 충돌로 가정한다.

3 역학적 에너지 보존

집중 분석 142쪽~143쪽

여러 가지 운동에서 역학적 에너지가 보존되는지 알아보자.

1. 포물선 운동과 역학적 에너지 보존

(1) 비스듬히 위로 던진 물체의 역학적 에너지 보존

공기 저항을 무시할 때, 질량 m인 물체를 처음 속도 $\vec{v_0}$으로 지면의 O점에서 수평면과 θ의 각을 이루는 방향으로 비스듬히 던지면, 물체는 연직 아래 방향으로 일정한 중력을 받아 다음 그림과 같이 포물선 경로를 따라 운동한다. 단, 연직 위 방향을 (+)로 한다.

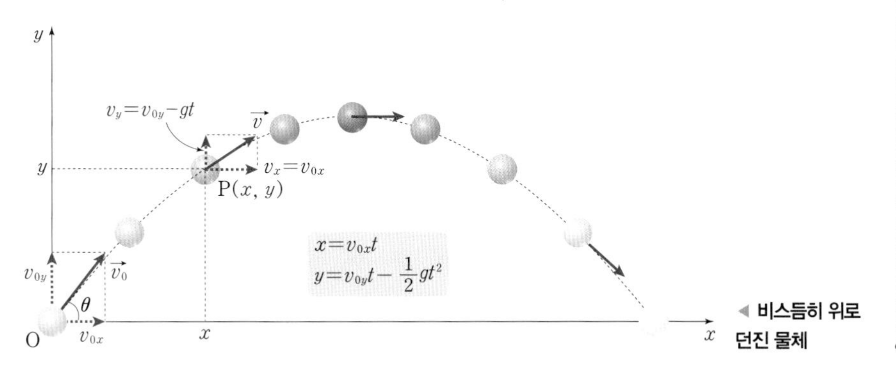

◀ 비스듬히 위로 던진 물체

① O점에서 역학적 에너지(E_0): 지면을 기준면으로 하면 지면에서 중력 퍼텐셜 에너지 $E_\mathrm{p}=0$이므로, O에서 물체의 역학적 에너지 E_0은 다음과 같다.

$$E_0=E_\mathrm{k}+E_\mathrm{p}=0+\frac{1}{2}mv_0^2=\frac{1}{2}mv_0^2$$

$\vec{v_0}$의 x성분, y성분을 각각 v_{0x}, v_{0y}라고 하면, E_0은 다음과 같다.

$$E_0=\frac{1}{2}m(v_{0x}^2+v_{0y}^2)$$

② 임의의 시간 t일 때 물체의 위치 P점에서 역학적 에너지(E): 물체는 x축 방향(수평 방향)으로는 작용하는 힘이 없으므로 등속도 운동을 하고, y축 방향(연직 방향)으로는 중력이 작용하여 가속도 $-g$인 등가속도 운동을 한다. 따라서 임의의 시간 t가 지났을 때 물체의 위치 P에서의 속도를 $\vec{v}$라고 하면 $\vec{v}$의 x, y 성분 v_x, v_y와 위치 (x, y)는 다음과 같다.

구분	x 성분	y 성분
가속도	$a_x=0$	$a_y=-g$
속도	$v_x=v_{0x}$	$v_y=v_{0y}-gt$
위치	$x=v_{0x}t$	$y=v_{0y}t-\frac{1}{2}gt^2$

따라서 임의의 위치 P에서 물체의 역학적 에너지 E는 다음과 같다.

$$\begin{aligned}E&=E_\mathrm{p}'+E_\mathrm{k}'=mgy+\frac{1}{2}mv^2=mgy+\frac{1}{2}m(v_x^2+v_y^2)\\&=mg\left(v_{0y}t-\frac{1}{2}gt^2\right)+\frac{1}{2}m(v_{0x}^2+v_{0y}^2-2v_{0y}gt+g^2t^2)\\&=\frac{1}{2}m(v_{0x}^2+v_{0y}^2)=\frac{1}{2}mv_0^2=E_0\end{aligned}$$

③ 포물선 운동의 역학적 에너지 보존: 물체를 던진 후 임의의 시간 t가 지났을 때의 위치 P에서 역학적 에너지 E는 처음 O에서의 역학적 에너지 E_0과 같으므로, 물체가 포물선 경로를 따라 운동하는 동안 역학적 에너지는 일정하게 보존된다는 것을 알 수 있다.

$$E=\frac{1}{2}mv^2+mgy=\text{일정}$$

마찰이 없는 곡면을 따라 운동하는 물체
일반적으로 중력이 물체에 하는 일은 물체의 높이에만 관계하므로, 롤러코스터와 같이 공기 저항이나 마찰 없이 중력에 의하여 곡면을 따라 운동하는 물체도 역학적 에너지가 보존된다.

시선 집중 ★ 포물선 운동의 역학적 에너지 그래프

❶ 물체가 일정한 중력만을 받아 포물선 운동을 하는 동안 역학적 에너지는 일정하게 보존된다.
❷ 물체의 운동 궤도가 포물선이므로, 위치 x에 따른 중력 퍼텐셜 에너지도 포물선 형태이다.
❸ $E_\mathrm{k}=E-E_\mathrm{p}$이므로, 운동 에너지는 아래로 볼록한 포물선 형태이다.
❹ 최고점에서 물체는 수평 방향(x축 방향) 속력을 가지므로 운동 에너지는 0이 아니다.

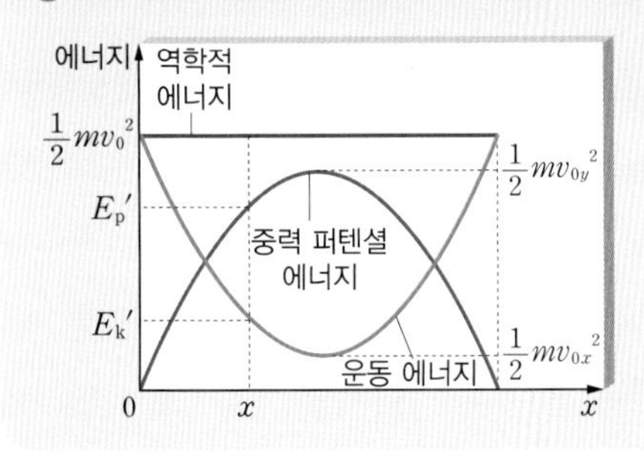

최고점에서
- 운동 에너지: $\frac{1}{2}mv_{0x}^2$
- 중력 퍼텐셜 에너지: $mgH=\frac{1}{2}mv_{0y}^2$
- 최고점의 높이(H): $\frac{1}{2}mv_0^2=\frac{1}{2}mv_{0x}^2+mgH$ ➡ $H=\frac{v_0^2\sin^2\theta}{2g}$

포물선 운동에서 최고점에서의 속력
최고점에서는 수평 방향 속력을 가지고 있고, 이때의 속력은 물체를 던진 순간의 수평 방향 속력과 같다.

(2) 수평 방향으로 던진 물체의 역학적 에너지 보존

공기 저항을 무시할 때, 질량 m인 물체를 지면에서 높이 H인 곳에서 수평 방향의 속도 $\vec{v_0}$으로 던지면, 물체는 그림과 같은 포물선 경로를 따라 운동한다. 단, 연직 위 방향을 (+)로 한다.

① 던진 순간의 역학적 에너지(E_0): 높이 H인 지점에서 중력 퍼텐셜 에너지는 mgH이므로, 던진 순간의 역학적 에너지 E_0은 다음과 같다.

$$E_0 = mgH + \frac{1}{2}mv_0^2$$

② 임의의 시간 t일 때 물체의 위치 P점에서 역학적 에너지(E): 수평 방향으로는 물체에 작용하는 힘이 없으므로 등속도 운동을 하고, 연직 방향으로는 일정한 중력이 작용하여 높이 H에서 자유 낙하 하는 물체와 같이 가속도 $-g$인 등가속도 운동을 한다. 따라서 임의의 시간 t가 지났을 때 물체의 위치 P에서의 속도를 $\vec{v}$라고 하면 $\vec{v}$의 x, y 성분 v_x, v_y와 위치 (x, y)는 다음과 같다.

구분	x 성분	y 성분
가속도	$a_x=0$	$a_y=-g$
속도	$v_x=v_0$	$v_y=-gt$
위치	$x=v_0t$	$y=H-\frac{1}{2}gt^2$

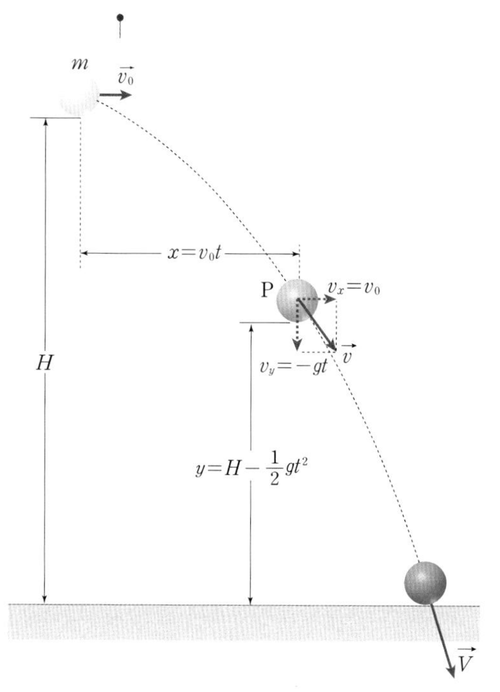

▲ 수평 방향으로 던진 물체

따라서 임의의 위치 P에서 물체의 역학적 에너지 E는 다음과 같다.

$$E = E_p' + E_k' = mg\left(H - \frac{1}{2}gt^2\right) + \frac{1}{2}m(v_0^2 + g^2t^2)$$
$$= mgH + \frac{1}{2}mv_0^2 = E_0$$

③ 수평 방향으로 던진 물체의 역학적 에너지 보존: 임의의 시간 t가 지났을 때의 위치 P에서 역학적 에너지가 처음과 같으므로, 수평 방향으로 던진 물체의 역학적 에너지도 보존된다. 따라서 이를 이용하면 지면에 도달하는 순간의 물체의 속력 V를 다음과 같이 간단히 구할 수 있다.

$$mgH + \frac{1}{2}mv_0^2 = \frac{1}{2}mV^2 \Rightarrow V = \sqrt{v_0^2 + 2gH}$$

예제

그림은 수평면과 45°의 각을 이루는 방향으로 던진 물체의 운동 경로를 나타낸 것이다.

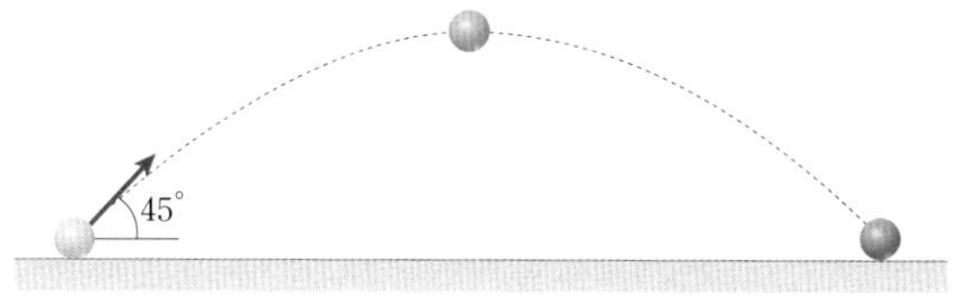

최고점에서 물체의 운동 에너지와 중력 퍼텐셜 에너지의 크기를 비교하시오. (단, 수평면에서 중력 퍼텐셜 에너지는 0이고, 공기 저항은 무시한다.)

해설 최고점에서의 속도는 처음 속도의 수평 성분과 같다. 처음 던진 속도의 연직 성분에 해당하는 운동 에너지는 중력 퍼텐셜 에너지로 전환된다. 던진 각도가 45°이므로 처음 속도의 연직 성분과 수평 성분이 같으므로 최고점에서 운동 에너지와 중력 퍼텐셜 에너지의 크기는 같다.

정답 운동 에너지와 중력 퍼텐셜 에너지의 크기는 같다.

2. 단진자의 운동과 역학적 에너지 보존

심화 144쪽

(1) 단진자의 역학적 에너지 보존

공기 저항이나 마찰을 무시할 때 물체를 줄에 매달아 살짝 당겼다가 놓으면, 물체는 중력과 장력에 의해 반지름이 일정한 원의 일부분을 따라 진동한다. 이때 장력은 물체의 운동 방향에 항상 수직으로 작용하므로, 장력이 물체에 하는 일은 0이고, 물체의 운동 에너지에 영향을 주지 않는다. 따라서 물체는 보존력인 중력에 의해서만 운동 에너지가 변하므로 물체의 역학적 에너지는 보존된다.

단진자에 작용하는 힘

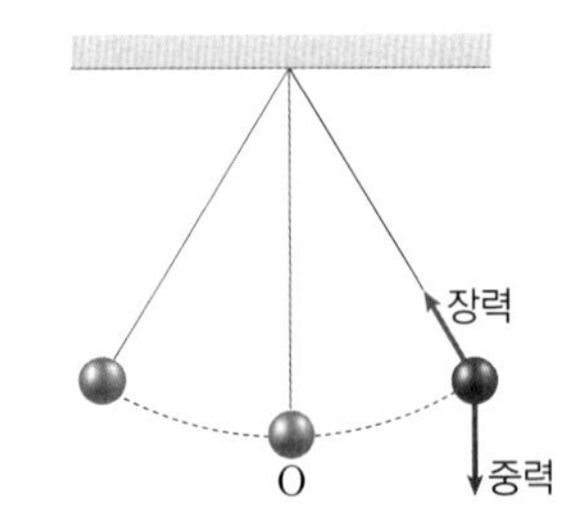

(2) 단진자의 속력

① **물체를 놓는 순간의 역학적 에너지:** 줄에 매달린 물체를 최하점으로부터 높이 h_0인 곳에서 가만히 놓을 때 최하점을 기준면으로 하면 중력 퍼텐셜 에너지 $E_p = mgh_0$이 되고, 운동 에너지 $E_k = 0$이므로 물체를 놓는 순간의 역학적 에너지 E_0은 다음과 같다.

$$E_0 = E_k + E_p = mgh_0$$

② **높이 h인 지점에서의 물체의 속력:** 물체를 놓은 순간부터 높이 h인 곳까지 이동하는 동안 알짜힘이 물체에 하는 일은 물체의 운동 에너지 증가량과 같다. 장력이 물체에 하는 일은 0이므로, 정지해 있던 물체의 운동 에너지 증가량은 중력이 물체에 한 일과 같다. 이때 물체가 이동한 높이는 $(h_0 - h)$이므로 높이 h인 곳에서의 물체의 속력은 다음과 같다.

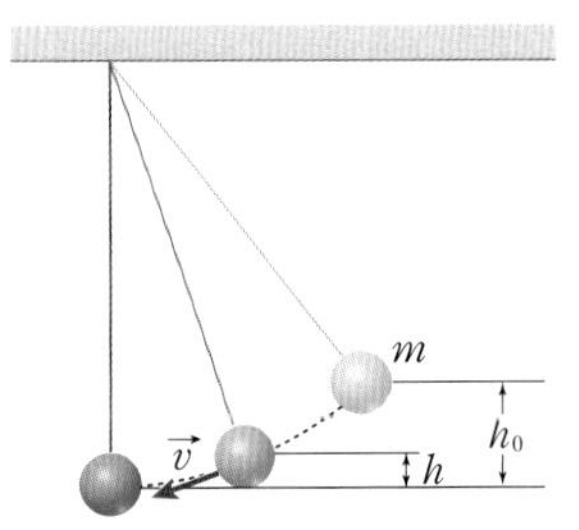

▲ 최하점으로부터 높이 h인 지점에서 단진자의 속력

$$W = mg(h_0 - h) = \frac{1}{2}mv^2 \Rightarrow v = \sqrt{2g(h_0 - h)}$$

③ **역학적 에너지 보존:** 단진자가 운동하는 동안 최하점으로부터 높이 h인 곳에서 물체의 역학적 에너지를 구하면 다음과 같이 처음 놓은 순간의 역학적 에너지와 같으므로, 단진자가 운동을 하는 동안 물체의 역학적 에너지는 보존되는 것을 확인할 수 있다.

$$E = E_k' + E_p' = \frac{1}{2}mv^2 + mgh = \frac{1}{2}m \times 2g(h_0 - h) + mgh = mgh_0 = E_0$$

시선 집중 ★ 단진자 운동의 역학적 에너지 그래프

공기 저항을 무시할 때 길이 l인 줄에 매단 물체를 연직 방향과 θ가 되도록 기울였다가 가만히 놓으면 물체가 진동한다.

❶ **중력 퍼텐셜 에너지:** 최하점을 기준면으로 할 때 최하점에서 0이고, 양 끝에서 최대가 된다.

❷ **운동 에너지:** 양 끝에서 0, 최하점에서 최대가 된다.

최하점에서 물체의 속력
- 최하점과 끝점의 높이 차: $h = l(1-\cos\theta)$
- 진자의 역학적 에너지: $E = mgl(1-\cos\theta)$
- 최하점에서 물체의 속력:

$$mgl(1-\cos\theta) = \frac{1}{2}mv^2 \Rightarrow v = \sqrt{2gl(1-\cos\theta)}$$

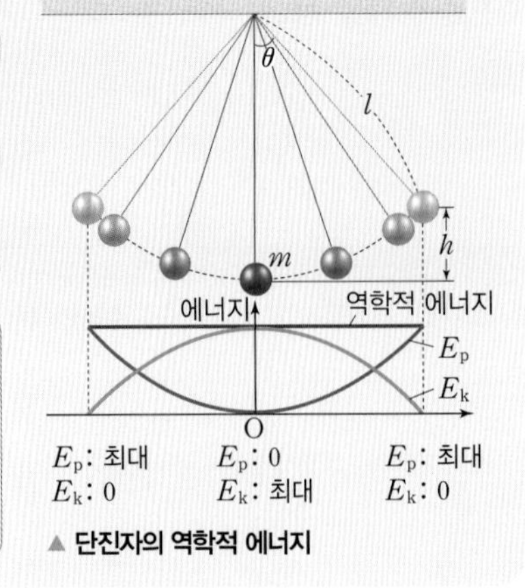

▲ 단진자의 역학적 에너지

(3) 진자의 등시성

그림과 같이 질량 m인 물체가 길이 l인 줄에 매달려 연직 방향과 θ의 각을 이룰 때 알짜힘은 중력의 운동 방향 성분으로 크기가 $mg\sin\theta$인 힘이 된다. θ가 매우 작으면 $\sin\theta \fallingdotseq \theta = \frac{x}{l}$가 되므로, 물체에 작용하는 알짜힘은

$$F = -mg\sin\theta = -\frac{mg}{l}x = -kx$$

가 된다. 즉, 물체에 작용하는 알짜힘이 변위의 크기에 비례하고 방향이 반대가 되므로 단진동의 복원력과 같다. 따라서 이 단진자의 주기는 다음과 같다.

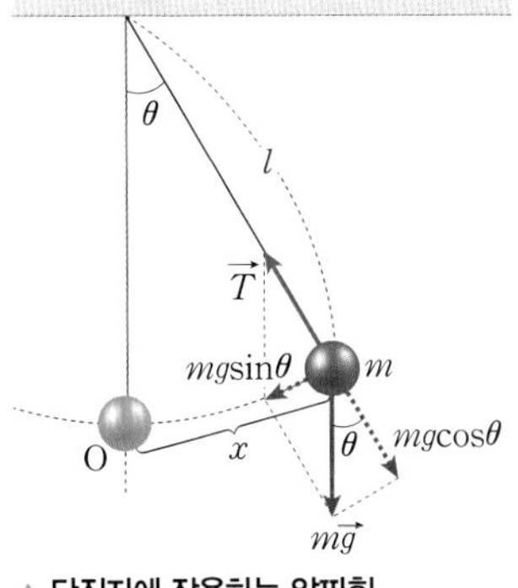

▲ 단진자에 작용하는 알짜힘

$$T = 2\pi\sqrt{\frac{l}{g}}$$

위 식에서 알 수 있듯이 어느 한 지역에서 단진자의 주기는 진폭이나 물체의 질량에는 관계가 없고, 진자의 길이에 의해서만 정해진다. 이것을 진자의 등시성이라고 하며, 갈릴레이가 최초로 발견하였다.

단진자와 단진동
단진자가 모든 θ의 범위에 대해 단진동을 하는 것은 아니다. θ가 매우 작은 경우에만 근사적으로 단진동을 한다고 다룰 수 있다.

단진자의 주기
단진자에서 추는 운동하는 동안 작용하는 알짜힘의 크기와 방향이 계속 변하는 매우 복잡한 운동을 한다. 하지만 단진자에서 역학적 에너지 보존 법칙을 이용하면 매 순간 추의 속력을 구할 수 있으며, 단진자의 진폭이 작을 때는 추는 근사적으로 단진동 하므로 추의 주기를 구할 수 있다.

중력 가속도의 측정
단진자의 주기 T를 측정하면 측정 지역에서의 중력 가속도 g를 알 수 있다.

$$T = 2\pi\sqrt{\frac{l}{g}} \Rightarrow g = \frac{4\pi^2 l}{T^2}$$

시야 확장 ⊕ 여러 가지 진자

❶ 비틀림 진자

오른쪽 그림은 각단진동 자로, 탄성체인 연결 줄의 비틀림에 대한 탄성력이 복원력으로 작용하여 원판이 진동하게 된다. 이러한 장치를 비틀림 진자라고 한다. 그림의 원판을 정지 상태에서 표시한 기준선 O로부터 약간 회전시켰다가 놓으면 좌우로 진동하는 각단진동 운동을 하게 된다. 원판을 각도 θ만큼 회전시켰다가 놓는 순간 원래 상태로 되돌아오려는 복원 돌림힘 τ는

$$\tau = -\kappa\theta$$

가 된다. 여기서 κ는 비틀림 상수로서, 연결 줄의 길이, 지름 및 재질에 따라 달라진다. 위 식은 $F = -kx$와 비교해 보면 각변위 θ에 대한 훅의 법칙임을 알 수 있다. 따라서 용수철 상수 k 대신에 비틀림 상수 κ를, 물체의 관성 질량 m 대신에 원판의 관성 모멘트 I를 대입하면 비틀림 진자의 주기 T는 다음과 같다.

$$T = 2\pi\sqrt{\frac{I}{\kappa}}$$

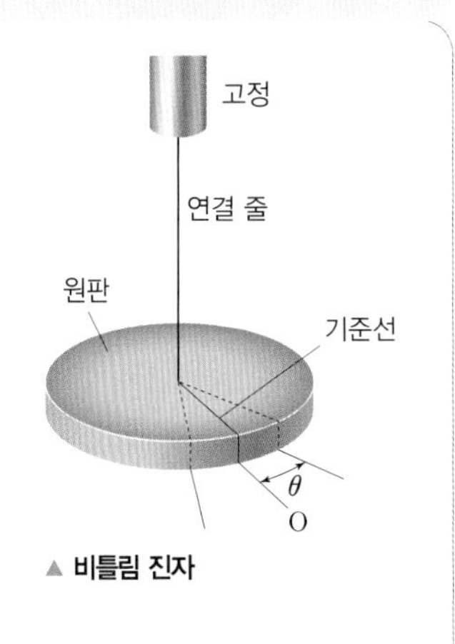

▲ 비틀림 진자

❷ 물리 진자

오른쪽 그림과 같이 무게중심 C에 중력 mg가 작용하는 일반화된 물리 진자가 평형점에서 각도 θ만큼 기울어지면 돌림힘이 나타난다. 회전축이 O일 때 돌림힘은 다음과 같다.

$$\tau = -mg\sin\theta d$$

여기서 $mg\sin\theta$는 중력 mg의 접선 성분이며, d는 회전축에서 무게중심까지의 거리이다. 또, (−) 부호는 돌림힘이 각변위 θ를 줄이는 방향으로 작용하는 복원 돌림힘임을 보여 준다. 각진폭이 작은 경우 근사적으로 $\sin\theta \fallingdotseq \theta$이므로 위 식은 $\tau = -(mgd)\theta$가 되며, $\tau = -\kappa\theta$와 비교해 보면 각변위에 대한 훅의 법칙임을 알 수 있다. 따라서 각진폭 θ_m이 작으면 물리 진자는 단진동을 하게 된다. 비틀림 진자 주기 공식에서 κ 대신 mgd를 대입하면 물리 진자의 주기 T는 다음과 같다.

$$T = 2\pi\sqrt{\frac{I}{mgd}}$$

단진자의 경우 d는 줄의 길이 l이고, I는 ml^2이므로 주기 $T = 2\pi\sqrt{\frac{l}{g}}$이 된다.

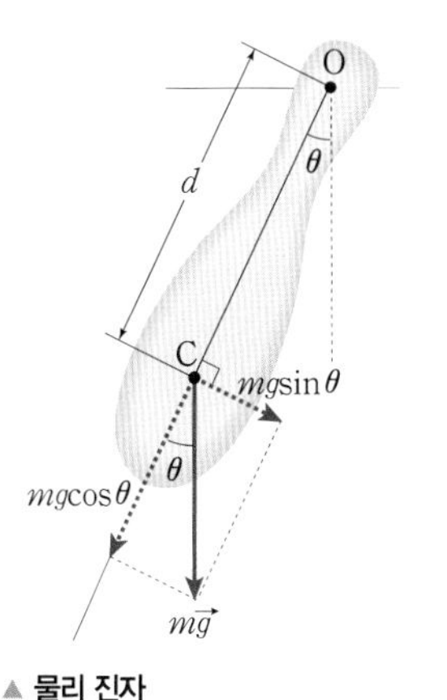

▲ 물리 진자

실전에 대비하는

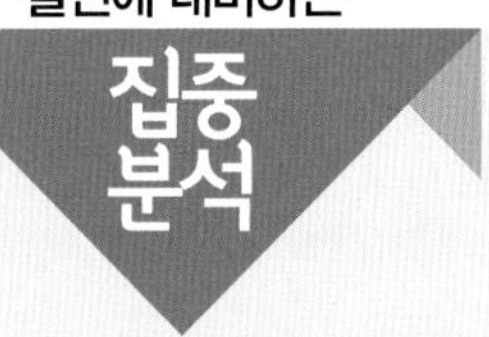

일과 역학적 에너지 보존

물체가 운동할 때 물체에 작용하는 힘이 하는 일은 물체의 운동 방향에 따라 달라지며, 알짜힘이 한 일은 물체의 운동 에너지 변화량과 같다. 비스듬히 위로 던진 물체나 단진자의 운동에서 힘이 한 일에 의한 운동 에너지 변화량을 구하여 역학적 에너지가 보존되는지 판단할 수 있다.

① 일·운동 에너지 정리

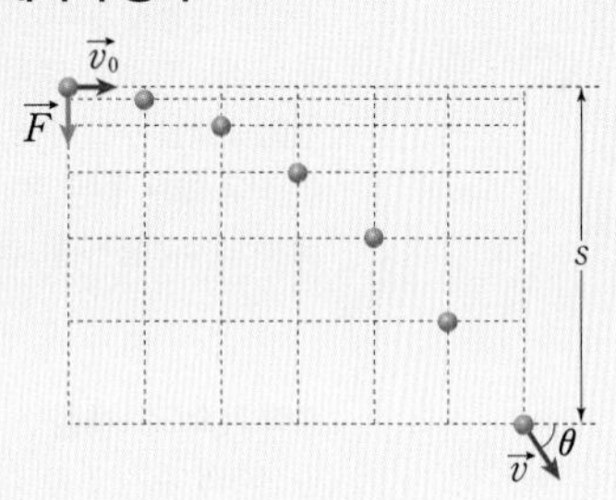

(1) 힘이 물체에 한 일: 물체에 작용한 힘의 크기와 힘의 방향으로 이동한 거리의 곱이다.

$$W=F\cdot s$$

(2) 일·운동 에너지 정리: 알짜힘이 물체에 한 일은 물체의 운동 에너지 변화량과 같다.

$$W=F\cdot s=\frac{1}{2}mv^2-\frac{1}{2}mv_0^2=\varDelta E_k$$

예제

① 그림은 수평면으로부터 높이 H인 곳에서 질량 m인 물체를 v_0의 속력으로 수평 방향으로 던진 것을 나타낸 것이다. (단, 중력 가속도는 g이고, 공기 저항은 무시한다.)

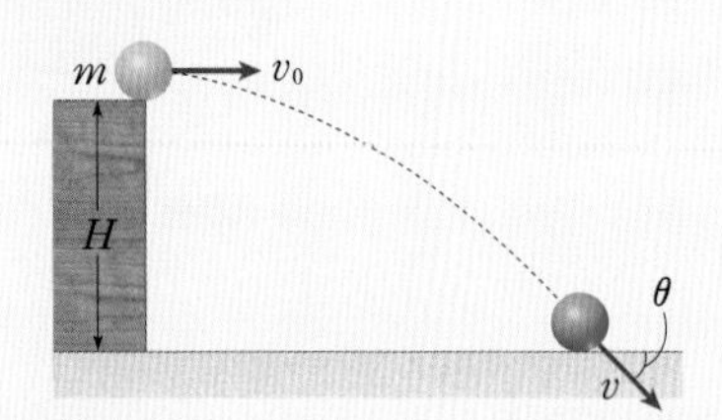

(1) 물체가 낙하하는 동안 중력이 한 일을 구하시오.

(2) 수평면에 도달하는 순간 물체의 속도 방향과 수평면이 이루는 각이 θ일 때, $\tan\theta$를 구하시오.

해설 (1) 중력의 방향으로 물체가 H의 거리를 이동하므로 중력이 하는 일 $W=Fs=mgH$이다.

(2) 수평면에 도달한 순간 속도의 연직 방향 성분의 크기를 $v_\perp$이라고 하면, $\frac{1}{2}mv_\perp^2=mgH$이므로, $v_\perp=\sqrt{2gH}$이다. 물체의 수평 방향의 속도는 v_0으로 일정하므로 $\tan\theta=\frac{v_\perp}{v_0}=\frac{\sqrt{2gH}}{v_0}$이다.

정답 (1) mgH (2) $\frac{\sqrt{2gH}}{v_0}$

② 마찰이 없는 빗면 운동에서 힘이 한 일

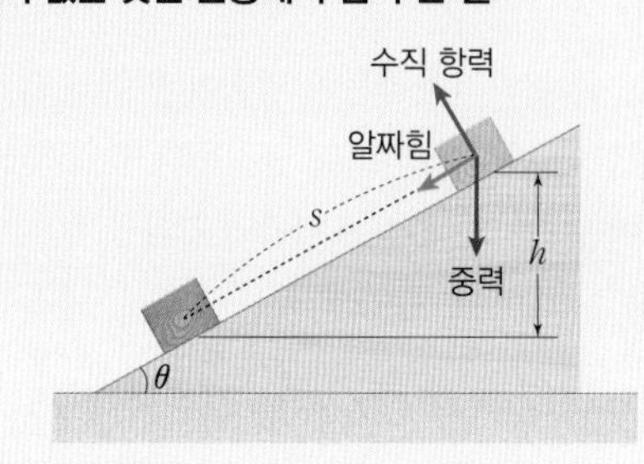

(1) 수직 항력이 한 일: 수직 항력은 물체의 운동 방향에 수직으로 작용하므로, 수직 항력이 한 일은 0이다.

(2) 중력이 한 일: 중력 mg와 중력 방향의 이동 거리 h의 곱이다.

$$W=mgh$$

빗면에서 알짜힘이 한 일=중력이 한 일=운동 에너지 증가량

예제

② 그림은 마찰이 없는 빗면의 P점에 가만히 놓은 질량 1 kg인 물체가 Q점을 지나는 순간 속력이 5 m/s인 것을 나타낸 것이다. 빗면의 경사각은 30°이다. (단, 중력 가속도는 10 m/s²이고, 공기 저항은 무시한다.)

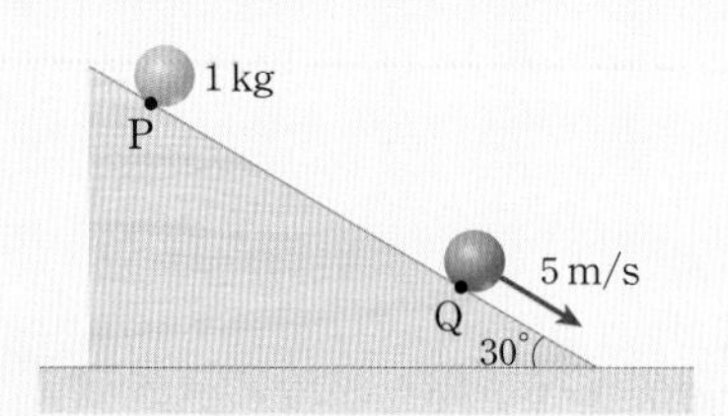

(1) 중력이 물체에 한 일을 구하시오.

(2) P에서 Q까지의 거리를 구하시오.

해설 (1) 빗면을 내려가는 동안 중력이 한 일이 물체의 운동 에너지 증가량과 같다. 따라서 $W=\frac{1}{2}mv^2=\frac{1}{2}\times1\text{ kg}\times(5\text{ m/s})^2=12.5\text{ J}$이다.

(2) 빗면의 경사각이 30°이므로 물체에 작용하는 알짜힘의 크기는 $mg\sin30°=1\text{ kg}\times10\text{ m/s}^2\times\frac{1}{2}=5\text{ N}$이다. 따라서 $12.5\text{ J}=5\text{ N}\times s$에서 P와 Q 사이의 거리 $s=2.5$ m이다.

정답 (1) 12.5 J (2) 2.5 m

❸ 포물선 운동에서 역학적 에너지 보존

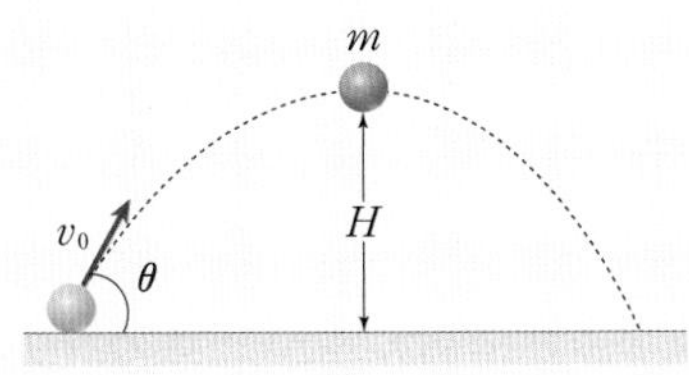

(1) 역학적 에너지(수평면 기준): $E_0=\frac{1}{2}mv_0^2$

(2) 높이 H인 최고점에서 역학적 에너지

- $E_k=\frac{1}{2}mv_0^2\cos^2\theta$ • $E_p=mgH=\frac{1}{2}mv_0^2\sin^2\theta$

➡ 공기 저항이 없을 때 운동 에너지(E_k)와 중력 퍼텐셜 에너지(E_p)의 합인 역학적 에너지는 항상 일정하다.

$$E_0=\frac{1}{2}mv_0^2=\frac{1}{2}mv^2+mgh=\frac{1}{2}mv_0^2\cos^2\theta+mgH=\text{일정}$$

예제

❸ 그림은 질량 1 kg인 물체를 10 m/s의 속력으로 수평면과 30°의 각도로 던진 것을 나타낸 것이다. (단, 중력 가속도는 10 m/s²이고, 공기 저항은 무시한다.)

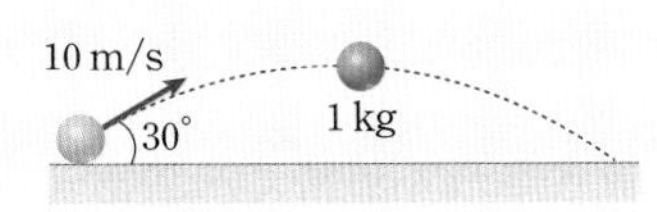

(1) 최고점에서 운동 에너지를 구하시오.

(2) 수평면을 기준으로 할 때 운동 에너지가 중력 퍼텐셜 에너지의 4배가 되는 지점의 높이를 구하시오.

해설 (1) 최고점에서 운동 에너지는 $\frac{1}{2}\times1\text{ kg}\times(10\text{ m/s})^2\times\cos^2 30°=\frac{75}{2}$ J이다.

(2) 중력 퍼텐셜 에너지가 역학적 에너지 $\frac{1}{2}\times1\text{ kg}\times(10\text{ m/s})^2=50$ J의 $\frac{1}{5}$배인 지점은 $10\text{ J}=1\text{ kg}\times10\text{ m/s}^2\times h$에서 높이 $h=1$ m이다.

정답 (1) $\frac{75}{2}$ J (2) 1 m

❹ 단진자 운동에서 역학적 에너지 보존

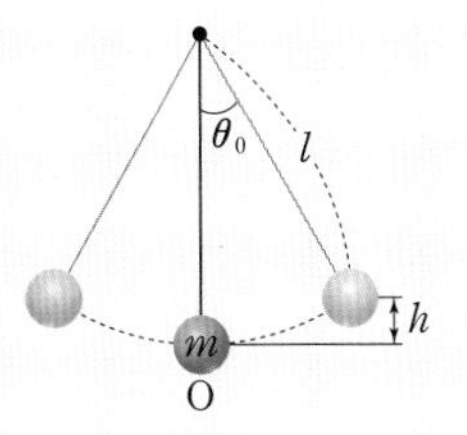

(1) 역학적 에너지(최하점 O 기준): $E_0=mgh=mgl(1-\cos\theta_0)$

(2) 최하점 O에서 추의 속력(v_0)

$$\frac{1}{2}mv_0^2=mgh \Rightarrow v_0=\sqrt{2gh}$$

➡ 공기 저항이 없을 때 운동 에너지와 중력 퍼텐셜 에너지의 합인 역학적 에너지는 항상 일정하다.

$$E_0=mgh=\frac{1}{2}mv^2+mgl(1-\cos\theta)=\frac{1}{2}mv_0^2=\text{일정}$$

예제

❹ 그림은 길이 l인 줄에 매달린 추를 연직과 θ_0의 각으로 기울여 가만히 놓은 단진자를 나타낸 것이다. (단, 중력 가속도는 10 m/s²이고, 줄의 질량과 공기 저항은 무시한다.)

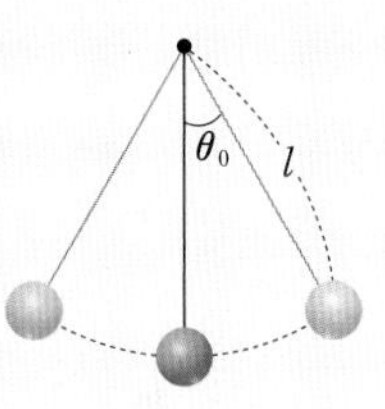

(1) 최하점에서 추의 속력을 구하시오.

(2) 추의 주기가 1초일 때 줄의 길이를 구하시오.

해설 (1) 최하점까지 내려간 높이가 $l(1-\cos\theta_0)$이고, 역학적 에너지가 보존되므로 $\frac{1}{2}mv^2=mgl(1-\cos\theta_0)$에서 최하점에서의 속력 $v=\sqrt{2gl(1-\cos\theta_0)}$이다.

(2) 단진자의 주기 $T=2\pi\sqrt{\frac{l}{g}}$에서 $l=\frac{gT^2}{4\pi^2}=\frac{10\times1^2}{4\pi^2}\fallingdotseq0.253$(m)이다.

정답 (1) $\sqrt{2gl(1-\cos\theta_0)}$ (2) 약 0.253 m

〉 정답과 해설 204쪽

유제

그림은 질량 1 kg인 물체를 수평면으로부터 높이 5 m인 지점에서 수평과 30°의 각으로 비스듬히 위로 던진 것을 나타낸 것이다. 물체의 운동에 대한 설명으로 옳은 것만을 보기에서 있는 대로 고른 것은? (단, 중력 가속도는 10 m/s²이고, 공기 저항은 무시한다.)

10 m/s, 1 kg, 30°, 5 m

보기

ㄱ. 물체가 최고점까지 올라가는 동안 운동 에너지는 감소한다.

ㄴ. 물체를 던진 순간부터 지면에 도달할 때까지 알짜힘이 한 일은 50 J이다.

ㄷ. 물체가 지면에 도달하는 순간의 속력은 $10\sqrt{2}$ m/s이다.

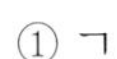

① ㄱ ② ㄷ ③ ㄱ, ㄴ ④ ㄱ, ㄷ ⑤ ㄱ, ㄴ, ㄷ

차이를 만드는

감쇠 진동

용수철에 매달린 물체를 진동시키면 공기 저항이나 마찰이 없을 때 물체는 진폭을 일정하게 유지하면서 진동한다. 하지만 실제로는 공기 저항이나 마찰이 있기 때문에 진폭이 점점 줄어들다 결국 정지하는 현상이 나타난다. 이렇게 진폭이 감소하는 진동에 대하여 알아보자.

❶ 단진동

용수철에 매달린 물체가 마찰이나 공기 저항 없이 보존력인 용수철의 탄성력만을 받으며 운동할 때, 계의 역학적 에너지는 보존되고, 물체는 진폭이 변하지 않고 일정하게 유지되는 단진동을 한다. 이때 물체의 운동 방정식은 다음과 같으며, 물체의 위치 x는 시간 t에 따라 그림과 같이 삼각함수를 따라 변한다.

$$F=-kx=ma=m\frac{d^2x}{dt^2} \Rightarrow x=A\cos\omega t \left(\text{단, } \omega=\frac{2\pi}{T}\right)$$

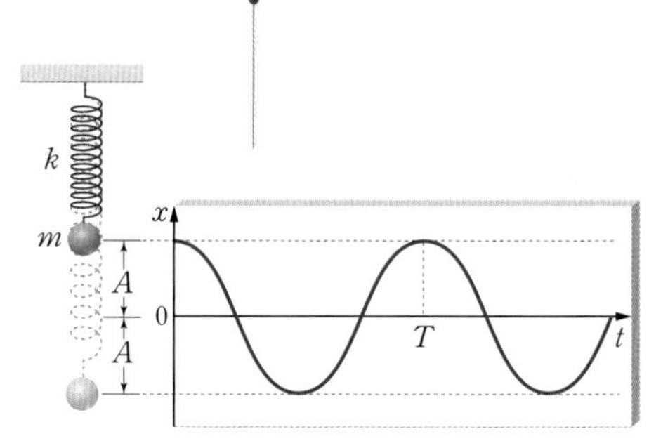

▲ 단진동 하는 물체의 변위(x)-시간(t) 그래프

❷ 감쇠 진동

용수철에 매달린 물체는 실제로는 마찰력이나 공기 저항 같은 비보존력을 함께 받으며 운동하기 때문에 계의 역학적 에너지의 일부는 열에너지 등으로 변환되어 나간다. 이런 경우 물체는 단진동 하지 않으며 진폭이 점차 감소하는 감쇠 진동을 한다. 전기 진동도 저항에 의하여 에너지가 감소하므로 감쇠 진동을 할 수 있다.

만약 용수철에 매달린 물체가 탄성력 이외에 속력에 비례하는 저항력($f=-bv$)을 받는다면 물체의 운동 방정식은 다음과 같다. 여기서 b는 감쇠 계수이며, 저항력의 크기에 관계한다.

$$F=-kx-bv \Rightarrow m\frac{d^2x}{dt^2}=-kx-b\frac{dx}{dt}$$

저항력이 최대 복원력에 비해 작을 때(b가 작을 때) 물체의 위치는 시간에 따라 그림과 같이 변하는 $x=Ae^{-\frac{b}{2m}t}\cos\omega t$의 형태가 된다. 여기서 $\omega=\sqrt{\frac{k}{m}-\left(\frac{b}{2m}\right)^2}$이고, 저항이 없을 때 ($b=0$)는 $\omega=\sqrt{\frac{k}{m}}$가 되어 단진동이 됨을 알 수 있다.

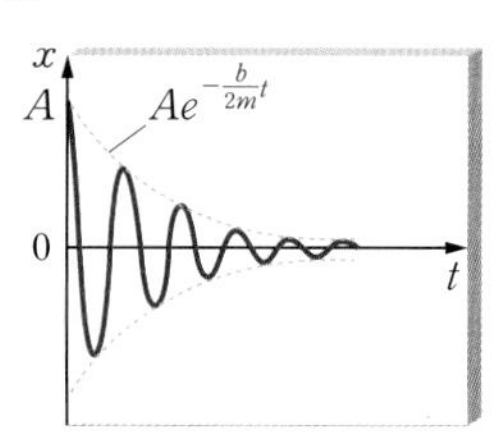

감쇠 진동
물이나 공기와 같은 점성이 있는 유체에 의한 저항력은 대략 속력에 비례한다.

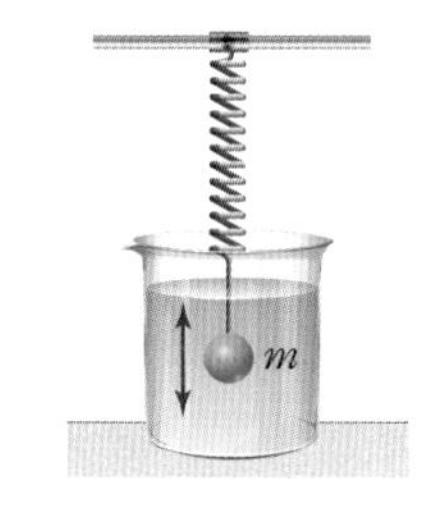

❸ 감쇠 진동의 종류

① 저감쇠 진동(a): $\frac{b}{2m}<\sqrt{\frac{k}{m}}$이며, 물체의 위치가 그래프 a를 따라 변한다. 보통 공기 속에서의 진동과 같이 마찰이 비교적 적을 때 나타난다.

② 임계 감쇠 진동(b): $\frac{b}{2m}=\sqrt{\frac{k}{m}}$이며, 그래프 b를 따라 변한다. 저감쇠 진동과 과감쇠 진동의 중간이며, 실제로는 저항력이 커서 물체의 왕복 운동은 나타나지 않는다.

③ 과감쇠 진동(c): $\frac{b}{2m}>\sqrt{\frac{k}{m}}$이며, 그래프 c를 따라 변한다. 물속과 같은 강한 저항이 존재하는 곳에서 진동이 일어날 때 나타나지만, 실제로는 저항력이 커서 물체가 왕복 운동은 하지 않고, 물체가 평형 위치에 도달하는 시간이 길어진다.

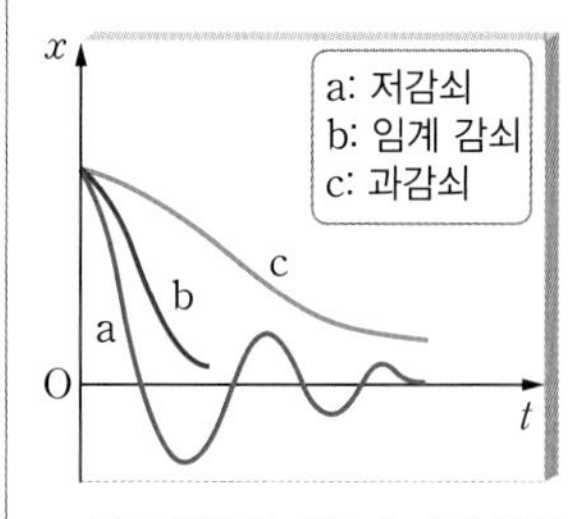

▲ **감쇠 진동의 종류에 따른 변위(x)-시간(t) 그래프** 감쇠 계수의 크기에 따라 위와 같이 세 가지의 감쇠 진동이 있다.

정답과 해설 204쪽

01 일·운동 에너지 관계와 역학적 에너지 보존

1 일과 운동 에너지

1. 일 물체에 힘 $\vec{F}$를 작용하여 힘의 방향과 각 θ인 방향으로 물체가 $\vec{s}$만큼 이동했을 때 물체에 작용한 힘이 물체에 한 일 W=(❶)이다.

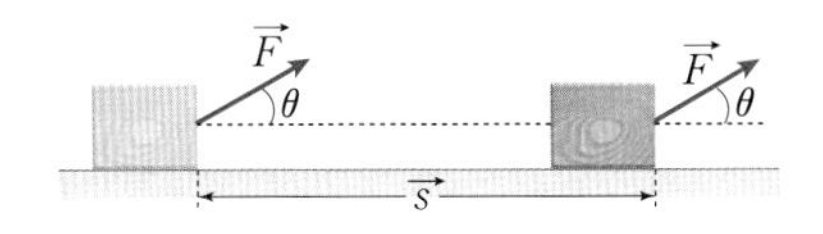

$0 \le \theta < 90°$	$\theta = 90°$	$90° < \theta \le 180°$
$W > 0$	W=(❷)	$W < 0$

2. 일·운동 에너지 정리 외부에서 작용한 알짜힘이 물체에 한 일은 물체의 (❸) 변화량과 같다.

2 보존력과 비보존력

1. 보존력과 비보존력

구분	(❹)	(❺)
정의	물체가 두 지점 사이를 이동할 때 작용한 힘이 한 일이 물체의 이동 경로에 관계없이 같을 때의 힘	물체가 두 지점 사이를 이동할 때 작용한 힘이 한 일이 물체의 이동 경로에 따라 다를 때의 힘
예	중력, 탄성력, 만유인력, 전기력	마찰력, 공기 저항력
힘이 한 일	보존력이 한 일만큼 (❻) 에너지가 감소한다.	비보존력이 한 일만큼 역학적 에너지가 열에너지 등으로 전환된다.

2. 역학적 에너지 보존 법칙 고립계에서 물체가 (❼)만을 받으며 운동할 때 운동 에너지와 퍼텐셜 에너지는 변할 수 있지만, 그 합인 역학적 에너지는 항상 일정하게 보존된다.

3 역학적 에너지 보존

1. 포물선 운동과 역학적 에너지 보존 비스듬히 위로 던진 물체가 중력만을 받으며 포물선 경로를 따라 운동한다.

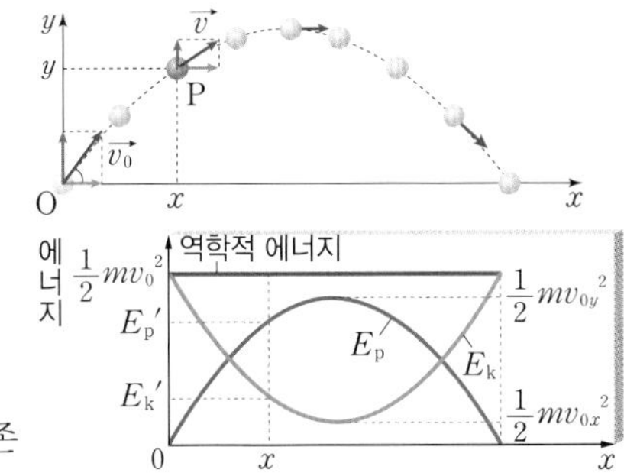

- O점에서 역학적 에너지: E_0=(❽)
- 임의의 P점에서 역학적 에너지:

$$E = mg\left(v_{0y}t - \frac{1}{2}gt^2\right) + \frac{1}{2}m(v_{0x}^2 + v_{0y}^2 - 2v_{0y}gt + g^2t^2)$$

$$= \frac{1}{2}m(v_{0x}^2 + v_{0y}^2) = \frac{1}{2}mv_0^2 = E_0$$ ➡ 역학적 에너지 보존

2. 수평 방향으로 던진 물체의 역학적 에너지 보존 높이 H에서 v_0의 속력으로 수평으로 던진 물체의 지면 도달 속력 V는 다음과 같다.

$$mgH + \frac{1}{2}mv_0^2 = \frac{1}{2}mV^2$$ ➡ V=(❾)

3. 단진자의 운동과 역학적 에너지 보존 장력은 물체의 운동 방향에 (❿)으로 작용하므로 장력이 물체에 하는 일은 0이 된다. 물체에는 보존력인 중력만이 일을 하므로 물체의 역학적 에너지는 (⓫)된다.

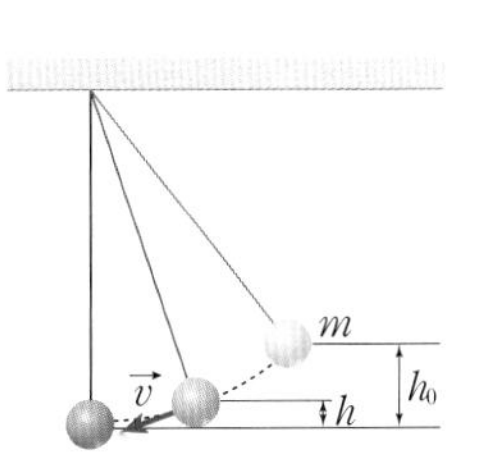

- 높이 h에서 물체의 속력: $W = mg(h_0 - h) = \frac{1}{2}mv^2$ ➡ $v = \sqrt{2g(h_0 - h)}$
- 줄의 길이가 l이고 중력 가속도가 g인 단진자의 주기: T=(⓬)
- 진자의 (⓭): 단진자의 주기는 진폭이나 물체의 질량에는 관계가 없고, 진자의 (⓮)에 의해서만 정해진다.

01 그림은 수평면으로부터 높이 h인 O 지점에서 수평으로 v_0의 속력으로 던진 질량 m인 물체가 포물선 경로를 따라 떨어지는 동안 물체의 위치를 일정한 시간 간격으로 나타낸 것이다. 물체는 P 지점을 지나 수평면의 Q 지점에 떨어진다. (단, 중력 가속도는 g이고, 공기 저항은 무시한다.)

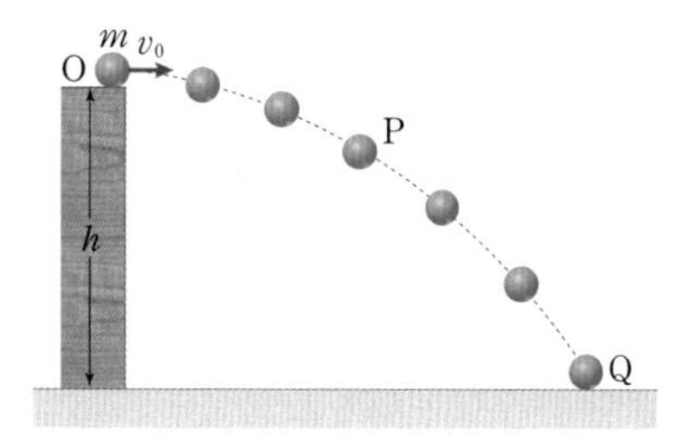

(1) O에서 Q까지 중력이 물체에 한 일을 구하시오.

(2) O에서 P까지 중력이 물체에 한 일을 구하시오.

(3) Q에 도달하는 순간 물체의 운동 에너지를 구하시오.

(4) P를 지나는 순간 물체의 속력을 구하시오.

02 그림은 같은 높이에서 수평으로 던진 물체 A, B가 각각 포물선 경로를 따라 수평면으로 떨어지는 것을 나타낸 것이다. A, B의 질량은 같고, 떨어지는 동안 수평 방향의 이동 거리는 B가 A의 2배이다.

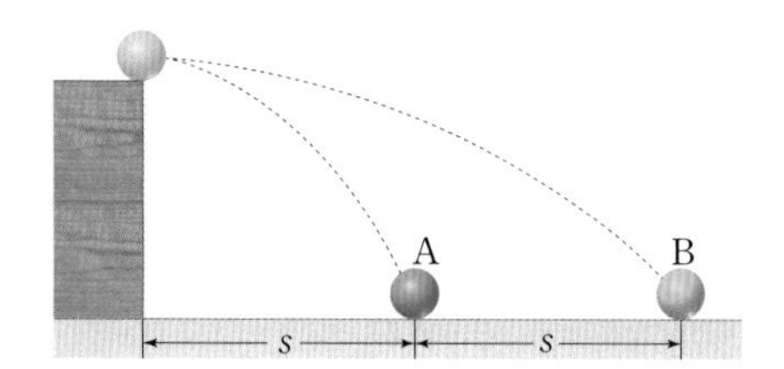

A, B가 떨어지는 동안의 운동에 대한 설명으로 옳은 것만을 보기에서 있는 대로 고르시오. (단, 중력 가속도는 g이고, 공기 저항은 무시한다.)

보기

ㄱ. 중력이 A, B에 한 일은 같다.
ㄴ. 운동 에너지의 증가량은 B가 A보다 크다.
ㄷ. 지면에 도달하는 순간의 속력은 B가 A의 2배이다.

03 그림은 수평면의 O점에서 비스듬히 위로 던진 물체 A, B가 각각 최고점을 지난 후 다시 수평면의 P점에 떨어지는 동안의 이동 경로를 나타낸 것이다. A, B의 질량은 m으로 같고, 수평면으로부터 최고점의 높이는 각각 $2h$, h이다. (단, 중력 가속도는 g이고, 공기 저항은 무시한다.)

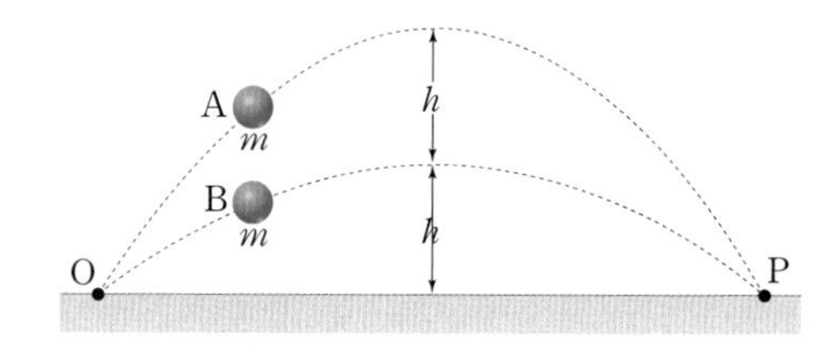

(1) O에서 최고점까지 중력이 A에 한 일을 구하시오.

(2) O에서 P까지 운동하는 동안 A, B에 대한 설명으로 옳은 것만을 보기에서 있는 대로 고르시오.

보기

ㄱ. 최고점에서 A, B의 운동 에너지는 같다.
ㄴ. O에서 던진 속력은 A가 B의 2배이다.
ㄷ. 중력이 A, B에 한 일은 같다.

04 그림은 곡면의 P점에서 가만히 놓은 질량 m인 물체가 최하점 Q점을 지나 R점으로 운동하는 것을 나타낸 것이다. Q로부터 P와 R까지의 높이는 각각 $2h$, h이다. (단, 중력 가속도는 g이고, 마찰과 공기 저항은 무시한다.)

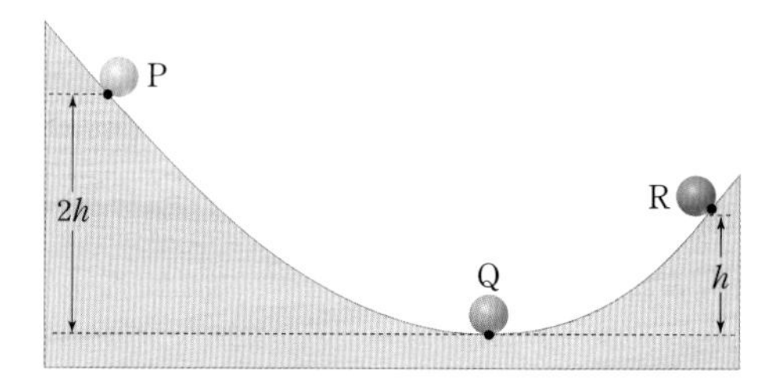

(1) P에서 R까지 이동하는 동안 물체에 작용하는 알짜 힘이 물체에 한 일을 구하시오.

(2) Q에서 R까지 이동하는 동안 운동 에너지 변화량을 구하시오.

05 그림은 수평면에서 높이 h인 지점에서 물체를 수평 방향으로 v_0의 속력으로 던졌을 때 물체가 포물선 경로를 따라 수평면에 떨어지는 것을 나타낸 것이다. 물체의 운동 에너지는 수평면에 도달하는 순간이 던진 순간의 2배이다.

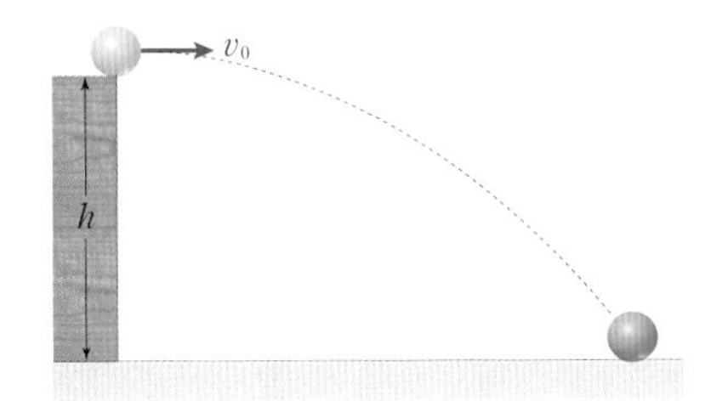

물체가 떨어지는 동안에 대한 설명으로 옳은 것만을 보기에서 있는 대로 고르시오. (단, 중력 가속도는 g이고, 공기 저항은 무시한다.)

보기

ㄱ. 수평면에 도달할 때까지 중력이 물체에 한 일은 던진 순간 물체의 운동 에너지와 같다.

ㄴ. $h=\frac{v_0^2}{2g}$이다.

ㄷ. 수평면에 도달하는 순간 물체의 운동 방향이 수평 방향과 이루는 각은 45°이다.

06 그림은 수평면과 θ의 각을 이루는 방향으로 속력 v_0으로 비스듬히 던진 질량 m인 물체의 운동 경로이다. 출발점 O에서 물체의 역학적 에너지는 $\frac{1}{2}mv_0^2$이고, P점은 최고점이다. (단, 중력 가속도는 g이고, 공기 저항은 무시한다.)

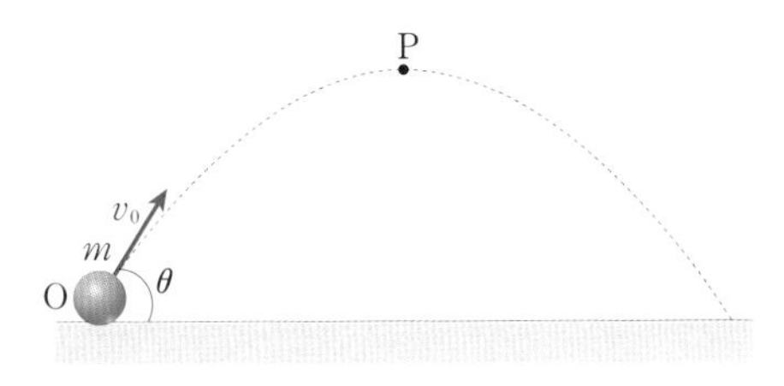

(1) P에서 물체의 역학적 에너지를 구하시오.

(2) P에서 물체의 중력 퍼텐셜 에너지를 구하시오.

(3) 수평면으로부터 P의 높이를 구하시오.

07 그림과 같이 길이 l인 실에 매달린 질량 m인 추를 P점에서 가만히 놓았더니 추가 최하점 O점을 지나 Q점까지 왕복 운동하였다. 실이 기울어진 최대 각도는 θ_0이고, O에서 추의 중력 퍼텐셜 에너지는 0이다. (단, 중력 가속도는 g이고, 실의 질량과 공기 저항은 무시한다.)

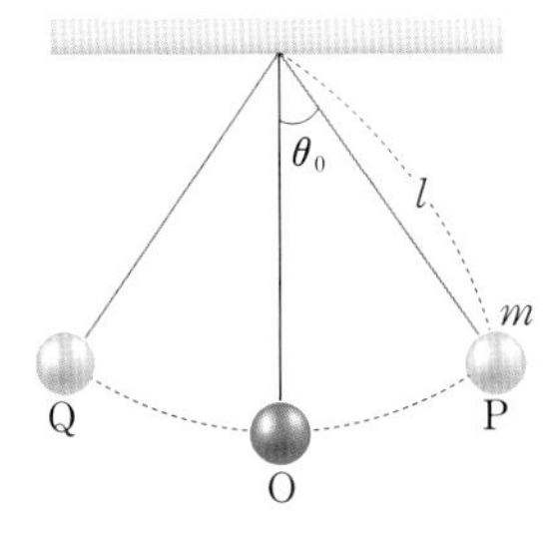

(1) 추의 역학적 에너지를 구하시오.

(2) 실이 기울어진 각도가 θ일 때 추의 운동 에너지를 구하시오.

(3) O에서 Q까지 운동하는 동안 알짜힘이 추에 한 일을 구하시오.

08 추의 질량이 m, 실의 길이가 l인 단진자의 주기가 T일 때, 추의 질량이 $2m$, 실의 길이가 $2l$인 단진자의 주기를 구하시오. (단, 추는 매우 작은 진폭으로 진동한다.)

09 그림 (가), (나)는 매우 작은 진폭으로 왕복 운동하는 두 단진자로, 추의 질량, 실의 길이는 같고, 실이 기울어진 최대 각도는 (나)에서가 (가)에서의 2배이다.

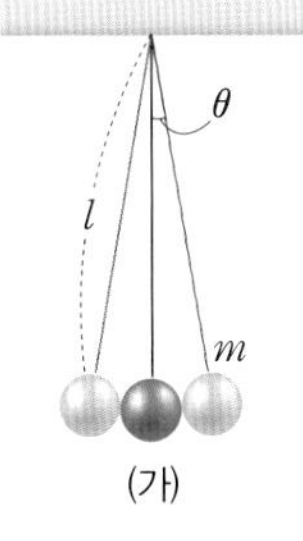

(가)

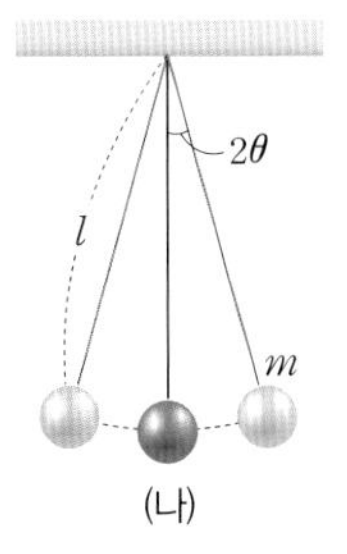

(나)

(나)에서가 (가)에서의 2배인 물리량만을 보기에서 있는 대로 고르시오. (단, 최하점에서 중력 퍼텐셜 에너지는 0이다.)

보기

ㄱ. 단진자의 주기

ㄴ. 최하점에서 추의 속력

ㄷ. 추의 역학적 에너지

> 정답과 해설 206쪽

01

> 일과 운동 에너지의 관계

그림은 빗면의 P점에서 v_0의 속력으로 운동하는 질량 m인 물체가 최하점 Q를 지나 최고점 R까지 운동하는 것을 나타낸 것이다. Q에서 P, R까지의 높이는 각각 h, $2h$이다.

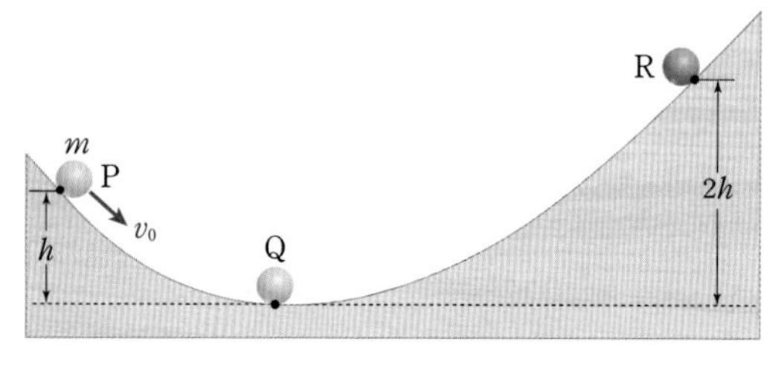

이에 대한 설명으로 옳은 것만을 보기에서 있는 대로 고른 것은? (단, 중력 가속도는 g이고, 모든 마찰과 공기 저항은 무시한다.)

보기

ㄱ. P에서 Q까지 물체에 작용하는 알짜힘이 한 일은 물체의 운동 에너지 증가량과 같다.

ㄴ. Q에서 R까지 중력이 물체에 한 일은 $2mgh$이다.

ㄷ. P에서 R까지 빗면이 물체에 작용하는 힘이 물체에 한 일은 $-\frac{1}{2}mv_0^2$이다.

① ㄱ ② ㄴ ③ ㄷ ④ ㄴ, ㄷ ⑤ ㄱ, ㄴ, ㄷ

- 알짜힘이 한 일은 물체의 운동 에너지 변화량과 같다.

02

> 일과 운동 에너지의 관계

그림은 xy 평면에서 0초일 때 원점에 정지해 있던 물체에 작용하는 알짜힘의 x축, y축 성분 F_x, F_y를 시간에 따라 나타낸 것이다. 물체의 질량은 2 kg이다.

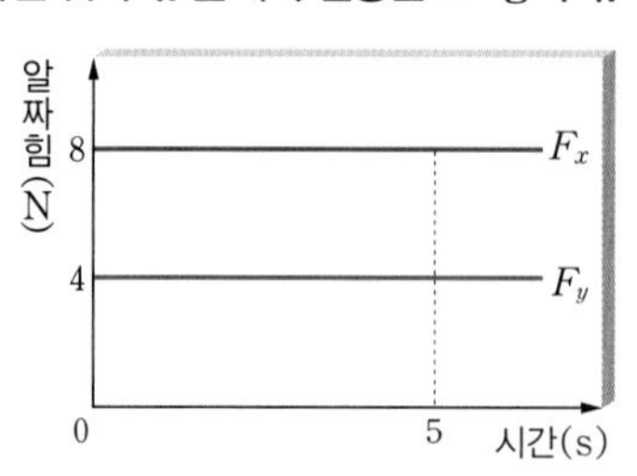

0초부터 5초 동안 알짜힘이 물체에 한 일은?

① 100 J ② 200 J ③ 300 J ④ 400 J ⑤ 500 J

- 힘과 시간의 관계 그래프에서 그래프 아래 넓이는 운동량의 변화량과 같다.

03

> 일과 운동 에너지의 관계

그림은 xy 평면에서 일정한 알짜힘을 받아 운동하는 질량 1 kg인 물체가 2 m/s의 속력으로 원점 O를 통과하여 포물선 경로를 따라 P점을 지난 후 2 m/s의 속력으로 Q점을 통과하는 것을 나타낸 것이다. O, Q에서 물체의 운동 방향과 x축이 이루는 각은 그림과 같이 45°로 같다. P점은 물체의 운동 경로에서 x축으로부터 가장 먼 지점이고, O에서 Q까지 운동하는 데 걸린 시간은 2초이다.

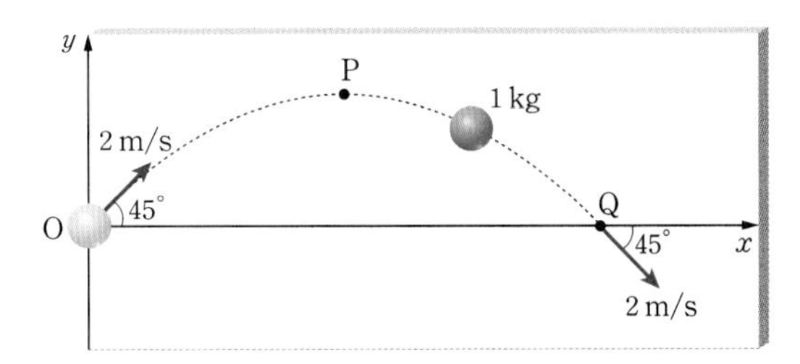

이 물체에 대한 설명으로 옳은 것만을 보기에서 있는 대로 고른 것은?

보기

ㄱ. O에서 Q까지 알짜힘이 물체에 한 일은 0이다.
ㄴ. P에서 Q까지 알짜힘이 물체에 한 일은 2 J이다.
ㄷ. 물체에 작용하는 알짜힘의 크기는 $\sqrt{2}$ N이다.

① ㄱ ② ㄷ ③ ㄱ, ㄴ ④ ㄱ, ㄷ ⑤ ㄴ, ㄷ

알짜힘이 일정할 때 물체는 등가속도 운동을 하므로 운동 경로가 직선이거나 포물선이다.

04

> 일과 운동 에너지의 관계

그림은 기울어진 xy 평면의 O점에서 수평인 $+x$축 방향으로 v_0의 속력으로 밀어 놓은 질량 m인 물체가 P점을 지나는 것을 나타낸 것이다. P에서 물체의 운동 방향은 x축과 45°의 각을 이룬다.

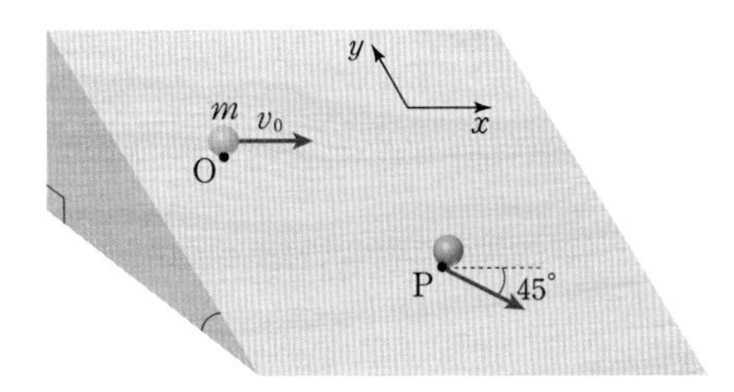

이 물체에 대한 설명으로 옳은 것만을 보기에서 있는 대로 고른 것은? (단, 중력 가속도는 g이고, 모든 마찰과 공기 저항은 무시한다.)

보기

ㄱ. P에서 운동 에너지는 $\frac{3}{2}mv_0^2$이다.
ㄴ. O에서 P까지 이동하는 동안 알짜힘이 한 일은 $\frac{1}{2}mv_0^2$이다.
ㄷ. O에서 P까지 이동하는 동안 내려간 높이는 $\frac{2v_0^2}{g}$이다.

① ㄱ ② ㄴ ③ ㄱ, ㄷ ④ ㄴ, ㄷ ⑤ ㄱ, ㄴ, ㄷ

빗면 위에 놓인 물체에 알짜힘이 한 일은 중력이 물체에 한 일과 같다.

05

> 일과 운동 에너지의 관계

그림은 xy 평면에서 일정한 알짜힘이 작용하여 운동하는 질량 2 kg인 물체의 위치를 1초 간격으로 나타낸 것이다.

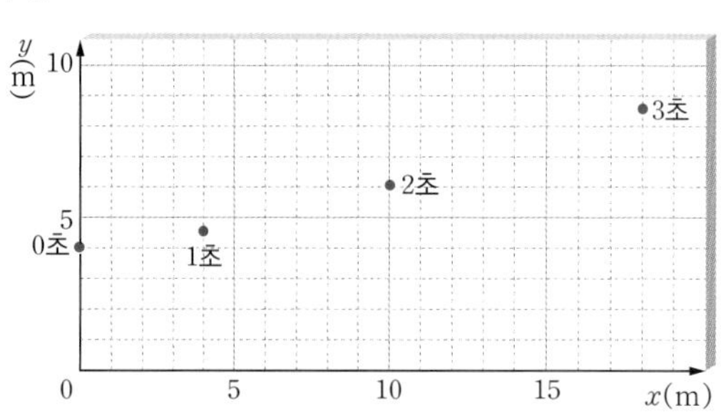

0초부터 3초까지 알짜힘이 물체에 한 일은?

① 39 J ② 42 J ③ 57 J ④ 81 J ⑤ 97 J

- 등가속도 직선 운동에서 1초일 때 순간 속도는 0초부터 2초까지의 평균 속도와 같다.

06

> 역학적 에너지 보존

그림은 수평면과 θ의 각을 이루며 O 지점에서 질량 m인 물체를 v_0의 속력으로 비스듬히 위로 던졌을 때 물체가 포물선 경로로 운동하는 것을 나타낸 것이다. 물체의 운동 에너지는 최고점 P에서 $\frac{1}{8}mv_0^2$이고, Q 지점에서 $\frac{1}{4}mv_0^2$이다.

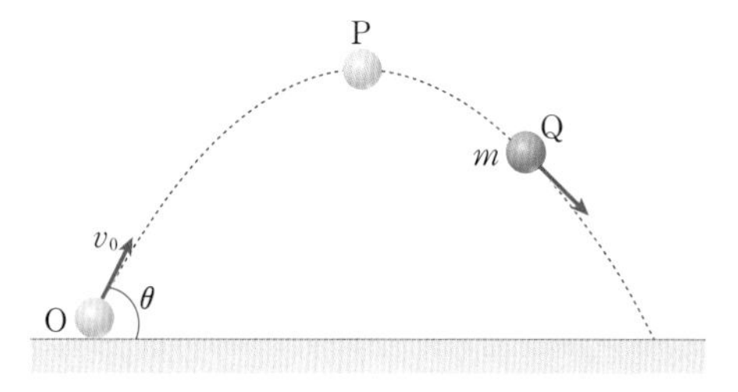

이에 대한 설명으로 옳은 것만을 보기에서 있는 대로 고른 것은? (단, 공기 저항은 무시한다.)

보기

ㄱ. $\sin\theta=0.5$이다.

ㄴ. P에서 Q까지 중력이 물체에 한 일은 $\frac{1}{8}mv_0^2$이다.

ㄷ. O에서 P까지 높이 차는 P에서 Q까지 높이 차의 3배이다.

① ㄱ ② ㄷ ③ ㄱ, ㄴ ④ ㄴ, ㄷ ⑤ ㄱ, ㄴ, ㄷ

- 최고점에서 물체는 수평 방향으로만 운동하므로 속도의 연직 성분은 0이다. 알짜힘이 중력이므로 중력이 한 일은 물체의 운동 에너지 변화량과 같다.

07

> 역학적 에너지 보존

그림과 같이 수평면에서 연직 위로 v의 속력으로 던진 물체 A가 최고점에 도달한 순간, 같은 높이에서 물체 B를 수평 방향으로 v의 속력으로 던졌다. A, B의 질량은 같고, 수평면에서 중력 퍼텐셜 에너지는 0이다.

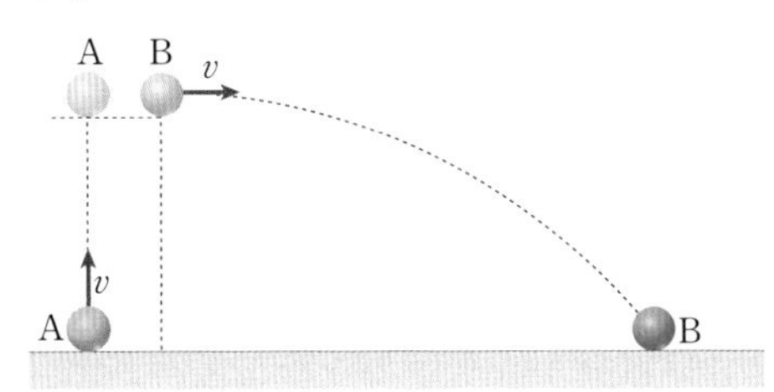

이에 대한 설명으로 옳은 것만을 보기에서 있는 대로 고른 것은? (단, 물체의 크기와 공기 저항은 무시한다.)

보기

ㄱ. 역학적 에너지는 B가 A의 2배이다.
ㄴ. A와 B는 수평면에 동시에 도달한다.
ㄷ. B가 떨어지는 동안 알짜힘이 B에 한 일은 A의 역학적 에너지와 같다.

① ㄴ ② ㄷ ③ ㄱ, ㄴ ④ ㄱ, ㄷ ⑤ ㄱ, ㄴ, ㄷ

B의 역학적 에너지는 최고점에서 A의 중력 퍼텐셜 에너지와 던지는 순간 B의 운동 에너지의 합이다.

08

> 역학적 에너지 보존

그림은 질량이 같은 물체 A, B를 수평면과 이루는 각이 각각 α, β가 되도록 하여 같은 속력 v로 비스듬히 위로 던지는 것을 나타낸 것이다. A, B의 수평 도달 거리는 같으며, $\alpha > \beta$이다. 수평면에서 중력 퍼텐셜 에너지는 0이다.

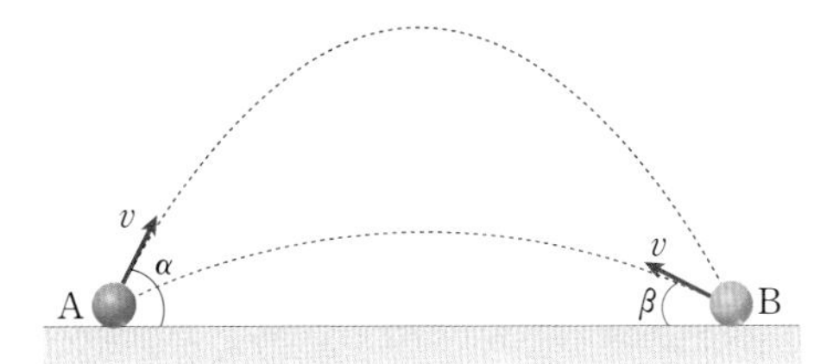

이에 대한 설명으로 옳은 것만을 보기에서 있는 대로 고른 것은? (단, 공기 저항은 무시한다.)

보기

ㄱ. 역학적 에너지는 A가 B보다 크다.
ㄴ. 최고점에서 A는 운동 에너지가 중력 퍼텐셜 에너지보다 크다.
ㄷ. 최고점에서 운동 에너지는 B가 A의 $\tan^2\alpha$배이다.

① ㄱ ② ㄷ ③ ㄱ, ㄴ ④ ㄴ, ㄷ ⑤ ㄱ, ㄴ, ㄷ

같은 속력으로 던진 두 물체의 수평 도달 거리가 같을 때 던지는 각도는 $\alpha + \beta = \frac{\pi}{2}$의 관계가 있다.

09

> 역학적 에너지 보존

그림은 연직면에서 질량 m인 물체가 반지름 R인 원형 궤도를 따라 운동하는 것을 나타낸 것이다. 최고점 P에서 궤도가 물체에 작용하는 힘은 0, 물체의 속력은 v_0이고, 최하점 Q에서 물체의 속력은 v이다.

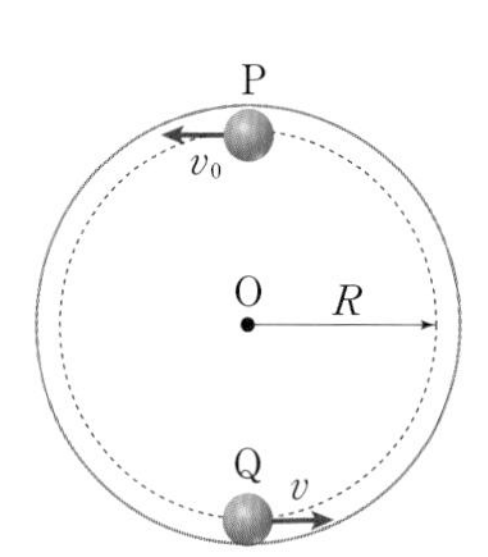

물체에 대한 설명으로 옳은 것만을 보기에서 있는 대로 고른 것은? (단, 중력 가속도는 g이고, 모든 마찰과 공기 저항, 물체의 크기는 무시한다.)

보기

ㄱ. P에서 Q까지 이동하는 동안 알짜힘이 한 일은 $2mgR$이다.

ㄴ. Q에서 운동 에너지는 $\frac{3}{2}mgR$이다.

ㄷ. $v=\sqrt{5}v_0$이다.

① ㄴ ② ㄷ ③ ㄱ, ㄷ ④ ㄴ, ㄷ ⑤ ㄱ, ㄴ, ㄷ

• P에서 물체에 작용하는 구심력은 중력이다.

10

> 역학적 에너지 보존

그림은 연직 방향으로 설치한 반지름 R인 반원형 궤도의 최고점으로 입사한 물체가 궤도를 따라 원운동을 한 후 수평면으로부터 높이 R인 실험대에서 수평으로 날아가 수평면에 도달하는 것을 나타낸 것이다. 반원형 궤도의 최고점에서 궤도가 물체에 작용하는 힘은 0이고, 실험대 끝에서 수평면까지 수평 도달 거리는 L이다.

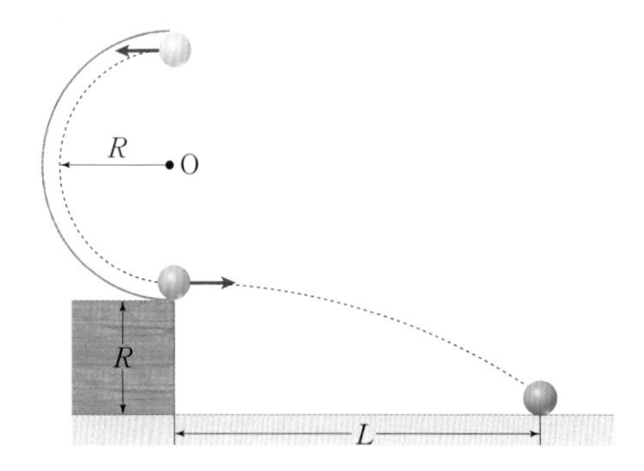

L은? (단, 모든 마찰과 공기 저항, 물체의 크기는 무시한다.)

① $3R$ ② $\sqrt{10}R$ ③ $\frac{10}{3}R$ ④ $\frac{7}{2}R$ ⑤ $\frac{3\sqrt{5}}{2}R$

• 물체가 원형 궤도를 따라 최고점에서 최하점까지 내려오는 동안 중력이 물체에 한 일은 $2mgR$이다.

11

> 단진자와 역학적 에너지 보존

그림 (가), (나)는 곡면의 최하점으로부터 같은 높이에 가만히 놓은 질량이 같은 물체가 곡면을 따라 왕복 운동하는 것을 나타낸 것이다. (가), (나)에서 곡면은 중심이 연직 위로 있는 원의 일부분이고, 원의 반지름은 (나)가 (가)의 2배이다.

• 원 궤도를 따라 왕복 운동하는 물체는 단진자의 추와 같은 운동을 한다.

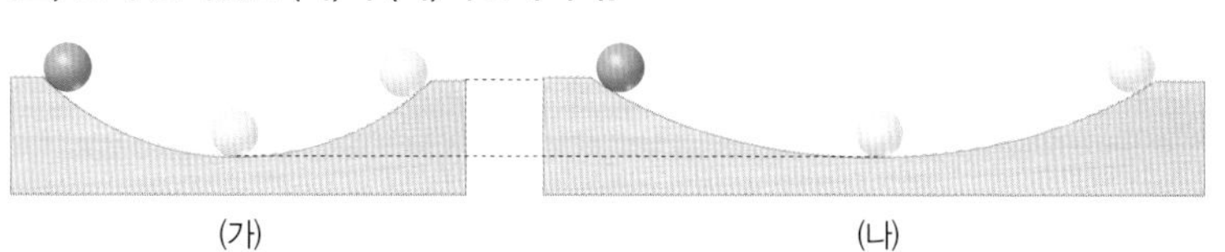

(가), (나)의 물체에 대한 설명으로 옳은 것만을 보기에서 있는 대로 고른 것은? (단, 모든 마찰과 공기 저항, 물체의 크기는 무시한다.)

보기

ㄱ. 최하점에서 물체의 운동 에너지는 (가)에서와 (나)에서가 같다.

ㄴ. 최하점에서 물체의 가속도 크기는 (나)에서가 (가)에서보다 크다.

ㄷ. 물체의 진폭이 매우 작다면 물체가 한 번 왕복 운동하는 데 걸린 시간은 (나)에서가 (가)에서의 2배이다.

① ㄱ　② ㄴ　③ ㄱ, ㄷ　④ ㄴ, ㄷ　⑤ ㄱ, ㄴ, ㄷ

12

> 단진자와 역학적 에너지 보존

그림은 길이가 $2l$인 단진자 실이 연직 방향과 θ_0의 각도를 이루는 P점에서 추를 가만히 놓았을 때 추가 최하점을 지난 후 Q점까지 왕복 운동하는 것을 나타낸 것이다. 추가 최하점을 지난 순간부터 실은 O점에 있는 못에 걸려 단진자 실의 길이가 l로 감소하여 Q까지 운동하며, 선분 OQ와 연직 방향 사이의 각도는 θ이다.

• 역학적 에너지가 보존되므로 P와 Q의 높이는 같다.

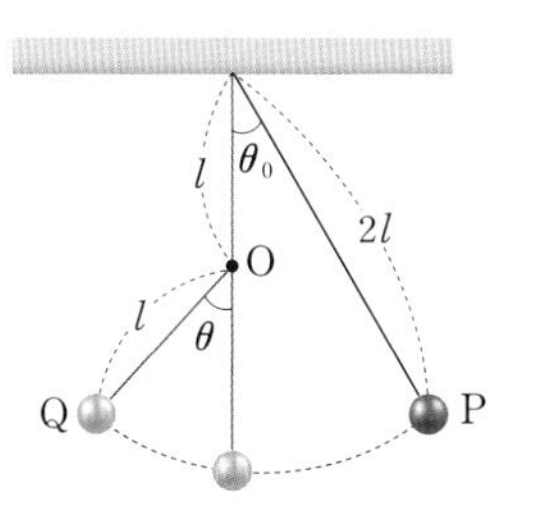

이에 대한 설명으로 옳은 것만을 보기에서 있는 대로 고른 것은? (단, 중력 가속도는 g이고, 모든 마찰과 공기 저항은 무시한다.)

보기

ㄱ. 최하점에서 추의 속력은 $\sqrt{2gl(1-\cos\theta_0)}$이다.

ㄴ. P와 Q의 높이는 같다.

ㄷ. $\cos\theta=1-\cos\theta_0$이다.

① ㄱ　② ㄴ　③ ㄷ　④ ㄱ, ㄷ　⑤ ㄴ, ㄷ

02 열과 일의 전환

학습 Point 내부 에너지, 열 > 열의 일당량 > 이상 기체의 내부 에너지 > 열을 포함한 에너지 보존 법칙

1 열의 일당량

수평면에서 물체를 밀어 놓으면 마찰이 없을 때는 등속도 운동을 하지만, 실제로는 마찰이 있으므로 물체가 멈추고 운동 에너지는 0이 된다. 물체가 마찰력을 받아 멈추는 과정에서 역학적 에너지는 없어지는 것이 아니라 물체와 바닥면의 내부 에너지로 전환된다. 이때 마찰력이 한 일과 열 사이에는 어떤 관계가 있는지 알아보자.

1. 내부 에너지와 열

(1) 내부 에너지

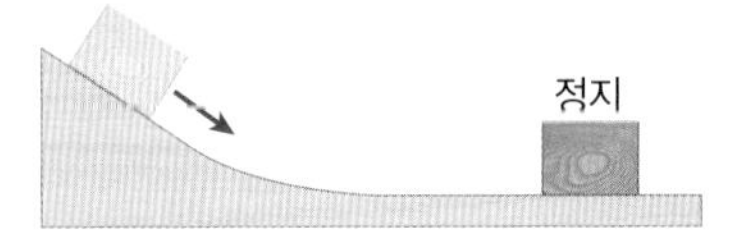

마찰이나 공기 저항이 없을 때 빗면을 따라 내려가는 물체의 중력 퍼텐셜 에너지는 운동 에너지로 전환되며 역학적 에너지가 보존된다. 그러나 실제로는 마찰이나 공기 저항이 존재하므로 그림과 같이 빗면을 내려오는 물체는 역학적 에너지가 점점 감소하여 결국 정지한다. 이렇게 감소한 역학적 에너지는 물체와 물체가 지나간 표면의 온도를 조금 높아지게 하는 열에너지로 전환된다.

실제 물체는 눈에 보이지 않는 매우 많은 입자들로 이루어져 있다. 물체를 구성하는 각각의 입자들은 무질서하게 운동하고 있으므로, 물체는 전체를 한 덩어리로 보았을 때의 역학적 에너지 외에도 각 구성 입자들의 운동 에너지, 구성 입자 사이의 결합 때문에 생기는 퍼텐셜 에너지 등 미시적으로도 다양한 에너지를 갖는데, 이러한 미시적 에너지의 총합을 내부 에너지라고 한다.

열운동
물체를 이루는 분자나 원자와 같은 입자들은 정지해 있는 것이 아니라 모든 방향으로 불규칙하게 운동하거나 진동 또는 회전 운동을 한다. 이렇게 물체를 이루는 입자들이 불규칙하게 운동하는 것을 열운동이라고 한다.

> 내부 에너지: 계를 구성하고 있는 모든 입자들의 운동 에너지, 퍼텐셜 에너지, 화학 에너지, 핵에너지 등 정지한 계의 미시적 구성 성분이 갖는 모든 에너지의 합을 말한다.

내부 에너지는 물체의 온도가 높을수록 증가한다. 온도가 높으면 구성 입자들의 운동이 더욱 활발해지고 결합 거리가 더욱 늘어나는 등 미시적인 에너지가 증가하기 때문이다.

내부 에너지
내부 에너지에는 계 전체 또는 물체 전체의 운동에 관한 운동 에너지나 퍼텐셜 에너지는 포함되지 않는다.

(2) 열

① **열평형 상태:** 온도가 다른 두 물체를 접촉시키면 온도가 높은 물체의 온도는 낮아지고 온도가 낮은 물체의 온도는 높아져 시간이 지나면 마침내 두 물체의 온도가 같아지게 된다. 이와 같이 접촉한 두 물체의 온도가 같아진 상태를 열평형 상태라고 한다.

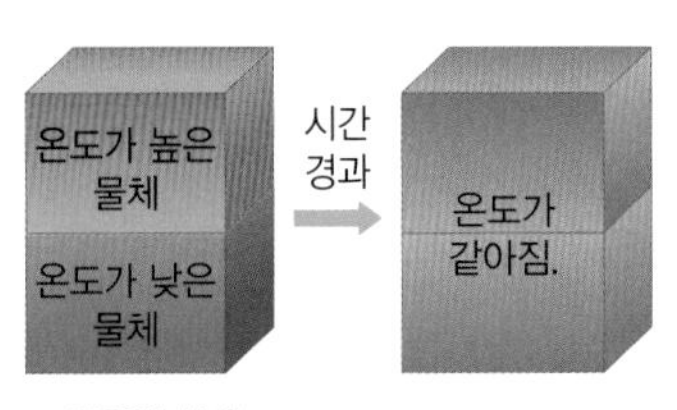

▲ 열평형 상태

② **열**: 온도가 다른 두 물체가 접촉하여 열평형 상태가 되는 과정에서 고온의 물체는 온도가 내려가 내부 에너지가 감소하고, 저온의 물체는 온도가 올라가 내부 에너지가 증가한다. 이때 열에 의하여 고온의 물체의 내부 에너지가 저온의 물체로 이동하였다고 하거나, 고온의 물체에서 저온의 물체로 열이 이동하였다고 한다.

> 열: 계와 주위 환경 사이의 온도 차이에 의해 일어나는 에너지 전달 과정이나, 이 과정에서 계와 주위 사이에서 전달된 에너지의 양이다.

③ **열량의 단위**: 고온의 물체에서 저온의 물체로 이동한 열의 양을 열량이라고 하며, 열량의 단위는 kcal, cal 등을 사용한다. 예를 들어 1 kcal는 물 1 kg의 온도를 14.5 ℃에서 15.5 ℃로 1 ℃ (1 K) 높이는 데 필요한 열량을 말한다.

④ **비열과 열량**: 질량이 같아도 물질에 따라서 단위 온도를 변화시키는 데 필요한 열량은 다르다. 어떤 물질 1 kg의 온도를 1 K 높이는 데 필요한 열량을 그 물질의 비열이라고 하며, 질량 m인 물체의 온도를 $\varDelta T$만큼 올리는 데 필요한 열량이 Q일 때 물질의 비열 c는

$$c=\frac{Q}{m\varDelta T}\ (\text{단위: kcal/(kg·K)})$$

로 정의한다. 비열의 정의에 따라 비열 c, 질량 m인 물체의 온도를 $\varDelta T$만큼 올리는 데 필요한 열량 Q는 다음과 같이 구할 수 있다.

$$Q=cm\varDelta T$$

열의 이동 방향
- 온도가 다른 물체 사이에서 열은 온도가 높은 물체에서 온도가 낮은 물체 쪽으로 이동한다.
- 열평형 상태에서는 양 방향으로의 열의 이동이 균형을 이루어 알짜 열의 이동이 없다.

섭씨온도(℃)와 절대 온도(K)의 관계

$$T(\text{K})=t(℃)+273.15$$

여러 물질의 비열

물질	비열	
20 ℃, 1기압	kcal/(kg·K)	J/(kg·K)
알루미늄(Al)	0.220	921
철(Fe)	0.110	460
구리(Cu)	0.093	389
은(Ag)	0.056	234
납(Pb)	0.031	130
15 ℃ 물(H_2O)	1.000	4186
수소(H_2)	3.390	14191
바닷물	0.939	3931
얼음	0.500	2093
유리	0.201	841
사람 몸(평균)	0.84	3516
수증기(H_2O)	0.48	2009

2. 열의 일당량

손이 시릴 때 두 손을 서로 비비는 일을 하면 열이 발생하여 손이 따듯해진다. 이것은 손의 운동 에너지가 손의 내부 에너지로 전환되는 것을 보여 준다. 또, 보일러 속의 물에 열을 공급하면 온도가 높아지며 수증기가 뿜어져 나와 피스톤이나 터빈을 움직이는 일을 한다. 이것은 수증기의 내부 에너지가 피스톤이나 터빈의 운동 에너지로 전환되는 것을 보여 준다. 이와 같이 역학적 에너지와 내부 에너지는 서로 전환될 수 있으며, 둘 사이의 정량적인 관계는 영국의 물리학자 줄에 의해 처음으로 밝혀졌다.

⑴ **줄의 실험**: 1843년, 줄은 해 준 일과 발생하는 열량 사이의 정량적인 관계를 조사하기 위해 오른쪽 그림과 같은 장치를 사용하여 실험을 하였다. 무거운 추가 낙하하면서 물속의 회전 날개를 돌리면, 회전 날개와 물의 마찰에 의해 열이 발생하여 물의 온도가 상승한다. 줄은 물의 온도가 상승하는 것이 추의 역학적 에너지가 물의 내부 에너지로 전환된 것이라고 생각하였다. 줄은 실험을 통하여 감소한 추의 역학적 에너지와 물이 얻은 열량을 구하여 추가 한 일 W와 발생한 열량 Q가 비례함을 알게 되었고, 여러 번의 정밀한 실험을 통해 1 kcal의 열을 발생시키는 데 약 4.2 kJ의 일이 필요하다는 사실을 발견하였다.

⑵ **열의 일당량(J)**: 일과 열량 사이의 비례 상수 J를 열의 일당량이라고 한다.

$$W=JQ\ (\text{열의 일당량 } J=4186\ \text{J/kcal})$$

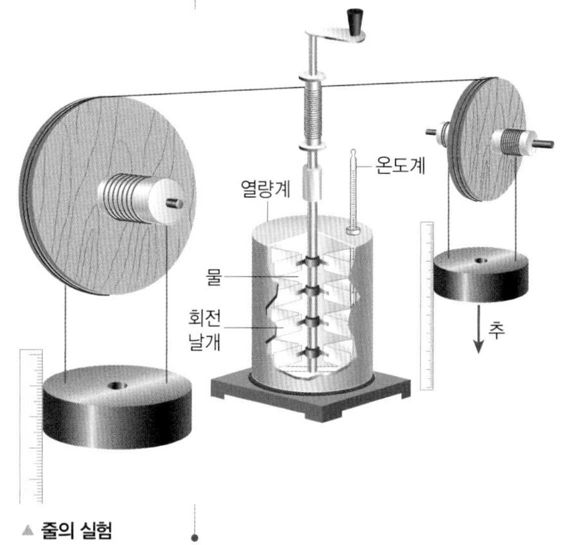

▲ 줄의 실험

열을 포함한 포괄적인 에너지 보존 법칙

줄이 열과 일이 서로 상호 교환될 수 있는 에너지 전달의 한 형태임을 보임으로써, 역학적 에너지와 내부 에너지 사이의 등가성이 밝혀졌다. 이전까지 역학 현상에만 한정되던 에너지의 개념은 내부 에너지를 포함하는 것으로 확장되었으며, 비로소 에너지 보존 법칙이 자연계의 보편적인 법칙으로 완성되었다. 이것이 열역학 제1법칙이다.

1. 이상 기체 상태 방정식

(1) 아보가드로 법칙

1811년, 이탈리아의 과학자 아보가드로는 그의 분자설에서 「압력과 온도가 같을 때 같은 부피 안에 들어 있는 기체 분자 수는 기체의 종류에 관계없이 같다.」라는 가설을 제창하였다. 현재 그 내용이 옳다는 것이 실험을 통해 입증되었으며, 이를 아보가드로 법칙이라고 한다.

① **몰(mol):** 물질의 양을 나타내는 기본 단위로, 1몰은 약 6.02×10^{23}개의 원자나 분자 등의 입자가 모여 있음을 의미하며, 이 숫자를 아보가드로수 N_A라고 한다.

$$N_A=6.02\times10^{23}/\text{mol}$$

② **몰과 질량:** 어떤 물질 1몰의 질량은 그 물질의 분자량에 g 단위를 붙인 양으로, 물질의 질량과 물질의 양 n몰 사이에는 다음과 같은 관계가 있다.

$$n=\frac{\text{물질의 질량(g)}}{\text{1몰의 질량(g/mol)}}$$

③ **몰과 기체의 부피:** 0 ℃, 1기압의 기체 1몰의 부피는 기체의 종류에 관계없이 22.4 L로 같다. 따라서 0 ℃, 1기압인 기체의 부피와 기체의 양 n몰 사이에는 다음과 같은 관계가 성립한다.

$$n=\frac{\text{기체의 부피(L)}}{22.4\text{(L/mol)}}$$

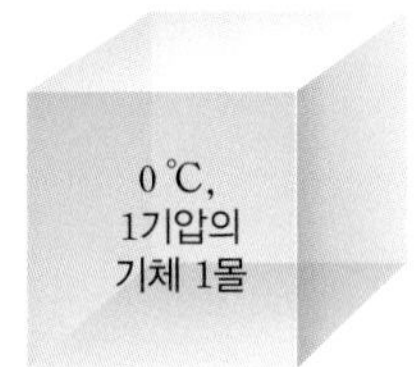

▲ 0 ℃, 1기압의 기체 1몰

(2) 이상 기체 상태 방정식

① **기체 상수(R):** 보일·샤를 법칙에서 1몰의 기체에서는 기체의 종류에 관계없이 상수 값이 일정하다. 즉, 표준 상태(0 ℃(273 K), 1기압(1.013×10^5 N/m²))에서 1몰의 기체 부피는 모두 22.4 L$=22.4\times10^{-3}$ m³이므로, 이것을 대입하여 나온 상수를 R라고 하면

$$R=\frac{P_0V_0}{nT_0}=\frac{(1.013\times10^5\ \text{N/m}^2)\times(22.4\times10^{-3}\ \text{m}^3)}{1\ \text{mol}\times273\ \text{K}}\fallingdotseq8.31\ \text{J/(mol}\cdot\text{K)}$$

이 되는데, 이 R 값을 기체 상수라고 한다.

② **이상 기체 상태 방정식:** 기체 n몰에 대해 압력을 P, 부피를 V, 절대 온도를 T라고 하면, $\frac{PV}{T}=nR$가 되므로 다음 식이 성립한다.

$$PV=nRT$$

이를 이상 기체 상태 방정식이라고 하고, 이 조건을 만족하는 가상의 기체를 이상 기체라고 한다. 엄밀히 말해 이상 기체는 존재하지 않지만, 실제 기체 분자들이 서로 충분히 떨어져서(밀도가 낮을 때) 상호 작용을 할 수 없다면 이상 기체와 비슷한 성질을 가진다.

질량수
원자핵 속의 양성자 수와 중성자 수를 합한 수이다.

분자량과 원자량
질량수 12인 탄소 원자($^{12}_{6}$C)를 기준으로 삼고, 탄소 원자를 12.00으로 하여 측정된 분자 및 원자의 상대적인 질량을 분자량 또는 원자량이라고 한다.

여러 가지 물질 1 mol의 양

보일·샤를 법칙
기체의 양이 일정할 때 기체의 부피 V는 기체의 압력 P에 반비례하고, 기체의 절대 온도 T에 비례한다.

$$\frac{P_1V_1}{T_1}=\frac{P_2V_2}{T_2}$$

이상 기체의 특징
- 분자의 크기를 무시할 수 있다.
- 분자 사이에는 완전 탄성 충돌 외에는 상호 작용 하지 않는다.
- 냉각이나 압축해도 액화나 응고가 일어나지 않는다.
- 절대 온도 0 K에서 기체의 부피는 0이다.

2. 이상 기체의 내부 에너지

(1) 이상 기체 분자 운동의 특징

① 기체 분자 수: 기체 내의 분자 수는 매우 많으며, 분자 사이의 평균 거리는 분자 자신의 크기에 비해 훨씬 크다. 1몰의 기체는 0 ℃, 1기압일 때 22.4×10^{-3} m^3의 부피를 갖고, 그 속에 약 6.02×10^{23}개의 분자가 들어 있다.

② 분자 사이의 충돌: 분자끼리는 완전 탄성 충돌을 하며, 충돌이 일어날 때에만 분자에 힘이 작용하므로 모든 분자의 역학적 에너지 총합은 보존된다.

③ 전체 분자들의 운동: 분자들은 모든 방향으로 무질서하게 운동하고, 평균적으로 어떤 특정 방향으로는 운동하지 않는다.

④ 기체 분자의 속력: 기체 분자는 실온에서 대략 10^3 m/s 이상의 매우 빠른 속력으로 무질서하게 운동하고 있어, 1 m를 진행하는 데 약 10^7번 이상의 충돌이 일어난다. 이러한 엄청난 수의 충돌로 인해 기체 분자의 속력은 일정하지 않고, 0에서 무한대에 이르는 넓은 범위 안에 분포한다.

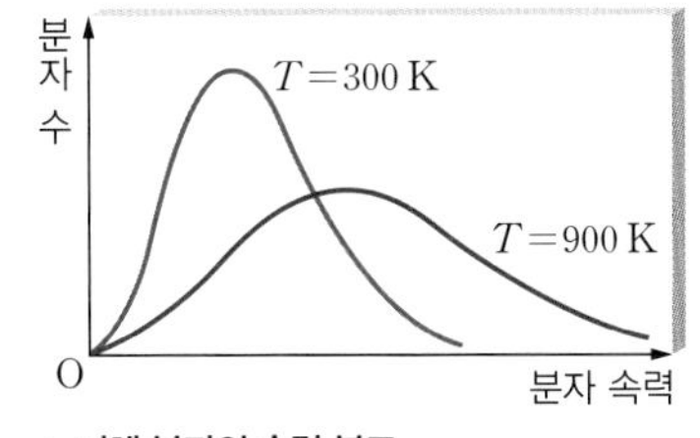

▲ 기체 분자의 속력 분포

기체 분자 운동의 증거
기체 분자가 활발히 운동하고 있다는 사실은 기체의 확산이나 연기 입자의 브라운 운동 등에서 관찰할 수 있다.

기체 분자의 속력 분포
특정한 온도에서 기체 분자의 속력 분포를 나타낸 것을 맥스웰·볼츠만 분포라고 하며, 그래프는 속력에 따른 상대적 분자 수를 나타낸다. 기체의 온도가 높을수록 곡선의 봉우리는 오른쪽으로 이동한다.
액체 내에서도 액체 분자의 속력 분포는 이와 비슷하다. 즉, 끓는점보다 낮은 온도에서도 분포 곡선의 오른쪽 끝에 있는 적은 수의 분자들은 충분한 운동 에너지를 갖고 있어, 분자들 사이의 인력을 벗어날 수 있다. 이것이 실온에서도 물이 증발할 수 있는 까닭이다.

(2) 이상 기체 분자 운동과 압력

(2) 이상 기체 분자 운동과 압력: 밀폐된 용기 속에 들어 있는 기체는 수많은 분자들로 이루어져 있고, 그 분자는 다양한 속력으로 여러 방향으로 운동하면서 벽에 충돌하여 힘을 가한다. 전체 분자에 대해 이 힘들을 모두 합한 것이 기체의 압력으로 나타난다. 질량 m인 분자 N개로 구성된 이상 기체가 한 변의 길이가 L인 정육면체 상자 속에 들어 있을 때 기체의 압력을 기체 분자 운동으로 구해 보자.

① 벽 A와 탄성 충돌하는 분자의 운동량 변화량: 속도 $\vec{v}$인 기체 분자 1개가 벽과 탄성 충돌하면 벽의 질량이 분자의 질량에 비해 상당히 크므로, 분자의 속도는 벽에 수직인 방향의 성분만 바뀌게 된다. 따라서 분자가 x축에 수직인 벽 A에 충돌할 때 분자의 운동량 변화량은 다음과 같다.

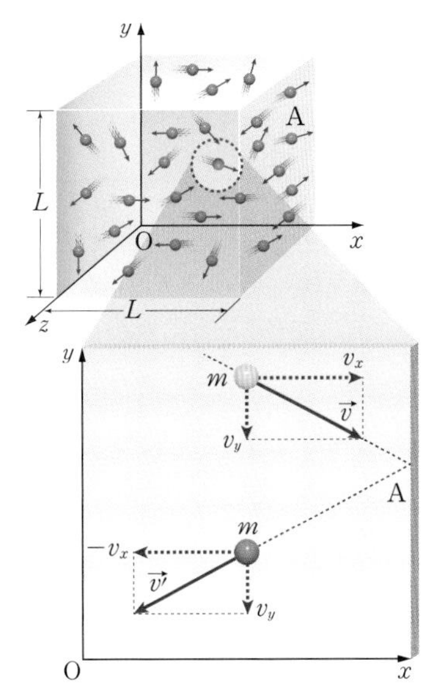

▲ 기체 분자의 속도 성분

$$\Delta mv=-mv_x-(mv_x)=-2mv_x$$

② 분자가 벽으로부터 받는 평균 힘: 분자가 두 벽 A, B 사이를 이동하는 동안 속도의 x 성분의 크기는 변하지 않으므로, 두 벽 사이의 1회 왕복 시간 $\Delta t=\dfrac{2L}{v_x}$이 된다. 실제로는 이 시간 중 매우 짧은 시간 동안만 분자가 벽과 충돌하지만, 벽이 이 시간 동안 지속적으로 평균 힘 $\overline{F}_1$을 작용하여 운동량이 변한다고 가정하면 분자가 벽으로부터 받는 평균 힘 $\overline{F}_1$은 다음과 같다.

$$\overline{F}_1\Delta t=-2mv_x \Rightarrow \overline{F}_1=-\frac{2mv_x}{\Delta t} \Rightarrow \overline{F}_1=-\frac{mv_x^{\ 2}}{L}$$

③ 기체가 벽 A에 작용하는 힘의 크기

벽이 분자 1개로부터 받는 평균 힘 $\overline{F}_{1w}$는 작용 반작용 법칙에 의해 $\overline{F}_1$과 크기가 같고 방향은 반대이므로, 다음과 같다.

$$\overline{F}_{1w}=\frac{mv_x{}^2}{L}$$

기체 전체가 벽 A에 작용하는 평균 힘의 크기 $\overline{F}$는 기체 분자 N개가 벽에 각각 작용하는 힘을 모두 더한 것과 같다.

$$\overline{F}=\sum^{N}\overline{F}_{1w}=\sum^{N}\frac{mv_x{}^2}{L}=\frac{m}{L}\sum^{N}v_x{}^2$$

분자 수가 적다면 분자가 충돌로 벽에 작용하는 힘이 시간에 따라 변하여 매우 복잡하게 나타나겠지만, 실제 기체는 아보가드로수와 같이 매우 많은 수의 분자가 벽에 지속적으로 충돌하므로, 시간에 따른 힘의 변화를 무시할 수 있다. 따라서 기체 분자는 충돌하여 이 평균 힘과 같은 크기의 일정한 힘 F를 벽에 작용한다고 생각할 수 있다.

$$F=\overline{F}=\frac{m}{L}\sum^{N}v_x{}^2$$

N개 분자의 속도의 x 성분을 제곱한 것의 평균 $\overline{v_x{}^2}=\frac{\sum^{N}v_x{}^2}{N}$이므로, F는 다음과 같다.

$$F=\frac{m}{L}N\overline{v_x{}^2}$$

직각 좌표계에서 속도 $\vec{v}$의 성분이 v_x, v_y, v_z인 분자의 속력 v와 각 성분은 피타고라스 정리에 의해 $v^2=v_x{}^2+v_y{}^2+v_z{}^2$의 관계가 있으므로, N개 분자 각각의 속도 성분의 제곱을 모두 더한 후 N으로 나눈 값인 평균은 다음과 같다.

$$\overline{v^2}=\overline{v_x{}^2}+\overline{v_y{}^2}+\overline{v_z{}^2}$$

기체 분자의 운동은 무질서하고 특별히 선택된 방향이 없으므로 $\overline{v_x{}^2}=\overline{v_y{}^2}=\overline{v_z{}^2}$이고, 위 식은

$$\overline{v^2}=3\overline{v_x{}^2}$$

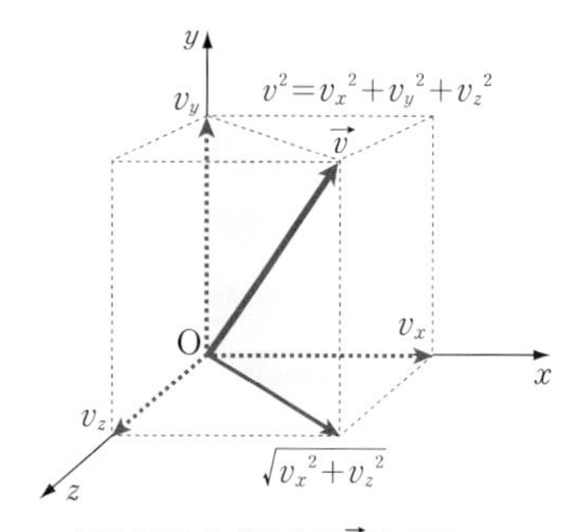

▲ 직각 좌표계에서 속도 $\vec{v}$의 성분

이다. 따라서 기체가 벽 A에 작용하는 힘의 크기 F는 다음과 같이 나타낼 수 있다.

$$F=\frac{m}{L}N\overline{v_x{}^2}=\frac{m}{L}N\frac{\overline{v^2}}{3}=\frac{N}{3}\frac{m\overline{v^2}}{L}$$

④ 기체의 압력

압력은 단위 면적당 작용하는 힘이므로, 면적이 L^2인 벽 A가 받는 압력 $P=\frac{F}{L^2}$이다. 용기의 부피 $V=L^3$이므로, 기체 분자가 벽 A에 작용하는 압력은 다음과 같다.

$$P=\frac{F}{L^2}=\frac{N}{3}\frac{m\overline{v^2}}{L^3}=\frac{2}{3}\frac{N}{V}\left(\frac{1}{2}m\overline{v^2}\right)$$

여기서 $\frac{1}{2}m\overline{v^2}$은 분자의 평균 운동 에너지이다. 이처럼 용기 안에 있는 일정량의 기체의 압력은 단위 부피당 기체의 분자 수 $\frac{N}{V}$과 분자의 평균 운동 에너지 $\frac{1}{2}m\overline{v^2}$에 비례한다는 것을 알 수 있다.

제곱 평균 제곱근 속력(v_{rms})

$\overline{v^2}$의 제곱근을 분자의 제곱 평균 제곱근 속력 v_{rms}라고 한다. 이 값은 속력의 제곱을 평균한 후 제곱근을 구하기 때문에 평균 속력과는 다르다. 즉, $(\overline{v})^2$의 제곱근은 평균 속력인 $\overline{v}$이지만, $\overline{v^2}$의 제곱근($\sqrt{\overline{v^2}}$)은 v_{rms}이다. v_{rms}는 기체 분자의 평균 운동 에너지를 구할 때 이용되며, 내부 에너지 등과 같은 열역학에서의 주요한 물리량을 다룰 때 많이 이용된다.

축구공의 압력을 증가시키는 방법

- 축구공에 공기를 주입하여 단위 부피당 기체 분자 수 $\frac{N}{V}$을 증가시킨다.
- 축구공 내부 공기의 온도를 높여서 공기 분자의 평균 운동 에너지 $\frac{1}{2}m\overline{v^2}$을 높인다.

(3) **이상 기체 분자의 평균 운동 에너지와 온도:** 기체 1몰의 분자 수 $N_A=6.02\times10^{23}$/mol이므로, n몰의 분자 수 $N=nN_A$가 된다. 따라서 기체 n몰에 대해서 기체 분자가 벽에 작용하는 압력과 이상 기체 상태 방정식을 비교하면 다음과 같다.

$$PV=\frac{2}{3}N\left(\frac{1}{2}m\overline{v^2}\right)=\frac{2}{3}nN_A\left(\frac{1}{2}m\overline{v^2}\right)=nRT \Rightarrow \frac{1}{2}m\overline{v^2}=\frac{3}{2}\frac{R}{N_A}T$$

여기서 상수 $\frac{R}{N_A}=k$를 볼츠만 상수라고 하며, 이상 기체 분자의 평균 운동 에너지 $\overline{E_k}$는 절대 온도 T에 비례하는 것을 알 수 있다.

$$\overline{E_k}=\frac{3}{2}kT \text{ (볼츠만 상수 } k=1.38\times10^{-23}\text{ J/K)}$$

① 이상 기체 분자들의 평균 운동 에너지는 기체의 종류에 관계없이 절대 온도에만 비례하므로, 기체의 온도가 높은 것은 분자들의 평균 운동 에너지가 크다는 것을 의미한다.
② 0 K는 모든 분자들이 움직이지 않고 정지할 때의 온도이다.

(4) **이상 기체의 내부 에너지(U):** 이상 기체는 분자들 사이의 상호 작용이 무시되므로, 퍼텐셜 에너지 등이 0이 되어 내부 에너지는 각 분자들의 운동 에너지의 총합과 같다. 절대 온도 T인 N개의 단원자 분자로 이루어진 이상 기체의 내부 에너지 U는 다음과 같다.

$$U=N\overline{E_k}=N\times\frac{3}{2}kT=\frac{3}{2}\frac{N}{N_A}RT=\frac{3}{2}nRT$$

즉, 이상 기체의 내부 에너지는 기체의 몰수 n과 절대 온도 T에 비례한다.

볼츠만 상수

볼츠만 상수 $k=\frac{R}{N_A}$는 분자 1개에 대한 기체 상수로, 다음과 같다.

$$k=\frac{8.31\text{ J/(mol}\cdot\text{K)}}{6.02\times10^{23}\text{/mol}}=1.38\times10^{-23}\text{ J/K}$$

이상 기체 분자의 평균 운동 에너지

$$\overline{E_k}=\frac{1}{2}m\overline{v^2}=\frac{\sum^{N}\frac{1}{2}mv^2}{N}$$

시야 확장 + 자유도와 에너지 등분배 법칙

❶ **자유도:** 기체 분자가 에너지를 가질 수 있는 독립된 방법의 수를 자유도라고 한다. 예를 들어 단원자 분자는 회전 운동이 없고 x, y, z축 방향의 병진 운동만 있으므로 운동의 자유도는 3이다. 그러나 2개의 원자로 이루어진 이원자 분자는 병진 운동뿐만 아니라 회전 운동도 생각해야 한다. 일반적인 회전 운동의 자유도는 3이지만, 이원자 분자는 두 원자핵을 연결한 축에 대한 회전은 생각하지 않아도 되므로 회전 운동의 자유도는 2이고, 이원자 분자의 자유도는 5가 된다. 다원자 분자에서는 병진 운동에 의한 자유도 3과 회전 운동에 의한 자유도 3을 갖게 되므로, 전체 자유도는 6이 된다.

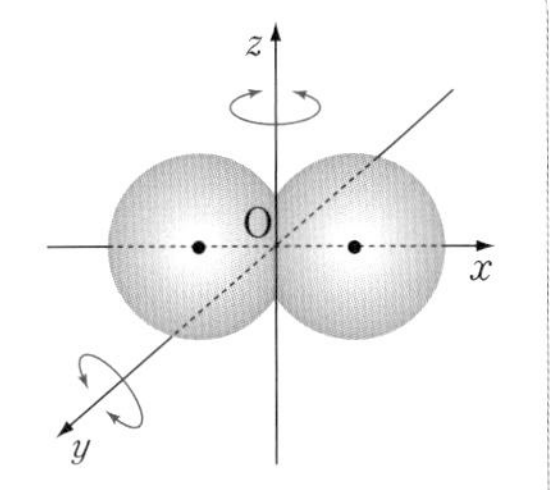

▲ 이원자 분자의 회전 운동

❷ **에너지 등분배 법칙:** 단원자 분자 이상 기체의 분자 1개의 평균 운동 에너지는 다음과 같다.

$$\frac{1}{2}m\overline{v^2}=\frac{1}{2}m\overline{v_x^2}+\frac{1}{2}m\overline{v_y^2}+\frac{1}{2}m\overline{v_z^2}=\frac{3}{2}kT$$

$\overline{v_x^2}=\overline{v_y^2}=\overline{v_z^2}$이므로, 에너지가 각 방향으로 고르게 분포되어 있다고 생각하면,

$$\frac{1}{2}m\overline{v_x^2}=\frac{1}{2}m\overline{v_y^2}=\frac{1}{2}m\overline{v_z^2}=\frac{1}{2}kT$$

가 된다. 즉, 기체 분자들은 한 자유도마다 평균적으로 분자당 $E=\frac{1}{2}kT$의 에너지를 가지는데, 이를 에너지 등분배 법칙이라고 한다. 절대 온도가 T일 때 이원자 분자의 에너지는 $\frac{5}{2}kT$가 되며, 다원자 분자에서는 $\frac{6}{2}kT$가 된다.

분자들의 운동

분자들의 운동은 그림과 같이 병진 운동, 회전 운동, 진동 운동으로 구분할 수 있다. 기체 분자들은 병진 운동과 회전 운동을 하며, 고체 분자들은 진동 운동만을 한다.

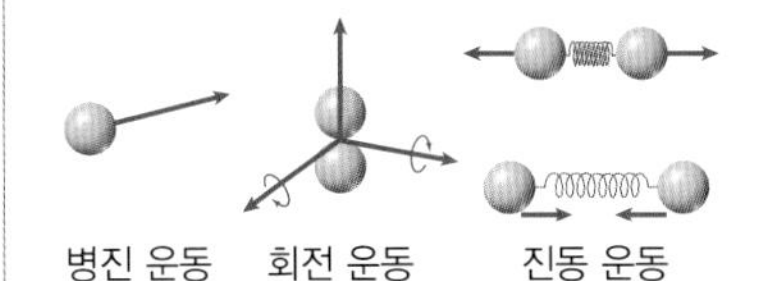

이원자 분자 이상 기체의 내부 에너지

산소(O_2)나 질소(N_2)와 같은 이원자 분자들은 총 5개의 자유도를 갖는다. 각 자유도마다 $\frac{1}{2}kT$의 에너지가 분배되므로, 이원자 분자의 에너지는 $\frac{5}{2}kT$가 된다. 따라서 이원자 분자 이상 기체 n몰의 내부 에너지 U는 다음과 같다.

$$U=\frac{5}{2}nRT$$

3. 열을 포함한 에너지 보존 법칙

계의 온도를 높이려면 계에 일을 해 주거나 열을 공급하면 된다. 계의 온도가 변하면 그 계의 내부 에너지가 변하므로, 계의 내부 에너지의 변화와 공급한 열량, 그리고 계에 해 준 일의 양 사이에는 밀접한 관계가 있다.

(1) 열역학 제1법칙

기체에 열을 가하면 기체의 온도가 높아지면서 부피가 팽창한다. 기체의 온도가 상승하면 내부 에너지는 증가하고, 부피가 팽창하면 기체는 외부에 대하여 일을 하게 된다. 오른쪽 그림과 같이 실린더 속의 기체에 열량 Q를 공급해 주면 기체 분자들의 평균 운동 에너지가 증가하므로 내부 에너지도 증가한다. 이때 기체의 압력으로 피스톤을 밀어내면서 일을 하면, 내부 에너지의 일부는 외부에 대하여 일 W로 소모된다. 결과적으로 기체가 열을 흡수하여 외부에 일을 하고, 그 차이는 기체의 내부 에너지를 ΔU만큼 증가시킨다. 따라서 외부에서 기체에 공급한 열량을 Q, 기체가 외부에 한 일을 W, 내부 에너지 변화량을 ΔU라고 하면 다음의 관계가 성립한다.

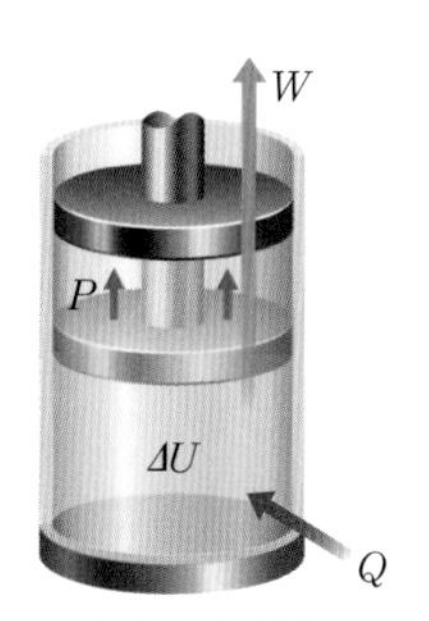

▲ 열역학 제1법칙

$$Q=\Delta U+W$$

이 관계를 열역학 제1법칙이라고 하며, 열역학 계에서 성립하는 열을 포함한 에너지 보존 법칙이다. 열역학 제1법칙은 물체의 내부 에너지를 변화시킨다는 점에서 열과 일이 동등하며, 물체에 공급한 에너지가 내부 에너지로 저장되므로 소멸되지 않는다는 것을 의미한다. 즉, 물체가 가지고 있던 역학적 에너지가 열이나 일에 의해 분자들의 내부 에너지로 이동하여 감소하더라도 내부 에너지를 포함하여 생각하면 전체 에너지는 보존되는 것이다.

(2) 등온 과정

기체의 온도를 일정하게 유지하면서 열의 출입으로 기체의 상태 변화를 일으키는 과정으로, $P\propto\frac{1}{V}$이므로 압력-부피 그래프는 반비례 곡선이 된다. 기체의 온도가 일정하므로 내부 에너지는 일정하다.

$$\Delta T=0,\ \Delta U=0,\ Q=\Delta U+W=W$$

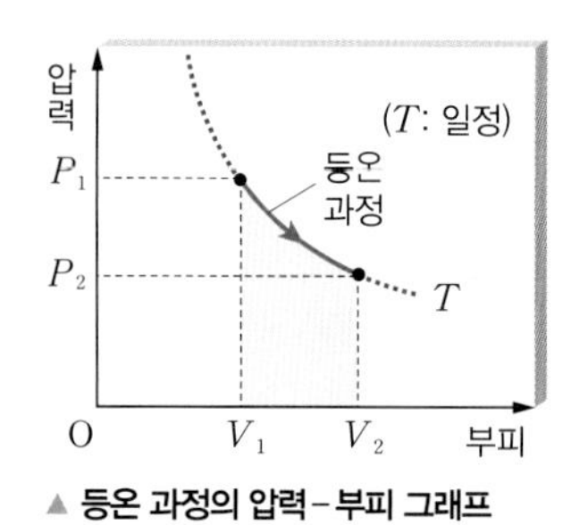

▲ 등온 과정의 압력-부피 그래프

① 등온 팽창($\Delta V>0$): 열을 흡수하고, 흡수한 열만큼 기체가 외부에 일을 한다.

② 등온 압축($\Delta V<0$): 외부에서 일을 받으며, 받은 일만큼 외부로 열을 방출한다.

③ 등온 과정에서 기체가 하는 일: 기체가 하는 일은 압력-부피 그래프의 아래 넓이와 같다.

$PV=nRT$에서 $P=nRT\times\frac{1}{V}$이므로, 기체의 부피가 V_1에서 V_2까지 팽창할 때 기체가 외부에 한 일 W는 다음과 같다.

$$W=\int_{V_1}^{V_2}PdV=nRT\int_{V_1}^{V_2}\frac{1}{V}dV=nRT\ln\frac{V_2}{V_1}=P_1V_1\ln\frac{V_2}{V_1}$$

Q, W, ΔU의 부호

- $Q>0$: 계가 열을 흡수한다.
  $Q<0$: 계가 열을 방출한다.
- $W>0$: 계가 외부에 일을 한다.
  $W<0$: 계가 외부에서 일을 받는다.
- $\Delta U>0$: 계의 내부 에너지가 증가한다.(온도 상승)
  $\Delta U<0$: 계의 내부 에너지가 감소한다.(온도 하강)

고체, 액체의 내부 에너지

고체나 액체와 같이 온도가 변하여도 부피 변화가 적어서 외부에 하는 일이 무시되어 $W=0$일 때, 계가 열을 흡수하면 그만큼 계의 내부 에너지는 증가하고, 계가 열을 방출하면 그 만큼 계의 내부 에너지가 감소한다.

$$\Delta U=Q$$

등온 과정 예

- 낮은 온도의 불 위에서 끓고 있는 주전자 뚜껑이 들썩이며 수증기가 새어 나가는 현상
- 상온에서 압축된 고압 가스 탱크(적정 압력 이상이면 기체가 새어 나온다)에서 기체가 조금씩 새어 나가는 현상 ➡ 탱크 내의 온도는 일정하고, 주위에서 열을 흡수하여 압력이 높아져 기체가 새어 나온다.

(3) 단열 과정

외부와 열의 출입 없이 상태 변화가 일어나는 과정이다. 기체를 갑자기 팽창시키거나 압축시키면 열이 들어오거나 빠져나갈 시간이 없으므로, 근사적으로 단열 과정이 된다. $Q=0$이므로, 다음의 관계가 성립한다.

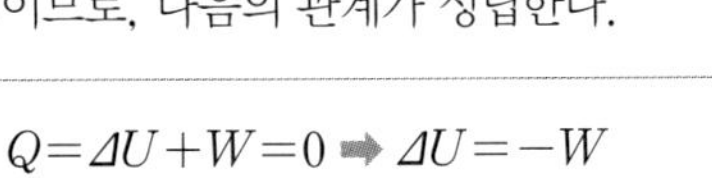

$$Q=\Delta U+W=0 \Rightarrow \Delta U=-W$$

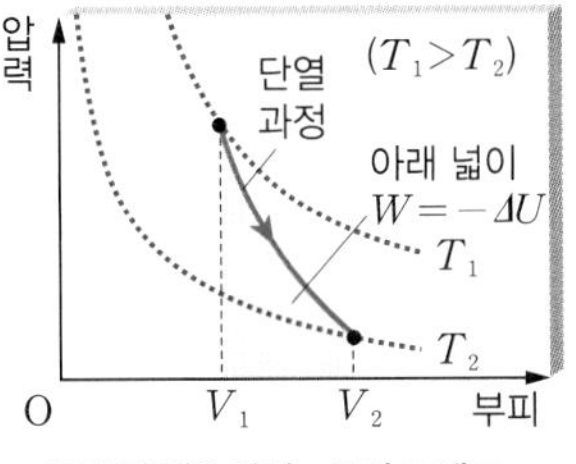

▲ 단열 과정의 압력-부피 그래프

① **단열 팽창**: 기체를 단열된 용기에 넣고 갑자기 팽창시키면 기체가 외부에 한 일 $W>0$이 되므로, $\Delta U=-W<0$에서 내부 에너지가 감소하여 기체의 온도가 낮아진다.

- 자연 상태의 공기는 상승, 하강하는 속도가 매우 느려서 온도 변화가 작고 열전도율도 낮아 단열 변화를 한다고 볼 수 있다. 수증기를 포함하고 있는 공기가 상승하면 기압이 낮아져서 공기가 단열 팽창하게 되어 온도가 낮아진다. 공기 중의 수증기는 차가워지기 때문에 응결되어 물방울이 되고, 이때 형성되는 것이 구름이다.
- 탄산음료나 맥주병의 뚜껑을 따면 내부의 공기가 병 입구로 빠져 나오면서 단열 팽창 하여 온도가 급격히 낮아지므로 수증기가 응결하여 김이 생긴다.

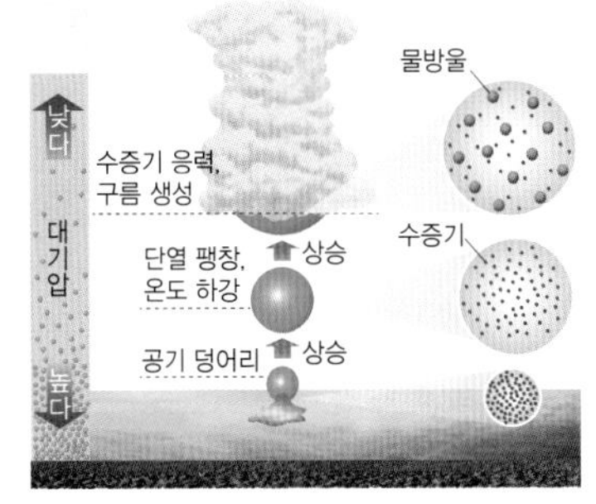

▲ 구름의 생성 원리

② **단열 압축**: 기체를 단열된 용기에 넣고 압축하면 기체가 외부에 한 일 $W<0$이 되므로, $\Delta U=-W>0$에서 기체에 해 준 일만큼 내부 에너지가 증가하여 기체의 온도가 높아진다.

- 푄 현상은 습한 바람이 산을 넘어 낮은 지형으로 불면서 공기가 단열 압축하여 고온·건조한 바람으로 변하는 현상으로, 우리나라에서 부는 높새바람도 푄 현상에 의한 것이다.
- 자전거 튜브에 바람을 넣을 때 펌프가 뜨거워지는 것은 공기의 단열 압축 때문이다.

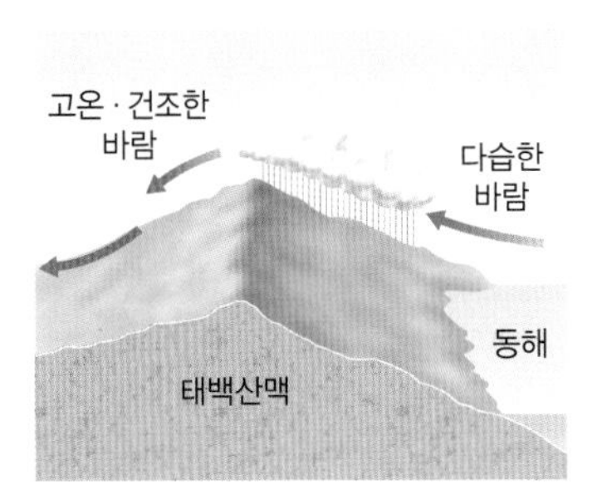

▲ 높새바람

③ **자유 팽창**: 오른쪽 그림과 같이 단열시킨 밀폐된 두 용기를 잠금 장치로 막고, 한쪽은 기체를 채우고 다른 쪽은 진공으로 한다. 가운데의 잠금 장치를 열어 기체가 진공으로 팽창할 때 이를 자유 팽창 과정이라고 한다.

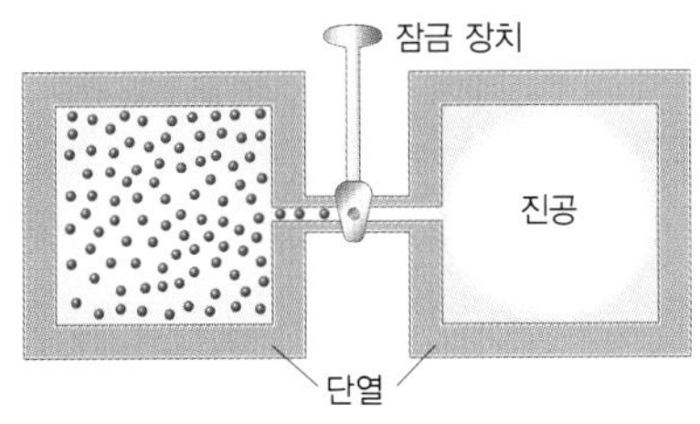

▲ 자유 팽창

$Q=0$이고 기체가 힘을 가하면서 이동시킬 대상 물체가 없으므로(진공), 기체는 외부에 대하여 일을 하지 않으며 $W=0$이다.

- 열역학 제1법칙 $Q=\Delta U+W$에서 $Q=0$, $W=0$이므로 $\Delta U=0$이다.
- 기체의 내부 에너지 변화량 $\Delta U=0$이므로 온도는 변하지 않고 일정하다.

시선 집중 ★ 이상 기체의 변환 과정과 특징

과정	특징	결과	열역학 제1법칙
등온 과정	T=일정($\Delta T=0$)	$\Delta U=0$	$Q=W$
등압 과정	P=일정	$W=P\Delta V$	$Q=\Delta U+P\Delta V$
등적 과정	V=일정($\Delta V=0$)	$W=0$	$Q=\Delta U$
단열 과정	$Q=0$	–	$\Delta U=-W$
순환 과정	$\Delta T=0$	$\Delta U=0$	$Q=W$
단열 자유 팽창 과정	$Q=W=0$	$\Delta T=0$	$Q=\Delta U=W=0$

순환 과정
열기관 등에서 일정량의 기체가 여러 변환 과정을 거치면서 처음의 상태(P, V, T)로 되돌아올 때, 이 상태 변화 과정을 순환 과정이라고 한다. 한 번의 순환 과정을 거치면 기체가 처음의 상태로 되돌아오므로, $\Delta T=0$이 되어 $\Delta U=0$, 즉 내부 에너지는 변하지 않는다.

02 열과 일의 전환

❶ 열의 일당량

1. (❶) 계를 구성하고 있는 모든 입자들의 운동 에너지, 퍼텐셜 에너지, 화학 에너지, 핵에너지 등 정지한 계의 미시적 구성 성분이 갖는 모든 에너지의 합을 말한다.
2. **열** 계와 주위 사이의 (❷) 차이에 의해 일어나는 에너지 전달 과정이나 이 과정에서 전달된 에너지의 양 (단위: kcal, cal 등)
- 비열: 어떤 물질 1 kg의 온도를 1 K 높이는 데 필요한 (❸)이다.
- 열량: 비열 c, 질량 m인 물체의 온도를 ΔT만큼 올리는 데 필요한 열량 Q=(❹)이다.
3. **열의 일당량** 일 W와 열 Q는 서로 비례하며, 비례 상수 J를 열의 (❺)이라고 한다.

$W=JQ$ (열의 일당량 J=(❻) J/kcal)

❷ 열을 포함한 포괄적인 에너지 보존 법칙

1. 이상 기체 상태 방정식
- 아보가드로 법칙: 압력과 온도가 같을 때 같은 부피 안에 들어 있는 기체 분자 수는 기체의 종류에 관계없이 (❼).
- 1몰: 분자 수가 (❽)($N_A=6.02\times10^{23}$/mol)만큼 모여 있는 물질의 양이다.
- 표준 상태(0 ℃, 1기압)의 기체 1몰의 부피는 기체의 종류에 관계없이 (❾)$\times10^{-3}$ m^{3}이다.
- 기체 상수(R): 0 ℃, 1기압에서 모든 기체 1몰의 부피는 같으므로, $\frac{P_0V_0}{T_0}$=(❿) J/(mol·K)로 상수가 되며, 이 값을 기체 상수 R라고 한다.
- 이상 기체 상태 방정식: 기체 n몰에 대해 압력을 P, 부피를 V, 절대 온도를 T라고 하면, 다음 관계가 성립한다. ➡ PV =(⓫)

2. 이상 기체의 내부 에너지

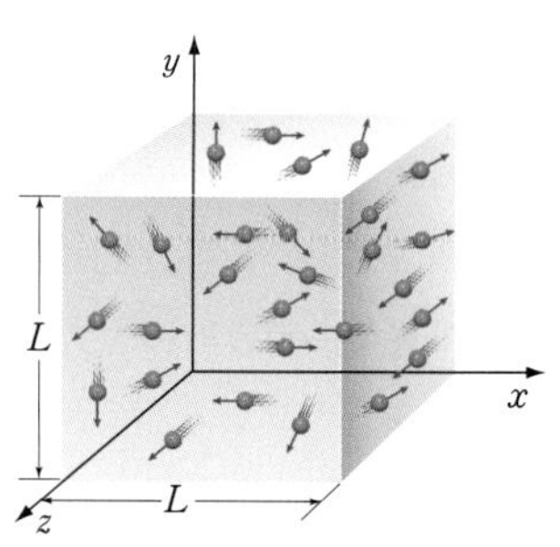

- 밀폐된 용기 속에 들어 있는 기체 분자가 벽에 충돌하여 반발하면 운동량이 변하므로 벽은 분자에게 힘을 미치며, 동시에 분자는 벽에 크기가 같고 방향이 반대인 힘을 작용한다. 전체 분자에 대해 이러한 힘들을 모두 합한 것이 기체의 (⓬)이 된다.
- 단원자 이상 기체 분자의 평균 운동 에너지($\overline{E_k}$): $\overline{E_k}$=(⓭)로, 절대 온도 T에 비례한다.
- 이상 기체의 내부 에너지(U): 각 기체 분자들의 (⓮)의 총합과 같다. 절대 온도 T인 n몰의 단원자 분자로 이루어진 이상 기체의 내부 에너지는 다음과 같다.

U=(⓯) ➡ 기체의 몰수와 절대 온도에 비례

3. 열을 포함한 에너지 보존 법칙
- 열역학 제1법칙: 외부에서 기체에 공급한 열량 Q, 기체가 외부에 한 일 W, 내부 에너지 변화량 ΔU 사이에는 다음과 같은 관계가 있으며, 이는 열을 포함한 에너지 보존 법칙을 의미한다.

Q=(⓰)

- 등온 팽창에서는 흡수한 열만큼 외부에 (⓱)을 한다.
- 단열 팽창에서는 (⓲) 에너지가 감소하여 기체의 온도가 낮아진다.

정답과 해설 209쪽

01 아프리카의 빅토리아 폭포는 높이가 약 105 m이다. 낙하한 물의 중력 퍼텐셜 에너지가 모두 열로 전환된다면, 낙하한 물의 온도는 몇 K만큼 상승하는지 구하시오. (단, 열은 물의 온도를 높이는 데만 사용되며, 물의 비열은 4200 J/(kg·K), 중력 가속도는 10 m/s^2이다.)

02 그림과 같이 장치하고 질량 100 g인 금속을 100 °C의 끓는 물에 넣고 3~4분 정도 기다린 다음, 끓는 물에서 금속을 꺼내 스타이로폼 컵 안의 질량 200 g, 온도 20 °C인 찬물에 재빨리 넣었다. 찬물을 잘 저어 주면서 온도를 측정하였더니 30 °C에서 열평형을 이루었다.

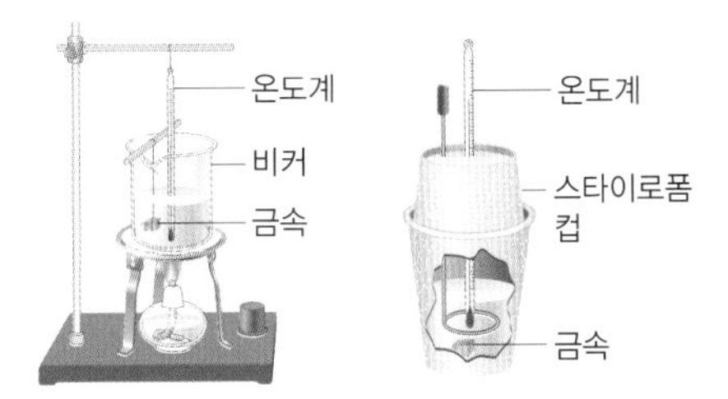

이 금속의 비열은 몇 kcal/(kg·°C)인지 구하시오. (단, 물의 비열은 1 kcal/(kg·°C)이고, 열은 금속과 물 사이에서만 이동한다.)

03 매끄럽게 움직이는 피스톤을 가진 실린더 속에 4×10^{-3} kg의 기체가 들어 있다. 이 기체는 273 K, 1기압에서 부피가 2.8×10^{-3} m^3이었다. (단, 1기압은 1.0×10^5 Pa이다.)

(1) 이 기체 1몰의 질량은 몇 kg인지 구하시오.

(2) 외부에서 가열하여 1기압을 유지하면서 기체의 온도를 273 K에서 333 K까지 올렸다. 이때 기체의 비열이 0.92 kJ/(kg·K)이라면, 기체에 공급한 열량은 몇 J인지 구하시오.

(3) 위 (2)에서 기체가 피스톤에 한 일과 기체의 내부 에너지 증가량은 몇 J인지 구하시오.

04 그림과 같이 온도 조절기와 단열재로 만들어진 실린더와 용수철에 연결된 피스톤으로 이루어진 장치가 있다. 실린더는 수평면에 고정되어 있고, 피스톤의 단면적은 S이다. 실린더 외부의 대기압은 P_0이고, 실린더 속에는 압력 P_0, 부피 V_0, 온도 T_0의 단원자 분자 이상 기체 1몰이 들어 있다. 피스톤에 연결된 용수철의 원래 길이는 L_0, 용수철 상수는 k이다. 이때 온도 조절기로 실린더 내부의 기체에 열을 가하여 기체의 온도를 T로 증가시켜서 용수철의 길이가 L이 되도록 하였다.

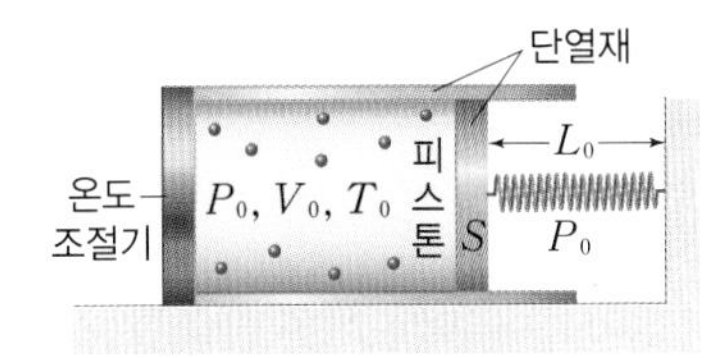

(1) 온도가 T일 때 기체의 압력 P를 구하시오.

(2) 기체의 내부 에너지 증가량을 구하시오.

(3) 피스톤이 외부에 한 일을 구하시오.

05 그림은 실린더 속에 들어 있는 단원자 분자 이상 기체가 A → B → C → A 과정을 거치면서 순환하는 과정을 나타낸 것이다. A → B는 등적 과정, B → C는 등온 과정, C → A는 등압 과정이다.

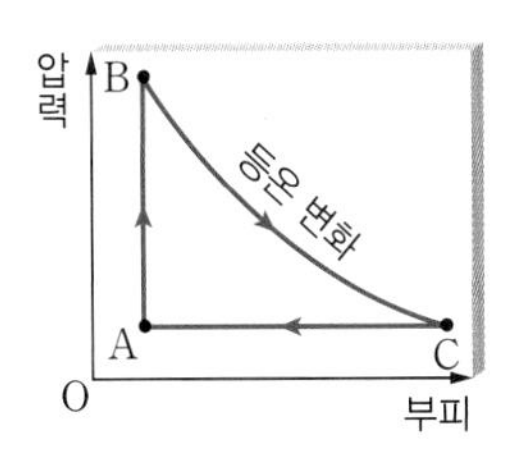

(1) 기체가 외부에 일을 하는 과정을 쓰시오.

(2) 기체의 내부 에너지가 증가하는 과정을 쓰시오.

(3) 한 번의 순환 과정을 거친 후 기체의 내부 에너지 변화량을 구하시오.

> 정답과 해설 210쪽

01

> 일과 열

그림은 수평면에서 속력 v로 운동하던 물체 A, B가 각각 미끄러지다가 정지한 것을 나타낸 것이고, 표는 A, B의 질량과 비열을 나타낸 것이다. 정지하는 동안 감소한 역학적 에너지는 모두 물체의 내부 에너지로 전환된다.

물체	질량	비열
A	m	$2c$
B	$2m$	c

이에 대한 설명으로 옳은 것만을 보기에서 있는 대로 고른 것은?

보기

ㄱ. 역학적 에너지 감소량은 A와 B가 서로 같다.
ㄴ. 내부 에너지 증가량은 B가 A의 2배이다.
ㄷ. 온도 증가량은 A가 B의 2배이다.

① ㄴ ② ㄷ ③ ㄱ, ㄴ ④ ㄴ, ㄷ ⑤ ㄱ, ㄴ, ㄷ

• 열량과 비열의 관계는 $Q=mc\Delta T$이다.

02

> 일과 열

그림 (가)는 단열된 실린더에 온도 100 °C, 질량 10 g인 기체가 들어 있는 모습이고, (나)는 이 기체에 열을 가하여 기체의 부피가 3×10^{-5} m^3만큼 증가하고 온도가 110 °C가 된 상태로 피스톤이 정지해 있는 모습을 나타낸 것이다. 기체의 압력은 1×10^5 Pa로 일정하고, 이때 기체의 비열은 2 kJ/(kg·°C)이다.

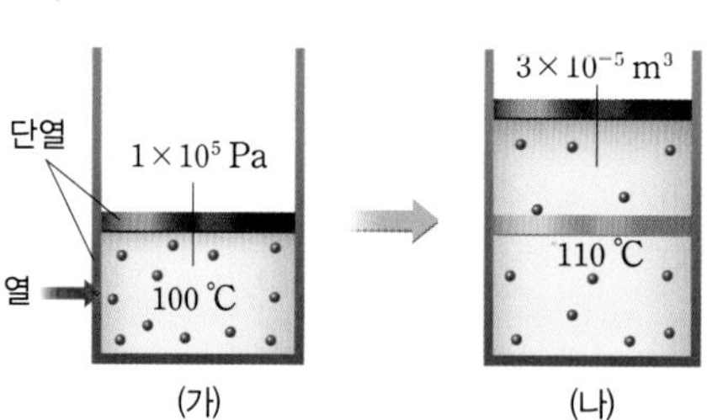

(가)에서 (나)로 변하는 동안, 이에 대한 설명으로 옳은 것만을 보기에서 있는 대로 고른 것은? (단, 피스톤의 질량과 모든 마찰은 무시한다.)

보기

ㄱ. 기체가 외부에 한 일은 3 J이다.
ㄴ. 기체의 내부 에너지 증가량은 0.2 J이다.
ㄷ. 기체에 공급한 열량은 200 J이다.

① ㄱ ② ㄴ ③ ㄷ ④ ㄱ, ㄷ ⑤ ㄴ, ㄷ

• 계에 공급한 열량은 내부 에너지 증가와 계가 외부에 하는 일로 전환된다. 기체가 외부에 한 일은 기체의 압력과 부피 증가량의 곱이다.

03

> 내부 에너지

그림은 단열된 피스톤으로 분리된 단열된 실린더의 두 부분에 각각 2몰, 1몰인 단원자 분자 이상 기체 A, B가 들어 있는 것을 나타낸 것이다. A, B의 내부 에너지는 각각 U_0, $2U_0$이고, 피스톤은 힘의 평형을 이루어 정지해 있다.

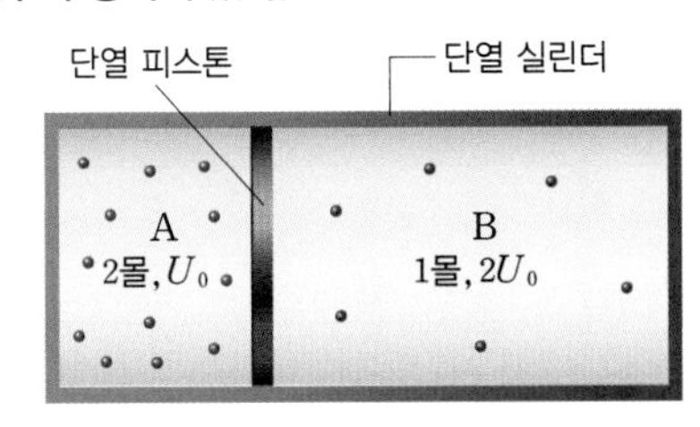

A, B에 대한 설명으로 옳은 것만을 보기에서 있는 대로 고른 것은? (단, 피스톤의 질량, 실린더와 피스톤 사이의 마찰은 무시한다.)

보기

ㄱ. 절대 온도는 B가 A의 4배이다.

ㄴ. 부피는 B가 A의 2배이다.

ㄷ. 분자의 평균 운동 에너지는 A와 B가 서로 같다.

① ㄱ ② ㄴ ③ ㄱ, ㄴ ④ ㄱ, ㄷ ⑤ ㄴ, ㄷ

- 이상 기체의 내부 에너지는 각 분자들의 운동 에너지의 총합이고, 절대 온도에 비례한다.

04

> 열역학 제1법칙

그림은 1몰의 단원자 분자 이상 기체의 상태가 A → B → C → D → A를 따라 변할 때 압력과 부피의 관계를 나타낸 것이다. A → B 과정과 C → D 과정은 등온 과정이다.

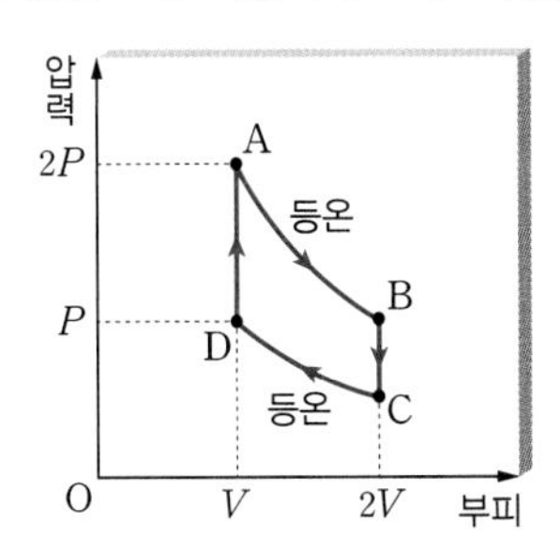

이 기체에 대한 설명으로 옳은 것만을 보기에서 있는 대로 고른 것은?

보기

ㄱ. 절대 온도는 B에서가 D에서의 2배이다.

ㄴ. B → C 과정에서 방출한 열량은 $\frac{3}{2}PV$이다.

ㄷ. C → D 과정에서 방출한 열량은 기체가 외부로부터 받은 일과 같다.

① ㄱ ② ㄴ ③ ㄱ, ㄷ ④ ㄴ, ㄷ ⑤ ㄱ, ㄴ, ㄷ

- 등온 변화일 때 흡수한 열량은 외부에 한 일과 같고, 등적 변화일 때 흡수한 열량은 내부 에너지 증가량과 같다.

05

> 열역학 제1법칙

그림은 일정량의 단원자 분자 이상 기체의 상태가 A → B → C → A를 따라 변할 때 압력과 절대 온도의 관계를 나타낸 것이다. A에서 기체의 부피는 V이다.

- 압력과 온도가 비례할 때 기체의 부피가 일정하다.

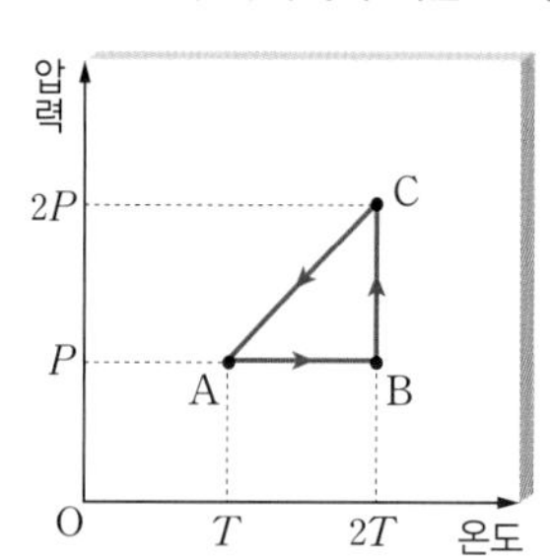

이 기체에 대한 설명으로 옳은 것만을 보기에서 있는 대로 고른 것은?

보기

ㄱ. A → B 과정에서 내부 에너지 증가량은 PV이다.

ㄴ. B → C 과정에서 외부로부터 받은 일은 $\frac{3}{2}PV$보다 작다.

ㄷ. A → B 과정에서 흡수한 열량은 C → A 과정에서 방출한 열량보다 크다.

① ㄱ　② ㄷ　③ ㄱ, ㄴ　④ ㄴ, ㄷ　⑤ ㄱ, ㄴ, ㄷ

06

> 열역학 제1법칙

그림은 1몰의 단원자 분자 이상 기체의 상태가 A → B → C → A를 따라 변할 때 절대 온도와 부피의 관계를 나타낸 것이다. C → A 과정은 단열 과정이고, A에서 기체의 압력은 P_0이다.

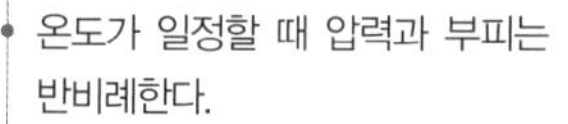

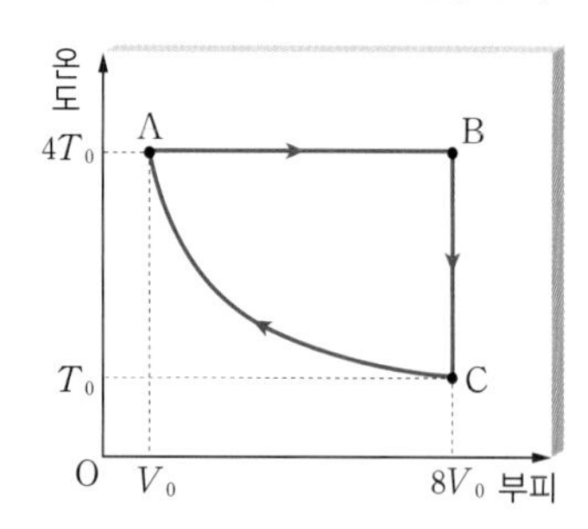

이 기체에 대한 설명으로 옳은 것만을 보기에서 있는 대로 고른 것은?

보기

ㄱ. A → B 과정에서 흡수한 열량은 $\frac{9}{16}P_0V_0$이다.

ㄴ. B → C 과정에서 기체가 방출한 열량은 $\frac{9}{8}P_0V_0$이다.

ㄷ. C → A 과정에서 기체의 내부 에너지 증가량은 기체가 외부로부터 받은 일과 같다.

① ㄱ　② ㄴ　③ ㄷ　④ ㄴ, ㄷ　⑤ ㄱ, ㄴ, ㄷ

07

> 열역학 제1법칙

그림과 같이 수평면에 놓여 있는 단열된 실린더 A, B에 질량이 각각 m, $3m$이고, 단면적이 각각 S, $2S$인 단열된 피스톤이 도르래를 통해 실로 연결되어 정지해 있다. A, B에는 부피가 V_0인 단원자 분자 이상 기체가 각각 1몰씩 들어 있다. 대기압은 P_0으로 일정하고, A에 들어 있는 기체의 내부 에너지, 압력은 각각 U_0, $\frac{3}{2}P_0$이며, 실이 A의 피스톤에 작용하는 힘의 크기는 $\frac{1}{2}P_0S$이다.

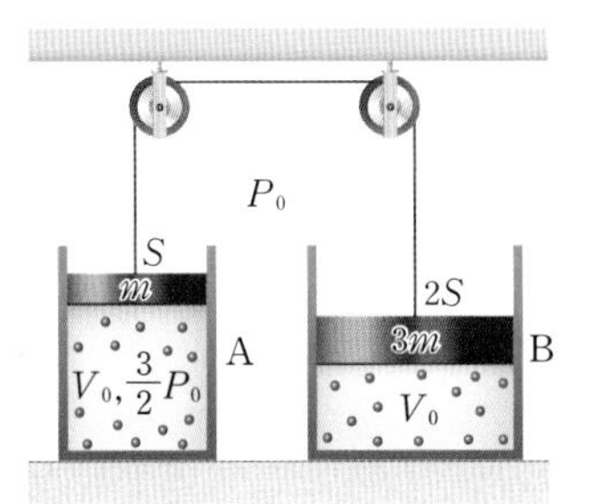

이에 대한 설명으로 옳은 것만을 보기에서 있는 대로 고른 것은? (단, 실의 질량 및 모든 마찰은 무시한다.)

보기

ㄱ. A의 피스톤의 무게는 P_0S이다.

ㄴ. B에 들어 있는 기체의 압력은 $\frac{9}{4}P_0$이다.

ㄷ. B에 들어 있는 기체의 내부 에너지는 $\frac{3}{2}U_0$이다.

① ㄱ ② ㄴ ③ ㄱ, ㄷ ④ ㄴ, ㄷ ⑤ ㄱ, ㄴ, ㄷ

- 각 피스톤에 작용하는 알짜힘은 0이다. 이상 기체의 내부 에너지는 절대 온도에 비례한다.

08

> 열역학 제1법칙

그림 (가)는 1몰의 단원자 분자 이상 기체가 들어 있는 단열된 실린더에서 단열된 피스톤이 용수철에 연결되어 정지해 있는 것을 나타낸 것이다. 기체의 부피, 온도는 각각 V_0, T_0이다. 그림 (나)는 (가)의 기체가 Q의 열을 공급받아 부피가 $\frac{3}{2}V_0$, $2T_0$이 된 상태에서 피스톤이 정지해 있는 것을 나타낸 것이다. (가)와 (나)에서 대기압은 P_0이고, 용수철에 저장된 탄성 퍼텐셜 에너지는 같다.

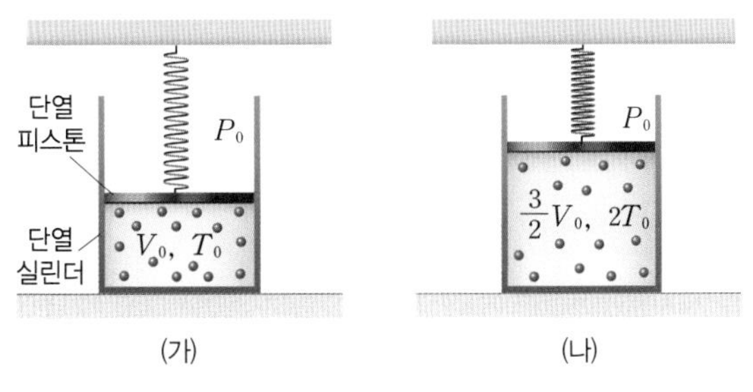

(가) (나)

Q는? (단, 기체 상수는 R이고, 피스톤의 질량 및 실린더와 피스톤 사이의 마찰은 무시한다.)

① $\frac{3}{2}RT_0$ ② $\frac{25}{12}RT_0$ ③ $\frac{9}{4}RT_0$ ④ $\frac{19}{8}RT_0$ ⑤ $\frac{5}{2}RT_0$

- 기체가 흡수한 열량은 기체의 내부 에너지 증가, 대기압과 용수철에 하는 일로 전환된다. 용수철에 한 일은 탄성 퍼텐셜 에너지 변화량과 같다.

01

> 힘의 합성과 분해

그림은 수평면에 놓여 있는 무게 W인 물체 A에 무게 w인 물체 B를 실로 연결하여 도르래에 걸쳐 놓고 A에 크기가 F인 힘을 수평 방향으로 작용하였을 때 두 물체가 정지해 있는 것을 나타낸 것이다. A에 연결된 실이 수평과 이루는 각은 θ이다.

• 물체가 정지해 있을 때 물체에 작용하는 모든 힘들의 합은 0이다.

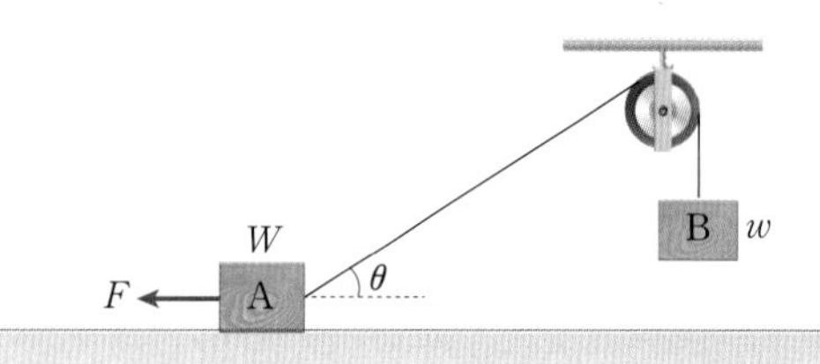

이에 대한 설명으로 옳은 것만을 보기에서 있는 대로 고른 것은? (단, 실의 질량과 모든 마찰은 무시한다.)

보기
ㄱ. 실이 A를 당기는 힘의 크기는 w이다.
ㄴ. $F=w\cos\theta$이다.
ㄷ. 수평면이 A에 작용하는 힘의 크기는 W이다.

① ㄴ ② ㄷ ③ ㄱ, ㄴ ④ ㄱ, ㄷ ⑤ ㄴ, ㄷ

02

> 돌림힘과 구조물의 안정성

그림과 같이 길이 L, 질량 m인 막대가 수평을 이루며 정지해 있다. 막대의 왼쪽 끝과 오른쪽 끝은 각각 도르래와 축바퀴의 작은 바퀴에 실 p, q로 연결되어 있으며, 막대 위에는 질량 M인 물체가 놓여 정지해 있다. 축바퀴의 큰 바퀴와 작은 바퀴의 반지름은 각각 $2r$, r이다.

• p, q에 작용하는 힘의 합력은 물체 무게와 막대 무게의 합과 크기가 같다. 막대가 수평을 유지할 때 돌림힘의 합은 0이다.

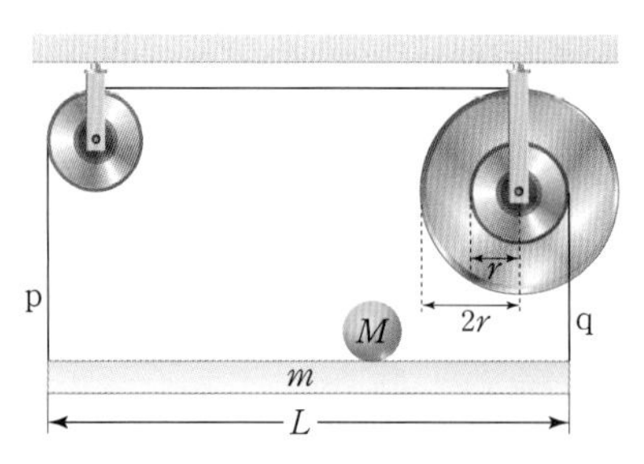

이에 대한 설명으로 옳은 것만을 보기에서 있는 대로 고른 것은? (단, 막대의 굵기와 밀도는 균일하고, 막대의 두께와 폭, 실의 질량 및 모든 마찰은 무시한다.)

보기
ㄱ. p, q가 축바퀴에 작용하는 돌림힘의 크기는 같다.
ㄴ. p, q가 막대를 당기는 힘의 합력은 막대에 작용하는 중력과 평형을 이룬다.
ㄷ. $m>2M$이다.

① ㄱ ② ㄷ ③ ㄱ, ㄴ ④ ㄴ, ㄷ ⑤ ㄱ, ㄴ, ㄷ

03

> 평면 등가속도 운동

그림 (가), (나)는 xy 평면에서 운동하는 물체의 속도의 x 성분 v_x와 가속도의 y 성분 a_y를 각각 시간에 따라 나타낸 것이다. 0초일 때 물체의 운동 방향은 $+x$ 방향이다.

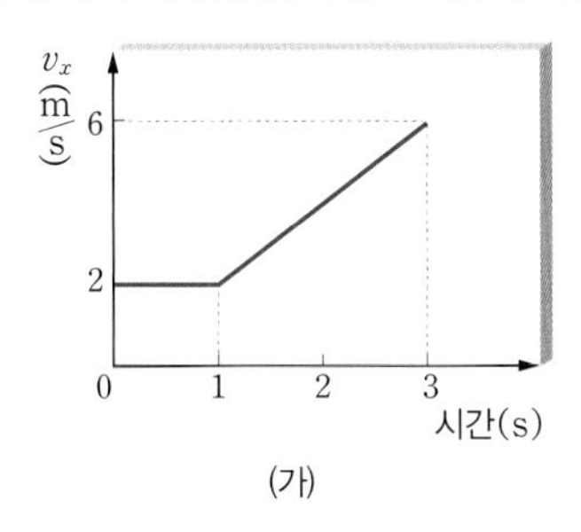

(가)

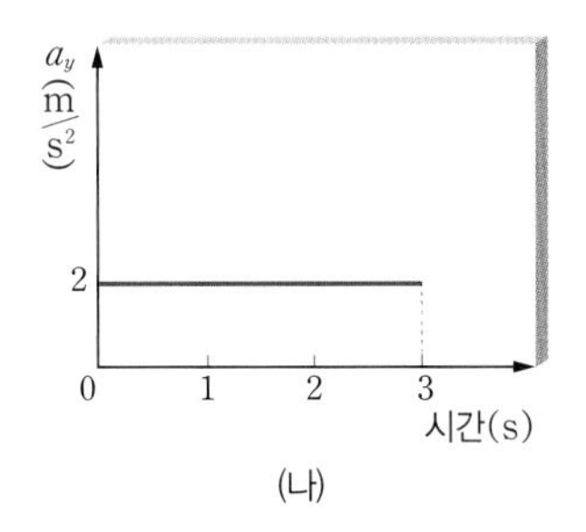

(나)

물체의 운동에 대한 설명으로 옳은 것만을 보기에서 있는 대로 고른 것은?

보기

ㄱ. 1초일 때 속도의 크기는 2 m/s이다.

ㄴ. 2초일 때 가속도의 크기는 $2\sqrt{2}$ m/s^{2}이다.

ㄷ. 1초부터 3초까지의 운동 경로는 직선이다.

① ㄱ ② ㄷ ③ ㄱ, ㄴ ④ ㄴ, ㄷ ⑤ ㄱ, ㄴ, ㄷ

• 처음 속도와 같은 방향으로 일정한 가속도로 운동할 때 운동 경로는 직선이다.

04

> 포물선 운동

그림은 물체 A를 지면으로부터 높이 H인 곳에서 v_1의 속력으로 비스듬히 위로 던지는 순간 물체 B를 같은 지점에서 v_2의 속력으로 수평으로 던졌을 때 A, B의 포물선 운동 경로를 나타낸 것이다. B가 수평 도달 거리 $3H$인 지면에 도달하는 순간, A는 B의 연직 위로 높이 $2H$인 곳을 지난다.

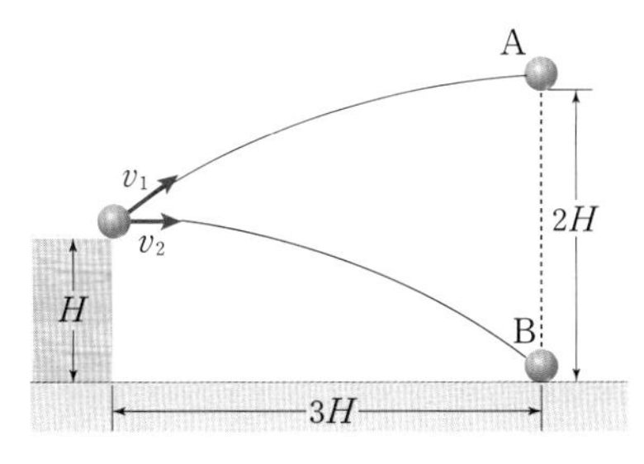

A, B의 운동에 대한 설명으로 옳은 것만을 보기에서 있는 대로 고른 것은? (단, 공기 저항은 무시한다.)

보기

ㄱ. A와 B 사이의 거리는 시간에 비례하여 증가한다.

ㄴ. B가 지면에 도달하는 순간 A는 최고점에 도달한다.

ㄷ. $\frac{v_1}{v_2}=\frac{\sqrt{13}}{3}$이다.

① ㄴ ② ㄷ ③ ㄱ, ㄴ ④ ㄱ, ㄷ ⑤ ㄱ, ㄴ, ㄷ

• A와 B의 속도의 수평 성분은 동일하다. B가 높이 H를 낙하하는 동안 A가 올라간 높이는 H이다.

05

> 등속 원운동

그림과 같이 질량이 m으로 같은 물체 A, B가 각 각 실에 매달려 동일 연직선상에 있는 점 P, Q를 중심으로 반지름이 r인 등속 원운동을 한다. A, B가 매달린 실의 끝의 점 O에서 P, Q까지의 거리는 각각 r, $2r$이다.

이에 대한 설명으로 옳은 것만을 보기에서 있는 대로 고른 것은? (단, 중력 가속도는 g이고, 실의 질량과 A, B의 크기는 무시한다.)

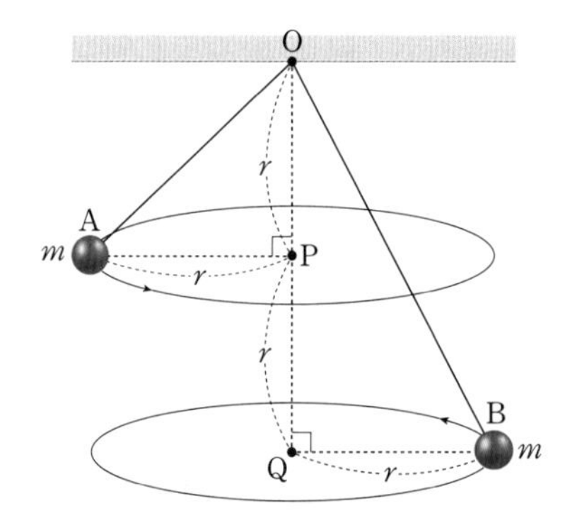

- 실이 당기는 힘의 연직 성분은 물체의 무게와 같고, 수평 성분은 구심력의 크기와 같다.

보기

ㄱ. 실이 A, B를 당기는 힘의 크기는 같다.

ㄴ. A의 속력은 $\sqrt{\frac{rg}{2}}$이다.

ㄷ. 주기는 B가 A의 $\sqrt{2}$배이다.

① ㄴ　② ㄷ　③ ㄱ, ㄴ　④ ㄱ, ㄷ　⑤ ㄱ, ㄴ, ㄷ

06

> 단진동

그림은 기울기가 일정한 빗면에서 질량이 같은 물체 A, B를 동일한 용수철에 연결하여 용수철의 길이가 L_0이 되도록 손으로 물체를 각각 밀어 압축시킨 모습을 나타낸 것이다. A와 B를 밀고 있던 손을 치우면 A, B는 각각 단진동을 한다.

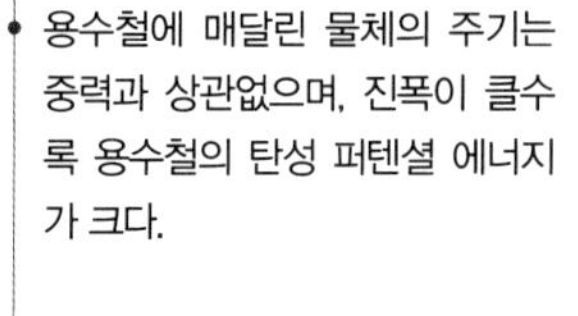
- 용수철에 매달린 물체의 주기는 중력과 상관없으며, 진폭이 클수록 용수철의 탄성 퍼텐셜 에너지가 크다.

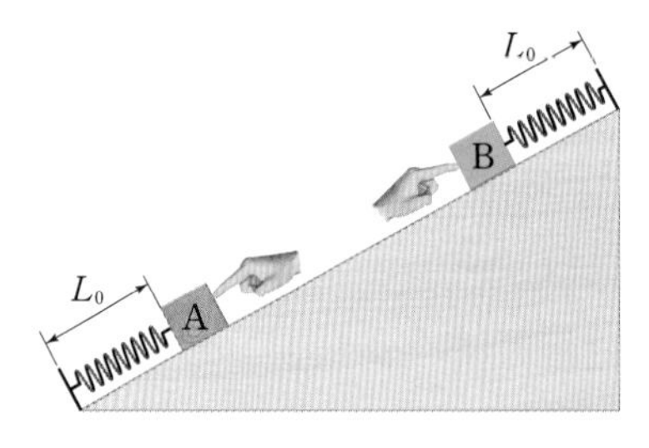

이에 대한 설명으로 옳은 것만을 보기에서 있는 대로 고른 것은? (단, 용수철의 질량과 물체의 크기, 모든 마찰은 무시한다.)

보기

ㄱ. 주기는 A와 B가 같다.

ㄴ. 진폭은 B가 A보다 크다.

ㄷ. 최대 속력은 A가 B보다 크다.

① ㄱ　② ㄴ　③ ㄱ, ㄴ　④ ㄱ, ㄷ　⑤ ㄴ, ㄷ

07

> 케플러 법칙과 만유인력 법칙

그림 (가)는 위성 A가 행성을 한 초점으로 하는 타원 궤도, 위성 B가 행성을 중심으로 하는 원 궤도를 따라 운동하는 것을 나타낸 것이다. A, B의 궤도는 p점에서 만난다. 그림 (나)는 A가 한 주기 동안 운동할 때, A에 작용하는 만유인력의 크기를 행성의 중심으로부터 A까지의 거리에 따라 나타낸 것이다.

- 위성의 공전 주기의 제곱은 공전 궤도의 긴반지름의 세제곱에 비례한다. 만유인력은 떨어진 거리의 제곱에 반비례한다.

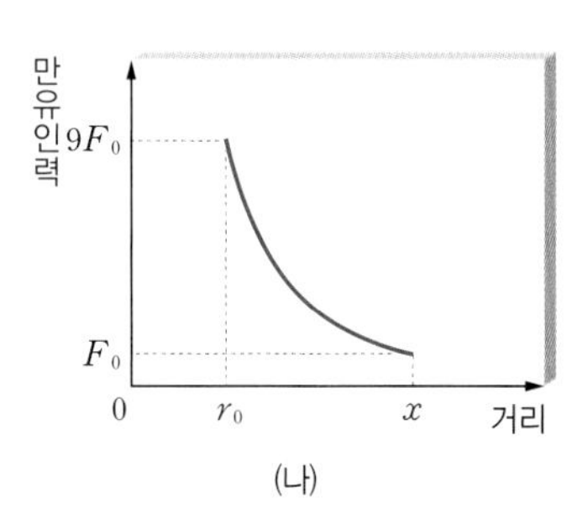

(가) (나)

이에 대한 설명으로 옳은 것만을 보기에서 있는 대로 고른 것은? (단, A, B에는 행성에 의한 만유인력만 작용한다.)

보기

ㄱ. A의 속력은 p에서 최소이다.
ㄴ. $x=2.5r_0$이다.
ㄷ. 공전 주기는 A가 B의 $2\sqrt{2}$배이다.

① ㄱ ② ㄴ ③ ㄷ ④ ㄴ, ㄷ ⑤ ㄱ, ㄴ, ㄷ

08

> 일반 상대성 원리

그림 (가)는 태양 주위를 공전하는 지구와 지구에서 멀리 있는 두 별을 나타낸 것이고, (나)는 지구가 p 또는 q에 있을 때 촬영한 두 별의 모습을 순서 없이 나타낸 것이다.

- 태양과 같은 질량이 큰 천체는 주변의 시공간을 휘어지게 한다.

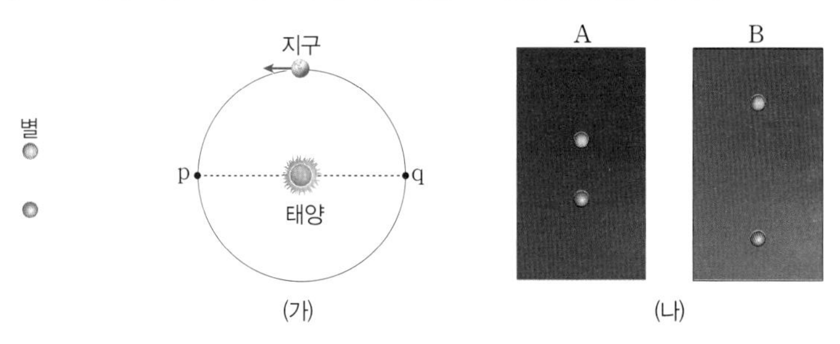

(가) (나)

이에 대한 설명으로 옳은 것만을 보기에서 있는 대로 고른 것은? (단, 지구에서 두 별까지의 거리는 지구의 공전 궤도 반지름에 비해 매우 크다.)

보기

ㄱ. A는 일식 때 q에서 찍은 사진이다.
ㄴ. 태양이 주변의 시공간을 휘게 하여 A, B가 다르게 나타난 것이다.
ㄷ. A, B가 다른 것은 일반 상대성 이론의 증거이다.

① ㄱ ② ㄷ ③ ㄱ, ㄴ ④ ㄴ, ㄷ ⑤ ㄱ, ㄴ, ㄷ

09

> 포물선 운동에서 역학적 에너지 보존

그림은 수평면에서 반원형의 벽이 시작되는 점 a를 향해 속도 v로 운동하던 물체가 벽을 따라 올라가 반원형 벽의 꼭대기 b점에서 수평으로 날아 수평면의 c점에 떨어지는 것을 나타낸 것이다. b에서 반원형 벽이 물체에 작용하는 힘은 0이다. 물체의 질량은 m, 반원형 벽의 반지름은 r, a와 c 사이의 거리는 L이다.

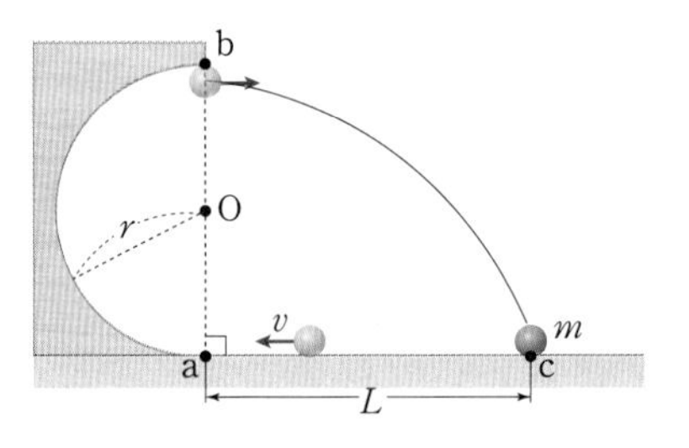

이에 대한 설명으로 옳은 것만을 보기에서 있는 대로 고른 것은? (단, 중력 가속도는 g이고, 물체의 크기, 모든 마찰 및 공기 저항은 무시한다.)

보기

ㄱ. b에서 물체의 운동 에너지는 $\frac{1}{2}mgr$이다.

ㄴ. $v=\sqrt{5gr}$이다.

ㄷ. $L=2r$이다.

① ㄱ ② ㄴ ③ ㄷ ④ ㄱ, ㄷ ⑤ ㄱ, ㄴ, ㄷ

• b에서 물체의 중력이 구심력과 같으며, 운동 방향에 수직인 힘이 물체에 하는 일은 0이다.

10

> 단진동에서 역학적 에너지 보존

그림 (가)는 경사각이 30°인 빗면에서 원래 길이가 L인 용수철에 연결된 물체 A에 의해 용수철이 l만큼 압축되어 정지한 모습이고, (나)는 (가)에서 물체 B를 A에 접촉시켜 용수철을 $4l$만큼 더 압축시킨 채 정지한 모습을 나타낸 것이다. (나)에서 B를 가만히 놓았더니, A와 B가 함께 운동하다가 분리되어 A는 단진동을, B는 등가속도 직선 운동을 하였다. A와 B의 질량은 m으로 같다.

(가)

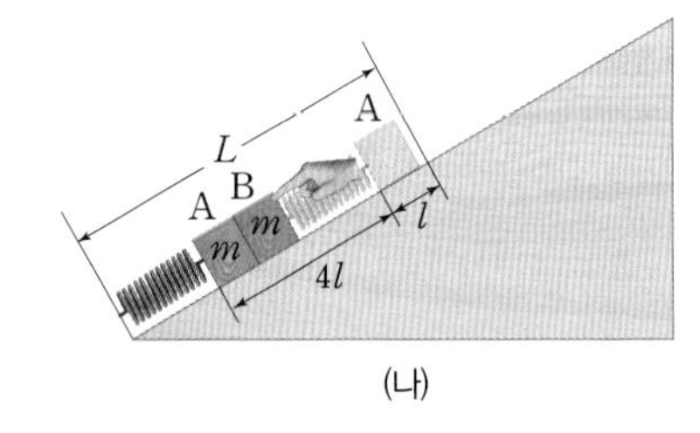

(나)

(나)에 대한 설명으로 옳은 것만을 보기에서 있는 대로 고른 것은? (단, 중력 가속도는 g이고, 용수철의 질량과 물체의 크기, 모든 마찰 및 공기 저항은 무시한다.)

보기

ㄱ. 용수철의 길이가 L일 때 A와 B가 분리된다.

ㄴ. A와 B가 분리된 이후 A의 단진동의 진폭은 $\sqrt{2}l$이다.

ㄷ. B를 가만히 놓은 지점부터 B가 올라간 최고점까지 이동하는 동안 중력이 B에 하는 일은 $-3mgl$이다.

① ㄱ ② ㄷ ③ ㄱ, ㄴ ④ ㄱ, ㄷ ⑤ ㄴ, ㄷ

• 물체가 용수철에 매달려 빗면에서 운동하는 경우 평형점을 중심으로 물체가 단진동을 한다. A가 B에 작용하는 힘이 0일 때 A, B가 분리된다.

11

> 열역학 제1법칙

그림 (가)와 같이 일정량의 단원자 분자 이상 기체가 들어 있는 단열된 실린더와 질량이 m인 물체가 용수철로 연결되어 정지해 있다. 실린더 내 기체의 높이는 $4L$이고, 대기압은 P_0이며, 용수철은 원래 길이를 유지하고 있다. 그림 (나)는 (가)의 기체가 열량 Q를 서서히 방출하였을 때, 기체의 높이가 $2L$이고 물체와 수평면 사이의 거리가 L인 상태로 피스톤이 정지해 있는 것을 나타낸 것이다. (가)에서 (나)로 변하는 과정에서 기체가 받은 일은 (나)에서 용수철에 저장된 에너지의 7배이다.

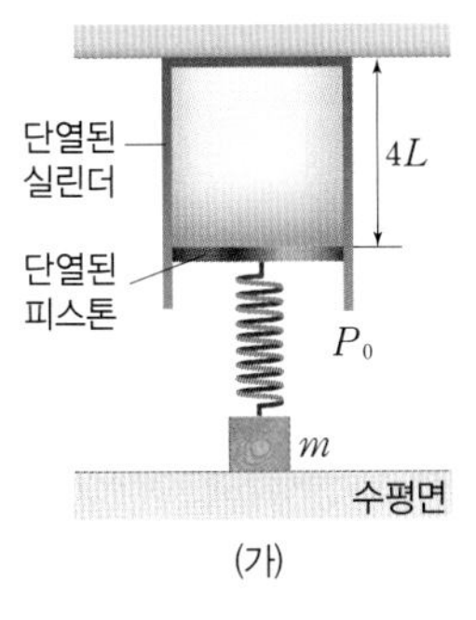

(가)

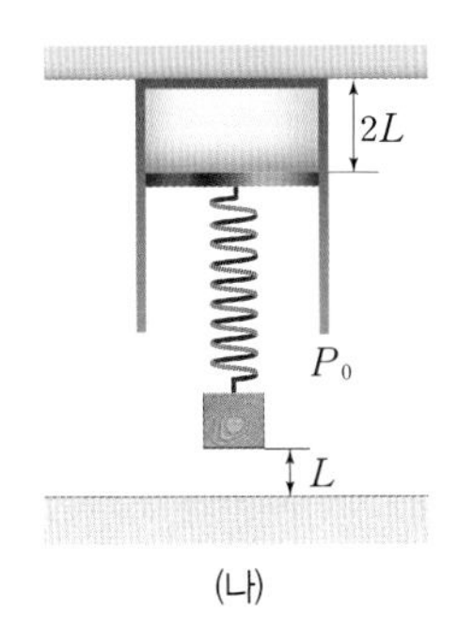

(나)

기체가 방출한 열량은? (단, 중력 가속도는 g이고, 피스톤과 용수철의 질량, 모든 마찰은 무시하며, 용수철, 물체, 실린더의 중심은 동일 연직선상에 있다.)

① $\frac{7}{2}mgL$ ② $7mgL$ ③ $9mgL$ ④ $14mgL$ ⑤ $\frac{29}{2}mgL$

- 용수철의 길이가 늘어나는 동안 탄성력이 변하므로 기체의 압력이 변한다.

12

> 열역학 제1법칙

그림은 1몰의 단원자 분자 이상 기체의 상태가 A → B → C → A 과정을 따라 변할 때 압력과 절대 온도의 관계를 나타낸 것이다. A에서 기체의 부피는 V_0이다.

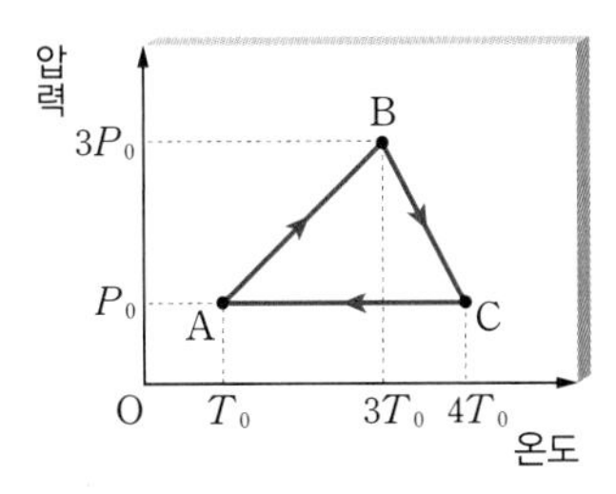

이에 대한 설명으로 옳은 것만을 보기에서 있는 대로 고른 것은?

보기

ㄱ. A → B 과정에서 기체가 흡수한 열량은 기체의 내부 에너지 증가량과 같다.
ㄴ. 기체가 흡수한 열량은 A → B 과정에서가 B → C 과정에서보다 크다.
ㄷ. C → A 과정에서 기체가 외부로 방출한 열량은 $\frac{15}{2}P_0V_0$이다.

① ㄱ ② ㄴ ③ ㄱ, ㄷ ④ ㄴ, ㄷ ⑤ ㄱ, ㄴ, ㄷ

- 기체의 압력과 온도가 비례할 때 부피는 일정하다. 압력과 부피의 관계 그래프에서 그래프의 아래 넓이는 한 일이다.

01

그림은 무게가 W인 물체를 실로 연결하여 막대로 받쳐 놓았을 때 물체가 정지해 있는 것을 나타낸 것이다. 수평면의 P점에서 실과 수평면이 이루는 각은 ϕ, 수평면의 O점에서 막대와 수평면이 이루는 각은 θ이다. 막대는 O를 중심으로 자유롭게 회전할 수 있고, Q점은 막대가 실을 받치고 있는 위치이다. a, b는 Q를 중심으로 실을 구분한 것이다. (단, 막대와 실의 질량 및 모든 마찰은 무시한다.)

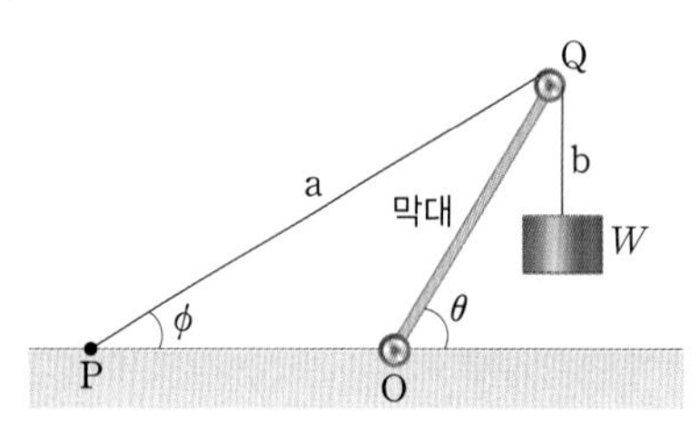

(1) ϕ와 θ의 관계를 구하시오.

(2) 막대가 Q에 작용하는 힘의 크기를 풀이 과정과 함께 구하시오.

KEY WORDS
(1) • 힘의 평형
(2) • 여러 힘의 합력

02

그림은 한 종류의 목재를 이용해 만든 주택 모형을 나타낸 것으로, 6개의 기둥이 떠받치는 힘은 모두 같다. 기둥의 길이와 질량은 각각 L, m이고, 바닥재의 길이와 질량은 각각 $2L$, $2m$이며, 지붕은 좌우 대칭이다. 목재는 직선이며, 밀도는 균일하고, 두께와 폭은 무시한다. 기둥과 수평면, 기둥과 바닥재는 각각 서로 수직이다.

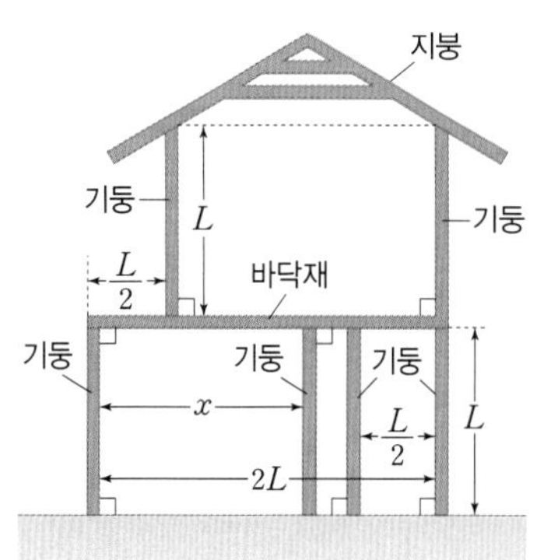

(1) 지붕의 질량과 기둥 1개가 떠받치는 힘의 크기를 각각 풀이 과정과 함께 구하시오.

(2) 거리 x를 풀이 과정과 함께 구하시오.

KEY WORDS
(1) • 힘의 평형
(2) • 돌림힘의 평형

03 그림은 평면에서 등가속도 운동을 하는 물체의 위치를 모눈 위에 1초마다 나타낸 것이다. 모눈의 가로세로 한 칸은 1 m이다.

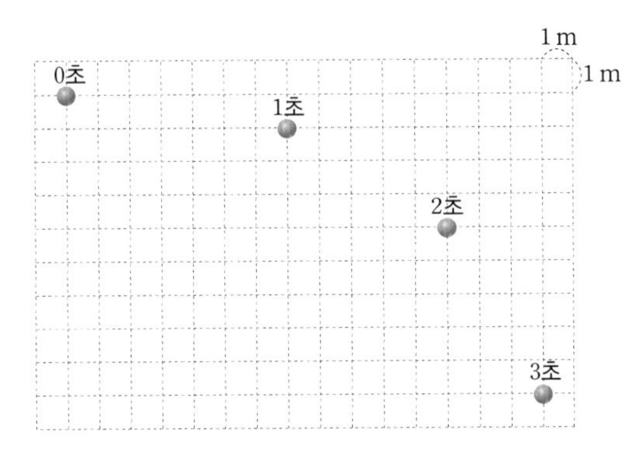

(1) 물체의 가속도의 크기를 풀이 과정과 함께 구하시오.

---

(2) 0초일 때 물체의 속도의 크기를 풀이 과정과 함께 구하시오.

KEY WORDS
(1) • 등가속도 직선 운동 식
• 가속도 성분
(2) • 등가속도 직선 운동 식
• 속도 성분

04 용수철 상수 k인 용수철의 양쪽 끝에 질량이 각각 m, M인 물체 A, B가 매달려 있다. 이 용수철을 압축한 뒤 실로 두 물체를 잡아매고 그림과 같이 마찰을 무시할 수 있는 평면 위에 놓았다. 이때 실을 가만히 끊으면 물체는 진동한다. (단, 실과 용수철의 질량, 물체의 크기 및 모든 마찰은 무시한다.)

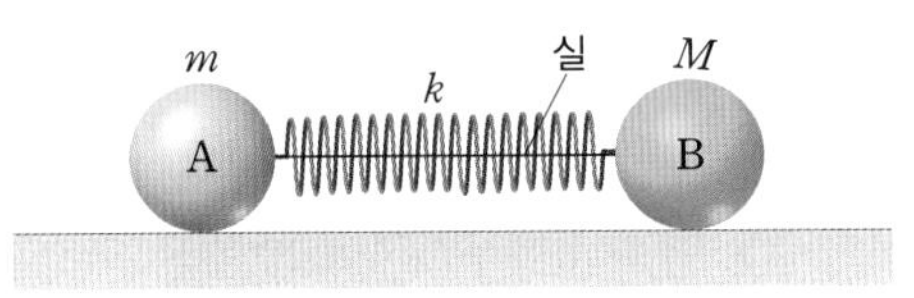

(1) 두 물체는 질량 중심을 중심으로 진동한다. 용수철 길이가 L일 때 A로부터 질량 중심까지의 거리를 풀이 과정과 함께 구하시오.

---

(2) 두 물체의 주기를 풀이 과정과 함께 구하시오.

---

(3) 두 물체의 최대 속력의 비를 풀이 과정과 함께 구하시오.

KEY WORDS
(1) • 돌림힘의 평형
(2) • 용수철 상수
• 단진동 주기
(3) • 단진동 진폭
• 역학적 에너지 보존

05

그림 (가)는 태양을 중심으로 반지름이 r_0인 원 궤도를 따라 v의 속력으로 등속 원운동을 하는 질량이 m인 행성을 나타낸 것이다. 그림 (나)는 태양을 한 초점으로 하는 타원 궤도를 따라 운동하는 질량이 m인 행성을 나타낸 것으로, 근일점, 원일점까지의 거리가 각각 r_0, r이다.

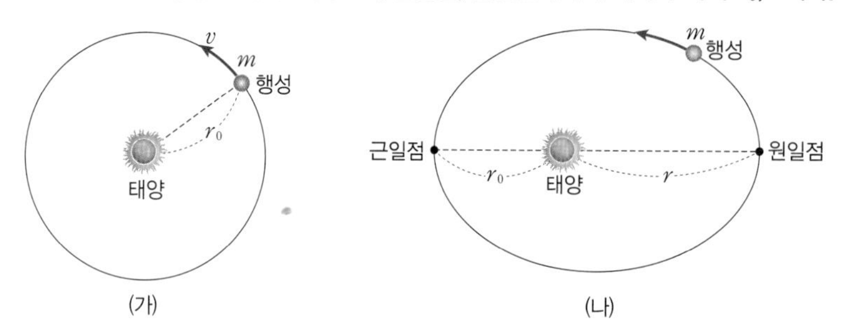

(1) (가)에서 행성의 운동 에너지가 E_{k}일 때, 행성의 역학적 에너지를 풀이 과정과 함께 구하시오.

(2) (나)에서 행성의 근일점에서의 운동 에너지가 E_0일 때, 행성의 역학적 에너지를 풀이 과정과 함께 구하고, (가)의 행성의 역학적 에너지와 비교하시오.

KEY WORDS
(1) • 구심력
• 만유인력에 의한 퍼텐셜 에너지
(2) • 면적 속도 일정 법칙
• 역학적 에너지 보존 법칙

06

다음은 가속 좌표계에서 관측할 때 빛이 휘어져 진행하는 것을 설명한 것이다.

그림은 중력이 작용하지 않는 공간에서 등가속도 직선 운동을 하고 있는 우주선에 비춘 빛이 진행하는 경로를 나타낸 것이다. (가)와 같이 우주선 밖에서 관측할 때 빛은 직진하지만, (나)와 같이 우주선 안에서 관측하면 빛은 휘어져 진행한다.

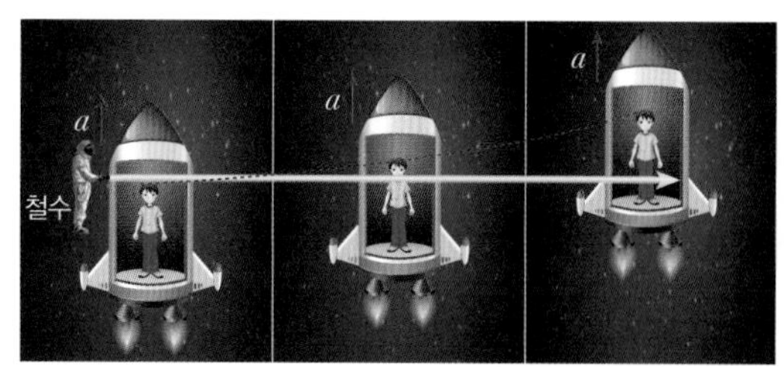

(가) 우주선 밖의 철수가 관측할 때

(나) 우주선 안의 영수가 관측할 때

중력에 의해서 빛이 휘어지는 까닭을 위 내용과 관련지어 설명하시오.

KEY WORDS
• 관성력
• 중력

07

그림과 같이 수평면상의 한 지점 A로부터 높이가 h인 곳에서 속력 v_0으로 수평면에 평행하게 축구공을 던졌다. 공이 수평면과 충돌할 때 공의 속력은 충돌 전 성분 v_x, v_y가 각각 충돌 후 ev_x, ev_y ($0<e<1$)로 줄어들고, 공은 수평면과 여러 번 충돌한 뒤 B 지점에 정지한다. (단, 중력 가속도는 g이고, 공기 저항은 무시한다.)

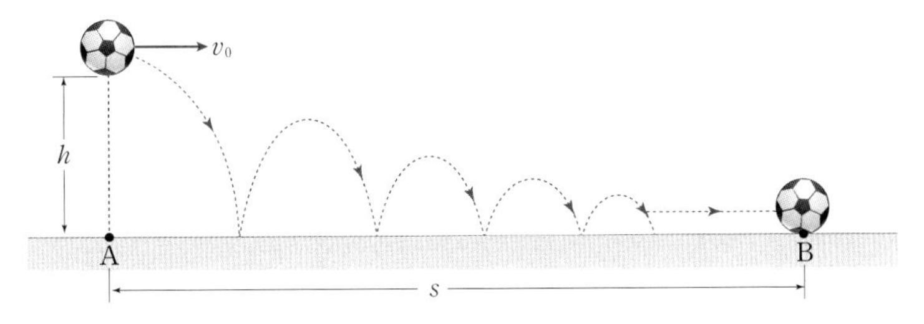

(1) 공이 정지할 때까지 걸리는 시간을 풀이 과정과 함께 구하시오.

(2) A에서 B까지의 거리 s를 풀이 과정과 함께 구하시오.

KEY WORDS
(1) • 자유 낙하 시간
(2) • 포물선 운동

08

이상 기체에 대하여 다음 물음에 답하시오.

(1) 부피가 일정할 때와 압력이 일정할 때 각각 단원자 분자 이상 기체 1몰의 온도를 1 K 높이는 데 필요한 열량 c_v, c_p를 구하시오.

(2) 그림은 이상 기체 n몰이 절대 온도 T_1에서 T_2로 단열 변화 하는 과정 A → B를 압력과 부피의 관계 그래프로 나타낸 것이다.
A → B 과정에서 기체가 외부에 한 일을 온도 변화로 표현하시오. (단, $\gamma=\frac{c_p}{c_v}$일 때 단열 변화 과정에서 압력 P와 부피 V는 $PV^\gamma=k$(일정)의 관계가 있다.)

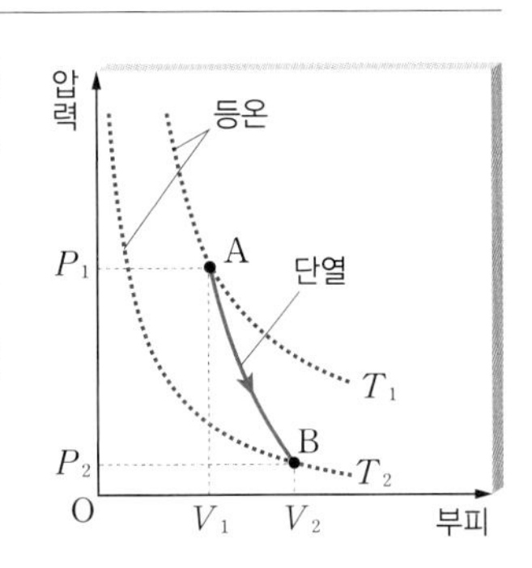

KEY WORDS
(1) • 내부 에너지
• 기체가 외부에 한 일
• 이상 기체 상태 방정식
(2) • 압력 – 부피 그래프의 아래 넓이

예시 문제

다음 제시문을 읽고 물음에 답하시오.

(제시문 1) 미래에 인류는 지구 멸망을 대비하여 지구와 같은 반지름 R를 갖는 거대한 회전 원통을 제작하여 우주 공간에 띄워놓고 원통 내부 표면을 현재 지구 표면처럼 생각하면서 살아갈 수 있도록 하는 계획을 세웠다.

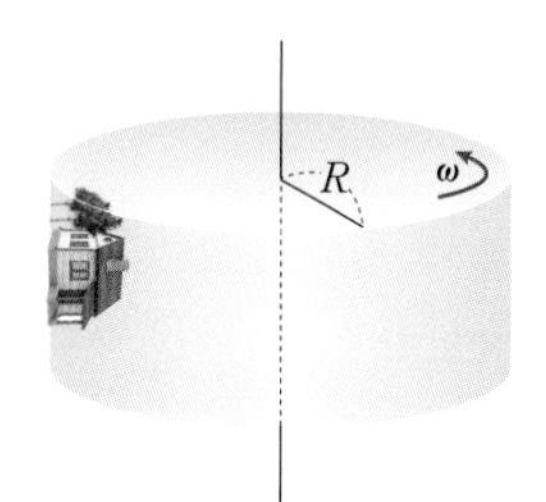

(제시문 2) 우주 탐사선이 새로운 항성계에 도착하여 탐사 활동을 하고 있다. 이 항성계는 중심별과 그 주위로 같은 평면에서 원 궤도 운동을 하는 행성 A와 행성 B로 구성되어 있다. 탐사선이 항성계에 도착하였을 때 그림과 같이 중심별, A, B가 일렬로 정렬된 상태였다. A, B의 공전 반지름은 각각 4 AU, 16 AU이다. 1 AU$=1.5\times10^8$ km이다.

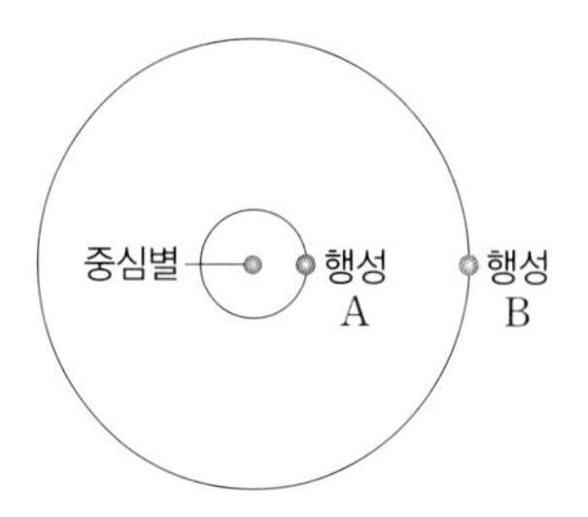

1 (제시문 1)에서 원통 내부 표면의 구심 가속도의 크기는 현재 지구 표면에서 중력 가속도 g와 같다. 원통의 각속도 크기 ω를 g와 R를 이용해 표현하시오. 그리고 $R=6400$ km, $g=10$ m/s^2, 원주율 $\pi=3$으로 할 때 원통의 회전 주기를 구하시오.

2 (제시문 1)에서 원통과 함께 회전하던 사람이 원통 내부 표면으로부터 높이 h인 지점에서 물체를 가만히 놓았을 때 이 물체가 원통 표면에 도달할 때까지의 시간을 구하시오. (단, $h\ll R$이다.)

3 (제시문 2)의 우주 탐사선에서 인공위성을 발사하여 중심별 주위를 원운동시켰을 때 이 인공위성의 공전 반지름은 0.01 AU, 공전 주기는 0.0005년이었다. 중심별의 질량을 태양 질량과 비교하시오.

4 (제시문 2)에서 중심별과 A, B가 처음으로 다시 일렬로 정렬되는 데 걸리는 시간을 구하시오.

출제 의도

- 구심 가속도와 가속 좌표계를 이해하고 등속 원운동의 회전 주기를 구할 수 있으며, 가속 좌표계에서 움직이는 물체의 운동을 설명할 수 있는지 평가한다.
- 케플러 제3법칙으로부터 항성계에 따라 변하지 않는 물리량을 구할 수 있고, 이를 응용하여 중심별의 질량과 행성의 주기를 구할 수 있는지 평가한다.

문제 해결 과정

1 구심 가속도의 크기는 물체의 속력의 제곱에 비례하고 회전 반지름에 반비례하며, 원통 표면에서 구심 가속도의 크기가 현재 지구 표면에서의 중력 가속도 크기와 같다.

2 원통 밖의 정지한 관찰자를 기준으로 할 때, 원통의 반지름이 매우 크므로 원통 안의 사람이 가만히 놓은 물체는 원통 표면에 나란한 방향으로 등속도 운동한다.

3 케플러 제3법칙으로부터 공전 주기의 제곱과 공전 반지름의 세제곱의 비는 일정하며 중심별의 질량에 관계한다.

4 지구 공전 주기 1년, 공전 반지름 1 AU를 이용하여 각 행성의 공전 주기를 구한다.

문제 해결을 위한 배경 지식

- **등속 원운동의 구심 가속도:** 속력 제곱에 비례하고 회전 반지름에 반비례한다.$\left(a=\frac{v^2}{r}\right)$
- **케플러 제3법칙:** 행성의 공전 주기의 제곱은 공전 궤도 긴반지름의 세제곱에 비례한다.$(T^2 \propto r^3)$

예시 답안

1 원통 내부 표면의 구심 가속도는 원통의 중심 방향으로 크기가 $a=\frac{v^2}{R}=R\omega^2$이다. 현재 지구 표면 중력 가속도와 크기가 같으려면 $g=R\omega^2$이고 $\omega=\sqrt{\frac{g}{R}}$이다. 원통의 회전 주기를 T라고 하면

$$T=\frac{2\pi}{\omega}=2\pi\sqrt{\frac{R}{g}}=2\times3\times\sqrt{\frac{6400\times10^3\ \mathrm{m}}{10\ \mathrm{m/s^2}}}=4800\ \mathrm{s}=80\text{분}=1\text{시간 }20\text{분}$$이다.

2 원통 안의 사람이 물체를 가만히 놓은 순간 이 지점에서 원통의 속도 방향을 $+x$축 방향, 원통의 중심을 원점으로 하면, 원통 외부에 정지한 관찰자에게는 물체가 x축 방향으로 등속 운동하는 것으로 보인다. t초 후 물체의 위치는 $(x, y)=(vt, h-R)$이다. 물체가 원통 표면에 도달하는 순간 물체는 원통 표면에 있으므로, $x^2+y^2=R^2$을 만족한다. 이때 $h \ll R$이므로, $v^2t^2=2Rh-h^2 \fallingdotseq 2Rh$이고 $g=\frac{v^2}{R}$을 대입하면 원통 안에서 물체가 h의 높이를 낙하하는 데 걸린 시간은 $t=\sqrt{\frac{2h}{g}}$이다.

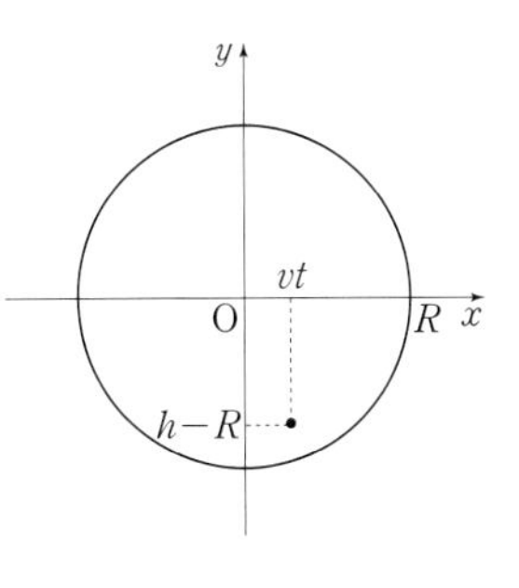

3 중심별 질량을 M, 행성의 공전 주기를 T, 행성의 공전 반지름을 r라고 하면 케플러 제3법칙에 따라 $T^2=\frac{4\pi^2}{GM}r^3$에서 $\frac{T^2M}{r^3}=\frac{4\pi^2}{G}$이 되어 일정하다.

태양 질량을 M_0, 중심별 질량을 M으로 하면 $\frac{(1\text{년})^2M_0}{(1\ \mathrm{AU})^3}=\frac{(0.0005\text{년})^2M}{(0.01\ \mathrm{AU})^3}$이다. 따라서 $M=4M_0$이고 중심별 질량은 태양 질량의 4배이다.

4 케플러 제3법칙으로부터 $\frac{T^2M}{r^3}=\frac{4\pi^2}{G}=\frac{(1\text{년})^2M_0}{(1\ \mathrm{AU})^3}$에서 $T^2=\frac{M_0}{M}r^3=\frac{1}{4}r^3(\text{년}^2/\mathrm{AU}^3)$이다. A, B의 공전 반지름이 각각 4 AU, 16 AU이므로, A, B의 공전 주기는 각각 4년, 32년이다. A, B의 공전 각속도는 각각 $\frac{2\pi}{4}=\frac{\pi}{2}$(rad/년), $\frac{2\pi}{32}=\frac{\pi}{16}$(rad/년)이므로, 중심별과 A, B가 처음으로 다시 일렬로 정렬하는 데 걸리는 시간을 t라고 하면 $\frac{\pi}{2}t-\frac{\pi}{16}t=2\pi$에서 $t=\frac{32}{7}$년이다.

실전 문제

정답과 해설 218쪽

1 다음 제시문을 읽고 물음에 답하시오.

(가) 행성의 운동에 관한 케플러 법칙 세 가지는 다음과 같이 정리할 수 있다.

- 케플러 제1법칙(타원 궤도 법칙): 행성은 태양을 한 초점으로 하는 타원 궤도를 따라 공전한다.
- 케플러 제2법칙(면적 속도 일정 법칙): 행성과 태양을 연결하는 선분이 같은 시간 동안 쓸고 지나가는 면적은 항상 일정하다.

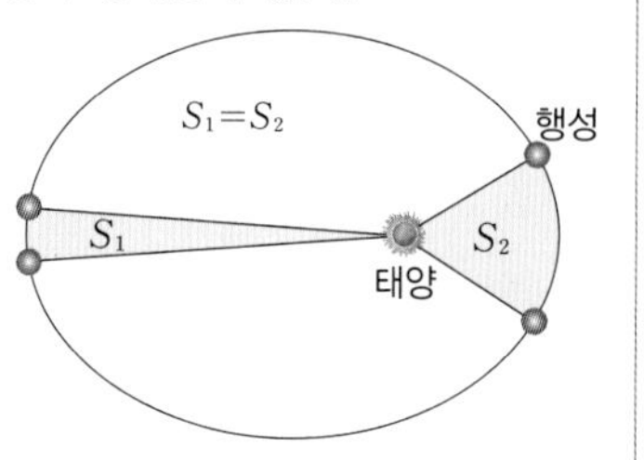

- 케플러 제3법칙(조화 법칙): 행성의 공전 주기의 제곱은 타원 궤도 긴반지름의 세제곱에 비례한다.

(나) 피겨 스케이팅 선수가 제자리에서 회전하는 것을 보면 처음에 천천히 회전을 시작할 때는 팔을 벌리고 있고, 도중에 빠르게 회전할 때는 팔을 오므리고 있으며, 마지막에 회전을 멈출 때는 팔을 다시 벌려 멈춘다.

(1) 피겨 스케이팅 선수가 회전할 때 팔을 벌리는 경우와 오므리는 경우, 회전축인 몸으로부터 회전하는 팔의 무게중심까지의 거리 변화를 간략하게 설명하시오.

(2) 케플러 법칙을 적용하여 피겨 스케이팅 선수가 팔을 오므리거나 펴서 회전을 빠르게 또는 느리게 하는 원리를 설명하시오.

답안

출제 의도

태양을 한 초점으로 하는 타원 궤도를 따라 운동하는 행성이 태양으로부터 멀어질 때는 속력이 느려지고, 가까워질 때는 속력이 빨라지는 것을 피겨 스케이팅 선수의 회전에 적용하여 회전축과 무게중심까지의 거리의 관계를 유추할 수 있는지 평가한다.

문제 해결을 위한 배경 지식

- 몸에서 팔의 무게중심까지의 거리와 회전 속력의 곱은 일정하다.

$$r_1v_1=r_2v_2$$

2 다음 제시문을 읽고 물음에 답하시오.

(가) 왼쪽 그림과 같이 오목한 그릇 안의 P점에 구슬을 놓고 옆으로 밀면 구슬이 옆면을 따라 올라가므로 중력 퍼텐셜 에너지가 증가한다. Q점까지 올라온 구슬을 손으로 잡았다가 가만히 놓으면 구슬은 중력 퍼텐셜 에너지가 감소하는 쪽으로 알짜힘을 받아 운동하므로 원래 자리 P로 되돌아온다. 한편 오른쪽 그림과 같이 오목한 그릇을 엎어 놓고 그릇 위의 P′점에 구슬을 놓고 옆으로 밀면 구슬이 옆면을 따라 내려가므로 중력 퍼텐셜 에너지가 감소한다. Q′점까지 내려온 구슬을 손으로 잡았다가 가만히 놓으면 구슬은 중력 퍼텐셜 에너지가 감소하는 쪽으로 힘을 받아 계속 운동하므로 원래 자리 P′로 되돌아가지 못한다.

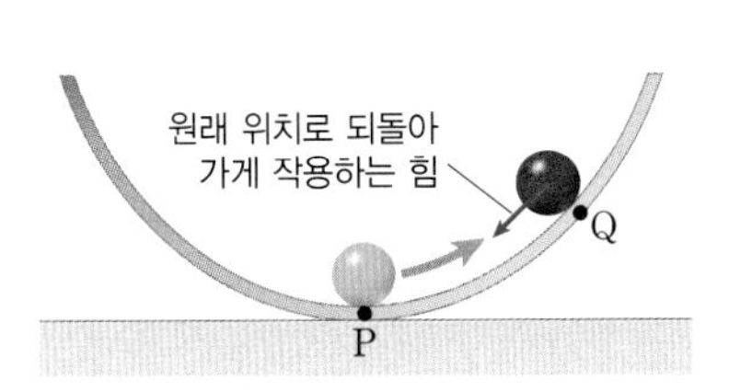

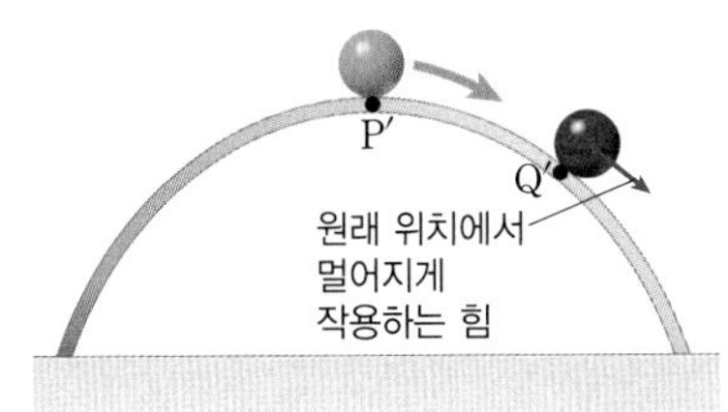

(나) 오른쪽 그림과 같이 나무 도막을 바닥에 놓고 어떤 각도 이하로 기울였다 놓으면 나무 도막은 처음 상태로 되돌아가지만, 어떤 각도보다 더 큰 각도로 기울이면 나무 도막은 옆으로 쓰러진다.

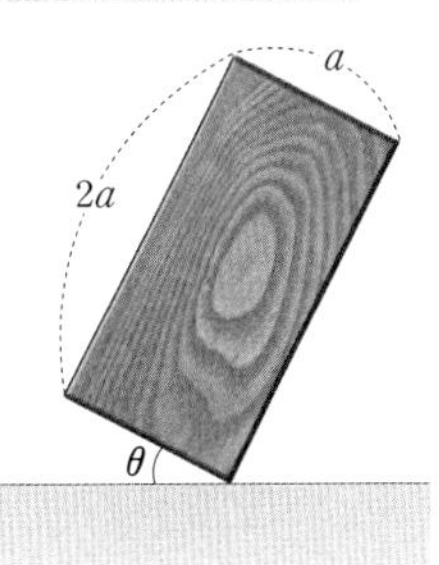

(나)에서 나무 도막이 가로 길이가 a, 세로 길이가 $2a$인 직육면체이고, 나무 도막이 쓰러지지 않고 원래 자리로 되돌아갈 수 있는 각도의 최댓값을 θ라고 한다. (가)를 토대로 $\tan\theta$를 구하고, 그 과정을 함께 설명하시오.

답안

출제 의도
물체의 안정성을 물체의 무게중심의 변화(중력 퍼텐셜 에너지의 변화)와 관련지어 설명할 수 있는지 평가한다.

문제 해결을 위한 배경 지식
- **무게중심:** 물체의 각 부분에 작용하는 전체 중력이 한 점에 작용하는 것으로 볼 수 있는 점이다.
- **물체의 안정성:** 물체를 움직여 무게중심이 높아지는 동안(=중력 퍼텐셜 에너지가 증가하는 동안) 물체를 정지시켰다 놓으면 원래 자리로 되돌아가지만, 무게중심이 내려가는 동안(=중력 퍼텐셜 에너지가 감소하는 동안) 물체를 정지시켰다 놓으면 원래 자리로 되돌아가지 못한다.

HighTop

1권

I 역학적 상호 작용

Ⅰ 역학적 상호 작용

1. 힘과 운동

01 힘의 합성과 분해

개념 모아 정리하기 18쪽

❶크기 ❷방향 ❸대각선 ❹삼각형법 ❺A_x+B_x ❻A_y+B_y ❼$\cos\theta$ ❽$\sin\theta$ ❾알짜힘

개념 기본 문제 19쪽

01 (1) $\vec{F}$ (2) $\vec{D}$ (3) $\vec{C}$ (4) $2\vec{A}$ **02** (1) 20 N (2) 0 **03** $2\sqrt{2}$ N **04** $10\sqrt{3}$ **05** $A=mg\sin\theta$, $B=mg\cos\theta$ **06** $\tan\theta$ **07** (1) $10\sqrt{3}$ N (2) 10 N

01 (1) $\vec{A}$, $\vec{B}$를 두 변으로 하는 평행사변형의 대각선으로부터 $\vec{A}+\vec{B}=\vec{F}$이다.
(2) $\vec{C}$, $\vec{E}$를 두 변으로 하는 평행사변형의 대각선으로부터 $\vec{C}+\vec{E}=\vec{D}$이다.
(3) $-\vec{D}$는 $\vec{B}$와 같고, $\vec{H}$, $\vec{B}$를 두 변으로 하는 평행사변형의 대각선으로부터 $\vec{H}-\vec{D}=\vec{C}$이다.
(4) $-\vec{G}$는 $\vec{E}$와 같고, $\vec{F}$, $\vec{E}$를 두 변으로 하는 평행사변형의 대각선이 $\vec{A}$의 2배이므로 $\vec{F}-\vec{G}=2\vec{A}$이다.

02 (1) $\vec{A}+\vec{C}=\vec{B}$이므로 $\vec{A}+\vec{B}+\vec{C}=\vec{B}+\vec{B}=2\vec{B}$이다. 따라서 합력의 크기는 20 N이다.
(2) $\vec{B}+\vec{D}=\vec{C}$이므로 $\vec{B}-\vec{C}+\vec{D}=\vec{C}-\vec{C}=0$이다.

03 세 힘을 x 성분과 y 성분으로 분해하여, 각 성분별로 더하면 다음과 같다.
- x 성분의 합: $\sum F_x=-5\text{ N}+5\text{ N}+2\text{ N}=2\text{ N}$
- y 성분의 합: $\sum F_y=2\text{ N}+4\text{ N}-4\text{ N}=2\text{ N}$

따라서 세 힘의 합력은 성분이 (2 N, 2 N)인 벡터이므로, 합력의 크기는 $\sqrt{(2\text{ N})^2+(2\text{ N})^2}=2\sqrt{2}$ N이다.

04 $\vec{A}$를 수평 방향으로 할 때 $\vec{A}+\vec{B}=\vec{C}$의 관계를 그려 보면 그림과 같이 삼각형을 이룬다. 이때 $|\vec{A}|=|\vec{B}|=|\vec{C}|=10$으로 크기가 같으므로, 세 벡터는 정삼각형을 이룬다.

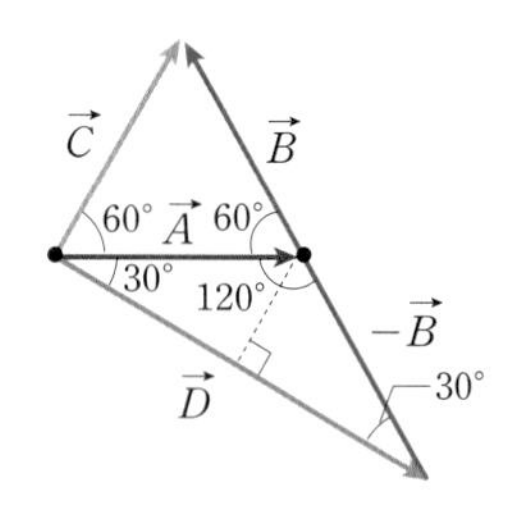

$\vec{A}-\vec{B}=\vec{A}+(-\vec{B})$이므로 $\vec{A}$에 $\vec{B}$와 크기가 같고 방향이 반대인 $-\vec{B}$를 더한 합성 벡터 $\vec{D}$를 구하면 된다. $\vec{A}$, $-\vec{B}$, $\vec{D}$는 그림과 같이 사잇각이 120°인 이등변삼각형이 되므로, 합성 벡터의 크기는 다음과 같다.

$|\vec{D}|=|\vec{A}-\vec{B}|=10\cos30°\times2=10\sqrt{3}$

05 중력 $m\vec{g}$와 중력의 빗면에 수직인 방향의 성분 $\vec{B}$가 이루는 각도가 빗면의 경사각과 같은 θ이므로, 삼각함수의 관계를 이용하면 다음과 같다.

$\sin\theta=\dfrac{A}{mg}$, $\therefore A=mg\sin\theta$

$\cos\theta=\dfrac{B}{mg}$, $\therefore B=mg\cos\theta$

06 물체의 질량을 m이라 할 때, 물체가 정지해 있으므로 장력 $\vec{T}$, 당기는 힘 $\vec{F}$, 중력 $m\vec{g}$가 평형을 이룬다. 중력 $m\vec{g}$를 줄의 방향과 줄에 수직인 방향으로 분해하면, 다음과 같이 각 방향의 성분의 합이 0이 된다.

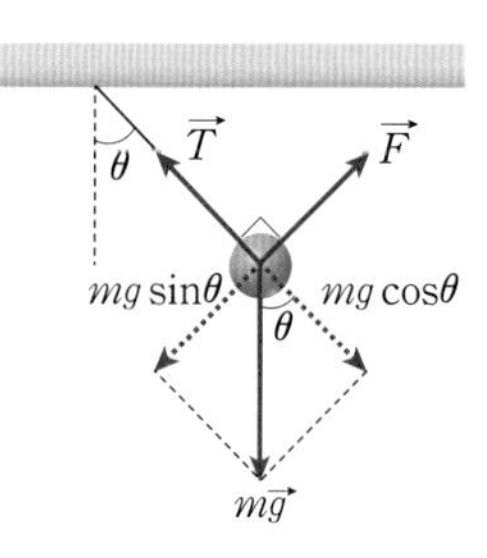

- 줄의 방향 성분: $T-mg\cos\theta=0$
- 줄에 수직인 방향 성분: $F-mg\sin\theta=0$

따라서 $T=mg\cos\theta$이고, $F=mg\sin\theta$이므로,

$\dfrac{F}{T}=\dfrac{mg\sin\theta}{mg\cos\theta}=\tan\theta$이다.

07 물체가 정지해 있으므로 중력 $m\vec{g}$, 힘 $\vec{F}$, 수직 항력 $\vec{N}$이 그림과 같은 방향으로 작용하여 평형을 이룬다. 따라서 중력 $m\vec{g}$를 빗면에 나란한 방향과 수직인 방향으로 분해하면, 평형 조건은 다음과 같다.

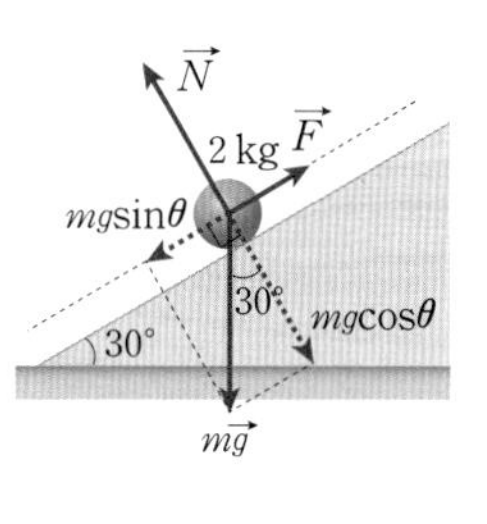

$F-mg\sin30°=0$, $N-mg\cos30°=0$

(1) $mg=20$ N이므로, 수직 항력의 크기 N은 다음과 같다.

$N=mg\cos30°=20\text{ N}\times\dfrac{\sqrt{3}}{2}=10\sqrt{3}\text{ N}$

(2) $F=mg\sin30°=20\text{ N}\times\dfrac{1}{2}=10\text{ N}$

개념 적용 문제 20쪽~23쪽

01 ④ **02** ⑤ **03** ② **04** ③ **05** ④ **06** ①
07 ⑤ **08** ④

01 두 힘 $\vec{P}$, $\vec{Q}$를 x축과 y축 방향으로 분해한 성분은 각각 $\left(-\frac{1}{\sqrt{2}}\text{N}, \frac{1}{\sqrt{2}}\text{N}\right)$, $\left(\frac{\sqrt{3}}{2}\text{N}, \frac{1}{2}\text{N}\right)$이다. 따라서 $\vec{P}-\vec{Q}$의 성분은 다음과 같다.

$\left(-\frac{1}{\sqrt{2}}\text{N}-\frac{\sqrt{3}}{2}\text{N}, \frac{1}{\sqrt{2}}\text{N}-\frac{1}{2}\text{N}\right)$

$=\left(-\frac{\sqrt{2}+\sqrt{3}}{2}\text{N}, \frac{\sqrt{2}-1}{2}\text{N}\right)$

따라서 $\vec{P}-\vec{Q}$의 크기는 다음과 같다.

$|\vec{P}-\vec{Q}|$

$=\left[\left(-\frac{\sqrt{2}+\sqrt{3}}{2}\right)^2+\left(\frac{\sqrt{2}-1}{2}\right)^2\right]^{\frac{1}{2}}=\left(2+\frac{\sqrt{6}}{2}-\frac{\sqrt{2}}{2}\right)^{\frac{1}{2}}(\text{N})$

02 ㄱ, ㄴ. $\vec{A}$를 xy 좌표축에 대해 x 방향과 y 방향으로 분해한 성분은 다음과 같다.

$A_x=A\cos60^\circ=\frac{A}{2}$, $A_y=A\sin60^\circ=\frac{\sqrt{3}}{2}A$

xy 좌표축이 시계 반대 방향으로 15°만큼 회전하면 $\vec{A}$가 x'축과 이루는 각은 45°가 되므로, $\vec{A}$를 회전한 $x'y'$ 좌표축에 대해 x' 방향과 y' 방향으로 분해한 성분은 다음과 같다.

$A_x'=A\cos45^\circ=\frac{\sqrt{2}}{2}A$, $A_y'=A\sin45^\circ=\frac{\sqrt{2}}{2}A$

따라서 A_x'과 A_y'은 같고, $\frac{A_x'}{A_x}=\frac{\frac{\sqrt{2}}{2}A}{\frac{A}{2}}=\sqrt{2}$가 된다.

ㄷ. $\vec{A}$의 크기는 화살표의 길이로 나타낸다. 좌표축이 바뀌어도 화살표의 길이는 변하지 않으므로, $\vec{A}$의 크기는 변하지 않는다.

03 ㄷ. a와 b가 막대를 당기는 힘의 수평 성분의 합이 0이므로, a와 b에 걸리는 장력의 크기 T_a, T_b의 관계는 다음과 같다.

$T_a\sin30^\circ=T_b\sin45^\circ$, $\therefore T_a=\sqrt{2}T_b$

한편, a와 b가 막대를 당기는 장력의 연직 성분의 합은 막대의 무게와 같으므로, a의 장력의 크기 T_a는 다음과 같다.

$T_a\cos30^\circ+T_b\cos45^\circ=mg$

$\frac{\sqrt{3}}{2}T_a+\frac{\sqrt{2}}{2}T_b=mg$, $\frac{\sqrt{3}}{2}T_a+\frac{1}{2}T_a=mg$

$T_a=(\sqrt{3}-1)mg$

바로 알기 ㄱ. a와 b가 막대를 당기는 힘(장력)의 수평 성분의 합이 0이므로 $T_a\sin30^\circ=T_b\sin45^\circ$, $T_a=\sqrt{2}T_b$가 되어 줄의 장력의 크기는 a가 b보다 크다.

ㄴ. 막대는 정지해 있으므로, 막대에 작용하는 알짜힘의 크기는 0이다.

04 물체가 정지해 있으므로 수평 방향으로 줄 a, b의 장력의 합력이 0이다. 따라서 a, b에 걸리는 줄의 장력 T_a, T_b의 관계는 다음과 같다.

$T_a\cos\alpha=T_b\cos\beta$

$\frac{T_b}{T_a}=\frac{\cos\alpha}{\cos\beta}$

05 줄과 도르래 사이의 마찰이 없으므로 a, b 부분의 장력의 크기는 같으며, 크기가 F인 힘은 작용하는 방향이 수평 방향이다.

ㄴ. a, b에 각각 작용하는 장력의 연직 방향 성분의 합은 물체와 도르래에 작용하는 중력과 같으므로, 장력의 크기 T는 다음과 같다.

$T\sin45^\circ+T\sin60^\circ=50\text{ N}$

$T=\frac{50\text{ N}}{\sin45^\circ+\sin60^\circ}=\frac{100\text{ N}}{\sqrt{2}+\sqrt{3}}=100(\sqrt{3}-\sqrt{2})\text{ N}$

ㄷ. 물체와 도르래가 정지해 있으므로, 작용하는 힘의 수평 성분의 합력이 0이다. 따라서 F는 다음과 같다.

$T\cos45^\circ-T\cos60^\circ=F$

$F=T(\cos45^\circ-\cos60^\circ)=50(\sqrt{3}-\sqrt{2})(\sqrt{2}-1)\text{ N}$

바로 알기 ㄱ. 줄과 도르래 사이의 마찰이 없으므로 줄의 장력은 크기가 일정하여 a, b 부분의 장력은 크기가 같다.

06 줄과 나무 막대가 연결된 지점에 작용하는 힘의 합력은 0이다.

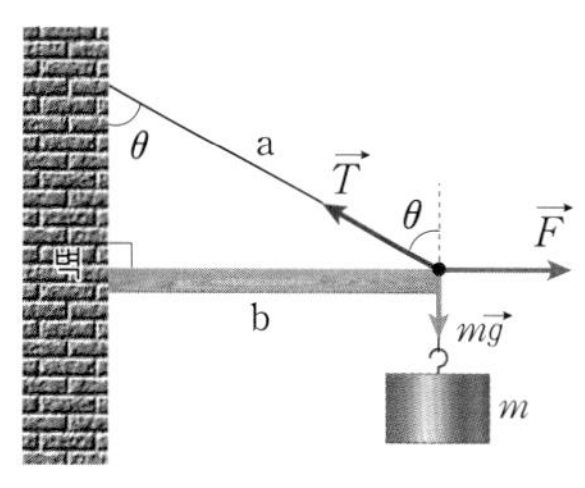

ㄱ. 줄과 나무 막대가 연결된 지점에 줄 a에 걸리는 장력 $\vec{T}$와 나무 막대 b가 a에 작용하는 힘 $\vec{F}$의 합력의 수평 성분이 0이므로 다음과 같다.

$T\sin\theta=F$

벽이 a를 잡아당기는 힘의 크기는 a의 장력의 크기 T와 같다. 그리고 벽이 b를 미는 힘의 크기만큼 b가 a를 밀게 되므로, 벽이 b를 미는 힘의 크기는 F와 같다. $\theta<90°$일 때 $\sin\theta<1$이므로, 앞의 식에서 T가 F보다 크다.

바로 알기 ㄴ. 줄과 나무 막대가 연결된 지점에 연직 방향으로는 a의 장력 $\vec{T}$의 연직 방향 성분과 중력 $\vec{mg}$가 평형을 이루므로, $T\cos\theta=mg$에서 a의 장력의 크기 T는 다음과 같다.

$$T=\frac{mg}{\cos\theta}$$

ㄷ. b가 a에 작용하는 힘의 크기 F는 다음과 같다.

$$F=T\sin\theta=\frac{mg}{\cos\theta}\sin\theta=mg\tan\theta$$

07 ㄱ. 빗면에 나란한 방향으로 합력이 0이므로 $mg\sin30°=F\cos30°$에서 $F=\frac{mg}{\sqrt{3}}$

ㄴ. 중력과 크기가 F인 힘의 빗면에 수직 방향의 성분의 합이 빗면이 물체에 작용하는 수직 항력과 같은 크기이다. 따라서 수직 항력의 크기 N은 다음과 같다.

$$N=mg\cos30°+F\sin30°=\frac{\sqrt{3}}{2}mg+\frac{mg}{2\sqrt{3}}=\frac{2\sqrt{3}}{3}mg$$

ㄷ. $F=0$일 때, 물체에 작용하는 알짜힘은 $mg\sin30°=\frac{mg}{2}$이므로 물체의 가속도의 크기는 $\frac{g}{2}$이다. F를 지금의 2배로 하여 $F=\frac{2mg}{\sqrt{3}}$가 될 때, 물체에 작용하는 알짜힘의 크기는 $F\cos30°-\frac{mg}{2}=\frac{\sqrt{3}}{2}F-\frac{mg}{2}=mg-\frac{mg}{2}=\frac{mg}{2}$이므로, 물체의 가속도의 크기는 $\frac{g}{2}$가 되어 $F=0$일 때와 같다.

08 ㄱ. A에는 중력 $\vec{W}$, 수직 항력 $\vec{N}$, 줄의 장력 $\vec{T}$가 작용하며, 각각의 힘을 빗면에 나란한 방향과 수직인 방향으로 분해하면 다음 그림과 같다.

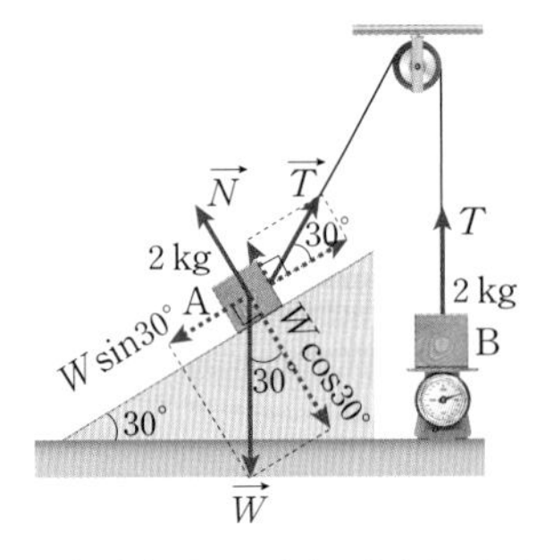

정지해 있는 A에 작용하는 힘은 평형을 이루므로, A의 중력 $\vec{W}$와 장력 $\vec{T}$의 빗면에 나란한 방향의 성분의 합은 0이다. A의 중력의 크기 W는 20 N이므로, 줄의 장력의 크기 T는 다음과 같다.

$$W\sin30°-T\cos30°=0$$

$$20\text{ N}\times\frac{1}{2}-T\times\frac{\sqrt{3}}{2}=0$$

$$T=\frac{20\sqrt{3}}{3}\text{ N}$$

ㄴ. A에 작용하는 중력 $\vec{W}$, 수직 항력 $\vec{N}$, 줄의 장력 $\vec{T}$의 빗면에 수직인 성분의 합은 0이므로, A가 받는 수직 항력의 크기 N은 다음과 같다.

$$N+T\sin30°-W\cos30°=0$$

$$N+\frac{20\sqrt{3}}{3}\text{ N}\times\frac{1}{2}-20\text{ N}\times\frac{\sqrt{3}}{2}=0$$

$$N=\frac{20\sqrt{3}}{3}\text{ N}$$

따라서 A가 받는 수직 항력의 크기는 줄의 장력의 크기와 같다.

바로 알기 ㄷ. A, B가 받는 줄의 장력은 크기가 같으므로, B는 연직 위 방향으로 크기가 $\frac{20\sqrt{3}}{3}$ N인 장력을 받는다. 따라서 B는 연직 위 방향인 줄의 장력과 저울로부터 받는 수직 항력, 연직 아래 방향의 중력이 평형을 이루므로, 저울의 눈금인 수직 항력의 크기 $N_{저울}$은 다음과 같다.

$$\frac{20\sqrt{3}}{3}\text{ N}+N_{저울}-20\text{ N}=0$$

$$N_{저울}=\left(20-\frac{20\sqrt{3}}{3}\right)\text{ N}$$

02 힘의 평형과 안정성

집중 분석 38쪽

유제 ③

유제 ㄱ. 받침점을 회전축으로 하면 x가 최소일 때 막대의 중력에 의한 돌림힘과 물체가 막대를 누르는 힘에 의한 돌림힘이 평형을 이루므로 줄의 장력은 0이다.

ㄴ. 중력 가속도 g, x의 최솟값을 x_1이라 할 때 물체가 x_1에 있으면 줄의 장력이 0이 되므로, 받침점을 회전축으로 할 때 돌림힘의 평형은 다음과 같다.

$(2.5L-x_1)mg=0.5L\times3mg$, $\therefore x_1=L$

한편, 줄은 축바퀴에 걸려 있으므로 막대를 당기는 줄에 걸리는 장력은 최대가 $\frac{1}{2}mg$이다. x의 최댓값을 x_2라 할 때, 물체가 x_2에 있으면 줄의 장력이 최대가 되므로, 받침대를 회전축으로 할 때 돌림힘의 평형은 다음과 같다.

$$0.5L\times3mg+(x_2-2.5L)mg=3.5L\times\frac{1}{2}mg$$

$$\therefore x_2=\frac{11}{4}L$$

따라서 x의 최댓값과 최솟값의 차이는 다음과 같다.

$$x_2-x_1=\frac{11}{4}L-L=\frac{7}{4}L$$

바로 알기 ㄷ. 힘의 평형에서 받침대가 막대를 받쳐주는 힘의 크기는 물체와 막대의 무게에서 줄의 장력을 뺀 값이다. 물체의 위치에 따라 줄의 장력이 변하므로 받침대가 막대를 받쳐주는 힘의 크기는 일정하지 않다.

개념 모아 정리하기 39쪽

❶ 회전 ❷ rF ❸ $rF\sin\theta$ ❹ bF
❺ 증가 ❻ 일 ❼ 돌림힘 ❽ 0
❾ 돌림힘 ❿ 높아 ⓫ 낮아 ⓬ 평형
⓭ 무게중심

개념 기본 문제 40쪽~41쪽

01 (1) $3rF$ (2) $3rF$ (3) $3rF$ (4) $3rF$ **02** (1) 크기: $rF\sin\theta$, 방향: 종이면에서 수직으로 나오는 방향 (2) 크기: $rF\sin\theta$, 방향: 종이면에 수직으로 들어가는 방향 **03** (1) 1 : 2 (2) 30 cm **04** (1) $\frac{r_0}{r}s$ (2) $\frac{r}{r_0}F$ (3) sF로 같다. **05** $\frac{4}{5}L$ **06** $\frac{48}{55}$ m **07** (1) 800 N (2) $\frac{11}{16}L$ **08** $T_{(가)}<T_{(나)}<T_{(다)}$ **09** 4 : 5 **10** $\frac{11}{4}L\le x\le\frac{13}{2}L$ **11** ㄱ, ㄴ, ㄷ **12** ㄱ, ㄷ

01 두 힘은 짝힘이므로 돌림힘의 방향이 같다. 따라서 두 힘이 작용하는 돌림힘의 크기는 각 돌림힘의 합의 크기이다.
(1) a가 회전축일 때, 왼쪽 힘의 팔 길이가 0이므로 돌림힘은 0이고, 오른쪽 힘의 팔 길이가 $3r$이므로 돌림힘은 $3rF$이다. 따라서 두 돌림힘의 합의 크기는 $0+3rF=3rF$이다.
(2) b가 회전축일 때, 왼쪽 힘의 팔 길이가 r이므로 돌림힘은 rF이고, 오른쪽 힘의 팔 길이가 $2r$이므로 돌림힘은 $2rF$이다. 따라서 두 돌림힘의 합의 크기는 $rF+2rF=3rF$이다.
(3) c가 회전축일 때, 왼쪽 힘의 팔 길이가 $2r$이므로 돌림힘은 $2rF$이고, 오른쪽 힘의 팔 길이는 r이므로 돌림힘은 rF이다. 따라서 두 돌림힘의 합의 크기는 $2rF+rF=3rF$이다.
(4) d가 회전축일 때, 왼쪽 힘의 팔 길이가 $3r$이므로 돌림힘은 $3rF$이고, 오른쪽 힘의 팔 길이가 0이므로 돌림힘은 0이다. 따라서 두 돌림힘의 합의 크기는 $3rF+0=3rF$이다.
이와 같이 짝힘이 작용할 때 회전축을 어느 지점으로 하든 두 돌림힘의 합의 크기는 같다.

02 (1) 돌림힘의 팔 길이는 회전축에서 힘의 작용선까지의 수직 거리로, $r\sin\theta$이다. 따라서 돌림힘의 크기는 $r\sin\theta\times F=rF\sin\theta$이다. 돌림힘의 방향은 오른손의 네 손가락을 $\vec{r}$에서 작은 각도로 $\vec{F}$를 향하도록 감아쥘 때 엄지손가락이 가리키는 방향이므로, 종이면에서 수직으로 나오는 방향이다.
(2) 돌림힘의 팔 길이가 $r\sin\theta$이므로, 돌림힘의 크기는 $r\sin\theta\times F=rF\sin\theta$이다. 돌림힘의 방향은 오른손을 이용하여 찾으면 종이면에 수직으로 들어가는 방향이다.

03 (1) O를 회전축으로 할 때 지레에 작용하는 돌림힘의 평형은 다음과 같다.

$$-a\times300\text{ N}+(a+b)\times100\text{ N}=0,\quad\therefore a=\frac{1}{2}b$$

따라서 $a:b=1:2$이다.
(2) 일의 원리에 의해 지레가 물체에 한 일과 들어올리는 힘이 지레에 한 일은 같다. 따라서 Q가 올라가는 거리 x는 다음과 같다.

$$300\text{ N}\times0.1\text{ m}=100\text{ N}\times x,\quad\therefore x=0.3\text{ m}=30\text{ cm}$$

04 (1) 페달과 톱니바퀴는 축바퀴와 같으므로 회전한 각도가 같다. 따라서 톱니바퀴와 페달이 회전한 횟수를 n이라 할 때 체인이 이동한 거리 L은 다음과 같다.

$$s:L=2\pi rn:2\pi r_0n,\quad\therefore L=\frac{r_0}{r}s$$

(2) 체인이 톱니바퀴에 작용하는 힘을 F'라고 하면, 자전거의 속력이 일정할 때 F'와 페달을 밟는 힘 F에 의한 돌림힘이 평형을 이루므로, F'는 다음과 같다.

$$rF=r_0F',\quad\therefore F'=\frac{r}{r_0}F$$

톱니바퀴가 체인에 작용하는 힘은 F'와 작용 반작용 관계로 크기가 같으므로, $\frac{r}{r_0}F$이다.
(3) 페달이 하는 일과 체인이 하는 일은 일의 원리에 의하여 같으며, $W=sF$이다.

05 막대의 밀도는 균일하고 길이가 L이므로, 막대의 무게중심은 막대의 중심인 $x=\frac{L}{2}$인 곳에 있다. 원판의 밀도는 균일하므로, 원판의 무게중심은 원판의 중심인 $x=L$에 있다. 따라서 물체 전체의 무게중심의 위치는 다음과 같다.

$x=\frac{x_1m_1+x_2m_2}{m_1+m_2}=\frac{0.5L\times M+L\times 1.5M}{M+1.5M}=\frac{4}{5}L$

06 나무판은 힘의 평형을 이루므로 영희의 몸무게는 550 N이다. 나무판에 작용하는 돌림힘의 합이 0이어야 하므로, 오른쪽 저울의 위치를 회전축으로 하여 돌림힘을 구하면 저울 B에서 영희의 무게중심까지의 거리 x는 다음과 같다.

$300\text{ N}\times 1.6\text{ m}+250\text{ N}\times 0=550\text{ N}\times x$, $\therefore x=\frac{48}{55}\text{ m}$

07 (1) 막대에 작용하는 모든 힘이 평형을 이루어야 하므로, 받침대가 막대를 떠받치는 힘의 크기는 중력 방향으로 작용하는 모든 힘의 합력의 크기와 같다.

200 N+100 N+500 N=800 N

(2) P에서 받침점 O까지의 거리를 x라고 하면, 막대의 무게중심은 막대의 중간에 있으므로 O를 회전축으로 하여 막대에 작용하는 돌림힘의 평형을 적용하면 다음과 같다.

$x\times 200\text{ N}+\left(x-\frac{L}{2}\right)\times 100\text{ N}=(L-x)\times 500\text{ N}$

$\therefore x=\frac{11}{16}L$

따라서 P에서 받침점 O까지의 거리는 $\frac{11}{16}L$이다.

08 막대와 벽이 만나는 점을 회전축으로 할 때, (가)~(다)에서 막대에 다음과 같은 힘이 작용하여 돌림힘이 평형을 이룬다.

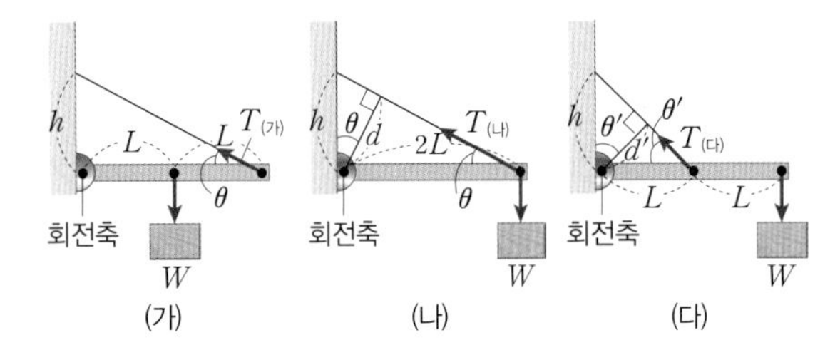

(가), (나)에서 막대의 돌림힘의 평형은 다음과 같다.

- (가): $2L\sin\theta\times T_{(가)}-LW=0$, $\therefore T_{(가)}=\frac{W}{2\sin\theta}$
- (나): $2L\sin\theta\times T_{(나)}-2LW=0$, $\therefore T_{(나)}=\frac{W}{\sin\theta}$

따라서 막대에 작용하는 장력의 크기는 $T_{(가)}<T_{(나)}$이다. 한편, (나)와 (다)에서 회전축에서 실까지의 수직 거리는 돌림힘의 팔 길이로 $d=h\cos\theta$, $d'=h\cos\theta'$이다. $\theta<\theta'$이므로 $\cos\theta>\cos\theta'$이고, $d>d'$이다. 즉, (나)와 (다)에서 물체가 막대를 당기는 힘에 의한 돌림힘의 크기는 같고, 장력의 돌림힘의 팔 길이는 (다)가 더 작으므로 줄의 장력의 크기는 $T_{(나)}<T_{(다)}$이다. 따라서 (가), (나), (다)의 줄의 장력의 크기는 $T_{(가)}<T_{(나)}<T_{(다)}$이다.

09 막대는 역학적 평형 상태이므로, 힘과 돌림힘이 모두 평형을 이룬다. 중력 가속도를 g, 철수와 영희가 각각 막대에 연직 방향으로 작용하는 힘을 $F_{철수}$, $F_{영희}$라 할 때, 다음과 같이 막대에 작용하는 힘은 평형을 이룬다.

$F_{철수}+F_{영희}=(6\text{ kg}+3\text{ kg})\times g=9g(\text{N})$

또, 철수를 회전축으로 할 때 막대의 무게중심은 1.5 m인 지점이므로, 막대에 작용하는 돌림힘이 다음과 같이 평형을 이룬다.

$1.5\text{ m}\times(6\text{ kg}\times g)+2\text{ m}\times(3\text{ kg}\times g)=3\text{ m}\times F_{영희}$

$F_{영희}=5g(\text{N})$

따라서 $F_{철수}=4g(\text{N})$가 되므로, $F_{철수}:F_{영희}=4:5$이다.

10 받침대의 왼쪽과 오른쪽 끝점을 각각 A, B라 하면, x가 최소일 때는 B가 떠받치는 힘이 0이고, x가 최대일 때는 A가 떠받치는 힘이 0이 된다. x의 최솟값을 x_1, 최댓값을 x_2라고 하면, 다음과 같다.

- A를 회전축으로 할 때:
  $(12L-x_1)\times 4mg+3L\times mg=4L\times 10mg$
  $\therefore x_1=\frac{11}{4}L$
- B를 회전축으로 할 때:
  $(13L-x_2)\times 4mg+4L\times mg=3L\times 10mg$
  $\therefore x_2=\frac{13}{2}L$

따라서 x의 범위는 $\frac{11}{4}L\le x\le\frac{13}{2}L$이다.

11 ㄱ. (가) → (나) 과정에서 무게중심에서 내린 중력의 작용선이 물체의 바닥면에서 벗어나지 않으므로 물체는 아직 안정하다. 이때 무게중심은 높아진다.

ㄴ. (나) → (다) 과정에서 무게중심에서 내린 중력의 작용선이 물체의 바닥면에서 벗어나므로 물체는 안정한 상태에서 벗어난다. 이때 무게중심은 낮아진다.

ㄷ. (다) 상태는 무게중심에서 내린 중력의 작용선이 물체의 바닥면에서 벗어나 있고, 무게중심이 내려간 상태이므로 물체는 안정하지 못하여 쓰러진다.

12 ㄱ. 구조물의 무게중심을 낮추고, 바닥면을 넓히면 구조물이 더 안정해진다.

ㄷ. 구조물의 무게중심의 작용선이 구조물의 바닥면을 벗어나지 않는 한 구조물을 기울일수록 구조물의 중력 퍼텐셜 에너지는 커지므로 구조물은 안정하다.

바로 알기 ㄴ. 구조물이 평형 상태에서 기울어졌을 때 무게중심이 낮아지면 중력 퍼텐셜 에너지가 감소하고, 물체는 중력에 의한 돌림힘이 평형 상태이던 위치에서 멀어지는 쪽으로 작용하기 때문에 물체는 쓰러진다.

개념 적용 문제

42쪽~45쪽

01 ② **02** ③ **03** ④ **04** ③ **05** ① **06** ②
07 ④ **08** ⑤

01 ㄷ. 질량 10 kg인 추를 막대의 오른쪽 눈금 2인 위치에 매달면 막대가 수평을 유지한다. 이때 회전축 O가 막대를 떠받치는 힘의 크기는 5 kg인 추와 10 kg인 추의 무게의 합과 같으므로 $15\ kg\times 10\ m/s^2=150\ N$이다.

바로 알기 ㄱ. 질량이 5 kg인 추가 내려가는 동안 추가 막대를 당기는 힘의 크기는 일정하지만, 돌림힘의 팔 길이가 점점 짧아진다. 따라서 돌림힘의 크기는 감소한다.

ㄴ. 질량 3 kg인 추를 막대의 오른쪽에 매달 때 돌림힘의 최대 크기는 5×30 N이므로 4×50 N보다 작다. 따라서 질량 3 kg인 추로는 막대가 수평을 유지하게 할 수 없다.

02 ㄱ. 회전축을 중심으로 할 때 A에 작용하는 중력에 의해 줄을 당기는 힘의 팔 길이는 r이므로, A에 작용하는 중력에 의해 줄을 당기는 힘에 의한 돌림힘의 크기는 $r\times 2Mg=2rMg$이다.

ㄴ. 회전축을 중심으로 할 때 B에 작용하는 중력에 의해 줄을 당기는 힘에 의한 돌림힘의 크기는 $3r\times Mg$이므로 A보다 크다. 따라서 축바퀴는 B에 작용하는 중력이 줄을 당기는 방향으로 회전하므로, B는 내려가고 A는 올라간다.

바로 알기 ㄷ. 같은 시간 동안 두 축바퀴가 회전하는 각도는 같으므로, 같은 시간 동안 B가 내려가는 거리는 A가 올라가는 거리의 3배이다. 따라서 매 순간 B의 속력이 A의 속력의 3배이다.

03 ㄴ. 막대의 무게중심 O가 회전축이므로, A, B가 막대에 작용하는 돌림힘의 크기는 서로 같다. 회전축에서 p까지의 거리가 q까지의 거리보다 크므로, 물체의 질량은 $M_1<m$이 된다. (나)에서 B는 (가)에서보다 회전축에서 더 먼 지점에 매달려 있으므로, (나)에서 B가 막대에 작용하는 돌림힘의 크기는 (가)에서보다 크다. A, C의 돌림힘의 크기는 (가), (나)에서 각각 B가 막대에 작용하는 돌림힘의 크기와 같으므로, 돌림힘의 크기는 (나)의 C가 (가)의 A보다 크다.

ㄷ. 막대의 중심 O에서 p, q까지의 거리를 각각 p, q라고 하면 돌림힘의 평형에서

$pM_1=qm,\ pm=qM_2,\ \therefore \dfrac{M_1}{m}=\dfrac{m}{M_2}$

이고, $m=\sqrt{M_1M_2}$이다.

바로 알기 ㄱ. (가)에서 A와 B의 돌림힘이 평형을 이루므로, A와 B의 돌림힘의 크기는 같다.

04 줄과 벽 사이의 각도를 θ라고 하면 줄과 회전축 사이의 수직 거리는 $h\sin\theta$이고, $\sin\theta=\dfrac{2L}{\sqrt{h^2+(2L)^2}}$이다. 막대가 정지해 있으므로, 줄이 막대에 작용하는 돌림힘과 물체가 막대에 작용하는 돌림힘이 같은 크기이다.

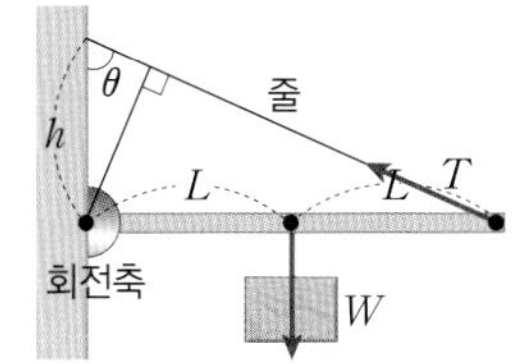

$h\sin\theta\times T=LW$

따라서 줄의 장력의 크기 T는 다음과 같다.

$T=\dfrac{LW}{h\sin\theta}=\dfrac{\sqrt{h^2+4L^2}}{2h}W$

05 물통에 있는 물의 무게가 증가하면 물통과 물의 무게에 의한 돌림힘이 증가하고, 자동차가 회전축으로부터 멀어지면 자동차의 무게가 판에 작용하는 돌림힘이 증가하지만, 두 돌림힘이 평형을 유지하면 판은 계속 수평을 유지한다.

ㄱ. 받침점을 회전축으로 할 때 물통과 물의 무게에 의한 돌림힘과 자동차의 무게에 의한 돌림힘이 평형을 이루므로 x는 다음과 같다.

$2\ m\times(0.2\ kg\times 10\ m/s^2)=x\times(0.8\ kg\times 10\ m/s^2)$

$\therefore x=0.5\ m$

바로 알기 ㄴ. 1초 동안 물의 증가량이 0.4 kg이므로, t초 동안 물의 무게에 의한 돌림힘의 증가량은 $2\ m\times(0.4t\ kg\times 10\ m/s^2)=8t\ N\cdot m$이다. 한편, 자동차는 1초 동안 v만큼 이동하므로, t초 동안 자동차의 무게에 의한 돌림힘의 증가량은 다음과 같다.

$(0.5 \text{ m}+v\times t)\times(0.8 \text{ kg}\times10 \text{ m/s}^2)-0.5 \text{ m}\times(0.8 \text{ kg}\times10 \text{ m/s}^2)=8vt \text{ N}\cdot\text{m}$
두 돌림힘의 증가량은 같으므로 $8t \text{ N}\cdot\text{m}=8vt \text{ N}\cdot\text{m}$에서 $v=1 \text{ m/s}$이다.
ㄷ. 판 위의 물의 질량이 계속 증가하므로 받침점이 판에 작용하는 힘의 크기(=물통과 물의 무게+자동차의 무게)는 계속 증가한다.

06 막대는 역학적 평형 상태이므로, 힘과 돌림힘이 모두 평형을 이룬다. A를 회전축으로 할 때 막대에 작용하는 돌림힘은 다음과 같이 평형을 이룬다.
$4 \text{ m}\times40 \text{ N}+7 \text{ m}\times20 \text{ N}=6 \text{ m}\times F_B$, $\therefore F_B=50 \text{ N}$
막대에 작용하는 힘은 평형을 이루므로, F_A는 다음과 같다.
$F_A+F_B=60 \text{ N}$, $\therefore F_A=10 \text{ N}$

07 피에로와 A, B의 전체 무게중심이 C의 윗면을 벗어나지 않으면 평형을 이룬다. 따라서 무게중심의 연직선이 B의 왼쪽에서 $3d$인 지점을 벗어나지 않아야 하므로, 다음 식이 성립한다.
$\dfrac{x\times2m+2.5d\times m+3.5d\times3m}{2m+m+3m}\leq3d$, $\therefore x\leq2.5d$
따라서 피에로가 갈 수 있는 x의 최댓값은 $2.5d$이다.

08 ㄱ. (가)에서 코르크 마개는 옆으로 조금만 기울여도 떨어졌으므로, 불안정한 평형 상태이다. 따라서 코르크 마개를 기울여 평형 상태에서 벗어나는 동안 중력 퍼텐셜 에너지는 감소하고, 코르크 마개의 무게중심은 낮아진다.
ㄴ. (나)에서 코르크 마개가 (가)에서보다 안정한 것은 두 포크를 끼워 무게중심이 낮아졌기 때문이다. 이때는 코르크 마개가 평형 상태에서 조금 벗어나더라도 중력에 의한 돌림힘이 복원력으로 작용하여 코르크 마개가 떨어지지 않는다.

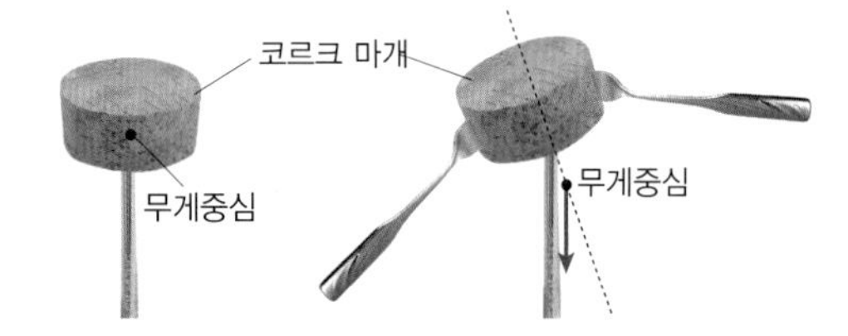

ㄷ. (나)에서 코르크 마개를 옆으로 기울였을 때 원래 위치로 돌아갈 수 있는 까닭은 코르크 마개를 미는 동안 코르크와 두 포크 전체의 무게중심이 기울이기 전보다 높아져 중력 퍼텐셜 에너지가 증가하기 때문이다. 기울이는 힘이 사라지면 중력 퍼텐셜 에너지가 감소하면서 중력에 의한 돌림힘이 원래 위치로 되돌아가는 방향으로 복원력으로 작용한다.

03 평면상의 등가속도 운동

탐구 확인 문제 61쪽

01 ①, ②, ③ **02** 해설 참조

01 ①, ② 수평 방향으로 등속도 운동을 하므로 수평 방향의 물체의 위치는 시간에 비례하여 증가한다.
③ 연직 방향으로 물체는 가속도가 중력 가속도로 일정한 등가속도 운동을 한다.
바로 알기 ④ 연직 방향의 속도는 $v_y=v_0\sin\theta-gt$로 시간에 따라 일정하게 감소한다.
⑤ 최고점에서 연직 방향의 속도는 0이지만 수평 방향의 속도 성분이 있으므로, 최고점에서 물체의 속력은 0이 아니다.

02 (1) 공의 연직 방향의 속도 성분이 0이 될 때까지 올라가는 것이므로, 공을 던지는 각도가 클수록 올라가는 높이가 높고, 올라갔다가 다시 같은 높이로 내려오는 데 걸리는 시간이 증가한다.
(2) 공에 작용하는 중력은 던지는 각도에 관계없이 동일하다. 따라서 던진 공에 작용하는 알짜힘은 중력이고, 던진 각도에 관계없이 알짜힘이 동일하므로 공의 가속도는 같다.
모범 답안 (1) 던지는 각도가 클수록 공이 위로 올라갔다 다시 같은 높이로 내려오는 데 걸리는 시간이 크다.
(2) 던지는 각도에 관계없이 공의 가속도는 같다.

집중 분석 63쪽

유제 ②

유제 ㄴ. P에서 빗면에 수직인 방향의 속도가 0이다. 빗면에 수직인 방향의 가속도가 $-g\cos\theta$로 일정하므로, 빗면에서 P까지 빗면에 수직인 방향으로 일정한 거리를 빗면에 수직인 방향의 속도가 0이 될 때까지 갔다가 되돌아오는 시간은 동일하다. 따라서 O에서 Q까지 걸리는 시간은 O에서 P까지 걸리는 시간의 2배이다.
바로 알기 ㄱ. P에서 물체의 속도는 빗면에 평행인 방향이므로, 속력의 연직 성분은 0이 아니다.
ㄷ. 빗면에 수직인 방향의 가속도는 $-g\cos\theta$이다. 따라서 빗면에 수직인 방향으로 등가속도 직선 운동의 식을 적용하면
$2\times(-g\cos\theta)\times H=0-{v_0}^2$에서 $H=\dfrac{{v_0}^2}{2g\cos\theta}$이다.

개념 모아 정리하기 64쪽~65쪽

❶ 변위 ❷ $\frac{\Delta\vec{r}}{\Delta t}$ ❸ 접선 ❹ $\frac{\vec{v_2}-\vec{v_1}}{t_2-t_1}$

❺ 순간 ❻ 등가속도 직선 ❼ 등가속도

❽ 등속도 ❾ 포물선 ❿ g ⓫ $-g$

⓬ $v_0t-\frac{1}{2}gt^2$ ⓭ $\frac{{v_0}^2}{2g}$ ⓮ 등속도

⓯ 자유 낙하(등가속도) ⓰ $\sqrt{\frac{2H}{g}}$ ⓱ $\frac{v_0\sin\theta-gt}{v_0\cos\theta}$

⓲ 45° ⓳ $\sqrt{(v_0\cos\theta)^2+(v_0\sin\theta+gt)^2}$

개념 기본 문제 66쪽~67쪽

01 (1) 6 m (2) 4 m/s^2 (3) $\sqrt{73}$ m/s (4) $\frac{3}{8}$ **02** (1) $+y$ 방향 (2) 1 m/s^2 (3) $\sqrt{10}$ m/s **03** ㄱ, ㄴ, ㄹ **04** (1) 2초 (2) 20 m (3) 5 m/s (4) $\sqrt{15^2+20y}$ m/s **05** 360 m **06** h=10 m, l=20 m **07** (1) 최고점 도달 시간: $2\sqrt{3}$ s, 최고점에서 물체의 속력: 20 m/s (2) h: $160(2-\sqrt{3})$ m, 수평 도달 거리: 160 m **08** $\frac{10}{3}\sqrt{6}$ m/s **09** 10 m **10** $\frac{10}{3}$ m

01 (1) 가속도가 x축 방향이므로, y축 방향으로 물체는 등속도 운동을 한다. 2초 동안 y축 방향으로 이동한 거리는 3 m/s ×2 s=6 m이다. 따라서 0초일 때 y축 방향의 위치가 0이므로 2초일 때 위치는 6 m이다.

(2) x축 방향으로 0초일 때 속도의 x 성분은 0이고, 2초 동안 일정한 가속도로 8 m를 이동하므로 가속도의 크기 a는 다음과 같다.

$\frac{1}{2}a\times(2\text{ s})^2=8\text{ m}$, $\therefore a=4\text{ m/s}^2$

(3) x축 방향으로 0초일 때 속도의 x 성분은 0이고 가속도 4 m/s^{2}으로 등가속도 운동을 하고, y축 방향으로는 3 m/s로 등속도 운동을 하므로, 2초일 때 속도의 x 성분과 y 성분은 다음과 같다.

- 속도의 x 성분: $v_x=4\text{ m/s}^2\times2\text{ s}=8\text{ m/s}$
- 속도의 y 성분: $v_y=3\text{ m/s}$

따라서 2초일 때 속도의 크기 v는 다음과 같다.

$v=\sqrt{(8\text{ m/s})^2+(3\text{ m/s})^2}=\sqrt{73}\text{ m/s}$

(4) 2초일 때 속도의 x 성분은 v_x=8 m/s, y 성분은 v_y=3 m/s이므로 $\tan\theta=\frac{v_y}{v_x}=\frac{3}{8}$이다.

02 (1) x 방향으로는 위치가 시간에 비례하므로 등속도 운동을 하고, y 방향으로는 속도가 시간에 비례하여 일정하게 증가하므로 등가속도 운동을 한다. 따라서 물체의 가속도의 방향은 $+y$ 방향이다.

(2) x 방향으로는 등속도 운동을 하므로, $a_x=0$이다. y 방향으로는 등가속도 운동을 하며, 속도-시간 그래프의 기울기가 가속도이므로, 가속도 $a_y=\frac{1\text{ m/s}}{1\text{ s}}=1\text{ m/s}^2$이다. 따라서 가속도의 크기는 1 m/s^{2}이다.

(3) x 방향의 속도 성분 v_x=1 m/s로 일정하고, 3초일 때 y 방향의 속도 성분 v_y=3 m/s이므로 3초일 때 속도의 크기 v는 다음과 같다.

$v=\sqrt{(1\text{ m/s})^2+(3\text{ m/s})^2}=\sqrt{10}\text{ m/s}$

03 ㄱ. 두 물체의 가속도는 중력 가속도로 같다.

ㄴ. 수평면에 도달한 순간의 속력은 처음 속력과 같으므로, A, B 모두 v로 같다.

ㄹ. A와 B를 던져 올린 발사각의 합이 $30^\circ+60^\circ=90^\circ$이므로, A, B의 수평 도달 거리는 같다.

바로 알기 ㄷ. A의 수평면 도달 시간은 $\frac{2v\sin30^\circ}{g}=\frac{v}{g}$이고, B의 수평면 도달 시간은 $\frac{2v\sin60^\circ}{g}=\frac{\sqrt{3}v}{g}$이므로, 서로 다르다.

04 (1) 수평 방향으로 속도는 15 m/s로 일정하고, 수평면에 떨어질 때까지 수평 방향의 이동 거리가 30 m이므로, 물체가 수평면에 떨어질 때까지 걸린 시간은 $\frac{30\text{ m}}{15\text{ m/s}}=2\text{ s}$이다.

(2) 물체를 던진 순간 연직 방향의 속도는 0이므로 h는 2초 동안 자유 낙하 한 물체의 높이와 같다. 따라서 $h=\frac{1}{2}\times10\text{ m/s}^2\times(2\text{ s})^2=20\text{ m}$이다.

(3) 물체는 수평 방향으로는 15 m/s의 일정한 속도로 등속도 운동을 하고, 연직 방향으로는 중력 가속도 10 m/s^{2}으로 등가속도 운동을 한다. 따라서 0.5초 동안 속도 변화량의 크기는 10 m/s^2×0.5 s=5 m/s이다.

(4) 수평 방향의 속도는 15 m/s로 일정하므로, P에서 속도의 x 성분 v_x=15 m/s이다. 연직 방향으로는 중력 가속도 10 m/s^{2}으로 자유 낙하 하므로, P에서 속도의 y 성분 v_y는 다음과 같다.

$2\times10\text{ m/s}^2\times y={v_y}^2$, $\therefore v_y=\sqrt{20y}\text{ m/s}$

따라서 P를 지나는 순간 속도의 크기 v는 다음과 같다.

$v=\sqrt{{v_x}^2+{v_y}^2}=\sqrt{15^2+20y}\text{ m/s}$

05 포물선 운동에서 수평 도달 거리 $R=\frac{v_0^2\sin2\theta}{g}\propto\frac{1}{g}$이다. 달 표면에서의 중력은 지구 표면에서의 $\frac{1}{6}$배이므로 같은 속도와 같은 각도로 던졌을 때 수평 도달 거리는 달에서가 지구에서의 6배이다. 즉, 지구에서 60 m를 던질 수 있는 사람은 달에서는 이것의 6배인 360 m를 던질 수 있다.

06 처음 속도의 수평 성분 v_{0x}와 연직 성분 v_{0y}는 다음과 같다.

- $v_{0x}=v_0\cos45°=20\text{ m/s}\times\frac{\sqrt{2}}{2}=10\sqrt{2}\text{ m/s}$
- $v_{0y}=v_0\sin45°=20\text{ m/s}\times\frac{\sqrt{2}}{2}=10\sqrt{2}\text{ m/s}$

공이 벽에 수직으로 충돌했다는 것은 공의 속도의 연직 성분이 0인 것을 의미하므로, 이 지점은 포물선 운동의 최고점이 된다. 따라서 최고점의 높이 h는 다음과 같다.

$$h=\frac{v_{0y}^2}{2g}=\frac{(10\sqrt{2}\text{ m/s})^2}{2\times10\text{ m/s}^2}=10\text{ m}$$

최고점까지 올라가는 데 걸린 시간이 T라면, 최고점에서 연직 방향 속도는 0이므로 다음과 같다.

$$0=v_{0y}-gT,\quad\therefore T=\frac{v_{0y}}{g}=\frac{10\sqrt{2}\text{ m/s}}{10\text{ m/s}^2}=\sqrt{2}\text{ s}$$

따라서 공을 던진 지점에서 벽까지의 거리 l은 다음과 같다.

$$l=v_{0x}T=10\sqrt{2}\text{ m/s}\times\sqrt{2}\text{ s}=20\text{ m}$$

07 (1) 처음 속도의 수평 성분 v_{0x}와 연직 성분 v_{0y}는

$v_{0x}=40\text{ m/s}\times\cos60°=20\text{ m/s}$

$v_{0y}=40\text{ m/s}\times\sin60°=20\sqrt{3}\text{ m/s}$

이므로, 최고점 도달 시간 t_1은 $v_y=0$일 때로, 다음과 같다.

$$v_{0y}-gt_1=0,\quad\therefore t_1=\frac{v_{0y}}{g}=\frac{20\sqrt{3}\text{ m/s}}{10\text{ m/s}^2}=2\sqrt{3}\text{ s}$$

그리고 최고점에서 물체의 속력은 물체의 수평 속도와 같으므로 $v_{0x}=20\text{ m/s}$이다.

(2) 연직 방향의 운동은 가속도 $-g$인 등가속도 운동이므로, 지면에 도달한 8초일 때 연직 방향의 변위를 $-h$라고 하면 다음과 같다.

$$y=v_{0y}t-\frac{1}{2}gt^2$$

$$-h=20\sqrt{3}\text{ m/s}\times8\text{ s}-\frac{1}{2}\times10\text{ m/s}^2\times(8\text{ s})^2=160(\sqrt{3}-2)\text{ m}$$

$$h=160(2-\sqrt{3})\text{ m}$$

수평 도달 거리는 수평 속도 20 m/s로 8초 동안 이동한 거리이므로 $20\text{ m/s}\times8\text{ s}=160\text{ m}$이다.

08 포물선 운동에서 위치의 x 성분과 y 성분은 $x=v_0\cos\theta\cdot t$, $y=v_0\sin\theta\cdot t-\frac{1}{2}gt^2$이므로 $y=\tan\theta\cdot x-\frac{g}{2v_0^2\cos^2\theta}x^2$이다.

오토바이가 P에서 날아 건너편 구덩이의 끝점에 도달하면 간신히 건너는 것이다. 따라서 $x=10\text{ m}$, $y=-5\text{ m}$, $\theta=45°$, $g=10\text{ m/s}^2$을 넣어 계산하면 구덩이에 빠지지 않는 최소 속력 v_0는 다음과 같다.

$$-5\text{ m}=\tan45°\times10\text{ m}-\frac{10\text{ m/s}^2}{2v_0^2\left(\frac{1}{\sqrt{2}}\right)^2}\times(10\text{ m})^2$$

$$v_0=\frac{10}{3}\sqrt{6}\text{ m/s}$$

09 A, B의 수평 속도가 같고, 수평 방향으로는 등속도 운동을 한다. A의 수평 이동 거리가 B의 2배이므로 운동 시간은 $t=\frac{s}{v}$에서 A가 B의 2배이다. 연직 방향은 A, B 모두 자유 낙하 운동(등가속도 운동)을 하므로 $h=\frac{1}{2}gt^2$에서 $h\propto t^2$이다. 따라서 운동 시간이 2 : 1이면 낙하 거리는 4 : 1이므로 A의 처음 높이가 40 m이면 B의 처음 높이는 10 m이다.

10 그림과 같이 A에서 낙하한 지점 B까지의 수평 거리를 x, 낙하 높이를 y, 빗면의 길이 $\overline{AB}$를 s라고 하자.

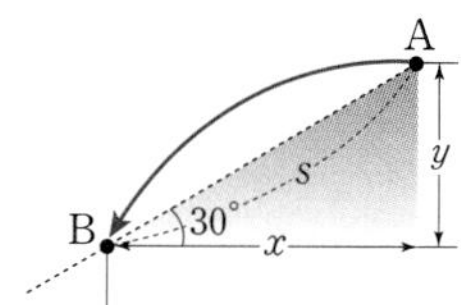

- x 방향: 5 m/s의 속력으로 등속도 운동을 하므로 $x=s\cos30°=5t(\text{m})$이다.
- y 방향: 자유 낙하 운동을 하므로 $y=\frac{1}{2}gt^2$에서 $y=s\sin30°=\frac{1}{2}gt^2=5t^2(\text{m})$

이다. 따라서 $t=\tan30°$이고, $s=\frac{5\tan30°}{\cos30°}=\frac{10}{3}(\text{m})$이다.

개념 적용 문제 68쪽~73쪽

01 ④	02 ⑤	03 ②	04 ①	05 ⑤	06 ③
07 ①	08 ③	09 ④	10 ②	11 ③	12 ③

01 ㄴ. x축, y축 방향의 물체의 시간에 따른 위치와 각 구간 평균 속도는 다음과 같이 변한다.

구분	0초	1초	2초	3초
위치 벡터	(0, 0)	(2.5, 1)	(6, 4)	(10.5, 9)
x 방향 구간 평균 속도(m/s)	2.5	3.5	4.5	
y 방향 구간 평균 속도(m/s)	1	3	5	

1초마다 x, y 방향의 속도 변화량이 각각 1 m/s, 2 m/s이므로 x, y 방향의 가속도 성분은 각각 1 m/s^2, 2 m/s^{2}이다. 따라서 가속도의 크기는 다음과 같다.

$a=\sqrt{(1\text{ m/s}^2)^2+(2\text{ m/s}^2)^2}=\sqrt{5}\text{ m/s}^2$

ㄷ. 등가속도 직선 운동에서 구간 평균 속도는 그 사이의 중간 시간의 순간 속도와 같으므로, 1.5초일 때 순간 속도는 (3.5 m/s, 3 m/s)이고 2.5초일 때 순간 속도는 (4.5 m/s, 5 m/s)이다. 따라서 2초일 때 x, y 방향 순간 속도 성분은 각각 4 m/s, 4 m/s이므로 2초일 때 속력은

$v=\sqrt{(4\text{ m/s})^2+(4\text{ m/s})^2}=4\sqrt{2}\text{ m/s}$이다.

바로 알기 ㄱ. x, y 방향의 가속도 성분은 각각 1 m/s^2, 2 m/s^{2}이므로, 가속도의 방향은 $+x$축 방향과 이루는 각 θ가 $\tan\theta=2$인 방향이다.

02 ㄱ. O에서 P까지 x, y 방향의 속도 변화량의 크기는 4 m/s로 같으므로 x, y 방향의 가속도의 크기가 같다. 따라서 가속도의 방향은 $+x$ 방향과 45°의 각을 이룬다.

ㄴ. x 방향으로 처음 속도가 0이고 4 m를 이동한 후 속도가 4 m/s이므로, 가속도의 x 방향 성분 a_x는 다음과 같다.

$2a_x\times4\text{ m}=(4\text{ m/s})^2,\ \therefore a_x=2\text{ m/s}^2$

그리고 y 방향으로 처음 속도 4 m/s이고 4 m를 이동한 후의 속도가 0이므로, 가속도의 y 방향 성분 a_y는 다음과 같다.

$2a_y\times4\text{ m}=-(4\text{ m/s})^2,\ \therefore a_y=-2\text{ m/s}^2$

따라서 가속도의 크기는 다음과 같다.

$a=\sqrt{{a_x}^2+{a_y}^2}=\sqrt{(2\text{ m/s})^2+(-2\text{ m/s})^2}=2\sqrt{2}\text{ m/s}^2$

ㄷ. x 방향으로 $a_x=2$ m/s^{2}의 가속도로 속도 변화량이 4 m/s가 되는 데 걸리는 시간은 2초이다. 따라서 O에서 P까지 이동하는 데 걸린 시간은 2초이다.

03 ㄴ. 물체는 0초일 때 원점에 정지해 있었고, 0초부터 시간 t까지 가속도가 일정하다. 따라서 임의의 시간 T일 때 위치의 x, y 성분은 다음과 같다.

$x=\frac{1}{2}(2a)T^2=aT^2,\ y=\frac{1}{2}aT^2$

따라서 물체의 운동 경로는 $y=\frac{1}{2}x$가 되므로, 물체의 운동 경로는 직선이다.

바로 알기 ㄱ. 0초부터 시간 t까지 가속도의 크기는 $\sqrt{(2a)^2+a^2}=\sqrt{5}a$이다.

ㄷ. 시간 t일 때 속도의 x, y 성분은 가속도-시간 그래프에서 그래프 아래 면적과 같다. 따라서 시간 t, $2t$일 때 속력은 각각 다음과 같다.

- 시간 t일 때 속력: $\sqrt{(2at)^2+(at)^2}=\sqrt{5}at$
- 시간 $2t$일 때 속력: $\sqrt{(2at)^2+(2at)^2}=2\sqrt{2}at$

따라서 물체의 속력은 $2t$일 때가 t일 때의 $\frac{2\sqrt{10}}{5}$배이다.

04 ㄱ. 경사각이 θ인 빗면에 놓인 물체에는 중력과 수직 항력이 작용하므로 알짜힘의 크기는 $mg\sin\theta$이고 가속도의 크기는 $g\sin\theta$이다.

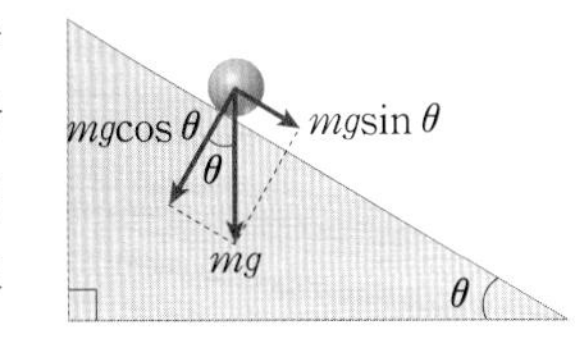

바로 알기 ㄴ. $\overline{\text{OP}}$가 x축과 45°의 각을 이루므로 $\overline{\text{OP}}$의 x, y 성분의 크기는 같다. 따라서 O에서 P까지 이동하는 데 걸린 시간을 t라고 하면 다음과 같다.

$v_0t=\frac{1}{2}g\sin\theta\cdot t^2,\ \therefore t=\frac{2v_0}{g\sin\theta}$

ㄷ. O에서 P까지 변위의 크기는 $\overline{\text{OP}}$의 길이이고, v_0t의 $\sqrt{2}$배이므로 $\frac{2\sqrt{2}{v_0}^2}{g\sin\theta}$이다.

05 ㄱ. O에서 P, P에서 Q까지 이동하는 데 걸린 시간이 같으므로, 이 시간을 t라고 하면 P에서 최고점까지 이동하는 데 걸린 시간은 $\frac{t}{2}$이다. 따라서 O에서 최고점까지 이동하는 데 걸린 시간은 $\frac{3t}{2}$가 되고, 연직 방향으로 O에서 최고점까지 이동하는 동안의 속도는 $0=v_0\sin\theta-g\times\frac{3t}{2}$이므로, O에서 P까지 이동하는 데 걸린 시간 $t=\frac{2v_0\sin\theta}{3g}$이다.

ㄴ. P에서 Q까지 속도의 수평 방향 성분은 $v_0\cos\theta$로 일정하므로 P, Q 사이의 거리는 $v_0\cos\theta\times t=v_0\cos\theta\times\frac{2v_0\sin\theta}{3g}=\frac{{v_0}^2\sin2\theta}{3g}$이다.

ㄷ. Q에서 속도의 수평 방향 성분의 크기 $v_x=v_0\cos\theta$, 연직 방향 성분의 크기 $|v_y|=\frac{1}{2}gt=\frac{v_0\sin\theta}{3}$이다. 따라서 $\tan\alpha=\frac{|v_y|}{v_x}=\frac{1}{3}\tan\theta$이다.

06 ㄱ. B가 낙하하는 데 걸린 시간은 A와 같은 $t=\frac{v_0}{g}$이다. B가 낙하하는 동안 속도의 수평 성분은 v_0으로 일정하므로 수평 도달 거리 $L=v_0t=\frac{v_0^2}{g}$이다.

ㄴ. B가 수평면에 도달한 순간 속도의 수평 성분은 v_0, 연직 성분은 $-v_0$이므로, 속력은 $\sqrt{2}v_0$이다.

바로 알기 ㄷ. B가 낙하한 높이 $H=\frac{1}{2}gt^2=\frac{v_0^2}{2g}$이므로 B가 낙하하는 동안 변위의 크기 s는 다음과 같다.

$s=\sqrt{H^2+L^2}=\sqrt{\left(\frac{v_0^2}{2g}\right)^2+\left(\frac{v_0^2}{g}\right)^2}=\frac{\sqrt{5}v_0^2}{2g}$

따라서 평균 속도의 크기 $|\vec{v}_{평균}|=\frac{s}{t}=\frac{\frac{\sqrt{5}v_0^2}{2g}}{\frac{v_0}{g}}=\frac{\sqrt{5}v_0}{2}$이다.

07 던진 순간부터 충돌할 때까지 걸린 시간을 t라고 하면, A가 수평 방향으로 이동한 거리 $s=v_At=\frac{h}{2}$이고, 연직 방향으로 A와 B가 이동한 거리의 합이 h이므로 $h=h_A+h_B=\frac{1}{2}gt^2+\left(v_Bt-\frac{1}{2}gt^2\right)$에서 $v_Bt=h$이다. 따라서 속력의 비 $v_A : v_B=1 : 2$이다.

08 ㄱ. A와 B의 수평 도달 거리가 같으므로 $L=\frac{v^2\sin2\alpha}{g}=\frac{v^2\sin2\beta}{g}$에서 $\sin2\alpha=\sin2\beta$이다. 따라서 $2\alpha=180°-2\beta$이므로, $\alpha+\beta=90°$이다.

ㄴ. A, B가 날아가는 시간은 각각 $\frac{2v\sin\alpha}{g}$, $\frac{2v\sin\beta}{g}$이다. 따라서 날아가는 시간은 A가 B의 $\frac{\sin\alpha}{\sin\beta}=\frac{\sin\alpha}{\sin(90°-\alpha)}=\frac{\sin\alpha}{\cos\alpha}=\tan\alpha$배이다.

바로 알기 ㄷ. A, B의 최고점의 높이는 각각 $\frac{v^2\sin^2\alpha}{2g}$, $\frac{v^2\sin^2\beta}{2g}$이다. 따라서 최고점의 높이는 A가 B의 $\frac{\sin^2\alpha}{\sin^2\beta}=\frac{\sin^2(90°-\beta)}{\sin^2\beta}=\frac{\cos^2\beta}{\sin^2\beta}=\frac{1}{\tan^2\beta}$이다.

09 비스듬히 위로 던진 물체의 포물선 운동 경로 식 $y=\tan\theta\cdot x-\frac{g}{2v_0^2\cos^2\theta}x^2$에 B와 D의 위치를 대입하면 다음과 같다.

• B: $3\text{ m}=2\text{ m}\times\tan\theta-\frac{10\text{ m/s}^2}{2v_0^2\cos^2\theta}\times(2\text{ m})^2$

• D: $0=10\text{ m}\times\tan\theta-\frac{10\text{ m/s}^2}{2v_0^2\cos^2\theta}\times(10\text{ m})^2$

위의 두 식을 정리하면 $v_0^2\cos^2\theta=\frac{80}{3}$, $\tan\theta=\frac{15}{8}$이다. 오른쪽 그림에서 $\cos\theta=\frac{8}{17}$이므로 $v_0=\frac{17}{8}\sqrt{\frac{80}{3}}=\frac{17\sqrt{15}}{6}$(m/s)이다.

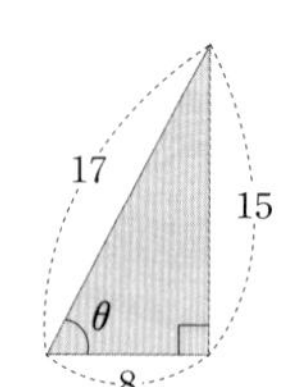

10 A, B의 운동 시간이 각각 (t_0+t)초, t초이고, A, B가 수평 방향으로 이동한 거리는 같으므로 $v_0\times(t_0+t)=2v_0t$에서 $t_0=t$이다. A, B의 연직 낙하 거리는 다음과 같다.

• A: $h_A-h_B=\frac{1}{2}g(t_0+t)^2=2gt^2$

• B: $h_B=\frac{1}{2}gt^2$

따라서 $h_A : h_B=\frac{5}{2}gt^2 : \frac{1}{2}gt^2=5 : 1$이다.

11 ㄱ. P에서 속도의 y 성분은 0이므로 $2a_yL=0-(v_0\sin45°)^2$에서 가속도의 y 성분 $a_y=-\frac{(v_0\sin45°)^2}{2L}=-\frac{v_0^2}{4L}$이다. Q에서 속도의 x 성분은 0이므로 $2a_x\times2L=0-(v_0\cos45°)^2$에서 가속도의 x 성분 $a_x=-\frac{(v_0\cos45°)^2}{4L}=-\frac{v_0^2}{8L}$이다. 따라서 가속도의 크기는 y 성분이 x 성분의 2배이다.

ㄷ. 가속도가 일정하므로 y축 방향으로 O에서 P까지와 P에서 Q까지 속도 변화량의 크기가 같다. Q에서 x축 방향의 속도가 0이므로 Q에서의 속력은 속도의 y 성분의 크기인 $v_0\sin45°=\frac{\sqrt{2}}{2}v_0$이다.

바로 알기 ㄴ. y축 방향으로 O에서 P까지와 P에서 Q까지 변위의 크기와 속도 변화량의 크기가 같으므로 같은 시간이 걸린다. 따라서 이동하는 데 걸린 시간은 O에서 P까지가 P에서 Q까지와 같다.

12 ㄱ. 물체는 O에서 P까지 빗면에 수직인 방향으로 가속도의 크기가 $-g\cos30°$인 등가속도 운동을 하므로 $H=\frac{1}{2}g\cos30°\times t^2$에서 O에서 P까지 이동하는 데 걸린 시간 $t=\sqrt{\frac{2H}{g\cos30°}}=\sqrt{\frac{4\sqrt{3}H}{3g}}$이다.

ㄴ. 빗면에 수직인 방향으로 등가속도 운동을 하므로 O에서 P까지 이동하는 데 걸린 시간이 P에서 Q까지 이동하는 데 걸린 시간과 같다. O에서 Q까지 걸린 시간은 $2t$이고, 빗면에 나란한 방향으로 가속도의 크기가 $g\sin30°$인 등가속도 운동을 하므로 이동 거리 $L=\frac{1}{2}g\sin30°\times4t^2=\frac{4\sqrt{3}}{3}H$이다.

바로 알기 ㄷ. 빗면에 수직인 방향의 가속도는 $-g\cos30°$, O에서 P까지 이동하는 데 걸린 시간 $t=\sqrt{\frac{2H}{g\cos30°}}$이므로 던진 속력 $v_1=g\cos30°\times\sqrt{\frac{2H}{g\cos30°}}=\sqrt{2gH\cos30°}=\sqrt{\sqrt{3}gH}$이고, 이것은 Q에서 빗면에 수직인 속도 성분과 같다. 빗면에 나란한 방향의 가속도는 $g\sin30°$이고, O에서 Q까지 이동하는 데 걸린 시간 $2t=2\sqrt{\frac{2H}{g\cos30°}}$이므로 Q에서 빗면에 나란한 방향의 속도 성분 크기 $v_2=g\sin30°\times2\sqrt{\frac{2H}{g\cos30°}}=\sqrt{\frac{4\sqrt{3}gH}{3}}$이다. 따라서 Q에서의 속력은 다음과 같다.

$$v=\sqrt{v_1^2+v_2^2}=\sqrt{\frac{7\sqrt{3}}{3}gH}$$

2. 행성의 운동과 상대성

01 등속 원운동과 단진동

집중 분석 85쪽

유제 ③

유제 1 ㄱ. 물체의 속력은 그림자가 단진동의 중심을 지날 때의 속력과 같고, 단진동 중심에서의 속력이 그림자의 최대 속력이다.
ㄷ. 그림자의 가속도의 크기는 단진동의 양 끝에 있을 때 최대가 되고, 단진동의 양 끝에 있을 때 그림자와 등속 원운동 하는 물체의 가속도의 크기가 같다.
바로 알기 ㄴ. 등속 원운동의 그림자이므로, 그림자의 단진동 주기는 물체의 원운동 주기와 같다.

개념 모아 정리하기 87쪽

❶ 2π ❷ 역수 ❸ $r\theta$ ❹ $r\omega$ ❺ $r\omega^2$ ❻ $mr\omega^2$ ❼ 접선 ❽ 중심 ❾ 비례 ❿ 복원력 ⓫ $2\pi\sqrt{\frac{m}{k}}$ ⓬ $2\pi\sqrt{\frac{m}{k}}$ ⓭ $2\pi\sqrt{\frac{l}{g}}$

개념 기본 문제 88쪽~89쪽

01 (1) 2초 (2) 0.5 Hz (3) π rad/s (4) 0.4π m/s **02** $\frac{2}{t}$
03 ㄷ **04** ㄱ, ㄷ **05** $20\pi^2$ N **06** ㄱ, ㄴ **07** 0.4 kg
08 2 : 1 **09** (1) 장력의 크기: $\frac{mg}{\cos\theta}$, 구심력의 크기: $mg\tan\theta$ (2) $\sqrt{\frac{g}{l\cos\theta}}$ (3) $2\pi\sqrt{\frac{l\cos\theta}{g}}$ **10** (1) 3 m (2) $\frac{\pi}{2}$ m/s (3) $-\frac{\pi^2}{6}$ m/s^2 **11** (1) $y=0.15\times\sin\pi t$ (m) (2) π^2 N/m
12 (1) 50 N/m (2) 0.2π초

01 (1) 그림에서 $\frac{1}{10}$초 간격이 20개이므로 주기 T는 다음과 같다.
$T=20\times\frac{1}{10}$ s$=2$ s
(2) 진동수 $f=\frac{1}{T}=\frac{1}{2\text{ s}}=0.5$ Hz이다.
(3) 각속도의 크기는 $\omega=\frac{2\pi}{T}=\frac{2\pi}{2\text{ s}}=\pi$ rad/s이다.
(4) 속력 $v=r\omega=0.4\text{ m}\times\pi\text{ rad/s}=0.4\pi$ m/s이다.

02 A와 B의 속력을 v, B의 원 궤도 반지름을 r, B의 각속도를 ω라고 하면
• A: 등속도 운동이므로 $2r=vt$ …… ①
• B: 등속 원운동이므로 $v=r\omega$ …… ②
이다. 식 ①, ②에서 $2r=(r\omega)t$이므로 B의 각속도의 크기는 $\omega=\frac{2}{t}$가 된다.

03 ㄷ. 구심 가속도의 크기 $a=r\omega^2$이므로 반지름이 2배인 A가 B의 2배이다.
바로 알기 ㄱ. A에 대한 B의 속도의 크기가 일정하므로, A와 B의 각속도는 서로 같다.
ㄴ. 등속 원운동하는 물체의 속력은 $v=r\omega$이므로, A, B의 각속도가 같으면 속력의 비는 반지름의 비와 같은 $v_A : v_B=2 : 1$이다.

04 ㄱ. a의 주기가 2초이므로, a의 각속도 ω_A는 다음과 같다.

$$\omega_A=\frac{2\pi}{T}=\frac{2\pi}{2\text{ s}}=\pi\text{ rad/s}$$

따라서 a, b의 속력 v는 다음과 같다.

$$v=r_A\omega_A=2\text{ m}\times\pi\text{ rad/s}=2\pi\text{ m/s}$$

ㄷ. a, b의 속력이 같으므로, B의 각속도 ω_B는 다음과 같다.

$$v=r_B\omega_B=2\pi\text{ m/s},\ \therefore \omega_B=\frac{2\pi\text{ m/s}}{3\text{ m}}=\frac{2}{3}\pi\text{ rad/s}$$

따라서 b의 주기는 다음과 같다.

$$T_B=\frac{2\pi\text{ rad}}{\omega_B}=\frac{2\pi\text{ rad}}{\frac{2}{3}\pi\text{ rad/s}}=3\text{ s}$$

a의 주기는 2초, b의 주기는 3초이므로 A, B는 6초일 때 다시 기준선과 동시에 만난다.

바로 알기 ㄴ. a, b의 가속도 크기는 다음과 같다.

$$a_A=r_A{\omega_A}^2=2\text{ m}\times(\pi\text{ rad/s})^2=2\pi^2\text{ m/s}^2$$

$$a_B=r_B{\omega_B}^2=3\text{ m}\times\left(\frac{2}{3}\pi\text{ rad/s}\right)^2=\frac{4}{3}\pi^2\text{ m/s}^2$$

$$\frac{a_A}{a_B}=\frac{2\pi^2\text{ m/s}^2}{\frac{4}{3}\pi^2\text{ m/s}^2}=\frac{3}{2}$$

따라서 가속도의 크기는 a가 b의 $\frac{3}{2}$배이다.

05 물체는 줄이 당기는 힘을 구심력으로 하여 등속 원운동을 하므로, 다음과 같다.

$$F=mr\omega^2=mr(2\pi f)^2=0.2\text{ kg}\times1\text{ m}\times\left(2\pi\times\frac{300}{60}\text{ Hz}\right)^2$$
$$=20\pi^2\text{ N}$$

06 ㄱ. 수평면상의 원형 도로를 일정한 속력으로 달리는 자동차는 등속 원운동을 하므로, 운동 방향에 수직으로 작용하는 마찰력이 구심력 역할을 한다.

ㄴ. 지구가 인공위성을 끌어당기는 중력에 의해 인공위성이 지구 주위를 공전한다.

바로 알기 ㄷ. (+)전하인 원자핵과 (−)전하인 전자 사이의 전기력에 의해 전자가 원자핵 주위를 회전한다.

07 같은 실에서 장력의 크기는 같으므로, 속력 v로 회전하는 질량 m인 물체를 당기는 장력의 크기 T와 질량 M인 추에 작용하는 중력의 크기는 같다. 이때 실의 장력이 구심력 역할을 하므로, 다음과 같다.

$$\frac{mv^2}{r}=Mg$$

따라서 물체의 속력 v가 2배가 되면 구심력이 4배가 되므로, 추의 질량 M이 4배인 0.4 kg이 되어야 한다.

08 (가)와 (나)에서 구심력의 크기는 2 : 1이고, 등속 원운동을 하는 물체의 질량 비는 1 : 2이며, 회전 반지름은 서로 같다. 구심력 $F=\frac{mv^2}{r}$에서 $v=\sqrt{\frac{Fr}{m}}$이므로 속력의 비는 다음과 같다.

$$v_A : v_B=\sqrt{\frac{2\times r}{1}} : \sqrt{\frac{1\times r}{2}}=2 : 1$$

09 (1) 물체는 연직 방향으로 힘의 평형을 이루고 있으므로 오른쪽 그림에서 $T\cos\theta=mg$이고, 줄의 장력 $T=\frac{mg}{\cos\theta}$이다.

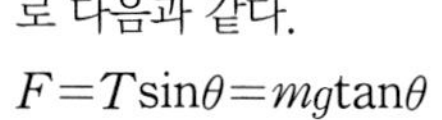

구심력은 장력의 수평 성분이므로 다음과 같다.

$$F=T\sin\theta=mg\tan\theta$$

(2) 구심력 $F=mr\omega^2=mg\tan\theta$이고, 회전 반지름은 $r=l\sin\theta$이므로 각속도는 다음과 같다.

$$ml\omega^2\sin\theta=mg\tan\theta,\ \therefore \omega=\sqrt{\frac{g}{l\cos\theta}}$$

(3) $T=\frac{2\pi}{\omega}$에서 주기 $T=2\pi\sqrt{\frac{l\cos\theta}{g}}$이다.

10 (1) $x=A\sin\omega t$에서 진폭은 회전 반지름과 같으므로 $A=6$ m이다. 따라서 1초일 때 그림자의 변위는 다음과 같다.

$$x=A\sin\omega t=6\text{ m}\times\sin\frac{\pi}{6}=6\text{ m}\times\frac{1}{2}=3\text{ m}$$

(2) 단진동의 속도 $v=A\omega\cos\omega t$에서 2초일 때 그림자의 속도는 다음과 같다.

$$v=A\omega\cos\omega t=6\text{ m}\times\frac{\pi}{6}\text{ rad/s}\times\cos\left(\frac{\pi}{6}\times2\right)=\frac{\pi}{2}\text{ m/s}$$

(3) 단진동의 가속도 $a=-A\omega^2\sin\omega t$에서 3초일 때 그림자의 가속도는 다음과 같다.

$$a=-A\omega^2\sin\omega t=-6\text{ m}\times\left(\frac{\pi}{6}\text{ rad/s}\right)^2\times\sin\left(\frac{\pi}{6}\times3\right)$$
$$=-\frac{\pi^2}{6}\text{ m/s}^2$$

11 (1) $y=A\sin\omega t$에서 진폭 $A=15\text{ cm}=0.15\text{ m}$, 주기 $T=2$ s, $\omega=\frac{2\pi}{T}=\pi$ rad/s이므로 $y=0.15\times\sin\pi t$ (m)이다.

(2) 주기 $T=2\pi\sqrt{\frac{m}{k}}$에서 용수철 상수 k는 다음과 같다.

$$2\text{ s}=2\pi\sqrt{\frac{1\text{ kg}}{k}},\ \therefore k=\pi^2\text{ N/m}$$

12 (1) 물체는 직선상에서 단진동을 하므로, $F=-kx$의 복원력이 작용한다. 따라서 용수철 상수 k는 다음과 같다.

$$k=\frac{-F}{x}=\frac{4\text{ N}}{0.08\text{ m}}=50\text{ N/m}$$

(2) 물체의 질량이 m일 때 $k=m\omega^2$에서 $\omega=\sqrt{\frac{k}{m}}$이므로, 단진동의 주기는 다음과 같다.

$$T=2\pi\sqrt{\frac{m}{k}}=2\pi\sqrt{\frac{0.5\text{ kg}}{50\text{ N/m}}}=0.2\pi\text{ s}$$

개념 적용 문제

90쪽~93쪽

01 ⑤ **02** ② **03** ① **04** ③ **05** ④ **06** ③ **07** ④ **08** ①

01 ㄱ. $v=r\omega$에서 각속도가 동일할 때 속력은 반지름에 비례한다. 따라서 속력은 C가 A의 3배이다.

ㄴ. $a=r\omega^2$에서 각속도가 동일할 때 가속도의 크기는 반지름에 비례한다. 따라서 가속도의 크기는 B가 A의 2배이다.

ㄷ. $F=mr\omega^2$에서 A, B, C의 알짜힘인 구심력의 크기는 각각 $md\omega^2$, $2md\omega^2$, $3md\omega^2$이다. 줄 $\overline{\text{OA}}$, $\overline{\text{AB}}$, $\overline{\text{BC}}$의 장력을 각각 T_1, T_2, T_3이라고 할 때 다음과 같다.

$T_1-T_2=md\omega^2$, $T_2-T_3=2md\omega^2$, $T_3=3md\omega^2$

따라서 위의 세 식을 모두 더하면 줄 $\overline{\text{OA}}$의 장력 $T_1=6md\omega^2$이다.

02 ㄴ. A, B에서 막대가 물체에 작용하는 힘의 크기를 각각 T_A, T_B라고 하면, 중력과 막대가 작용하는 힘의 합력이 구심력이므로 다음과 같다.

- A: $mg+T_\text{A}=\frac{mv^2}{r}$, $\therefore T_\text{A}=\frac{mv^2}{r}-mg$
- B: $T_\text{B}-mg=\frac{mv^2}{r}$, $\therefore T_\text{B}=\frac{mv^2}{r}+mg$

$T_\text{B}-T_\text{A}=2mg$

바로 알기 ㄱ. 등속 원운동이므로 A, B에서의 가속도의 크기는 같다.

ㄷ. A, B에서 속력이 같으므로 물체의 운동 에너지가 같다. A의 높이가 B보다 높으므로 중력 퍼텐셜 에너지는 A에서가 B에서보다 크다. 따라서 역학적 에너지도 A에서가 B에서보다 크다.

03 중력 $m\vec{g}$와 빗면이 물체를 받쳐 주는 수직 항력 $\vec{N}$의 합력이 물체에 작용하는 알짜힘이다. 오른쪽 그림과 같이 경사각이 θ일 때 구심력인 알짜힘의 크기는 $mg\tan\theta$이므로, 구심 가속도의 크기는 다음과 같다.

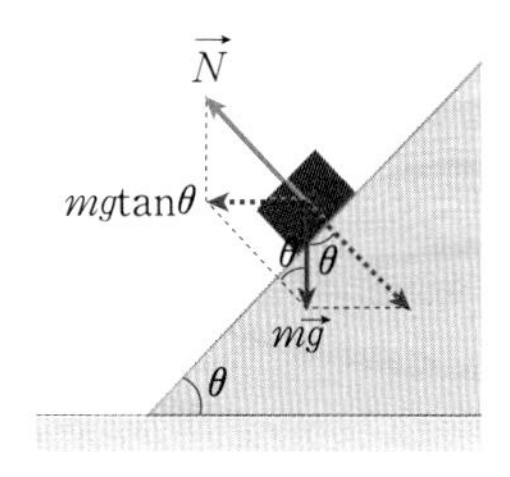

$a=g\tan\theta$

즉, 구심 가속도의 크기는 회전 반지름에 관계없이 일정하므로, 구심 가속도의 크기 비 $a_\text{A} : a_\text{B}=1 : 1$이다.

그리고 $F=\frac{mv^2}{r}$에서 구심력이 같을 때 속력은 $v\propto\sqrt{r}$이다.

따라서 A와 B의 속력의 비 $v_\text{A} : v_\text{B}=\sqrt{r_1} : \sqrt{r_2}$이다.

04 ㄱ. 중력과 실의 장력의 합력이 레이저 포인터에 작용하는 알짜힘이므로 구심력 $F=mg\tan\theta$이고 구심 가속도 $a=g\tan\theta$이다. 따라서 $a=r\omega^2$에서 각속도의 크기는 다음과 같다.

$$\omega=\sqrt{\frac{a}{r}}=\sqrt{\frac{g\tan\theta}{l\sin\theta}}=\sqrt{\frac{g}{l\cos\theta}}$$

ㄴ. $a=\frac{v^2}{r}$에서 속력 $v=\sqrt{ar}=\sqrt{gl\tan\theta\sin\theta}$이다.

바로 알기 ㄷ. 바닥에 비친 빛의 회전 반지름은 $2l\sin\theta$이고, 각속도는 레이저 포인터와 같으므로, 빛의 가속도 크기는 다음과 같다.

$a'=2l\sin\theta\cdot\omega^2=2g\tan\theta$

05 물체가 중력 가속도로 낙하하므로 $h=\frac{1}{2}gt^2$에서 물체가 h의 높이를 낙하하는 데 걸리는 시간 $t=\sqrt{\frac{2h}{g}}$이다. 따라서 등속 원운동을 하는 p의 가속도의 크기는 다음과 같다.

$$a=\frac{v^2}{r}=\frac{1}{r}\left(\frac{2\pi r}{\sqrt{\frac{2h}{g}}}\right)^2=\frac{2\pi^2rg}{h}$$

06 ㄱ. 질량 m, 반지름 R, 각속도 크기 ω인 등속 원운동의 구심력의 크기 $F=mR\omega^2$이다.

ㄴ. 용수철의 탄성력이 구심력이므로 $kL=mR\omega^2$이고, 용수철 상수 $k=\frac{mR\omega^2}{L}$이다.

바로 알기 ㄷ. 용수철의 원래 길이를 x_0이라고 하면, $kL=m(x_0+L)\omega^2$이다. 따라서 $L=\frac{mx_0\omega^2}{k-m\omega^2}$이므로, 각속도 ω가 2배가 되었을 때 L은 4배가 아니다.

07 ㄱ. B의 주기가 A의 2배이므로 용수철 상수는 다음과 같다.

$2T_A = T_B$

$2 \times 2\pi\sqrt{\frac{m}{k_A}} = 2\pi\sqrt{\frac{2m}{k_B}}$

$\therefore k_A = 2k_B$

ㄴ. 가속도 크기의 최댓값은 탄성력이 최대일 때이므로 물체가 최대 변위에 있을 때이다. 따라서 A, B 가속도 크기의 최댓값은 각각 $\frac{k_A L}{m}$, $\frac{2k_B L}{2m} = \frac{2 \times \frac{k_A}{2} \times L}{2m} = \frac{k_A L}{2m}$이므로, A가 B의 2배이다.

바로 알기 ㄷ. 운동 에너지의 최댓값은 탄성 퍼텐셜 에너지의 최댓값과 같으므로 $\frac{1}{2}mv^2 = \frac{1}{2}kA^2$이고, 속력의 최댓값 $v = \sqrt{\frac{k}{m}}A$이다. 따라서 A, B의 속력의 최댓값은 각각 $\sqrt{\frac{k_A}{m}} \times L$, $\sqrt{\frac{k_B}{2m}} \times 2L = \sqrt{\frac{\frac{k_A}{2}}{2m}} \times 2L = \sqrt{\frac{k_A}{m}} \times L$이므로, 서로 같다.

08 ㄱ. 용수철의 원래 길이를 l_0이라고 하면, (가)에서 용수철이 x만큼 늘어났을 때 A에 작용하는 탄성력은 다음과 같다.

$F = -kx$

(나)에서 B가 놓여 있는 빗면이 수평면과 이루는 경사각을 θ라고 하면, B에 작용하는 중력의 분력 $mg\sin\theta$에 의해 용수철은 x_0만큼 늘어나서 평형을 이룬다.

$mg\sin\theta = kx_0$

따라서 용수철이 평형점에서 x만큼 늘어났을 때 B에 작용하는 알짜힘은 다음과 같다.

$F = mg\sin\theta - k(x_0 + x) = -kx$

즉, 평형 위치에서 생각하면 A, B에 작용하는 알짜힘은 동일하므로, 용수철에 매달려 단진동 하는 A, B의 주기는 중력에 관계없이 일정하다. 따라서 물체가 수평면에서 단진동 하는 A와 빗면에서 단진동 하는 B는 물체의 질량과 용수철 상수가 같으므로 단진동 주기는 같다.

바로 알기 ㄴ. A의 진동 중심은 용수철의 늘어난 길이가 0인 지점이고, B의 진동 중심은 용수철이 x_0만큼 늘어나 있는 지점이다. 따라서 용수철의 원래 길이를 l_0이라고 하면 A의 진폭은 $l_0 - l$이고, B의 진폭은 $l_0 + x_0 - l$이 되어 A보다 크다.

ㄷ. 진동 중심에서 속력이 V일 때 $\frac{1}{2}mV^2 = \frac{1}{2}kA^2$이므로 진동 중심에서 속력은 진폭이 큰 B가 A보다 크다.

02 행성의 운동

개념 모아 정리하기 103쪽

❶초점 ❷면적 ❸긴반지름 ❹비례 ❺반비례 ❻중력 ❼중력 가속도 ❽만유인력 ❾$\sqrt{\frac{GM}{r}}$ ❿$\sqrt{\frac{GM}{r}}$ ⓫제1우주 속도 ⓬1일

개념 기본 문제 104쪽~105쪽

01 ㉠ 근일점 ㉡ 원일점 ㉢ 느려 **02** ㄱ, ㄴ, ㄷ **03** 1 : 8 **04** 7.8 AU **05** (1) 2배 (2) $2\sqrt{2}$배 **06** ㄱ **07** ㄱ **08** ㄴ, ㄷ **09** (1) t_2 (2) 9배 **10** $\frac{8}{27}$배 **11** $2r$ **12** (1) $\frac{3\sqrt{6}}{4}$배 (2) 9배

01 ㉠, ㉡ 행성 궤도에서 태양에 가장 가까운 점을 근일점, 가장 먼 점을 원일점이라고 한다.

㉢ 근일점에서 원일점으로 행성이 멀어지는 동안 만유인력의 방향은 태양 쪽으로 향하므로 행성의 속력은 느려진다.

02 ㄱ. 태양 주위의 타원 궤도를 회전하는 행성의 면적 속도는 일정하므로 $\frac{S_1}{t_1} = \frac{S_2}{t_2}$이다. $S_1 = S_2$이므로 $t_1 = t_2$이다.

ㄴ. a에서 b까지의 길이가 c에서 d까지의 길이보다 길므로 행성의 공전 속력은 a에서가 c에서보다 빠르다.

ㄷ. 만유인력은 태양과 행성 사이 거리의 제곱에 반비례한다. 따라서 태양으로부터의 거리가 가까운 b에서가 d에서보다 만유인력이 크다.

03 조화 법칙에 의해 $\frac{r^3}{{T_A}^2} = \frac{(4r)^3}{{T_B}^2}$이므로, $T_A : T_B = r^{\frac{3}{2}} : (4r)^{\frac{3}{2}} = 1 : 8$이다. 즉, 인공위성의 공전 주기는 공전 궤도의 긴반지름에 의해서 결정되며, 위성의 질량과 무관하다.

04 지구 공전 궤도의 긴반지름은 1 AU, 공전 주기는 1년이고, 혜성의 공전 주기는 8년이므로, 조화 법칙에 의해 혜성 공전 궤도의 긴반지름 a는 다음과 같다.

$\frac{(1년)^2}{(1\text{ AU})^3} = \frac{(8년)^2}{a^3}$, $\therefore a = 4\text{ AU}$

따라서 태양에서 원일점까지의 거리 x는 다음과 같다.

$\frac{1}{2}(x + 0.2\text{ AU}) = 4\text{ AU}$, $\therefore x = 7.8\text{ AU}$

05 (1) 면적 속도 일정 법칙에 의해 $2r\times v_a=4r\times v_b$이다. 따라서 $v_a=2v_b$이므로, a에서의 속력은 b에서의 2배이다.
(2) A, B의 긴반지름이 각각 $3r$, $1.5r$이므로 긴반지름은 A가 B의 2배이다. 조화 법칙에 따라 주기는 A가 B의 $2^{\frac{3}{2}}=2\sqrt{2}$배이다.

06 ㄱ. A와 B는 같은 타원 궤도를 따라 공전하므로, A와 B의 공전 주기는 같다. A가 a에서 다시 a까지 이동하는 데 걸린 시간이 $5t$이므로 공전 주기가 $5t$이고, 따라서 B의 공전 주기도 $5t$이다.
바로 알기 ㄴ. A가 a에서 c까지 이동하는 데 걸린 시간이 $2t$이다. B는 $2t$ 동안 c에서 d까지 이동한다.
ㄷ. B가 d를 지날 때 A는 c를 지난다. 면적 속도 일정 법칙에 의해 행성에 가까울수록 위성의 속력이 빠르므로, 원일점인 B가 d를 지날 때의 속력은 c를 지나는 A의 속력보다 느리다.

07 ㄱ. A가 B에 작용하는 만유인력의 크기가 F이므로 작용 반작용 법칙에 의해 B가 A에 작용하는 만유인력의 크기도 F이다.
바로 알기 ㄴ. A와 B가 만유인력에 의해 서로 끌어당기므로 둘 사이의 거리 r는 점점 감소한다. A, B 사이의 만유인력의 크기 $F=G\frac{2m^2}{r^2}$이므로, r가 감소하면 만유인력의 크기 F가 증가하여 가속도의 크기도 증가한다. 따라서 A와 B는 가속도가 증가하는 운동을 한다.
ㄷ. A와 B가 서로에게 작용하는 만유인력의 크기가 같으므로, 각각의 가속도 크기는 $a=\frac{F}{m}$에서 질량이 작은 B가 A보다 크다.

08 ㄴ. 조화 법칙 $T^2\propto a^3$에서 인공위성의 주기는 $T\propto a^{\frac{3}{2}}$이다. 따라서 주기는 B가 A의 $2\sqrt{2}$배이다.
ㄷ. 만유인력의 크기는 $F=G\frac{Mm}{r^2}$이므로 A가 B의 4배이다.
바로 알기 ㄱ. 인공위성은 만유인력을 구심력으로 하여 등속 원운동을 하므로 인공위성의 속력 v는 다음과 같다.
$\frac{mv^2}{r}=G\frac{Mm}{r^2}$, $\therefore v=\sqrt{\frac{GM}{r}}$
즉, 인공위성의 속력 $v\propto\frac{1}{\sqrt{r}}$이므로, 속력은 A가 B의 $\sqrt{2}$배이다.

09 (1) A의 원 궤도의 반지름과 B의 타원 궤도의 긴반지름이 같으므로 조화 법칙에 의해 A, B의 주기는 같다. 따라서 B의 주기가 t_2이므로 A의 주기도 t_2이다.
(2) B에 작용하는 만유인력의 크기는 B와 행성 사이 거리의 제곱에 반비례하므로, t_1일 때가 t_2일 때의 $\frac{1}{\left(\frac{1}{3}\right)^2}=9$배이다.
따라서 B의 가속도 크기도 t_1일 때가 t_2일 때의 9배이다.

10 두 인공위성의 공전 주기가 같으므로 각속도 ω도 같다. 두 인공위성의 구심력은 만유인력이므로, 행성의 질량을 M, 인공위성의 질량을 m, 공전 궤도의 반지름을 r라 하면 행성의 질량은 다음과 같다.
$G\frac{Mm}{r^2}=mr\omega^2$, $\therefore M=\frac{\omega^2}{G}r^3$
따라서 행성의 질량은 인공위성의 공전 궤도 반지름의 세제곱에 비례하므로, A, B의 질량 M_A, M_B는
$\frac{M_A}{M_B}=\left(\frac{1}{1.5}\right)^3=\frac{2^3}{3^3}=\frac{8}{27}$
이 되어, 질량은 A가 B의 $\frac{8}{27}$배이다.

11 인공위성은 행성이 인공위성에 작용하는 만유인력을 구심력으로 하여 등속 원운동을 한다. 행성 A의 질량을 M, 인공위성의 질량을 m_A, m_B, 두 인공위성의 속력을 v라고 하면 다음과 같다.
- A: $\frac{GMm_A}{(2r)^2}=\frac{m_Av^2}{2r}$
- B: $\frac{1.5GMm_B}{(r_B+r)^2}=\frac{m_Bv^2}{r_B+r}$

위의 두 식을 정리하면 r_B는 다음과 같다.
$GM=2rv^2=\frac{(r_B+r)v^2}{1.5}$, $\therefore r_B=2r$

12 (1) A의 긴반지름은 $\frac{r+3r}{2}=2r$이고, B의 긴반지름은 $\frac{2r+4r}{2}=3r$이다. 조화 법칙 $T^2\propto a^3$에 의해 공전 주기는 $T\propto a^{\frac{3}{2}}$이므로, B의 공전 주기는 A의 $\left(\frac{3}{2}\right)^{\frac{3}{2}}=\frac{3\sqrt{3}}{2\sqrt{2}}=\frac{3\sqrt{6}}{4}$배이다.
(2) 만유인력의 크기는 행성과 위성 사이 거리의 제곱에 반비례하고, 가속도 법칙에 의해 A의 가속도 크기는 만유인력의 크기에 비례한다. 따라서 A의 가속도 크기는 행성으로부터의 거리가 r일 때가 $3r$일 때의 9배이다.

개념 적용 문제 106쪽~109쪽

01 ③ **02** ① **03** ② **04** ⑤ **05** ③ **06** ⑤ **07** ② **08** ⑤

01 ㄱ. 면적 속도 일정 법칙에 의해 태양으로부터의 거리가 가까울수록 행성의 속력이 빠르므로, 행성의 속력은 근일점인 a에서가 원일점인 c에서보다 빠르다.
ㄷ. 행성은 태양을 한 초점으로 하는 타원 궤도를 따라 공전한다. 타원은 두 초점으로부터의 거리의 합이 일정한 점들의 집합이므로, 두 초점에서 행성까지의 거리의 합은 긴반지름의 2배인 $2r$이다. 따라서 b에서 두 초점 까지의 거리는 $2x$이고, $2x=2r$이므로 $x=r$이다.
바로 알기 ㄴ. 선분 $\overline{ac}$를 중심으로 행성의 궤도가 대칭이므로, 행성이 a에서 c까지 운동하는 데 걸린 시간은 주기의 절반인 $\frac{T}{2}$가 된다. 행성이 a에서 b까지 운동하는 데 걸린 시간이 $\frac{T}{6}$이므로, b에서 c까지 운동하는 데 걸린 시간은 $\frac{T}{2}-\frac{T}{6}=\frac{2T}{6}$가 된다. 태양과 행성을 이은 직선은 같은 시간 동안 같은 면적을 지나가므로, S_2는 S_1의 2배가 된다.

02 ㄱ. 위성 A, B가 동일한 행성 주위를 공전할 때, 조화 법칙에 의해 A, B의 공전 주기의 제곱은 공전 궤도의 긴반지름의 세제곱에 비례한다. 문제에서 A, B의 긴반지름이 R로 같으므로 A, B의 공전 주기는 같다.
바로 알기 ㄴ. 한 번 공전하는 동안 이동 거리는 A가 B보다 길다. A, B의 공전 주기가 같으므로 평균 속력은 이동 거리가 긴 A가 B보다 크다.
ㄷ. B는 행성과의 만유인력에 의해 운동한다. 만유인력은 거리의 제곱에 반비례하므로, B에 작용하는 알짜힘의 크기는 일정하지 않다.

03 ㄷ. 인공위성에 작용하는 만유인력이 구심력이므로 $\frac{mv^2}{r}=G\frac{Mm}{r^2}$이고, 운동 에너지 $E_k=\frac{1}{2}mv^2=G\frac{Mm}{2r}$이다. A와 B의 $\frac{m}{r}$이 같으므로 운동 에너지는 서로 같다.
바로 알기 ㄱ. 조화 법칙에 의해 A, B의 공전 주기의 제곱은 공전 궤도 반지름의 세제곱에 비례한다. A와 B의 반지름이 다르므로 주기가 다르고, 주기가 T일 때 각속도 $\omega=\frac{2\pi}{T}$이므로 A, B의 각속도도 서로 다르다.
ㄴ. 인공위성에 작용하는 만유인력이 구심력이다. 따라서 A, B의 구심력의 크기는 각각 $\frac{GMm}{r^2}$, $\frac{GMm}{2r^2}$이 되어 서로 다르다.

04 ㄱ. 태양에서 c까지의 거리가 a의 2배이므로, 면적 속도 일정 법칙에 의해 P의 속력은 a에서가 c에서의 2배이다.
ㄴ. 태양의 질량이 M, 행성의 질량이 m일 때 행성에 작용하는 알짜힘은 태양과의 만유인력이므로 행성의 가속도의 크기는 $a=\frac{F}{m}=\frac{GM}{r^2}$이 되어 태양으로부터의 거리의 제곱에 반비례한다. 따라서 태양으로부터 a까지의 거리와 b까지의 거리가 같으므로 a에서 P의 가속도의 크기와 b에서 Q의 가속도의 크기는 서로 같다.
ㄷ. P의 공전 주기가 Q의 $2\sqrt{2}$배이므로 조화 법칙 $T^2 \propto a^3$에 의해 P의 긴반지름은 Q의 긴반지름의 2배이다. 따라서 Q의 긴반지름은 $\frac{3d}{2}\times\frac{1}{2}=\frac{3}{4}d$이다. 태양에서 Q의 원일점까지의 거리가 d이므로 근일점까지의 거리 x는 다음과 같다.
$\frac{3}{4}d=\frac{d+x}{2}$, $\therefore x=\frac{d}{2}$

05 타원은 두 초점으로부터의 거리의 합이 일정한 곡선이므로, 타원 궤도 상의 한 점에서 두 초점까지의 거리의 합은 긴반지름의 2배와 같다. 따라서 b에서 행성 중심까지의 거리는 긴반지름과 같은 $5r$이다.

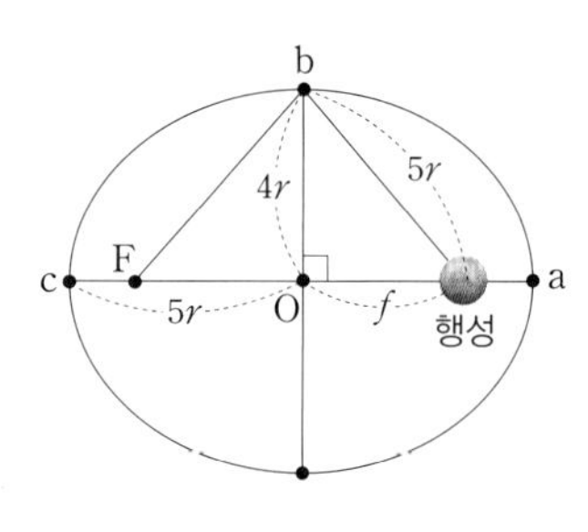

ㄴ. $f^2=(5r)^2-(4r)^2=(3r)^2$이므로 초점 거리는 $3r$이고, 행성 중심에서 a까지의 거리는 $2r$, c까지의 거리는 $8r$이다. 따라서 면적 속도 일정 법칙에 의해 위성의 속력은 a에서가 c에서의 4배이다.
바로 알기 ㄷ. 행성 중심에서 b까지의 거리는 $5r$, c까지의 거리는 $8r$이고, 만유인력의 크기는 거리의 제곱에 반비례하므로 b에서가 c에서의 $\frac{8^2}{5^2}=\frac{64}{25}$배이다.

06 ㄴ. 위성에 작용하는 알짜힘은 행성과의 만유인력이므로, 위성의 가속도 크기는 행성으로부터의 거리의 제곱에 반비례한다. 두 초점에서 a까지의 거리의 합이 $4r$이므로, 행성에서 a까지의 거리는 $2r$이다. 행성에서 P까지의 거리의 최

댓값은 $3r$이므로 a에서의 가속도 크기는 최솟값의 $\frac{3^2}{2^2}=\frac{9}{4}$ 배이다.

ㄷ. 행성에서 a까지의 거리가 $2r$이므로, Q가 a에서 b까지 이동하는 동안 회전각은 60°이고 Q의 주기는 $6T$이다. P와 Q의 긴반지름이 $2r$로 같으므로 조화 법칙에 의해 P의 주기도 $6T$이다.

바로 알기 ㄱ. 행성에서 가장 먼 지점까지의 거리가 가장 가까운 지점까지의 3배이므로 면적 속도 일정 법칙에 의해 속력의 최댓값(행성에서 가장 가까운 지점에서의 속력)은 속력의 최솟값(행성에서 가장 먼 지점에서의 속력)의 3배이다.

07 ㄴ. P, Q의 긴반지름이 각각 $\frac{3}{2}r_0$, $\frac{9}{2}r_0$이므로 Q의 긴반지름은 P의 긴반지름의 3배이다. 따라서 조화 법칙에 의해 Q의 주기는 P의 주기의 $(3)^{\frac{3}{2}}=3\sqrt{3}$배이다.

바로 알기 ㄱ. 면적 속도 일정 법칙에 의해 P의 속력은 $r=r_0$일 때가 $r=2r_0$일 때의 2배이다. P의 운동 에너지는 속력의 제곱에 비례하므로 $r=r_0$일 때가 $r=2r_0$일 때의 4배이다.

ㄷ. 위성에 작용하는 알짜힘은 만유인력이고, 만유인력의 크기는 질량과 가속도 크기의 곱이다. $r=5r_0$일 때의 가속도는 $r=r_0$일 때의 $\frac{1}{25}$배이고, Q의 질량이 $2m$이다. 따라서 $r=5r_0$일 때 Q에 작용하는 만유인력의 크기는 $2m\times\frac{1}{25}a_0=\frac{2}{25}ma_0$이다.

08 ㄱ. 행성으로부터 떨어진 거리가 r_0으로 같을 때 만유인력의 비가 4 : 9이므로 질량의 비도 4 : 9이다.

ㄴ. 만유인력이 $2F_0$일 때 행성에서 A까지의 거리는 $\sqrt{2}r_0$이다. 따라서 행성의 질량을 M, A의 질량을 $4m$, B의 질량을 $9m$이라 할 때 만유인력이 $2F_0$일 때 행성에서 B까지의 거리 r은 다음과 같다.

$$2F_0=\frac{4GMm}{2r_0^2}=\frac{9GMm}{r^2},\ \therefore r=\frac{3\sqrt{2}}{2}r_0$$

ㄷ. 행성에서 B까지의 가장 먼 거리는 $3r_0$이다. 따라서 B의 긴반지름은 $\frac{r_0+3r_0}{2}=2r_0$이다. A의 긴반지름은 $\frac{r_0+\sqrt{2}r_0}{2}$이므로, 긴반지름은 B가 A의 $\frac{4}{1+\sqrt{2}}$배이다. 따라서 조화 법칙에 의해 주기는 B가 A의 $\left(\frac{4}{1+\sqrt{2}}\right)^{\frac{3}{2}}=\frac{8}{\sqrt{7+5\sqrt{2}}}$배이다.

03 일반 상대성 이론

탐구 확인 문제 120쪽

01 ㄱ, ㄴ, ㄷ **02** (1) × (2) ○

01 ㄱ. 일반 상대성 이론에 의하면 질량은 그 주위의 시공간을 휘게 한다.

ㄴ. 중력 렌즈 효과는 거대 질량의 천체가 주위의 시공간을 휘게 하여 마치 볼록 렌즈처럼 빛의 경로를 휘어지게 하기 때문에 나타나는 현상이다.

ㄷ. 중력 렌즈 역할을 하는 은하단 등의 천체는 밀도가 균일하지 않거나 대칭이 아니므로 아인슈타인 십자가와 같이 하나의 천체가 여러 개로 보일 수 있다.

바로 알기 ㄹ. 일반 상대성 이론으로 설명할 수 있다.

02 (1) 중력 렌즈 역할을 하는 A 주위에서는 마치 볼록 렌즈처럼 빛의 경로가 휘어진다.

(2) 천체의 질량이 클수록 주위의 시공간을 더 크게 휘게 하므로, 천체 주위를 지나는 빛의 경로도 더 크게 휘어진다.

집중 분석 121쪽

유제 ④

유제 B: 쇠공의 질량이 클수록 쇠공이 아래로 처지며 쇠공 주위의 고무막이 더 크게 휘어진다.

C: 작은 구슬이 빠른 속력으로 쇠공이 놓인 막 위를 굴러갈 때 그 경로가 휘어지는 것처럼, 빛도 질량이 큰 천체 주위를 지날 때 휘어진 시공간에 의해 그 진행 경로가 휘어진다. 따라서 이 모형으로 질량이 거대한 천체에 의해 빛이 휘어져 나타나는 중력 렌즈 효과를 설명할 수 있다.

바로 알기 A: 질량에 의해 시공간 자체가 휘어지며, 빛도 휘어진 시공간을 따라 진행하므로 그 경로가 휘어진다.

개념 모아 정리하기 123쪽

❶ 가속	❷ 관성력	❸ ma	❹ 반대이다
❺ 등가 원리	❻ 중력	❼ 중력	❽ 질량
❾ 중력 렌즈	❿ 질량	⓫ 천천히	⓬ 작게
⓭ 빨간색	⓮ 사건 지평면	⓯ 중력파	

개념 기본 문제 124쪽~125쪽

01 (1) 관성 좌표계 (2) 정지 또는 등속도 운동 **02** ㄷ, ㄹ
03 (가)>(다)>(나) **04** ㄷ **05** (1) ㉠ 중력 ㉡ 관성
(2) 등가 원리 **06** ㄱ, ㄷ **07** 해설 참조 **08** ㄱ
09 ㉠ 근일점 ㉡ 시공간 **10** (1) X선 (2) 사건 지평면 (3) $\frac{2GM}{c^2}$
11 (1) 중력파 (2) ㄱ, ㄴ

01 (1) 뉴턴 운동 제1법칙이 성립하는 좌표계를 관성 좌표계라고 한다. 한 관성 좌표계에 대해 정지 또는 등속도 운동을 하는 관찰자를 기준으로 정한 좌표계는 모두 관성 좌표계이다.
(2) 관성 좌표계는 뉴턴 운동 제1법칙이 성립하므로, 힘이 작용하지 않는 물체는 정지해 있거나 속도가 일정한 운동을 한다.

02 ㄷ. 관성력은 가속 좌표계에 있는 관찰자가 느끼는 가상의 힘이다.
ㄹ. 원심력은 등속 원운동을 하는 가속 좌표계에서 나타나는 관성력이다.
바로 알기 ㄱ. 관성력은 실제 힘이 아니므로, 관성력에 대한 반작용은 존재하지 않는다.
ㄴ. 관성력은 중력과 관계없이 좌표계의 가속도 운동에 의하여 나타나는 가상의 힘이다.

03 (가) 연직 위로 올라가는 승강기의 속력이 빨라지므로, 승강기의 가속도 방향은 위쪽이다. 따라서 관성력은 가속도의 반대 방향인 아래쪽으로 작용하므로, 철수가 저울을 누르는 힘의 크기는 (몸무게+관성력의 크기)가 되어, 저울에 측정되는 값은 실제 몸무게보다 크다.
(나) 위로 올라가는 승강기의 속력이 느려지므로, 승강기의 가속도 방향은 아래쪽이다. 따라서 관성력은 위쪽으로 작용하므로, 철수가 저울을 누르는 힘의 크기는 (몸무게−관성력의 크기)가 되어, 저울에 측정되는 값은 실제 몸무게보다 작다.
(다) 일정한 속력으로 승강기가 운동할 때 승강기의 가속도는 0이다. 따라서 관성력이 작용하지 않으므로, 철수가 저울을 누르는 힘의 크기는 (몸무게)가 되어, 저울에 측정되는 값은 실제 몸무게와 같다.
따라서 저울에 측정되는 값은 (가)>(다)>(나)이다.

04 ㄷ. 민영이가 탄 우주선은 지구 표면에서의 중력 가속도와 크기가 같고 방향이 반대인 가속도로 운동하므로, 민영이는 등가 원리에 의해 가속되는 우주선 안의 상황과 지구 표면에 정지해 있을 때의 상황을 구별할 수 없다.
바로 알기 ㄱ, ㄴ. 등가 원리에 의해 시간은 동일하게 흐르며, 상자를 들기 위해 가해야 하는 힘도 동일하다.

05 (1) 만유인력 값을 비교하여 측정한 질량은 중력 질량이다. 또, 작용한 힘이 일정할 때 가속도 크기를 비교하여 측정한 질량은 관성 질량이라고 한다.
(2) 중력 질량과 관성 질량을 본질적으로 구별할 수 없다는 것이 일반 상대성 이론의 기본 원리인 등가 원리이다.

06 ㄱ, ㄷ. 중력이 작용하지 않는 공간에서 우주선이 가속도 운동할 때 단위 시간당 우주선의 이동 거리는 시간에 따라 증가하므로, 우주선 안에서 관찰한 빛의 경로는 휘어지게 된다. 등가 원리에 따라 중력이 작용하는 공간에서 우주선이 등속도 운동을 할 때도 빛의 경로는 휘어진다.
바로 알기 ㄴ. 중력이 작용하지 않는 공간에서 등속도 운동을 하는 우주선 안에서 볼 때 중력이나 관성력이 작용하지 않는다. 따라서 빛의 경로는 직선이 된다.

07 태양 뒤쪽에서 지구로 오는 별빛이 태양 근처의 휘어진 시공간을 지나며 그 경로가 휘어지므로, 별은 실제 위치 A보다 태양에서 더 먼 지점 B에 있는 것으로 관측된다. 따라서 화살표에서 태양에 더 가까운 A가 실제 별의 위치이고, B는 태양이 별 근처에서 보일 때 관측된 별의 위치이다.

모범 답안 A, 질량이 큰 태양 근처의 시공간이 휘어져 있기 때문이다.

채점 기준	배점(%)
A를 고르고, 그 까닭을 질량, 시공간의 용어를 모두 사용하여 옳게 서술한 경우	100
A를 고르고, 그 까닭을 질량 또는 시공간 한 단어만을 사용하여 옳게 서술한 경우	50

08 ㄱ. 가운데 있는 거대한 질량의 은하단(A)에 의해 빛이 휘어져 나타난 중력 렌즈 현상이다.
바로 알기 ㄴ, ㄷ. 주변에 보이는 4개의 상 B는 가운데의 은하단 A가 중력 렌즈 역할을 하여, 은하단 뒤에 있는 하나의 퀘이사에서 방출된 빛이 은하단 근처를 지나는 동안 휘어져서 나타난 상이다. 따라서 은하단 A는 퀘이사 B보다 더 가까운 곳에 있다.

09 수성의 세차 운동은 수성의 공전 궤도의 근일점이 조금씩 이동하는 것을 말하며, 일반 상대성 이론의 시공간의 굽어짐을 고려할 때 더 정확하게 설명할 수 있다.

10 (1) 블랙홀 가까이 있는 별이 블랙홀로 빨려 들어갈 때 별의 기체는 높은 온도로 가열되어 X선을 방출한다.

(2) 블랙홀의 중력이 매우 크므로 블랙홀에 가까이 가면 시간 지연이 커진다. 중력이 극단적으로 커져서 시간이 멈춘 것처럼 보이기 시작하는 경계면을 사건 지평면이라고 한다.

(3) 사건 지평면은 탈출 속도가 빛의 속력과 같은 지점이다. 블랙홀의 질량을 M이라고 할 때 탈출 속도 $v_e=\sqrt{\frac{2GM}{R}}$이므로, v_e에 빛의 속력 c를 대입하면 탈출 속도가 빛의 속력인 경계의 반지름 R는 다음과 같다.

$c=\sqrt{\frac{2GM}{R}}$, $\therefore R=\frac{2GM}{c^2}$

11 (1) 급격한 질량 변화에 의한 시공간의 왜곡이 주위로 퍼져 나가는 현상을 중력파라고 한다.

(2) ㄱ, ㄴ. 전자기파와 중력파는 모두 진행 방향에 수직으로 진동하는 횡파이며, 전파 속력이 빛의 속력으로 같다.

바로 알기 ㄷ. 전자기파는 전기장에 의하여 전하를 진동시킬 수 있지만, 중력파는 전하를 진동시킬 수 없으므로 전하의 진동으로 확인할 수 없다.

ㄹ. 중력파는 물질과 상호 작용 하는 정도가 매우 작아 투과성이 매우 높으므로 대부분 지구를 그냥 통과하지만, 전자기파는 물질과의 상호 작용이 크다.

개념 적용 문제

126쪽~129쪽

01 ④ **02** ④ **03** ① **04** ⑤ **05** ② **06** ② **07** ③ **08** ②

01 ㄴ. 버스 안에서 관찰할 때 A, B에 작용하는 관성력의 크기는 질량과 버스의 가속도 크기의 곱과 같다. 버스의 가속도 크기를 a라 할 때 버스 안에서 본 A에 작용하는 힘은 그림과 같으므로, A가 매달린 줄이 연직 방향으로부터 기울어진 각도 θ는 다음과 같다.

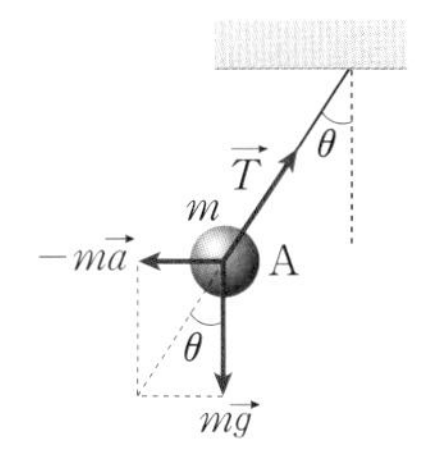

$\tan\theta=\frac{ma}{mg}=\frac{a}{g}$

즉, 버스 안에서 관찰할 때 줄이 기울어지는 각도 θ는 물체의 질량과 관계없으므로, A, B를 매단 줄은 같은 각도로 기울어진다.

ㄷ. 시간 t일 때 B에 작용하는 관성력의 크기는 $2m\times\frac{v}{2t}$이고, 시간 $3.5t$일 때 A에 작용하는 관성력의 크기는 $m\times\frac{v}{t}$이므로, 서로 같다.

바로 알기 ㄱ. 시간 t일 때 버스는 오른쪽으로 속도가 증가하므로 가속도의 방향은 오른쪽이다. 따라서 버스 안에서 볼 때 관성력의 방향은 가속도 방향의 반대인 왼쪽이다.

02 ㄱ, ㄷ. 등가 원리에 의해 우주선 내부에 있는 철수는 물체가 O 방향으로 가속되는 것이 중력 때문인지, 우주선의 가속에 의한 관성력 때문인지 구별할 수 없다. 따라서 물체가 중력에 의해 낙하한다고 생각하면 우주선은 정지해 있거나 등속도로 운동하고 O 방향에 행성이 존재할 것이라고 결론을 내릴 수 있다. 또는 우주선의 가속에 의한 관성력을 O 방향으로 받아 낙하한다고 생각하면, 중력이 없는 곳에서 우주선이 P 방향으로 가속되고 있다고 결론을 내릴 수 있다.

바로 알기 ㄴ. 우주선이 O 방향으로 자유 낙하 하면, 물체의 낙하 속도와 우주선의 속도가 같아진다. 따라서 우주선 내부에 있는 철수가 볼 때 물체는 정지해 있어야 한다.

03 ㄱ. (가), (나)에서 빛의 경로가 동일하므로 등가 원리에 의해 우주선의 가속도 크기는 행성 표면의 중력 가속도와 같은 a이다.

바로 알기 ㄴ. (가)는 중력이 작용하지 않는 공간이므로, 우주선 밖의 관성 좌표계에서 관찰하면 빛은 직진한다.

ㄷ. (나)에서 빛의 경로가 휘어지는 것은 빛이 질량을 가지고 있기 때문이 아니라, 등가 원리에 의해 가속 좌표계에서와 같이 중력이 작용하는 공간에서 빛의 경로가 휘어지기 때문이다.

04 ㄱ. 영희가 관측할 때 A는 원판의 중심에 있으므로 속력이 0이고, B는 원판과 같이 반지름이 일정한 원 궤도를 따라 회전한다. 따라서 B의 속력이 A의 속력보다 빠르다.

ㄴ, ㄷ. 원판의 중심에서 보면 B에는 회전에 의한 관성력이 작용하여 시간 지연이 일어난다. 따라서 B의 시간이 A의 시간보다 느리게 가므로, A가 6시 51분일 때 B는 6시 50분이다.

05 ㄴ. 거대한 질량을 가진 천체 주변은 시공간이 휘어져 있다. 따라서 이 천체 근처를 지나는 빛은 마치 볼록 렌즈에 의해

빛이 굴절하는 것처럼 빛의 진행 경로가 휘어진다.

바로 알기 ㄱ. 전구에서 나온 빛은 유리잔 받침대에 의해 굴절되어 아래와 같이 원 모양, 원호 모양 등으로 보인다.

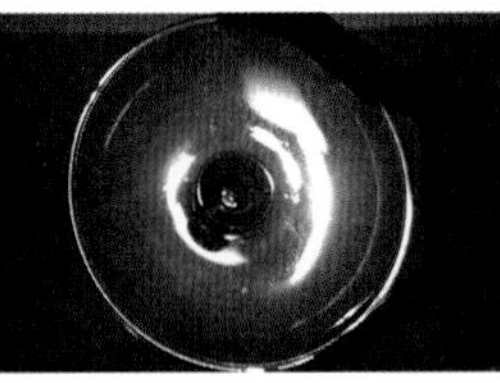

ㄷ. 렌즈를 지나며 빛의 진행 경로가 꺾이는 것은 매질에 따라 빛의 속력이 달라서 나타나는 빛의 굴절 현상이지만, 실제 중력 렌즈 효과는 거대한 질량을 가진 천체에 의해 휘어진 시공간을 따라 빛이 진행하여 나타나는 현상이다.

06 ㄴ. 블랙홀 근처로 갈수록 중력이 점점 커지면서 시간이 천천히 간다. 그러다 어떤 경계에 도달하면 중력이 무한대가 되며 결국 시간이 멈추게 되는데, 이 경계면을 사건 지평면이라고 한다.

바로 알기 ㄱ. 일반 상대성 이론에 따라 중력에 의해서도 시간 지연이 일어난다. 블랙홀에 가까워질수록 중력이 점점 커지므로, 블랙홀에 더 가까운 B에서의 시간이 A에서의 시간보다 느리게 간다.

ㄷ. 사건 지평면을 지나면 빛이 빠져나오지 못하므로, 사건 지평면을 지나 블랙홀로 빨려 들어가는 물질에서 방출되는 X선을 관측할 수 없다. 블랙홀에 빨려 들어가는 물체가 사건 지평면을 지나기 전에 방출되는 X선을 관찰하면 블랙홀의 존재가 증명된다.

07 ㄱ. 두 별의 공전 주기가 변하는 것은 두 별이 중력파를 방출하여 전체 에너지가 감소하는 것으로 해석할 수 있다.

ㄴ. 두 별의 전체 에너지가 감소하면 두 별 사이의 거리도 점점 감소한다.

바로 알기 ㄷ. 두 별 사이의 거리가 감소하면 케플러의 조화 법칙에서 알 수 있듯이 공전 주기가 감소한다.

08 ㄴ. 태양 질량의 36배, 29배인 두 블랙홀이 충돌하여 태양 질량의 62배인 천체가 형성되었으므로, 태양 질량의 3배 정도가 사라지고 중력파라는 에너지가 발생한 것이다.

바로 알기 ㄱ. 중력파는 빛의 파장을 변화시키는 것이 아니라 시공간을 왜곡시켜 빛이 진행하는 거리와 시간에 변화를 만들어 간섭무늬를 변화시킨다.

ㄷ. 중력파는 질량에 의해 시공간이 왜곡된다는 아인슈타인의 일반 상대성 이론으로 예측된 현상이다.

3. 열과 에너지

01 일·운동 에너지 관계와 역학적 에너지 보존

집중 분석 143쪽

유제 ⑤

유제 ㄱ. 물체가 최고점까지 올라가는 동안 중력이 연직 아래 방향으로 작용한다. 따라서 중력이 물체에 하는 일이 (−)이므로, 물체의 운동 에너지는 감소한다.

ㄴ. 물체에 작용하는 알짜힘은 중력 $1\ \mathrm{kg}\times10\ \mathrm{m/s^2}=10\ \mathrm{N}$이고, 물체가 날아가는 동안 중력의 방향으로 이동한 거리가 5 m이므로, 물체를 던진 순간부터 지면에 도달할 때까지 물체에 알짜힘이 한 일은 $10\ \mathrm{N}\times5\ \mathrm{m}=50\ \mathrm{J}$이다.

ㄷ. 물체가 지면에 도달할 때까지 알짜힘(중력)이 한 일만큼 물체의 운동 에너지가 변한다. 따라서 지면에 도달하는 순간의 속력 v는 다음과 같다.

$$1\ \mathrm{kg}\times10\ \mathrm{m/s^2}\times5\ \mathrm{m}=\frac{1}{2}\times1\ \mathrm{kg}\times v^2-\frac{1}{2}\times1\ \mathrm{kg}\times(10\ \mathrm{m/s})^2$$

$$\therefore v=10\sqrt{2}\ \mathrm{m/s}$$

개념 모아 정리하기 145쪽

❶ $F s\cos\theta$ ❷ 0 ❸ 운동 에너지 ❹ 보존력 ❺ 비보존력 ❻ 퍼텐셜 ❼ 보존력 ❽ $\frac{1}{2}mv_0^2$ ❾ $\sqrt{v_0^2+2gH}$ ❿ 수직 ⓫ 보존 ⓬ $2\pi\sqrt{\frac{l}{g}}$ ⓭ 등시성 ⓮ 길이

개념 기본 문제 146쪽~147쪽

01 (1) mgh (2) $\frac{1}{4}mgh$ (3) $\frac{1}{2}mv_0^2+mgh$ (4) $\sqrt{v_0^2+\frac{1}{2}gh}$ **02** ㄱ **03** (1) $-2mgh$ (2) ㄷ **04** (1) mgh (2) $-mgh$ **05** ㄱ, ㄴ, ㄷ **06** (1) $\frac{1}{2}mv_0^2$ (2) $\frac{1}{2}mv_0^2\sin^2\theta$ (3) $\frac{v_0^2\sin^2\theta}{2g}$ **07** (1) $mgl(1-\cos\theta_0)$ (2) $mgl(\cos\theta-\cos\theta_0)$ (3) $-mgl(1-\cos\theta_0)$ **08** $\sqrt{2}T$ **09** ㄴ

01 (1) 물체에 작용하는 중력은 mg이고, O에서 Q까지 중력의 방향으로 물체가 이동한 거리는 h이므로, O에서 Q까지 중력이 물체에 한 일은 mgh이다.

(2) 물체를 수평 방향으로 던진 후 시간 t가 지났을 때 연직 방향으로 이동한 거리 $s=\frac{1}{2}gt^2$으로, 시간의 제곱에 비례한다. 물체가 이동하는 데 걸린 시간은 O에서 P까지가 O에서 Q까지의 $\frac{1}{2}$배이므로, 연직 방향으로 이동한 거리는 O에서 P까지가 O에서 Q까지의 $\frac{1}{4}$배이다. 따라서 O에서 P까지 중력이 물체에 한 일은 $\frac{1}{4}mgh$이다.

(3) 일·운동 에너지 정리에 의해 알짜힘인 중력이 한 일은 물체의 운동 에너지 변화량과 같다. 물체가 수평면에 도달하는 순간의 속력을 v라고 하면

$mgh=\frac{1}{2}mv^2-\frac{1}{2}mv_0^2$

이 된다. 따라서 Q에 도달하는 순간 물체의 운동 에너지는 $\frac{1}{2}mv^2=\frac{1}{2}mv_0^2+mgh$이다.

(4) P에서의 속력을 v_P라고 하면, 일·운동 에너지 정리에 의해 O에서 P까지 이동하는 동안 물체의 운동 에너지 변화량은 중력이 물체에 한 일과 같으므로 다음과 같다.

$\frac{1}{4}mgh=\frac{1}{2}mv_\text{P}^2-\frac{1}{2}mv_0^2$

따라서 P에서 물체의 속력 $v_\text{P}=\sqrt{v_0^2+\frac{1}{2}gh}$이다.

02 ㄱ. A, B의 질량이 같고 떨어진 높이가 같으므로, 중력이 A, B에 한 일은 같다.

바로 알기 ㄴ. 일·운동 에너지 정리에 의해 떨어지는 동안 A, B의 운동 에너지의 증가량은 같다.

ㄷ. A, B의 낙하 높이가 같으므로 $h=\frac{1}{2}gt^2$에서 낙하 시간 t도 같다. A, B는 수평 방향으로는 등속도 운동을 하므로, 낙하 시간이 같을 때 수평 방향의 이동 거리는 수평 방향으로 처음 던진 속력에 비례한다. A를 처음 던진 속력을 v_0이라고 하면 B를 처음 던진 속력은 $2v_0$이 된다. 또, A, B가 높이 h만큼 낙하했을 때 속도의 연직 성분 v_y는 $2gh=v_y^2$이므로, 지면에 도달하는 순간 A, B의 속력은 다음과 같다.

$v_\text{A}=\sqrt{v_0^2+2gh}$, $v_\text{B}=\sqrt{4v_0^2+2gh}$

따라서 B의 속력이 A의 2배가 아니다.

03 (1) 연직 아래 방향을 (+)로 나타낼 때, A의 중력은 mg이고, O에서 최고점까지 중력 방향으로 이동한 높이는 $-2h$가 된다. 따라서 O에서 최고점까지 중력이 A에 한 일은 다음과 같다.

$W_\text{A}=mg\times(-2h)=-2mgh$

(2) ㄷ. O에서 P까지 중력 방향으로 A, B가 이동한 거리는 0이므로, 중력이 A, B에 한 일은 0으로 같다.

바로 알기 ㄱ. 물체가 같은 높이까지 포물선 운동을 하는 데 걸린 시간을 t라고 하면, t는 최고점의 높이 h에서 자유 낙하하는 데 걸린 시간의 2배이므로, 다음과 같다.

$h=\frac{1}{2}g\left(\frac{t}{2}\right)^2$, $\therefore t=2\sqrt{\frac{2h}{g}}$

A, B가 O에서 P까지 이동하는 데 걸린 시간 t_A, t_B는

$t_\text{A}=2\sqrt{\frac{4h}{g}}=4\sqrt{\frac{h}{g}}$, $t_\text{B}=2\sqrt{\frac{2h}{g}}$

이므로, A가 B의 $\sqrt{2}$배이다. A, B는 수평 방향으로는 등속도 운동을 하고, O에서 P까지 A와 B의 수평 이동 거리가 같으므로 속도의 수평 성분은 B가 A의 $\sqrt{2}$배가 된다. 따라서 최고점에서 속도는 수평 성분뿐이므로 운동 에너지는 B가 A의 2배이다.

ㄴ. 최고점에서 A의 수평 방향 속도를 v_x라고 하면, B는 $\sqrt{2}v_x$이다. 일·운동 에너지 정리에 의해 O에서 최고점까지 올라가는 동안 중력이 A, B에 한 일만큼 운동 에너지가 변한다. 따라서 A, B를 O에서 던진 속력 v_A, v_B는 다음과 같다.

- A: $-2mgh=\frac{1}{2}mv_x^2-\frac{1}{2}mv_\text{A}^2$, $\therefore v_\text{A}=\sqrt{v_x^2+4gh}$
- B: $-mgh=\frac{1}{2}m(\sqrt{2}v_x)^2-\frac{1}{2}mv_\text{B}^2$, $\therefore v_\text{B}=\sqrt{2v_x^2+2gh}$

따라서 O에서 던진 속력은 A가 B의 2배가 아니다.

04 (1) P에서 R까지 이동하는 동안 물체에 작용하는 알짜힘은 중력과 곡면이 작용하는 수직 항력이다. 수직 항력은 물체의 운동 방향에 수직으로 작용하므로 한 일이 0이다. 따라서 P에서 R까지 물체에 작용하는 알짜힘이 한 일은 중력이 한 일과 같은데, P에서 R까지 중력 방향으로 이동 거리가 h이므로 물체에 작용하는 중력 mg가 한 일은 mgh이다.

(2) 일·운동 에너지 정리에 의해 Q에서 R까지 이동하는 동안 운동 에너지 변화량은 중력이 하는 일과 같으므로 $-mgh$이다.

05 ㄱ. 나중 운동 에너지가 처음 운동 에너지의 2배이므로 운동 에너지 증가량은 처음 운동 에너지와 같다. 일·운동 에너지 정리에 의해 알짜힘(중력)이 한 일은 운동 에너지 변화량과 같으므로, 이 동안 중력이 한 일은 처음 운동 에너지와 같다.

ㄴ. 중력이 물체에 한 일 mgh가 물체의 처음 운동 에너지 $\frac{1}{2}mv_0^2$과 같으므로, 높이 h는 다음과 같다.

$mgh=\frac{1}{2}mv_0^2$, $\therefore h=\frac{v_0^2}{2g}$

ㄷ. 떨어지는 동안 속도의 수평 성분은 v_0으로 일정하다. 수평면에 도달하는 순간 속도의 수평 성분과 연직 성분을 각각 $v_x=v_0$, v_y라고 하면, 물체의 운동 에너지는 다음과 같다.

$\frac{1}{2}m(v_0^2+v_y^2)=2\times\frac{1}{2}mv_0^2$, $\therefore v_0^2=v_y^2$

따라서 수평면에 도달하는 순간 속도의 연직 방향 성분도 v_0이므로, 수평면에 도달하는 순간 운동 방향이 수평 방향과 이루는 각은 45°이다.

06 (1) 물체에 일정한 크기의 중력만 작용하고 공기 저항이 없을 때 포물선 경로로 운동한다. 역학적 에너지가 보존되므로 P에서 역학적 에너지는 O에서와 같은 $\frac{1}{2}mv_0^2$이다.

(2) P에서 속도는 수평 방향이고 $v_0\cos\theta$이므로, P에서 물체의 운동 에너지는 $\frac{1}{2}mv_0^2\cos^2\theta$이다.

역학적 에너지가 $\frac{1}{2}mv_0^2$이므로 P에서 중력 퍼텐셜 에너지는 $\frac{1}{2}mv_0^2-\frac{1}{2}mv_0^2\cos^2\theta=\frac{1}{2}mv_0^2\sin^2\theta$이다.

(3) 중력 퍼텐셜 에너지 $mgH=\frac{1}{2}mv_0^2\sin^2\theta$에서 수평면으로부터 P까지의 높이 $H=\frac{v_0^2\sin^2\theta}{2g}$이다.

07 (1) O에서 P까지의 높이 $h=l(1-\cos\theta_0)$이므로 P에서 중력 퍼텐셜 에너지는 $mgh=mgl(1-\cos\theta_0)$이다. P에서 운동 에너지는 0이므로 추의 역학적 에너지는 $mgl(1-\cos\theta_0)$이다.

(2) 실이 기울어진 각도가 θ일 때 최하점으로부터의 높이는 $l(1-\cos\theta)$이므로, 중력 퍼텐셜 에너지는 $mgl(1-\cos\theta)$이다. 단진자가 운동하는 동안 추의 역학적 에너지가 보존되므로, 실이 기울어진 각도가 θ일 때 운동 에너지 E_k는 역학적 에너지에서 중력 퍼텐셜 에너지를 뺀 값이 된다.

$$E_k=mgl(1-\cos\theta_0)-mgl(1-\cos\theta)$$
$$=mgl(\cos\theta-\cos\theta_0)$$

(3) Q의 높이는 P와 같으므로, O에서 Q까지 운동하는 동안 알짜힘이 추에 한 일 W는 추가 h의 높이를 올라가는 동안 중력이 한 일과 같다.

$W=-mgh=-mgl(1-\cos\theta_0)$

08 단진자의 주기는 $T=2\pi\sqrt{\frac{l}{g}}$이므로, 실의 길이가 2배가 되면 단진자의 주기 $T'=2\pi\sqrt{\frac{2l}{g}}=\sqrt{2}T$가 된다.

09 ㄴ. 단진자가 진동하는 각이 매우 작을 때 진자는 단진동을 한다. 단진자의 최하점은 단진동의 중심점과 같다. 단진동의 중심에서 운동 에너지는 $\frac{1}{2}mv^2=\frac{1}{2}kx^2$이고, 속력 $v=\sqrt{\frac{k}{m}}x$가 되어 진폭에 비례한다. 따라서 최하점에서 추의 속력은 진폭에 비례하므로, (나)에서가 (가)에서의 2배이다.

바로 알기 ㄱ. 실의 길이가 같으므로, 진자의 등시성에 의해 (가), (나)에서 단진자의 주기는 같다.

ㄷ. 최하점에서 추의 속력은 (나)에서가 (가)에서의 2배이므로 운동 에너지는 (나)에서가 (가)에서의 4배이다. 최하점에서 중력 퍼텐셜 에너지가 0이므로 추의 역학적 에너지는 (나)에서가 (가)에서의 4배이다.

개념 적용 문제

148쪽~153쪽

01 ①	02 ⑤	03 ④	04 ②	05 ④	06 ④
07 ⑤	08 ②	09 ③	10 ②	11 ①	12 ②

01 ㄱ. 물체에 작용하는 알짜힘이 물체에 한 일은 물체의 운동 에너지 변화량과 같다. P에서 Q까지 물체의 속력이 증가하므로 알짜힘이 한 일은 물체의 운동 에너지 증가량과 같다.

바로 알기 ㄴ. Q에서 R까지 중력 반대 방향으로 물체가 $2h$만큼 높이가 변하므로, 중력이 물체에 한 일은 다음과 같다.

$mg\times(-2h)=-2mgh$

ㄷ. 빗면이 물체에 작용하는 힘인 수직 항력은 항상 물체의 운동 방향에 수직이다. 따라서 P에서 R까지 빗면이 물체에 작용하는 힘이 물체에 한 일은 0이다.

02 힘과 시간의 관계 그래프에서 그래프 아래 넓이는 충격량을 나타내고, 물체가 받은 충격량은 운동량의 변화량과 같다. 따라서 그래프에서 5초일 때 x축과 y축 방향의 운동량 성분을 구하면 각각 $p_x=40$ kg·m/s, $p_y=20$ kg·m/s이므로, 5초일 때 물체의 운동 에너지는 다음과 같다.

$$\frac{1}{2}mv^2=\frac{p^2}{2m}=\frac{p_x^2+p_y^2}{2m}$$
$$=\frac{(40\text{ kg·m/s})^2+(20\text{ kg·m/s})^2}{2\times2\text{ kg}}=500\text{ J}$$

0초일 때 운동 에너지는 0이고, 알짜힘이 물체에 한 일은 물체의 운동 에너지 변화량과 같다. 따라서 0초부터 5초까지 알짜힘이 물체에 한 일은 5초일 때의 운동 에너지와 같은 500 J이다.

03 ㄱ. O에서 Q까지 운동하는 동안 물체의 운동 에너지 변화량이 0이므로 알짜힘이 물체에 한 일은 0이다.

ㄷ. P에서 y축 방향 속도는 0이고, Q에서 y축 방향 속도는 $-\sqrt{2}$ m/s이다. y축 방향으로 물체는 등가속도 운동을 하므로, x축으로부터 P까지의 거리는 다음과 같다.

평균 속력×걸린 시간$=\frac{\sqrt{2}}{2}\text{ m/s}\times 1\text{ s}=\frac{\sqrt{2}}{2}\text{ m}$

ㄴ의 설명에서 P에서 Q까지 알짜힘이 한 일이 1 J이므로 알짜힘의 크기 F는 다음과 같다.

$1\text{ J}=F\times\frac{\sqrt{2}}{2}\text{ m},\ \therefore F=\sqrt{2}\text{ N}$

[별해] P에서 y축 방향의 속도가 0이므로, P에서 Q까지 속도 변화량 $\sqrt{2}\text{ m/s}=\frac{F}{1\text{ kg}}\times 1\text{ s}$에서 알짜힘 $F=\sqrt{2}$ N이다.

바로 알기 ㄴ. O에서 Q까지 알짜힘이 한 일이 0이므로 알짜힘의 방향은 $-y$축 방향이다. P에서 속도는 x축 방향으로 $\sqrt{2}$ m/s이다. P에서 Q까지 알짜힘이 물체에 한 일은 물체의 운동 에너지 변화량과 같으므로 다음과 같다.

$W=\frac{1}{2}\times 1\text{ kg}\times(2\text{ m/s})^2-\frac{1}{2}\times 1\text{ kg}\times(\sqrt{2}\text{ m/s})^2=1\text{ J}$

04 ㄴ. ㄱ의 설명으로부터 P에서 운동 에너지는 mv_0^2이고, O에서 운동 에너지는 $\frac{1}{2}mv_0^2$이다. 일·운동 에너지 정리에 의해 O에서 P까지 이동하는 동안 알짜힘이 한 일은 물체의 운동 에너지 변화량과 같으므로 다음과 같다.

$W=mv_0^2-\frac{1}{2}mv_0^2=\frac{1}{2}mv_0^2$

바로 알기 ㄱ. P에서 물체의 운동 방향이 x축과 45°의 각을 이루므로, 속도의 x 성분 v_x와 y 성분 v_y는 같다. 물체는 $-y$ 방향으로 알짜힘을 받으므로, x 방향으로는 등속도 운동을 한다. 따라서 P에서 $v_x=v_y=v_0$가 되어, P에서 운동 에너지는 다음과 같다.

$\frac{1}{2}mv^2=\frac{1}{2}m(v_x^2+v_y^2)=\frac{1}{2}m[v_0^2+v_0^2]=mv_0^2$

ㄷ. 물체에 작용하는 힘은 중력과 수직 항력이다. 이 중 수직 항력은 물체의 운동 방향에 수직으로 작용하므로, 수직 항력이 물체에 한 일은 0이다. 따라서 O에서 P까지 이동하는 동안 알짜힘이 한 일은 중력이 한 일과 같으므로, O에서 P까지 물체가 내려간 높이 h는 다음과 같다.

$mgh=\frac{1}{2}mv_0^2,\ \therefore h=\frac{v_0^2}{2g}$

05 x축 방향으로 1초마다 속력이 4 m/s, 6 m/s, 8 m/s로 변하므로 가속도의 x 성분은 2 m/s²이다. y축 방향으로 1초마다 속력이 0.5 m/s, 1.5 m/s, 2.5 m/s로 변하므로 가속도의 y 성분은 1 m/s²이다. 1초일 때 속도의 x 성분, y 성분은 각각 다음과 같다.

$v_x=\frac{4\text{ m/s}+6\text{ m/s}}{2}=5\text{ m/s}$

$v_y=\frac{0.5\text{ m/s}+1.5\text{ m/s}}{2}=1\text{ m/s}$

따라서 0초일 때 속도 $v_0=(3\text{ m/s},\ 0)$, 3초일 때 속도 $v=(9\text{ m/s},\ 3\text{ m/s})$이다. 일·운동 에너지 정리에 의해 알짜힘이 물체에 한 일은 물체의 운동 에너지 변화량과 같으므로, 0초부터 3초까지 알짜힘이 물체에 한 일은 다음과 같다.

$W=\frac{1}{2}\times 2\text{ kg}\times[\{(9\text{ m/s})^2+(3\text{ m/s})^2\}-(3\text{ m/s})^2]=81\text{ J}$

[별해] 물체에 작용하는 알짜힘의 x 성분, y 성분은 각각 $F_x=2\text{ kg}\times 2\text{ m/s}^2=4\text{ N}$, $F_y=2\text{ kg}\times 1\text{ m/s}^2=2\text{ N}$이다. 힘이 한 일은 힘의 각 성분이 한 일의 합과 같으므로, 0초부터 3초까지 알짜힘이 한 일은 다음과 같다.

$W=4\text{ N}\times 18\text{ m}+2\text{ N}\times 4.5\text{ m}=81\text{ J}$

06 ㄴ. P에서 Q까지 운동하는 동안 물체의 운동 에너지 증가량은 $\frac{1}{4}mv_0^2-\frac{1}{8}mv_0^2=\frac{1}{8}mv_0^2$이다. 물체에 작용하는 알짜힘은 중력이므로 P에서 Q까지 중력이 물체에 한 일은 물체의 운동 에너지 증가량인 $\frac{1}{8}mv_0^2$이다.

ㄷ. 역학적 에너지가 보존되므로 O에서 P까지의 높이 차를 H, O에서 Q까지의 높이 차를 h, 중력 가속도를 g라고 하면, 각각 다음과 같다.

- O, P의 높이 차: $\frac{1}{2}mv_0^2=\frac{1}{8}mv_0^2+mgH,\ \therefore H=\frac{3v_0^2}{8g}$
- O, Q의 높이 차: $\frac{1}{2}mv_0^2=\frac{1}{4}mv_0^2+mgh,\ \therefore h=\frac{v_0^2}{4g}$

따라서 P, Q의 높이 차 $H-h=\frac{v_0^2}{8g}$이므로, O, P의 높이 차는 P, Q의 높이 차의 3배이다.

바로 알기 ㄱ. 최고점 P에서 운동 에너지는 $\frac{1}{2}mv_0^2\cos^2\theta=\frac{1}{8}mv_0^2$이므로 $\cos\theta=\frac{1}{2}$이다. 따라서 $\sin\theta=\frac{\sqrt{3}}{2}$이 된다.

07 ㄱ. A의 역학적 에너지는 $\frac{1}{2}mv^2$이다. B의 역학적 에너지는 최고점에서의 B의 중력 퍼텐셜 에너지(=A의 중력 퍼텐셜 에너지)와 운동 에너지$\left(\frac{1}{2}mv^2\right)$의 합이다. 최고점에서 A의 중력 퍼텐셜 에너지 $mgh=\frac{1}{2}mv^2$이므로, 최고점에서 B의 역학적 에너지는 $mgh+\frac{1}{2}mv^2=mv^2$이 되어 A의 2배이다.

ㄴ. A가 최고점에 도달한 순간 A와 B의 속도의 연직 성분은 모두 0이다. 따라서 A와 B는 연직 방향으로 동일한 운동을 하므로 수평면에 동시에 도달한다.

ㄷ. B가 떨어지는 동안 알짜힘인 중력이 B에 한 일은 $mgh=\frac{1}{2}mv^2$이므로 A의 역학적 에너지와 같다.

08 ㄷ. 최고점에서 A, B의 운동 에너지 E_{kA}, E_{kB}는

$E_{kA}=\frac{1}{2}mv^2\cos^2\alpha$, $E_{kB}=\frac{1}{2}mv^2\cos^2\beta$

이다. ㄴ 설명에서 $\alpha+\beta=\frac{\pi}{2}$이므로, 최고점에서 운동 에너지의 비는 다음과 같다.

$$\frac{E_{kB}}{E_{kA}}=\frac{\cos^2\beta}{\cos^2\alpha}=\frac{\cos^2\left(\frac{\pi}{2}-\alpha\right)}{\cos^2\alpha}=\frac{\sin^2\alpha}{\cos^2\alpha}=\tan^2\alpha$$

바로 알기 ㄱ. 수평면에서 던진 속도가 같으므로 A, B의 역학적 에너지는 같다.

ㄴ. 수평 도달 거리 $R=\frac{v_0^2\sin2\alpha}{g}=\frac{v_0^2\sin2\beta}{g}$이므로, $\alpha+\beta=\frac{\pi}{2}$의 관계가 있다. $\alpha>\beta$이므로 $\frac{\pi}{4}<\alpha<\frac{\pi}{2}$이다. 최고점에서 A의 운동 에너지는 $\frac{1}{2}mv^2\cos^2\alpha$이고, 중력 퍼텐셜 에너지는 $\frac{1}{2}mv^2\sin^2\alpha$이다. $\frac{\pi}{4}<\alpha<\frac{\pi}{2}$일 때 $\sin\alpha>\cos\alpha$이므로, 최고점에서 A는 중력 퍼텐셜 에너지가 운동 에너지보다 크다.

09 ㄱ. P에서 Q까지 궤도가 물체에 작용하는 힘은 운동 방향에 수직이므로 알짜힘이 한 일은 중력이 한 일과 같다. 따라서 P에서 Q까지 알짜힘이 한 일은 중력이 한 일 $2mgR$이다.

ㄷ. ㄴ 설명으로부터 Q에서 운동 에너지는 $\frac{1}{2}mv^2=\frac{5}{2}mgR$이므로, 속력 $v=\sqrt{5gR}=\sqrt{5}v_0$이다.

바로 알기 ㄴ. P에서 궤도가 물체에 작용하는 힘이 0이므로, 물체는 중력을 구심력으로 하여 원운동을 한다.

$mg=\frac{mv_0^2}{R}$, $\therefore v_0=\sqrt{gR}$

따라서 P에서 운동 에너지는 $\frac{1}{2}mv_0^2=\frac{1}{2}mgR$이므로, Q에서 운동 에너지는 다음과 같다.

$\frac{1}{2}mgR+2mgR=\frac{5}{2}mgR$

10 반원형 궤도의 최고점에서 궤도가 물체에 작용하는 힘이 0이므로, 최고점에서의 속력을 v_0, 중력 가속도를 g라고 하면 $mg=\frac{mv_0^2}{R}$이다. 최하점에서 운동 에너지는 최고점에서의 운동 에너지와 최하점으로 내려오는 동안 중력이 물체에 한 일의 합과 같으므로, 최하점에서의 속력 v는 다음과 같다.

$\frac{1}{2}mv^2=\frac{1}{2}mv_0^2+2mgR=\frac{5}{2}mgR$, $\therefore v=\sqrt{5gR}$

실험대에서 수평 방향으로 $\sqrt{5gR}$의 속력으로 던져진 물체가 높이 R만큼 낙하할 때 수평면에 도달하는 데 걸린 시간 t는

$\frac{1}{2}gt^2=R$, $\therefore t=\sqrt{\frac{2R}{g}}$

이다. L은 이 시간 동안 수평 방향으로 $\sqrt{5gR}$의 속력으로 이동한 거리이므로 다음과 같다.

$L=vt=\sqrt{5gR}\times\sqrt{\frac{2R}{g}}=\sqrt{10}R$

11 ㄱ. 최고점에서 최하점으로 내려가는 동안 알짜힘이 한 일은 중력이 한 일과 같다. (가), (나)에서 물체를 놓은 높이 h가 같으므로, 중력 가속도를 g라고 하면 최하점에서 물체의 운동 에너지는 $\frac{1}{2}mv^2=mgh$로 서로 같다.

바로 알기 ㄴ. 최하점에서 물체는 등속 원운동과 같은 운동을 하므로 가속도의 크기 $a=\frac{v^2}{r}$이다. 최하점에서 속력이 같고 반지름은 (가)가 (나)보다 작으므로 물체의 가속도 크기는 (가)에서가 (나)에서보다 크다.

ㄷ. 진폭이 매우 작을 때 물체는 단진동을 하므로 주기 $T=2\pi\sqrt{\frac{l}{g}}$이다. 단진자의 실의 길이가 곡면의 반지름과 같으므로, 왕복 운동하는 주기는 반지름이 2배인 (나)에서가 (가)에서의 $\sqrt{2}$배이다.

12 ㄴ. 역학적 에너지가 보존되므로 P와 Q의 높이는 같다.

바로 알기 ㄱ. P와 최하점까지 높이 차는 $2l(1-\cos\theta_0)$이므로, 최하점에서 운동 에너지는 $\frac{1}{2}mv^2=2mgl(1-\cos\theta_0)$이다. 따라서 최하점에서 추의 속력 $v=2\sqrt{gl(1-\cos\theta_0)}$이다.

ㄷ. P와 Q의 높이가 같으므로 $l(1-\cos\theta)=2l(1-\cos\theta_0)$이다. 정리하면, $\cos\theta=2\cos\theta_0-1$이다.

02 열과 일의 전환

개념 모아 정리하기 162쪽

❶내부 에너지 ❷온도 ❸열량 ❹$cm\Delta T$
❺일당량 ❻4186 ❼같다 ❽아보가드로수
❾22.4 ❿8.31 ⓫nRT ⓬압력
⓭$\frac{3}{2}kT$ ⓮운동 에너지 ⓯$\frac{3}{2}nRT$ ⓰$\Delta U+W$
⓱일 ⓲내부

개념 기본 문제 163쪽

01 0.25 K **02** $\frac{2}{7}$ kcal/(kg·℃) **03** (1) 0.032 kg (2) 220.8 J
(3) 기체가 한 일: 60 J, 기체의 내부 에너지 증가량: 160.8 J
04 (1) $P_0+\frac{k(L_0-L)}{S}$ (2) $\frac{3}{2}(L_0-L)\left\{P_0S+\frac{k}{S}V_0+k(L_0-L)\right\}$
(3) $P_0S(L_0-L)+\frac{1}{2}k(L_0-L)^2$ **05** (1) B → C 과정 (2) A → B 과정 (3) 0

01 질량 m인 물이 105 m를 낙하하여 가지고 있던 중력 퍼텐셜 에너지가 모두 열로 전환되어 물의 온도를 높이는 데 사용된다면 물의 온도 변화 ΔT는 다음과 같다.

$mgh=cm\Delta T$

$m\times10\ \mathrm{m/s^2}\times105\ \mathrm{m}=4.2\times10^3\ \mathrm{J/(kg\cdot K)}\times m\times\Delta T$

$\Delta T=\frac{10\ \mathrm{m/s^2}\times105\ \mathrm{m}}{4.2\times10^3\ \mathrm{J/(kg\cdot K)}}=0.25\ \mathrm{K}$

02 열은 금속과 물 사이에서만 이동하므로, 뜨거운 금속과 찬물이 열평형 상태가 될 때까지 금속이 잃은 열량과 찬물이 얻은 열량은 같다. 금속과 물의 열평형 온도가 30 ℃이므로, 금속의 비열 c는 다음과 같다.

$c\times0.1\ \mathrm{kg}\times(100-30)\ ℃$

$=1\ \mathrm{kcal/(kg\cdot ℃)}\times0.2\ \mathrm{kg}\times(30-20)\ ℃$

$c=\frac{1\ \mathrm{kcal/(kg\cdot ℃)}\times0.2\ \mathrm{kg}\times10\ ℃}{0.1\ \mathrm{kg}\times70\ ℃}=\frac{2}{7}\ \mathrm{kcal/(kg\cdot ℃)}$

03 (1) 표준 상태(273 K, 1기압)에서 분자 수가 아보가드로수 (N_A)만큼 있을 때 기체의 종류에 관계없이 부피는 $22.4\times10^{-3}\ \mathrm{m^3}$이고, 이때의 질량이 기체 1몰의 질량이다. 기체 1몰의 질량을 M이라고 하면 다음과 같다.

$M:4\times10^{-3}\ \mathrm{kg}=22.4\times10^{-3}\ \mathrm{m^3}:2.8\times10^{-3}\ \mathrm{m^3}$

$M=\frac{22.4}{2.8}\times4\times10^{-3}\ \mathrm{kg}=32\times10^{-3}\ \mathrm{kg}=0.032\ \mathrm{kg}$

(2) 공급한 열량을 Q, 기체 질량을 m, 비열을 c, 온도 증가량을 ΔT라고 하면

$Q=cm\Delta T$

$=0.92\ \mathrm{kJ/(kg\cdot K)}\times4\times10^{-3}\ \mathrm{kg}\times(333-273)\ \mathrm{K}$

$=220.8\ \mathrm{J}$

(3) 273 K일 때 기체의 부피를 V_0, 333 K일 때 기체의 부피를 V라고 하면, 샤를 법칙에서 $\frac{V_0}{T_0}=\frac{V}{T}$이므로 V는 다음과 같다.

$V=\frac{V_0}{T_0}\times T$

$=\frac{(2.8\times10^{-3}\ \mathrm{m^3})\times333\ \mathrm{K}}{273\ \mathrm{K}}\fallingdotseq3.4\times10^{-3}\ \mathrm{m^3}$

따라서 기체가 외부에 한 일 W는 다음과 같다.

$W=P(V-V_0)$

$=1.0\times10^5\ \mathrm{Pa}\times(3.4-2.8)\times10^{-3}\ \mathrm{m^3}$

$=60\ \mathrm{J}$

열역학 제1법칙에 의해 기체의 내부 에너지 증가량은 다음과 같다.

$\Delta U=Q-W=220.8\ \mathrm{J}-60\ \mathrm{J}=160.8\ \mathrm{J}$

04 (1) 기체에 열을 가하면 기체가 팽창하고, 용수철의 길이는 원래 길이 L_0에서 L로 감소한다. 이때 기체의 압력 P는 대기압 P_0과 용수철의 탄성력에 의한 압력의 합과 같다.

$P=P_0+\frac{k(L_0-L)}{S}$

(2) 이상 기체 상태 방정식에서 $P_0V_0=RT_0$, $PV=RT$가 성립한다. 따라서 기체의 내부 에너지 증가량은 다음과 같다.

$\Delta U=\frac{3}{2}nR\Delta T=\frac{3}{2}nR(T-T_0)=\frac{3}{2}(PV-P_0V_0)$

$=\frac{3}{2}\left[\left\{P_0+\frac{k}{S}(L_0-L)\right\}\left\{V_0+S(L_0-L)\right\}-P_0V_0\right]$

$=\frac{3}{2}(L_0-L)\left\{P_0S+\frac{k}{S}V_0+k(L_0-L)\right\}$

(3) 피스톤이 외부에 한 일=기체가 한 일=대기에 한 일+용수철 탄성 에너지 증가량이다.

$W=P_0S(L_0-L)+\frac{1}{2}k(L_0-L)^2$

05 (1) 기체가 하는 일은 부피 변화(ΔV)가 있어야 한다. B → C 과정은 부피가 증가하면서 외부에 일을 하는 과정이고, C → A 과정은 부피가 감소하면서 외부로부터 일을 받는 과정이다.

(2) A → B 과정은 기체의 부피가 일정하므로 기체가 외부에 일을 하지 않는다. 열역학 제1법칙 $Q=\Delta U+W$에서 $W=0$이므로, $Q=\Delta U$이 되어 흡수한 열은 모두 내부 에너지로 전환된다. 따라서 기체의 내부 에너지는 증가한다. B → C 과정은 기체의 온도가 일정하므로, 기체의 내부 에너지도 일정하다. C → A 과정은 등압 수축 과정으로, 내부 에너지는 감소한다.
(3) 한 번의 순환 과정을 거치면 처음 상태로 돌아오게 되며, 온도가 동일하므로 내부 에너지는 처음과 같아지게 된다. 따라서 내부 에너지의 변화는 없다.

개념 적용 문제

164쪽~167쪽

01 ① **02** ④ **03** ③ **04** ⑤ **05** ④ **06** ④
07 ⑤ **08** ②

01 ㄴ. 역학적 에너지 감소량이 모두 내부 에너지 증가량으로 변한다. 따라서 ㄱ의 설명에서 역학적 에너지 감소량이 2배인 B가 내부 에너지 증가량도 A의 2배이다.

바로 알기 ㄱ. 속력 v일 때 A, B의 운동 에너지는

• A: $\frac{1}{2}mv^2$　　• B: $\frac{1}{2}\times 2mv^2=mv^2$

이므로, 두 물체가 정지할 때까지 감소한 역학적 에너지는 B가 A의 2배이다.

ㄷ. 감소한 역학적 에너지가 모두 물체의 내부 에너지로 전환되므로, 흡수한 열량은 B가 A의 2배가 된다. 따라서 A, B의 온도 변화량은 각각

• A: $\Delta T_{\mathrm{A}}=\frac{Q}{2c\times m}=\frac{Q}{2cm}$

• B: $\Delta T_{\mathrm{B}}=\frac{2Q}{c\times 2m}=\frac{Q}{cm}$

이므로, B가 A의 2배이다.

02 ㄱ. 압력이 일정할 때 기체가 외부에 한 일은 다음과 같다.
$W=P\Delta V=(1\times10^5\ \mathrm{Pa})\times(3\times10^{-5}\ \mathrm{m^3})=3\ \mathrm{J}$
ㄷ. 기체에 공급한 열량은 다음과 같다.
$Q=mc\Delta T$
$=0.01\ \mathrm{kg}\times2\ \mathrm{kJ/(kg\cdot{^\circ}C)}\times(110-100)\ {^\circ}\mathrm{C}$
$=0.2\ \mathrm{kJ}=200\ \mathrm{J}$

바로 알기 ㄴ. 기체에 공급한 열량은 기체의 내부 에너지 증가량과 기체가 외부에 한 일의 합과 같으므로, 내부 에너지 증가량 ΔU는 다음과 같다.
$\Delta U=Q-W=200\ \mathrm{J}-3\ \mathrm{J}=197\ \mathrm{J}$

03 ㄱ. 단원자 분자 이상 기체의 내부 에너지 $U=\frac{3}{2}nRT$이므로, A, B의 온도를 T_{A}, T_{B}라고 할 때 다음과 같다.

• A: $U_0=\frac{3}{2}\times 2RT_{\mathrm{A}}$, $\therefore T_{\mathrm{A}}=\frac{U_0}{3R}$

• B: $2U_0=\frac{3}{2}RT_{\mathrm{B}}$, $\therefore T_{\mathrm{B}}=\frac{4U_0}{3R}$

따라서 $T_{\mathrm{B}}=4T_{\mathrm{A}}$이므로, B의 절대 온도는 A의 4배이다.
ㄴ. 마찰이 없으므로 A와 B가 피스톤에 작용하는 압력이 같다. 두 기체의 압력을 P라고 하면, 이상 기체 상태 방정식 $PV=nRT$에서 A, B의 부피는 다음과 같다.

• A: $V_{\mathrm{A}}=\frac{2RT_{\mathrm{A}}}{P}=\frac{2RT}{P}$

• B: $V_{\mathrm{B}}=\frac{RT_{\mathrm{B}}}{P}=\frac{4RT}{P}$

따라서 부피는 B가 A의 2배이다.

바로 알기 ㄷ. 이상 기체의 내부 에너지는 각 분자들의 운동 에너지의 총합이므로, $U=\sum^{N}\frac{1}{2}mv^2=N\times\frac{1}{2}m\overline{v^2}=N\overline{E_{\mathrm{k}}}$이다. 따라서 분자의 평균 운동 에너지 $\overline{E_{\mathrm{k}}}=\frac{U}{N}$에서 $\overline{E_{\mathrm{A}}}=\frac{U_0}{2N_{\mathrm{A}}}$, $\overline{E_{\mathrm{B}}}=\frac{2U_0}{N_{\mathrm{A}}}$이므로, 분자의 평균 운동 에너지는 B가 A의 4배이다.

[별해] 이상 기체 분자의 평균 운동 에너지 $\overline{E_{\mathrm{k}}}$는 절대 온도 T에 비례하며, 단원자 분자의 경우 $\overline{E_{\mathrm{k}}}=\frac{3}{2}kT$와 같다. ㄱ에서 B의 절대 온도가 A의 4배이므로, 분자의 평균 운동 에너지도 4배이다.

04 ㄱ. A → B 과정은 등온 과정이므로 B의 온도는 A의 온도와 같다. D → A 과정은 부피가 일정하므로 온도는 압력에 비례한다. 따라서 절대 온도는 A, B에서가 D에서의 2배이다.
ㄴ. B → C 과정에서 부피가 일정하므로 방출한 열량은 내부 에너지 감소량과 같다. C → D 과정은 등온 과정이므로 C의 온도는 D와 같고, D에서의 온도가 T일 때 $PV=nRT=RT$이다. B에서의 온도는 C에서의 2배인 $2T$이므로, B → C 과정에서 내부 에너지 변화량 $\Delta U=\frac{3}{2}nR\Delta T=\frac{3}{2}RT=\frac{3}{2}PV$이고, 이는 B → C 과정에서 방출한 열량과 같다.
ㄷ. C → D 과정은 등온 과정이므로 내부 에너지가 일정하다. 따라서 이때 기체가 방출한 열량은 기체가 외부로부터 받은 일과 같다.

05 ㄴ. 기체가 A → B → C → A로 변할 때 압력과 부피의 관계 그래프는 다음 그림과 같다.

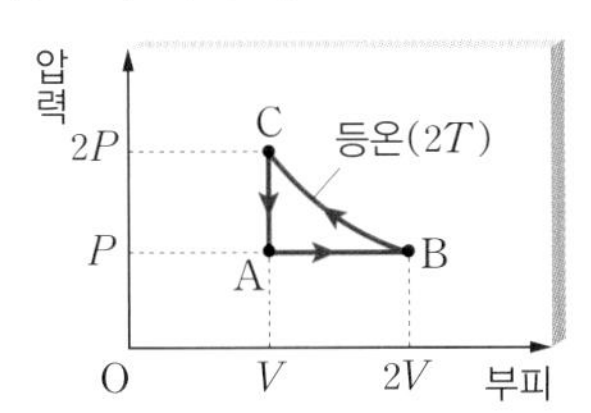

B → C 과정은 등온 과정이고, 외부로부터 받은 일은 압력-부피 그래프에서 그래프의 아래 넓이이므로 $\frac{3}{2}PV$보다 작다.

ㄷ. A → B 과정에서 흡수한 열량은

$Q=\varDelta U+W=\frac{3}{2}nR\varDelta T+P\varDelta V$

$=\frac{3}{2}PV+PV=\frac{5}{2}PV$

이고, C → A 과정에서 부피가 일정하므로 방출한 열량은

$Q=\varDelta U=\frac{3}{2}nR\varDelta T=\frac{3}{2}PV$

이다. 따라서 A → B 과정에서 흡수한 열량은 C → A 과정에서 방출한 열량보다 크다.

바로 알기 ㄱ. A에서 부피가 V이므로 $PV=nRT$이다. 단원자 분자 이상 기체의 내부 에너지 $U=\frac{3}{2}nRT$이므로 A → B 과정에서 내부 에너지 증가량은 다음과 같다.

$\varDelta U=\frac{3}{2}nR\varDelta T=\frac{3}{2}nRT=\frac{3}{2}PV$

06 ㄴ. B → C 과정은 부피가 일정하고 온도가 감소하므로 기체가 방출한 열량은 기체의 내부 에너지 변화량과 같다. B, C에서 온도는 각각 $4T_0$, T_0이므로 기체가 방출한 열량은

$Q=\varDelta U=\frac{3}{2}nR\varDelta T=\frac{9}{2}nRT_0$

이다. A에서 기체의 압력은 P_0이므로

$P_0V_0=nR\times 4T_0$, $\therefore nRT_0=\frac{P_0V_0}{4}$

이다. 따라서 B → C 과정에서 기체가 방출한 열량은 다음과 같다.

$Q=\frac{9}{2}nRT_0=\frac{9}{8}P_0V_0$

ㄷ. C → A 과정은 단열 과정이므로, $Q=\varDelta U+W=0$에서 $\varDelta U=-W$가 되어 기체의 내부 에너지 증가량은 기체가 외부로부터 받은 일과 같다.

바로 알기 ㄱ. 기체가 A → B → C → A로 변할 때 압력과 부피의 관계 그래프는 다음 그림과 같다. A → B 과정은 온도가 일정하고 부피가 팽창하므로 외부에 일을 한다. 따라서 A → B 과정에서 내부 에너지는 일정하고, 흡수한 열량은 외부에 한 일과 같다. 기체가 외부에 한 일은 압력-부피 그래프에서 그래프의 아래 넓이이므로 $\frac{9}{16}P_0V_0$보다 크다.

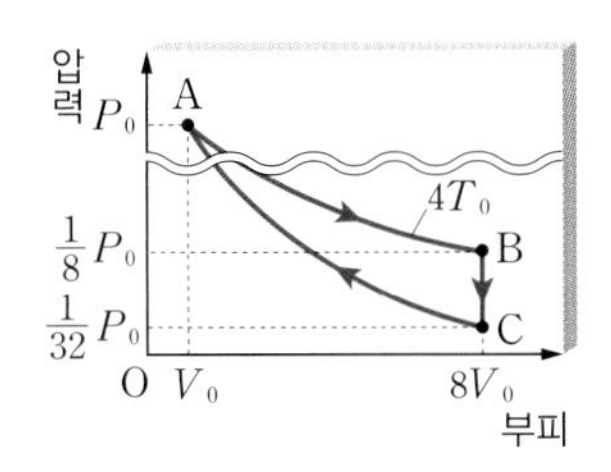

07 ㄱ. A의 피스톤에 작용하는 알짜힘이 0이므로,

$mg+P_0S=\frac{3}{2}P_0S+\frac{1}{2}P_0S$

이고, A의 피스톤의 무게 $mg=P_0S$이다.

ㄴ. 실이 B의 피스톤에 작용하는 힘의 크기는 $\frac{1}{2}P_0S$로 같고, B의 피스톤이 무게 $3mg=3P_0S$이다. B의 피스톤에 작용하는 알짜힘이 0이므로, B에 들어 있는 기체의 압력 P는 다음과 같다.

$3mg+2P_0S=2PS+\frac{1}{2}P_0S$

$2PS=3mg+\frac{3}{2}P_0S=\frac{9}{2}P_0S$

$\therefore P=\frac{9}{4}P_0$

ㄷ. A에 들어 있는 기체의 절대 온도가 T이면 $\frac{3}{2}P_0V_0=nRT$이고, 기체의 내부 에너지 $U_0=\frac{3}{2}nRT$이다. B에 들어 있는 기체의 압력은 $\frac{9}{4}P_0$이므로, B에 들어 있는 기체의 절대 온도를 T_B라고 하면 다음과 같다.

$\frac{9}{4}P_0V_0=nRT_B$, $\therefore T_B=\frac{3}{2}T$

따라서 B에 들어 있는 기체의 내부 에너지는 다음과 같다.

$U=\frac{3}{2}nRT_B=\frac{3}{2}nR\times\frac{3}{2}T=\frac{3}{2}U_0$

08 외부에서 공급해 준 열량 Q는 기체의 내부 에너지 증가량과 대기압에 대해 한 일, 용수철에 대해 한 일의 총합과 같다. 기체의 온도 변화량이 T_0이므로, 내부 에너지 증가량은 $\varDelta U=\frac{3}{2}RT_0$이다. (가)와 (나)에서 용수철에 저장된 탄성 퍼텐셜

에너지가 같으므로 (가)와 (나)에서 용수철의 변형된 길이와 탄성력의 크기는 같고, 용수철에 대해 한 일은 0이다. 이상 기체 상태 방정식 $PV=nRT$에서 기체의 압력 $P\propto\frac{T}{V}$이고, (나)에서 기체의 부피와 절대 온도가 각각 (가)에서의 $\frac{3}{2}$배, 2배가 되었으므로, (가)에서 기체의 압력을 P라고 하면 (나)에서 기체의 압력은 $\frac{4}{3}P$이다. (가), (나)에서 피스톤의 단면적을 S, 용수철이 피스톤에 가하는 탄성력의 크기를 F라고 하면, 피스톤에 작용하는 알짜힘이 0이므로 다음 식이 성립한다.

- (가): $PS+F=P_0S$
- (나): $\frac{4}{3}PS=F+P_0S$

두 식을 정리하면 대기압 $P_0=\frac{7}{6}P$이므로, 기체가 대기압에 대해 한 일은 다음과 같다.

$$W=\frac{7}{6}P\times\left(\frac{3}{2}V_0-V_0\right)=\frac{7}{12}PV_0=\frac{7}{12}RT_0$$

따라서 기체에 공급해 준 열량은 다음과 같다.

$$Q=\frac{3}{2}RT_0+\frac{7}{12}RT_0=\frac{25}{12}RT_0$$

통합 실전 문제 168쪽~173쪽

01 ③	02 ①	03 ④	04 ⑤	05 ②	06 ③
07 ③	08 ④	09 ⑤	10 ①	11 ④	12 ③

01 ㄱ. B가 정지해 있으므로 실의 장력의 크기는 B의 무게 w와 같다. 따라서 실이 A를 당기는 힘의 크기도 w이다.

ㄴ. A가 정지해 있으므로 수평 방향으로 A에 작용하는 힘들은 평형을 이룬다. 따라서 $F=w\cos\theta$이다.

바로 알기 ㄷ. 수평면이 A에 작용하는 힘은 수직 항력 N이므로, 연직 윗방향으로 작용한다. A가 정지해 있으므로 연직 방향으로 A에 작용하는 힘들은 평형을 이룬다. 따라서 수평면이 A에 작용하는 힘의 크기 N은 다음과 같다.

$N+w\sin\theta=W$, $\therefore N=W-w\sin\theta$

02 ㄱ. 막대가 수평을 유지하므로 축바퀴는 회전하지 않는다. 따라서 p, q가 축바퀴에 작용하는 돌림힘의 크기는 같다.

바로 알기 ㄴ. 막대가 수평을 유지하며 정지해 있으므로 막대에 작용하는 모든 힘의 합력은 0이다. 따라서 p, q가 막대에 작용하는 힘의 합력과 막대와 물체에 작용하는 중력의 합력은 평형을 이룬다. 즉, p, q가 막대를 당기는 힘의 합력의 크기는 막대에 작용하는 중력의 크기보다 크다.

ㄷ. 막대의 왼쪽 끝을 회전축으로 잡고, 회전축에서 물체까지의 거리를 x라고 할 때 막대에 작용하는 힘은 다음과 같다.

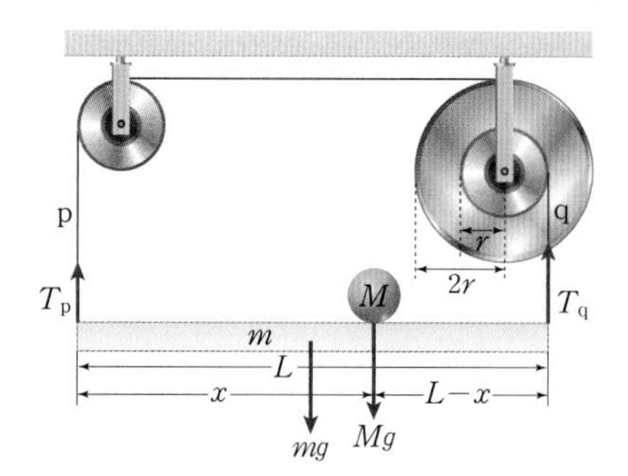

축바퀴에 작용하는 돌림힘이 0이므로,

$2rT_p=rT_q$, $\therefore T_p=\frac{1}{2}T_q$

이고, 막대의 왼쪽 끝을 회전축으로 할 때 막대에 작용하는 돌림힘은 다음과 같이 평형을 이룬다.

$xMg+\frac{L}{2}mg=LT_q$

p, q가 막대를 당기는 힘의 합력의 크기는 막대와 물체의 무게의 합과 같으므로 다음과 같다.

$T_p+T_q=(m+M)g$

$\frac{3}{2}T_q=(m+M)g$

$T_q=\frac{2}{3}(m+M)g$

정리하면 다음과 같다.

$xMg+\frac{L}{2}mg=L\times\frac{2}{3}(m+M)g$

$m=\frac{2(3x-2L)}{L}M$

물체를 올려놓을 수 있는 x의 최댓값은 L이므로, $x=L$일 때 m의 최댓값은 $2M$이고, x가 L보다 작을 때는 m은 $2M$보다 작다. 따라서 $m\le2M$이다.

03 ㄴ. 2초일 때 가속도의 x, y 성분의 크기가 각각 2 m/s²($\because$ (가) v_x – 시간 그래프의 기울기), 2 m/s²이므로, 가속도의 크기는 $2\sqrt{2}$ m/s²이다.

ㄷ. 1초일 때 운동 방향은 x축과 45°이고, 1초부터 3초까지 가속도의 방향도 x축과 45°이다. 따라서 1초일 때 속도의 방향과 가속도의 방향이 같으므로, 물체의 운동 경로는 직선이다.

바로 알기 ㄱ. 1초일 때 속도의 x, y 성분의 크기가 각각 2 m/s, 2 m/s이므로 속도의 크기는 $2\sqrt{2}$ m/s이다.

04 ㄱ. B가 지면에 도달하는 순간 A는 B의 연직 위를 지나므로 A, B 속도의 수평 성분은 같다. 던진 순간부터 시간 t가 지났을 때 A, B가 이동하는 높이는 각각 다음과 같다.

- A: $h_1=v_{1y}t-\frac{1}{2}gt^2$
- B: $h_2=-\frac{1}{2}gt^2$

따라서 A, B의 높이 차는 $h_1-h_2=v_{1y}t$이므로, 시간에 비례하여 증가한다.

ㄴ. B가 H의 높이를 내려가 지면에 도달하는 동안 A는 H의 높이를 올라간다. A, B의 가속도가 중력 가속도 g로 같으므로, A가 같은 시간 동안 B와 같은 높이 H를 이동하려면 A의 도달 속도의 연직 성분이 B의 던진 속도의 연직 성분과 같은 0이 되어야 한다. 따라서 B가 지면에 도달하는 순간 A는 최고점에 도달한다.

ㄷ. B가 지면에 도달할 때까지 걸린 시간을 t라고 하면 $v_2=\frac{3H}{t}$이다. A를 던진 속도의 수평 성분은 B와 같으므로, $v_{1x}=v_2$이다. A를 던진 속도의 연직 성분은 $v_{1y}t-\frac{1}{2}gt^2=\frac{1}{2}gt^2$에서 $v_{1y}=gt$이므로, v_1의 크기는 다음과 같다.

$v_1=\sqrt{{v_{1x}}^2+{v_{1y}}^2}=\sqrt{{v_2}^2+(gt)^2}$

B가 지면에 도달하는 시간 $t=\sqrt{\frac{2H}{g}}$이므로 $gt=\sqrt{2gH}$이므로, 이를 이용해 v_1, v_2의 크기를 나타내면

$v_1=\sqrt{{v_2}^2+2gH}$, $v_2=\frac{3gH}{gt}=\sqrt{\frac{9gH}{2}}$

이다. 두 식을 정리하면 다음과 같다.

$$\frac{v_1}{v_2}=\frac{\sqrt{{v_2}^2+2gH}}{\sqrt{\frac{9gH}{2}}}=\frac{\sqrt{\frac{9gH}{2}+2gH}}{\sqrt{\frac{9gH}{2}}}=\frac{\sqrt{\frac{13gH}{2}}}{\sqrt{\frac{9gH}{2}}}=\frac{\sqrt{13}}{3}$$

05 ㄷ. ㄱ의 설명에서 실이 당기는 힘 $f=\frac{mg}{\cos\theta}$이고, 실이 당기는 힘의 수평 성분이 구심력이므로 각속도는 다음과 같다.

$mg\tan\theta=mr\omega^2 \rightarrow \omega=\sqrt{\frac{g\tan\theta}{r}}$

$\tan\theta$는 A가 B의 2배이므로 각속도는 A가 B의 $\sqrt{2}$배이다. 따라서 주기는 각속도에 반비례하므로 B가 A의 $\sqrt{2}$배이다.

바로 알기 ㄱ. 실이 물체를 당기는 힘의 크기를 f, 실과 연직 방향이 이루는 각을 θ라고 하면 $f\cos\theta=mg$이므로, $f=\frac{mg}{\cos\theta}$이다. 따라서 실이 당기는 힘의 크기는 θ가 작은 B가 A보다 작다.

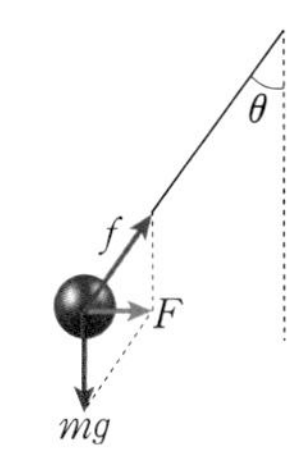

ㄴ. 실이 A를 당기는 힘의 크기는 $\frac{mg}{\cos45°}$이므로, A에 작용하는 구심력 크기는 $\frac{mg}{\cos45°}\times\sin45°=\frac{mv^2}{r}$이다. 따라서 A의 속력 $v=\sqrt{rg}$이다.

06 ㄱ. 용수철에 매달린 물체의 주기는 중력에 상관없이 $T=2\pi\sqrt{\frac{m}{k}}$이다. A, B의 질량이 같고 용수철 상수가 같으므로 A와 B의 주기는 같다.

ㄴ. 그림과 같이 A, B가 평형 위치에 있을 때 용수철 길이는 A가 B보다 작다. 손으로 물체를 밀어 용수철의 길이를 L_0으로 같게 하면 물체가 평형 위치에서 이동한 거리는 B가 A보다 길다. 따라서 물체의 진폭은 B가 A보다 크다.

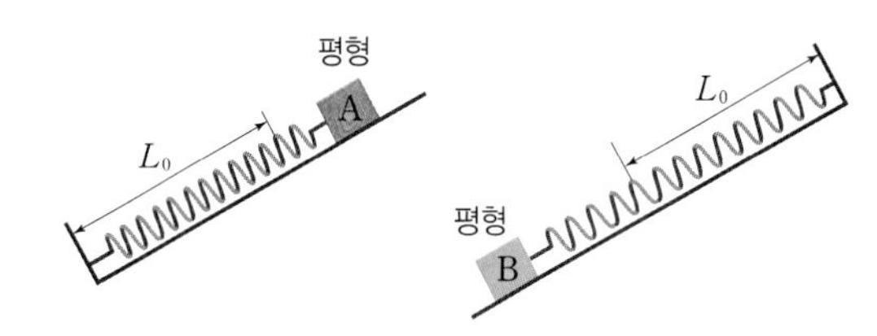

바로 알기 ㄷ. 용수철의 탄성 퍼텐셜 에너지가 물체의 운동 에너지로 전환된다. 진폭이 클수록 탄성 퍼텐셜 에너지가 크므로, 최대 속력은 B가 A보다 크다.

07 ㄷ. ㄴ의 설명에서 A 궤도의 긴반지름은 $\frac{r_0+3r_0}{2}=2r_0$가 되므로, B의 반지름 r_0의 2배이다. 위성의 주기의 제곱이 긴반지름의 세제곱에 비례하므로 주기는 A가 B의 $2\sqrt{2}$배이다.

바로 알기 ㄱ. A의 면적 속도는 일정하므로 행성에 가까울수록 A의 속력이 커진다. 즉, A의 속력은 p에서 최대이다.

ㄴ. 만유인력은 두 물체 사이 거리의 제곱에 반비례하므로, 행성 중심으로부터 A까지의 거리가 r_0일 때 만유인력이 $9F_0$라면 만유인력이 F_0일 때 행성 중심으로부터 A까지의 거리 $x=3r_0$이다.

08 ㄴ. 태양이 주변의 시공간을 휘게 하여 빛의 진행 경로가 휘어지므로 A, B가 다르게 나타난다.

ㄷ. A, B는 시공간이 휘어진다는 것으로 설명이 가능하므로 일반 상대성 이론의 증거이다.

바로 알기 ㄱ. 태양의 질량에 의해 주변의 시공간이 휘어지면 태양 주위를 지나는 별빛이 볼록 렌즈를 지날 때처럼 휘어지므로, 별 사이의 거리가 멀어져 보인다.

09 ㄱ. b에서 반원형 벽이 물체에 작용하는 힘이 0이므로 물체에 작용하는 알짜힘의 크기는 mg이다. b를 지나는 순간 물체는 등속 원운동을 하므로 b에서의 속력을 v_b라고 하면 $\frac{mv_b{}^2}{r}=mg$이다. 따라서 b에서 물체의 운동 에너지 $\frac{1}{2}mv_b{}^2=\frac{1}{2}mgr$이다.

ㄴ. a에서 b까지 운동하는 동안 운동 에너지 감소량은 $2mgr$이므로 a에서 물체의 운동 에너지 $\frac{1}{2}mv^2$은 다음과 같다.

$$\frac{1}{2}mv^2-\frac{1}{2}mv_b{}^2=2mgr$$

$$\frac{1}{2}mv^2=\frac{1}{2}mv_b{}^2+2mgr=\frac{1}{2}mgr+2mgr=\frac{5}{2}mgr$$

따라서 a에서의 속력 $v=\sqrt{5gr}$이다.

ㄷ. b에서의 속력 $v_b=\sqrt{gr}$이고, b에서 c까지 떨어지는 데 걸린 시간 $t=\sqrt{\frac{4r}{g}}$이다. b에서 c까지 떨어지는 동안 속도의 수평 성분은 v_b로 일정하므로 L은 다음과 같다.

$$L=v_bt=\sqrt{gr}\times\sqrt{\frac{4r}{g}}=2r$$

10 ㄱ. A와 B가 함께 운동할 때 단진동의 중심은 용수철의 길이가 $L-2l$인 곳이므로, B의 속력이 최대일 때는 용수철의 길이가 $L-2l$일 때이다. A에 작용하는 중력의 빗면 아래 성분은 W, 용수철의 변형된 길이가 x일 때의 탄성력을 kx, A가 B를 밀어 올리는 힘을 N이라고 하면, (나)에서 A, B에 작용하는 알짜힘은 각각 $ma_A=W+N-kx$, $ma_B=W-N$이다. A와 B가 함께 운동할 때 가속도는 서로 같으므로 $2N=kx$이고, $N=0$인 순간 A와 B는 분리되므로, 이때 $x=0$이다. 즉, 용수철의 길이가 L일 때 A와 B가 분리된다.

바로 알기 ㄴ. A와 B가 함께 운동하는 동안 단진동의 중심은 용수철의 길이가 $L-2l$인 곳이므로, 진폭은 $(L-2l)-(L-5l)=3l$이다. 따라서 역학적 에너지 보존 법칙에 의해 A와 B가 분리되는 순간 다음의 관계가 성립한다.

$$\frac{1}{2}k(3l)^2=\frac{1}{2}k(2l)^2+\frac{1}{2}(2m)v^2 \Rightarrow \frac{5}{2}kl^2=mv^2$$

A와 B가 분리된 후 단진동의 중심은 용수철의 길이가 $L-l$인 곳이다. A와 B가 분리된 순간 탄성 퍼텐셜 에너지와 A의 운동 에너지 합이 단진동의 역학적 에너지이다.

$$\frac{1}{2}kA^2=\frac{1}{2}kl^2+\frac{1}{2}mv^2$$

$$\frac{1}{2}kA^2=\frac{1}{2}kl^2+\frac{5}{4}kl^2=\frac{7}{4}kl^2$$

따라서 A의 진폭 $A=\sqrt{\frac{7}{2}}l$이다.

ㄷ. (가)에서 $kl=mg\sin30°=\frac{1}{2}mg$이다. A, B가 분리되는 순간 B의 운동 에너지 $\frac{1}{2}mv^2=\frac{5}{4}kl^2=\frac{5}{8}mgl$이므로, 분리된 후 B가 올라가는 높이 $h=\frac{5}{8}l$이다. 용수철 길이가 L일 때 A, B가 분리되므로 B를 놓은 순간부터 B가 분리될 때까지 이동한 거리는 $5l$이고, 올라간 높이는 $\frac{5}{2}l$이다. 따라서 B가 정지 상태에서 최고점까지 올라간 높이는 $\frac{5}{8}l+\frac{5}{2}l=\frac{25}{8}l$이고, 이 동안 중력이 B에 하는 일은 $-\frac{25}{8}mgl$이다.

11 (나)에서 기체가 압축된 길이가 $2L$이고 물체와 수평면 사이의 거리가 L이므로 용수철이 늘어난 길이는 L이다. 따라서 기체의 높이가 $4L$에서 $3L$까지 압축될 때는 용수철의 탄성력이 증가하므로 기체의 압력이 일정하게 감소하고, $3L$에서 $2L$까지 압축될 때는 기체의 압력이 일정하다.

(가)에서 피스톤의 면적을 S라고 하면 기체의 압력은 대기압과 같으므로 P_0이고, 부피는 $4SL$이다. (나)에서 용수철이 L만큼 늘어난 상태로 물체가 매달려 정지해 있으므로, 용수철 상수를 k라고 하면 $mg=kL$이다. 이때 기체의 압력은 $P_0-\frac{mg}{S}=P_0-\frac{kL}{S}$이고, 부피는 $2SL$이다. 기체의 상태 변화를 압력-부피 그래프로 나타내면 그림과 같다.

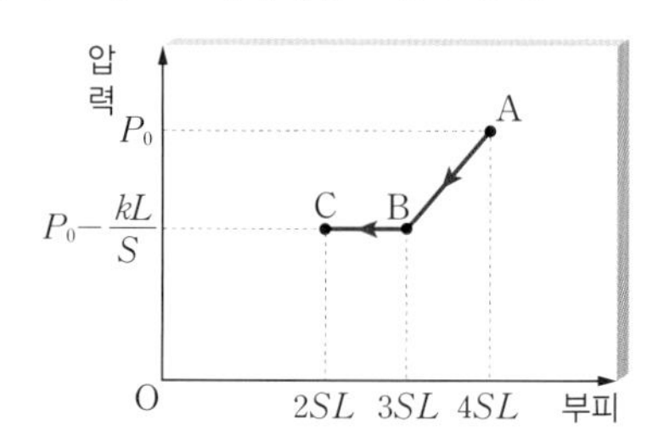

A → B → C 과정에서 기체가 받은 일은 그래프 아래의 넓이이므로 $-W=2P_0SL-\frac{3}{2}kL^2$이고, 용수철에 저장된 에너지를 E라고 하면 용수철이 L만큼 늘어 났으므로 $E=\frac{1}{2}kL^2$이다. $-W=7E$이므로 정리하면 $P_0SL=\frac{5}{2}kL^2$이다.

또 A, C에서의 절대 온도를 각각 T_1, T_2라고 하면 이상 기체 상태 방정식에서 다음과 같다.

$4P_0SL=nRT_1$, $\left(P_0-\frac{kL}{S}\right)\times 2SL=nRT_2$

$nR\Delta T=-2P_0SL-2kL^2=-7kL^2$

열역학 제1법칙 $Q=\Delta U+W$에서 열량 Q는 다음과 같다.

$$Q=\Delta U+W=\frac{3}{2}nR\Delta T+W$$

$$=-\frac{21}{2}kL^2-\frac{7}{2}kL^2=-\frac{28}{2}kL^2=-14kL^2$$

$k=\frac{mg}{L}$이므로 $Q=-14mgL$(방출)이다.

12 ㄱ. A → B → C → A 과정을 압력과 부피의 관계 그래프로 나타내면 다음과 같다.

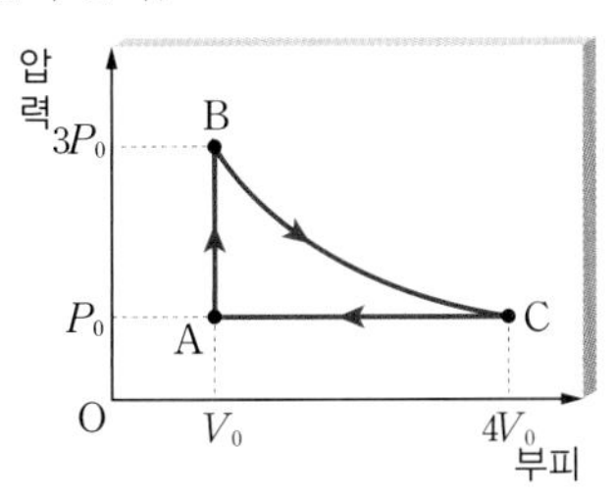

따라서 A → B 과정은 등적 과정이므로, $Q=\Delta U+W=\Delta U$가 되어 기체가 흡수한 열량과 내부 에너지 증가량은 같다.

ㄷ. C → A 과정에서 기체가 외부로 방출한 열량은 기체의 내부 에너지 감소량과 기체가 받은 일의 합이므로, 다음과 같다.

$$\frac{3}{2}R\times 3T_0+P_0\times 3V_0=\frac{9}{2}P_0V_0+3P_0V_0=\frac{15}{2}P_0V_0$$

바로 알기 ㄴ. A → B 과정에서 온도 변화량은 $2T_0$이므로, 내부 에너지 증가량 $\Delta U=\frac{3}{2}R\times 2T_0=3RT_0$이고 흡수한 열량과 같다. B → C 과정에서 온도 변화량은 T_0이므로 내부 에너지 증가량 $\Delta U=\frac{3}{2}RT_0$이고, 외부에 한 일 $W>3P_0V_0=3RT_0$이므로 기체가 흡수한 열량은 $\frac{9}{2}RT_0$보다 크다. 따라서 기체가 A → B 과정에서 흡수한 열량 $3RT_0$보다 B → C 과정에서 흡수한 열량이 크다.

사고력 확장 문제 174쪽~177쪽

01 (1) 마찰이 없으므로 실의 a, b 부분에 걸리는 장력의 크기는 같다. 물체가 정지해 있으므로 Q에 작용하는 힘의 합력도 0이다. a, b의 장력 크기가 같으므로 Q에서 a, b의 장력의 합력은 a, b의 사잇각을 이등분 하는 방향을 향한다. 막대가 Q에 작용하는 힘의 방향은 O에서 Q 방향이므로 막대와 a, b가 이루는 각은 서로 같다.

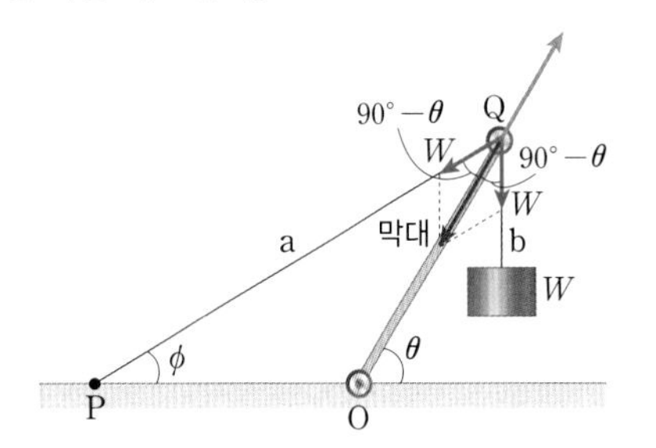

막대와 b가 이루는 각은 $90^\circ-\theta$이므로 막대와 a가 이루는 각도 $90^\circ-\theta$이다. 따라서 $\phi+90^\circ-\theta=\theta$이고, $\phi=2\theta-90^\circ$이다.

모범 답안 (1) $\phi=2\theta-90^\circ$

(2) a, b의 장력의 크기는 W이고 a, b와 막대가 이루는 각은 각각 $90^\circ-\theta$이므로, a, b의 장력의 합력의 크기는 $2W\cos(90^\circ-\theta)=2W\sin\theta$이다. Q에 작용하는 힘의 합력이 0이므로 막대가 Q에 작용하는 힘의 크기는 $2W\sin\theta$이다.

	채점 기준	배점(%)
(1)	ϕ와 θ의 관계식을 옳게 제시한 경우	30
	ϕ와 θ의 관계식을 제시하지 못한 경우	0
(2)	a, b의 장력의 크기가 물체의 무게와 같고, Q에 작용하는 힘의 합력이 0임을 이용하여, 막대가 Q에 작용하는 힘의 크기를 옳게 제시한 경우	70
	힘의 크기만 옳게 제시한 경우	30

02 **모범 답안** (1) 지붕의 질량을 M, 6개의 기둥이 각각 떠받치는 힘의 크기를 F라 하면, 힘의 평형에 의해 2층에서는 $Mg=2F$이고, 1층에서는 $4mg+Mg=4F$이다. 정리하면 지붕의 질량 $M=4m$, 기둥 1개가 떠받치는 힘의 크기 $F=2mg$이다.

(2) 기둥 1개가 떠받치는 힘이 모두 $2mg$이므로, 1층의 오른쪽 기둥이 바닥재를 떠받치고 있는 지점을 회전축으로 하여 바닥재에 돌림힘의 평형을 적용하면 x는 다음과 같다.

$$(mg+2mg)\times\frac{3}{2}L+2mgL$$
$$=2mg\times\frac{L}{2}+2mg(2L-x)+4mgL$$

$$\therefore x=\frac{5}{4}L$$

	채점 기준	배점(%)
(1)	지붕의 질량과 기둥 1개가 떠받치는 힘의 크기를 풀이 과정과 함께 옳게 제시한 경우	50
	지붕의 질량 또는 기둥 1개가 떠받치는 힘의 크기 중 하나만 풀이 과정과 함께 옳게 제시한 경우	25
(2)	거리 x를 풀이 과정과 함께 옳게 제시한 경우	50
	x만 옳게 제시한 경우	20

03 **모범 답안** (1) 등가속도 운동을 하므로 0초일 때의 위치를 원점으로 하면 x축(오른쪽 방향), y축(아래쪽 방향)으로 1초, 2초일 때 변위는 다음과 같다.

- x축: $7\ \text{m}=v_{0x}\times 1\ \text{s}+\dfrac{1}{2}a_x\times(1\ \text{s})^2$

  $12\ \text{m}=v_{0x}\times 2\ \text{s}+\dfrac{1}{2}a_x\times(2\ \text{s})^2$
- y축: $1\ \text{m}=v_{0y}\times 1\ \text{s}+\dfrac{1}{2}a_y\times(1\ \text{s})^2$

  $4\ \text{m}=v_{0y}\times 2\ \text{s}+\dfrac{1}{2}a_y\times(2\ \text{s})^2$

정리하면 $a_x=-2\ \text{m/s}^2$, $a_y=2\ \text{m/s}^2$이고, 가속도의 크기는 다음과 같다.

$a=\sqrt{a_x^2+a_y^2}=\sqrt{(-2\ \text{m/s}^2)^2+(2\ \text{m/s}^2)^2}=2\sqrt{2}\ \text{m/s}^2$

(2) (1)의 등가속도 직선 운동 식에 각 방향의 가속도의 크기를 대입하면

- x축: $7\ \text{m}=v_{0x}\times 1\ \text{s}-\dfrac{2\ \text{m/s}^2}{2}\times(1\ \text{s})^2 \Rightarrow v_{0x}=8\ \text{m/s}$
- y축: $1\ \text{m}=v_{0y}\times 1\ \text{s}+\dfrac{2\ \text{m/s}^2}{2}\times(1\ \text{s})^2 \Rightarrow v_{0y}=0$

이므로, 0초일 때 물체의 속도의 크기는 다음과 같다.

$v_0=\sqrt{v_{0x}^2+v_{0y}^2}=\sqrt{(8\ \text{m/s})^2+0}=8\ \text{m/s}$

	채점 기준	배점(%)
(1)	가속도의 크기를 옳게 구하고, 풀이 과정도 옳게 제시한 경우	50
	가속도의 x 성분과 y 성분은 옳게 구하였으나, 가속도의 크기를 옳게 구하지 못한 경우	30
(2)	속도의 크기를 옳게 구하고, 풀이 과정도 옳게 제시한 경우	50
	0초일 때 속도의 x 성분과 y 성분은 옳게 구하였으나, 속도의 크기를 옳게 구하지 못한 경우	30

04 **모범 답안** (1) 질량 중심을 회전축으로 할 때 다음과 같이 돌림힘이 평형을 이룬다.

$xmg=(L-x)Mg$

따라서 A로부터 질량 중심까지의 거리 $x=\dfrac{ML}{m+M}$이다.

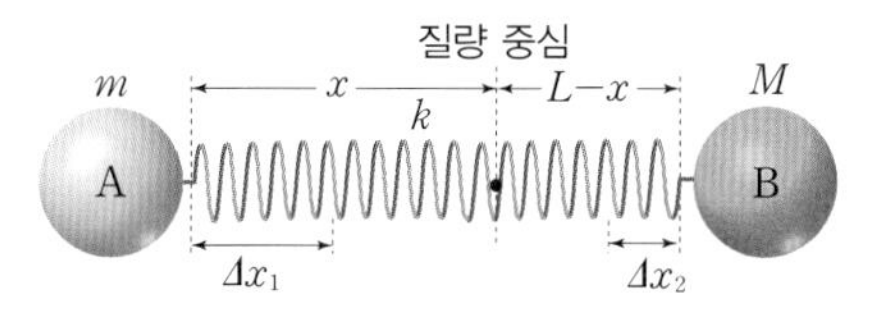

(2) 용수철을 잡아당기면 용수철의 각 부분이 고르게 늘어난다. 따라서 용수철의 늘어난 길이가 $\varDelta x$일 때 질량 중심을 중심으로 늘어난 길이는 각각 다음과 같다.

$\varDelta x=\varDelta x_1+\varDelta x_2$

$\varDelta x_1=\dfrac{M\varDelta x}{m+M}$, $\varDelta x_2=\dfrac{m\varDelta x}{m+M}$

질량 중심을 중심으로 A와 B에 작용하는 용수철의 탄성력은 $k\varDelta x$로 같으므로, 용수철을 질량 중심을 기준으로 나눈 각 부분의 용수철 상수는 다음과 같다.

$k\varDelta x=k_1\varDelta x_1=k_2\varDelta x_2$

$k\varDelta x=k_1\dfrac{M\varDelta x}{m+M}=k_2\dfrac{m\varDelta x}{m+M}$

- A쪽의 용수철 상수: $k_1=\dfrac{m+M}{M}k$
- B쪽의 용수철 상수: $k_2=\dfrac{m+M}{m}k$

따라서 A, B의 주기는 다음과 같이 서로 같다.

- A의 주기: $T_1=2\pi\sqrt{\dfrac{m}{k_1}}=2\pi\sqrt{\dfrac{mM}{(m+M)k}}$
- B의 주기: $T_2=2\pi\sqrt{\dfrac{M}{k_2}}=2\pi\sqrt{\dfrac{mM}{(m+M)k}}$

(3) 용수철이 압축된 길이는 용수철의 길이에 비례한다. 따라서 용수철이 압축된 길이가 A일 때 A, B의 진폭은 다음과 같다.

- A의 진폭: $A_1=\dfrac{M}{m+M}A$
- B의 진폭: $A_2=\dfrac{m}{m+M}A$

역학적 에너지가 보존되므로 탄성 퍼텐셜 에너지가 운동 에너지로 전환되어 다음이 성립한다.

$\dfrac{1}{2}k_1A_1^2=\dfrac{1}{2}mv_1^2$, $\dfrac{1}{2}k_2A_2^2=\dfrac{1}{2}Mv_2^2$

따라서 A와 B의 최대 속력은

- A의 최대 속력: $v_1=\sqrt{\dfrac{k_1}{m}}A_1=\sqrt{\dfrac{m+M}{mM}k}\times\dfrac{M}{m+M}A$
- B의 최대 속력: $v_2=\sqrt{\dfrac{k_2}{M}}A_2=\sqrt{\dfrac{m+M}{mM}k}\times\dfrac{m}{m+M}A$

이므로, A와 B의 최대 속력의 비 $v_1 : v_2=M : m$이다.

	채점 기준	배점(%)
(1)	A로부터 질량 중심까지 거리와 풀이 과정을 모두 옳게 제시한 경우	20
	돌림힘의 평형에 대한 식은 옳게 세웠으나, A로부터 질량 중심까지의 거리를 틀린 경우	10
(2)	두 물체의 주기와 풀이 과정을 모두 옳게 제시한 경우	40
	정답과 풀이 과정 중 하나만 옳게 제시한 경우	20
(3)	두 물체의 최대 속력의 비와 풀이 과정을 모두 옳게 제시한 경우	40
	정답과 풀이 과정 중 하나만 옳게 제시한 경우	20

05 **모범 답안** (1) 태양의 질량을 M이라고 할 때 행성에 작용하는 만유인력이 구심력으로 작용하므로 다음과 같다.

$$G\frac{Mm}{r_0^2}=\frac{mv^2}{r_0} \rightarrow v^2=\frac{GM}{r_0}$$

(가)에서 행성의 운동 에너지 $E_k=\frac{1}{2}mv^2=\frac{GmM}{2r_0}$이므로, 만유인력에 의한 퍼텐셜 에너지 $-G\frac{mM}{r_0}=-2E_k$이다. 따라서 행성의 역학적 에너지는 운동 에너지와 만유인력에 의한 퍼텐셜 에너지의 합이므로 다음과 같다.

$$E=\frac{1}{2}mv^2-G\frac{mM}{r_0}=E_k-2E_k=-E_k$$

(2) 태양에서 근일점, 원일점까지의 거리가 각각 r_0, r이므로 근일점에서 행성의 속력을 v_0이라고 하면 면적 속도 일정 법칙 $r_0v_0=rv$에 의해 원일점에서 행성의 속력 $v=\frac{r_0}{r}v_0$이다. 역학적 에너지가 보존되므로 다음이 성립한다.

$$\frac{1}{2}mv_0^2-G\frac{mM}{r_0}=\frac{1}{2}mv^2-G\frac{mM}{r}$$

$$E_0-G\frac{mM}{r_0}=\left(\frac{r_0}{r}\right)^2E_0-G\frac{mM}{r}$$

$$\left(1-\frac{r_0^2}{r^2}\right)E_0=GmM\left(\frac{1}{r_0}-\frac{1}{r}\right)$$

$$\frac{(r-r_0)(r+r_0)}{r^2}E_0=GmM\left(\frac{r-r_0}{rr_0}\right)$$

$$\therefore\ G\frac{mM}{r_0}=\frac{r+r_0}{r}E_0$$

따라서 행성의 역학적 에너지 E는 다음과 같다.

$$E=\frac{1}{2}mv_0^2-G\frac{mM}{r_0}=E_0-\frac{r+r_0}{r}E_0=-\frac{r_0}{r}E_0$$

이 결과로부터 행성의 근일점에서의 운동 에너지 E_0은 다음과 같다.

$$E_0-G\frac{mM}{r_0}=-\frac{r_0}{r}E_0 \Rightarrow E_0=\frac{GmM}{r_0\left(1+\frac{r_0}{r}\right)}$$

$r>r_0$이므로 $E_0=\frac{GmM}{r_0\left(1+\frac{r_0}{r}\right)}>\frac{GmM}{2r_0}$이 되어 (1)에서 구한 (가)의 행성의 운동 에너지 E_k보다 크다. 근일점에서 만유인력에 의한 퍼텐셜 에너지는 (1)과 (2)에서가 같으므로, 행성의 역학적 에너지는 (나)에서가 (가)에서보다 크다.

	채점 기준	배점(%)
(1)	(가)에서 행성의 역학적 에너지와 풀이 과정을 모두 옳게 제시한 경우	40
	정답과 풀이 과정 중 하나만 옳게 제시한 경우	20
(2)	(나)에서 행성의 역학적 에너지를 구하여 (가)의 행성의 역학적 에너지와 크기를 옳게 비교하고, 풀이 과정을 함께 제시한 경우	60
	(나)에서 행성의 역학적 에너지, (가)의 행성의 역학적 에너지와 크기 비교 중 하나만 옳게 제시한 경우	20

06 우주선 안에 있는 사람이 들고 있던 물체를 가만히 놓았을 때 물체가 아래로 가속도 운동을 하면 우주선 안에서 밖을 볼 수 없는 사람은 이 물체가 중력에 의해 아래로 가속되는지, 우주선이 위로 가속되어 관성력에 의해 아래로 가속되는지 구별할 수 없다.

모범 답안 등가 원리에 의해 중력과 관성력을 구별할 수 없으므로, 등가속도 직선 운동을 하는 우주선 안과 같이 관성력이 있는 공간에서 빛이 휘어져 진행한다면 중력이 있는 공간에서도 빛이 휘어져 진행할 것이다.

채점 기준	배점(%)
관성력과 중력을 구별할 수 없다는 내용으로 설명한 경우	100
내용 설명 없이 등가 원리에 의한 것이라고만 제시한 경우	50

07 **모범 답안** (1) 높이 h를 낙하하는 데 걸리는 시간을 t_1이라고 하면

$$h=\frac{1}{2}gt_1^2 \Rightarrow t_1=\sqrt{\frac{2h}{g}}$$

이다. 공의 x(수평) 방향 속도 크기를 v_x, y(연직) 방향 속도 크기를 v_y라고 하면, 처음 수평면에 도달할 때의 속도 성분은

$v_{0x}=v_0$, $v_{0y}=gt_1=\sqrt{2gh}$

이고, 수평면과 충돌 후 속도의 x, y 성분은 다음과 같이 변한다.

- x 성분: $v_{0x}=v_0,\ v_{1x}=ev_0,\ v_{2x}=e^2v_0,\ \cdots \Rightarrow v_{nx}=e^nv_0$
- y 성분: $v_{0y}=\sqrt{2gh},\ v_{1y}=e\sqrt{2gh},\ \cdots \Rightarrow v_{ny}=e^n\sqrt{2gh}$

따라서 공이 정지할 때까지 걸린 시간 T는 다음과 같다.

$$T=t_1+2(t_2+t_3+\cdots)$$
$$=\sqrt{\frac{2h}{g}}[1+2e(1+e+e^2+\cdots)]=\frac{1+e}{1-e}\sqrt{\frac{2h}{g}}$$

(2) 공이 포물선 운동을 하는 동안 x 방향으로 등속도 운동을 하므로, 정지할 때까지 이동한 거리 s는 다음과 같다.

$$s=v_{0x}\cdot t_1+v_{1x}\cdot 2t_2+v_{2x}\cdot 2t_3+\cdots$$
$$=v_0\sqrt{\frac{2h}{g}}+2e^2v_0\sqrt{\frac{2h}{g}}+2e^4v_0\sqrt{\frac{2h}{g}}+\cdots$$
$$=v_0\sqrt{\frac{2h}{g}}[1+2e^2(1+e^2+e^4+\cdots)]=\frac{1+e^2}{1-e^2}v_0\sqrt{\frac{2h}{g}}$$

(위 계산 과정에서 $\sum_{n=0}^{n}ar^n=\frac{a(1-r^n)}{1-r}$ 이용)

	채점 기준	배점(%)
(1)	정지할 때까지 걸리는 시간과 풀이 과정을 모두 옳게 제시한 경우	50
	정답과 풀이 과정 중 하나만 옳게 제시한 경우	30
(2)	A에서 B까지의 거리와 풀이 과정을 모두 옳게 제시한 경우	50
	정답과 풀이 과정 중 하나만 옳게 제시한 경우	30

08 (1) 부피가 일정할 때 기체가 외부에 한 일이 0이므로 $Q=\varDelta U+W=\varDelta U$이다. 단원자 분자 이상 기체의 내부 에너지

$U=\frac{3}{2}nRT$이므로 $\varDelta U=\frac{3}{2}nR\varDelta T=Q$이다. 따라서 부피가 일정할 때 1몰의 단원자 분자 이상 기체를 1 K 높이는 데 필요한 열량(정적 몰비열) c_V는 다음과 같다.

$$c_V=\frac{Q}{n\varDelta T}=\frac{3}{2}R$$

이상 기체 상태 방정식 $PV=nRT$에서 압력이 일정할 때 외부에 한 일 $W=P\varDelta V=nR\varDelta T$이므로

$$Q=\varDelta U+W=\frac{3}{2}nR\varDelta T+nR\varDelta T=\frac{5}{2}nR\varDelta T$$

이다. 따라서 압력이 일정할 때 1몰의 단원자 분자 이상 기체를 1 K 높이는 데 필요한 열량(정압 몰비열) c_p는 다음과 같다.

$$c_p=\frac{Q}{n\varDelta T}=\frac{5}{2}R$$

(2) 기체가 외부에 한 일은 압력-부피 그래프에서 그래프 아래의 넓이이다. 따라서 A → B 과정에서 기체가 외부에 한 일 W는 다음과 같다.

$$W=\int_{V_1}^{V_2}PdV=\int_{V_1}^{V_2}\frac{k}{V^\gamma}dV=k\int_{V_1}^{V_2}V^{-\gamma}dV$$

$$=k\left[\frac{V^{1-\gamma}}{1-\gamma}\right]_{V_1}^{V_2}=\frac{k}{1-\gamma}(V_2^{1-\gamma}-V_1^{1-\gamma})$$

$k=P_1V_1^\gamma=P_2V_2^\gamma$와 $PV=nRT$를 적용하면 위 식은 다음과 같다.

$$W=\frac{1}{1-\gamma}(P_2V_2-P_1V_1)=\frac{nR}{1-\gamma}(T_2-T_1)$$

모범 답안 (1) $c_V=\frac{3}{2}R$, $c_p=\frac{5}{2}R$

(2) $\frac{nR}{1-\gamma}(T_2-T_1)$

	채점 기준	배점(%)
(1)	c_V, c_p를 모두 옳게 제시한 경우	50
	c_V, c_p 중 하나만 옳게 제시한 경우	25
(2)	기체가 외부에 한 일을 온도 변화로 옳게 표시한 경우	50
	기체가 외부에 한 일을 압력과 부피 변화로 표시한 경우	20

논구술 대비 문제

I 역학적 상호 작용

180쪽~181쪽

실전 문제 1

(1) 피겨 스케이팅 선수가 팔을 벌리거나 오므릴 때 회전축이 되는 몸으로부터 팔의 무게중심까지의 거리가 달라진다. 팔을 벌릴 때는 팔의 무게중심이 몸으로부터 멀어지고, 팔을 오므릴 때는 팔의 무게중심이 몸에 가까워진다. 회전 속력과 팔의 무게중심이 몸으로부터 떨어진 거리 사이의 관계를 유추한다.

(2) 케플러 법칙에서 태양으로부터 행성까지의 거리와 행성의 속력이 관련된 법칙을 찾는다. 이를 이용하여 팔의 무게중심으로부터 몸까지의 거리와 회전 속력의 관계를 유추한다.

예시 답안 (1) 팔의 무게중심은 대략 팔꿈치 근처이다. 따라서 팔을 오므리면 팔꿈치가 몸에 가까워지고, 팔을 벌리면 몸에서 멀어진다. 팔의 무게중심에 회전하는 팔의 질량이 모여 있는 것으로 볼 수 있으므로, 팔을 오므릴 때 회전축으로부터 회전하는 팔의 무게중심까지의 거리가 가까워지고, 팔을 벌릴 때 회전축으로부터 회전하는 팔의 무게중심까지의 거리가 멀어진다.

(2) 케플러 제2법칙은 면적 속도 일정 법칙으로, 태양으로부터 행성까지의 거리가 가까울수록 행성의 속력이 빠르다는 것을 나타낸다. 행성이 태양에 가까울수록 속력이 빨라지는 것처럼 피겨 스케이팅 선수는 팔을 오므려 회전축으로부터 팔의 무게중심까지의 거리를 작게 만들어 회전 속력을 빠르게 한다.

실전 문제 2

예시 답안 나무 도막의 중심점(가로 길이 $\frac{a}{2}$, 세로 길이 a인 점)이 무게중심이다. 나무 도막을 옆으로 기울일 때 이 무게중심이 오른쪽 모서리에서 연직으로 그은 직선에 도달하기 전까지는 무게중심이 점점 위로 올라가지만, 더 기울이면 무게중심이 점점 낮아진다. 따라서 나무 도막이 쓰러지지 않고 원래 자리로 되돌아갈 수 있는 각도의 최댓값 θ는 $\tan\theta=\frac{\frac{a}{2}}{a}=\frac{1}{2}$이다.

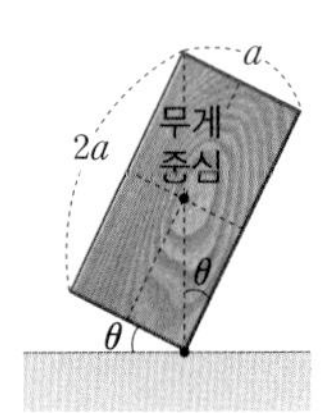

물리학Ⅱ 용어 찾아보기

ㅍ

ㅎ

간단한 수학 공식들

(1) 간단한 수학 공식

① 이차함수와 그래프

$y=ax^2+bx+c(a\neq0)$일 때 y를 x의 이차함수라고 한다.

$y=ax^2+bx+c=a\left(x+\frac{b}{2a}\right)^2-\frac{b^2-4ac}{4a}$의 그래프는 $y=ax^2$의 그래프를 x축 방향으로 $-\frac{b}{2a}$, y축 방향으로 $-\frac{b^2-4ac}{4a}$만큼 평행 이동시킨 포물선이다.

② 이차방정식의 근

$ax^2+bx+c=0$일 때 $x=\frac{-b\pm\sqrt{b^2-4ac}}{2a}$

③ 이항 정리

$(1+x)^n=1+nx+\frac{n(n-1)}{1\cdot2}x^2+\frac{n(n-1)(n-2)}{1\cdot2\cdot3}x^3+\cdots$

④ 수학적 기호와 의미

기호	의미	기호	의미
$=$	같다.	$\ll$	보다 매우 작다.
$\neq$	같지 않다.	$\simeq$	거의 같다.
$\propto$	비례한다.	Δx	x의 변화량, x의 불확정성
$\gg$	보다 매우 크다.	$\sum x_i$	모든 x_i에 대한 합

(2) 지수함수와 대수함수

① 함수의 전개

$e^x=1+x+\frac{x^2}{1\cdot2}+\frac{x^3}{1\cdot2\cdot3}+\cdots$

$\ln(1+x)=x-\frac{1}{2}x^2+\frac{1}{3}x^3-\frac{1}{4}x^4+\cdots$

② 지수함수와 대수함수의 기본 공식

$e=2.718281\cdots$ $e^0=1$ $e^\infty=\infty$

$e^{\ln x}=x$ $e^{-\ln x}=\frac{1}{x}$ $e^xe^y=e^{x+y}$

$(e^x)^y=e^{xy}=(e^y)^x$ $y=e^x$이면 $x=\ln y$

$\log1=0$ $\log10=1$ $\log10^x=x$

$\log x^n=n\log x$ $\log(x^my^n)=m\log x+n\log y$

$\ln e=1$ $\ln1=0$ $\ln e^x=x$

$\ln(xy)=\ln x+\ln y$ $\ln\frac{y}{x}=\ln x-\ln y$

(3) 삼각함수

$\sin(-\theta)=-\sin\theta$, $\cos(-\theta)=\cos\theta$, $\tan(-\theta)=-\tan\theta$

$\sin^2\theta+\cos^2\theta=1$, $\sec^2\theta-\tan^2\theta=1$, $\csc^2\theta-\cot^2\theta=1$

$\sin\left(\frac{\pi}{2}-\theta\right)=\cos\theta$, $\sin\left(\frac{\pi}{2}+\theta\right)=\cos\theta$, $\sin\left(\theta\pm\frac{\pi}{2}\right)=\pm\cos\theta$

$\cos\left(\frac{\pi}{2}-\theta\right)=\sin\theta$, $\cos\left(\frac{\pi}{2}+\theta\right)=-\sin\theta$, $\cos\left(\theta\pm\frac{\pi}{2}\right)=\mp\sin\theta$

$\sin(\pi-\theta)=\sin\theta$, $\sin(\pi+\theta)=-\sin\theta$, $\sin(\theta\pm\pi)=-\sin\theta$

$\cos(\pi-\theta)=-\cos\theta$, $\cos(\pi+\theta)=-\cos\theta$, $\cos(\theta\pm\pi)=-\cos\theta$

$\sin(\alpha\pm\beta)=\sin\alpha\cos\beta\pm\cos\alpha\sin\beta$, $\cos(\alpha\pm\beta)=\cos\alpha\cos\beta\mp\sin\alpha\sin\beta$

$\tan(\alpha+\beta)=\dfrac{\tan\alpha+\tan\beta}{1-\tan\alpha\tan\beta}$, $\tan(\alpha-\beta)=\dfrac{\tan\alpha-\tan\beta}{1+\tan\alpha\tan\beta}$

$\sin2\theta=2\sin\theta\cos\theta$, $\cos2\theta=\cos^2\theta-\sin^2\theta=2\cos^2\theta-1=1-2\sin^2\theta$, $\tan2\theta=\dfrac{2\tan\theta}{1-\tan^2\theta}$

$\sin^2\dfrac{\theta}{2}=\dfrac{1-\cos\theta}{2}$, $\cos^2\dfrac{\theta}{2}=\dfrac{1+\cos\theta}{2}$, $\tan^2\dfrac{\theta}{2}=\dfrac{1-\cos\theta}{1+\cos\theta}$

$\sin\alpha\cos\beta=\dfrac{1}{2}[\sin(\alpha+\beta)+\sin(\alpha-\beta)]$ (신코는 신프신 반)

$\cos\alpha\cos\beta=\dfrac{1}{2}[\cos(\alpha+\beta)+\cos(\alpha-\beta)]$ (코코는 코프코 반)

$\sin\alpha\sin\beta=-\dfrac{1}{2}[\cos(\alpha+\beta)-\cos(\alpha-\beta)]$ (신신은 마코마코 반)

$\sin\alpha+\sin\beta=2\sin\dfrac{\alpha+\beta}{2}\cos\dfrac{\alpha-\beta}{2}$ (신프신은 두신코)

$\sin\alpha-\sin\beta=2\cos\dfrac{\alpha+\beta}{2}\sin\dfrac{\alpha-\beta}{2}$ (신마신은 두코신)

$\cos\alpha+\cos\beta=2\cos\dfrac{\alpha+\beta}{2}\cos\dfrac{\alpha-\beta}{2}$ (코프코는 두코코)

$\cos\alpha-\cos\beta=-2\sin\dfrac{\alpha+\beta}{2}\sin\dfrac{\alpha-\beta}{2}$ (코마코는 마두신신)

(4) 미분과 적분

$\dfrac{dx}{dx}=1$

$\dfrac{d}{dx}(au)=a\dfrac{du}{dx}$

$\dfrac{d}{dx}(u+v)=\dfrac{du}{dx}+\dfrac{dv}{dx}$

$\dfrac{d}{dx}x^n=nx^{x-1}$

$\dfrac{d}{dx}\ln x=\dfrac{1}{x}$

$\dfrac{d}{dx}(uv)=u\dfrac{dv}{dx}+v\dfrac{du}{dx}$

$\dfrac{d}{dx}e^{ax}=ae^{ax}$

$\dfrac{d}{dx}(x^2\pm a^2)^n=2nx(x^2\pm a^2)^{n-1}$

$\dfrac{d}{dx}\sin\omega x=\omega\cos\omega x$

$\dfrac{d}{dx}\cos\omega x=-\omega\sin\omega x$

$\dfrac{d}{dx}\tan x=\sec^2 x$

$\dfrac{d}{dx}\cot x=-\csc^2 x$

$\dfrac{d}{dx}\sec x=\tan x\sec x$

$\dfrac{d}{dx}\csc x=-\cot x\csc x$

$\int dx=x+C$

$\int audx=a\int udx+C$

$\int(u+v)dx=\int udx+\int vdx+C$

$\int x^n dx=\dfrac{x^{n+1}}{n+1}+C(n\neq-1)$

$\int\dfrac{dx}{x}=\ln|x|+C$

$\int\dfrac{dx}{(x^2\pm a^2)^{3/2}}=\dfrac{\pm x}{a^2(x^2\pm a^2)^{1/2}}+C$

$\int\dfrac{dx}{\sqrt{a^2-x^2}}=\arcsin\left(\dfrac{x}{a}\right)+C$

$\int e^x dx=e^x+C$

$\int\sin\omega xdx=-\dfrac{1}{\omega}\cos\omega x+C$

$\int\cos\omega xdx=\dfrac{1}{\omega}\sin\omega x+C$

$\int\tan xdx=\ln|\sec x|+C$

$\int\cot xdx=\ln|\sin x|+C$

$\int\sec xdx=\ln|\sec x+\tan x|+C$

$\int\csc xdx=-\ln|\csc x+\cot x|+C$

물리학Ⅱ | 물리 상수와 그리스 문자

(1) 중요한 물리 상수

물리량	기호	상수값
만유인력 상수	G	$6.67259\times10^{-11}\ \mathrm{N\cdot m^2\cdot kg^{-2}}$
중력 가속도	g	$9.80665\ \mathrm{m\cdot s^{-2}}$
열의 일당량	J	$4.1855\times10^{3}\ \mathrm{J/kcal}$
아보가드로수	N_{A}	$6.02214076\times10^{23}\ \mathrm{mol^{-1}}$
광속(진공에서)	c	$2.99792458\times10^{8}\ \mathrm{m\cdot s^{-1}}$
진공 유전율	ε_0	$8.854187817\times10^{-12}\ \mathrm{F\cdot m^{-1}}$
진공 투자율	μ_0	$1.2566370614\cdots\times10^{-6}\ \mathrm{N\cdot A^{-2}}$
기본 전하량	e	$1.602176634\times10^{-19}\ \mathrm{C}$
전자의 정지 질량	m_e	$9.10938188(72)\times10^{-31}\ \mathrm{kg}$
전자의 비전하	e/m_e	$1.758820174(71)\times10^{11}\ \mathrm{C\cdot kg^{-1}}$
패러데이 상수	F	$9.64853415(39)\times10^{4}\ \mathrm{C\cdot mol^{-1}}$
플랑크 상수	h	$6.62607015\times10^{-34}\ \mathrm{J\cdot s}$
보어 반지름	$a_0,\ r_{\mathrm{B}}$	$5.291772083(19)\times10^{-11}\ \mathrm{m}$
원자의 질량 단위	m_{u}	$1.66053873(13)\times10^{-27}\ \mathrm{kg}$
양성자의 정지 질량	m_{p}	$1.67262158(13)\times10^{-27}\ \mathrm{kg}$
중성자의 정지 질량	m_{n}	$1.67492716(13)\times10^{-27}\ \mathrm{kg}$
볼츠만 상수	k	$1.380649\times10^{-23}\ \mathrm{J\cdot K^{-1}}$

(2) 그리스 문자

대문자	소문자	발음	대문자	소문자	발음
A	α	알파(alpha)	N	ν	뉴(nu)
B	β	베타(beta)	Ξ	ξ	크사이(xi)
Γ	γ	감마(gamma)	O	o	오미크론(omicron)
Δ	δ	델타(delta)	Π	π	파이(pi)
E	ε	엡실론(epsilon)	P	ρ	로(rho)
Z	ζ	제타(zeta)	Σ	σ	시그마(sigma)
H	η	에타(eta)	T	τ	타우(tau)
Θ	θ	시타(theta)	Υ	υ	입실론(upsilon)
I	ι	이오타(iota)	Φ	ϕ	파이(phi)
K	κ	카파(kappa)	X	χ	카이(chi)
Λ	λ	람다(lambda)	Ψ	ψ	프사이(psi)
M	μ	뮤(mu)	Ω	ω	오메가(omega)

과학 고수들의 필독서
HIGHTOP